Curso de Física Básica 2

Fluidos
Oscilações e ondas
Calor

Blucher

H. Moysés Nussenzveig

Professor Emérito do Instituto de Física
da Universidade Federal do Rio de Janeiro

Curso de Física Básica 2

Fluidos
Oscilações e ondas
Calor

5ª edição, revista e ampliada

Curso de Física básica 2
© 2014 H. Moysés Nussenzveig
5ª edição - 2014
4ª reimpressão - 2019
Editora Edgard Blücher Ltda.

Blucher

Rua Pedroso Alvarenga, 1245, 4º andar
04531-934 - São Paulo - SP - Brasil
Tel.: 55 11 3078-5366
contato@blucher.com.br
www.blucher.com.br

Segundo o Novo Acordo Ortográfico, conforme 5. ed. do *Vocabulário Ortográfico da Língua Portuguesa*, Academia Brasileira de Letras, março de 2009.

FICHA CATALOGRÁFICA

Nussenzveig, Herch Moysés
Curso de física básica, 2: fluidos, oscilações e ondas, calor / H. Moysés Nussenzveig. - 5. ed. - São Paulo: Blucher, 2014.

Bibliografia
ISBN 978-85-212-0747-4

1. Física 2. Calor 3. Fluído 4. Mecânica I. Título

13-0809 CDD 531

Índices para catálogo sistemático:
1. Física - mecânica

Apresentação

Este 2º volume do *Curso de física básica* mantém todas as características enunciadas na Apresentação do Volume 1.

Na mecânica dos fluidos, foi enfatizada a distinção entre fluidos ideais e fluidos reais, com uma discussão qualitativa dos principais efeitos da viscosidade, em particular a camada limite e a geração de vórtices. Operadores vetoriais como o rotacional têm sua introdução mais intuitiva, associada ao conceito de circulação num fluido.

No tratamento das oscilações, foi introduzida, desde logo, a notação complexa. Além de simplificar grandemente os cálculos, é logo utilizada na propagação de ondas, prenunciando o seu emprego na teoria quântica. Oscilações acopladas e modos normais auxiliam na transição à física ondulatória. A equação de ondas e sua aplicação às cordas vibrantes recebem tratamento extenso. Em acústica, o mecanismo de propagação e a velocidade de ondas sonoras são tratados em detalhe. São incluídas aplicações aos instrumentos musicais.

Na termodinâmica, a primeira lei é aplicada a diversos tipos de processos e às propriedades dos gases. É apresentada uma discussão cuidadosa da 2ª lei, em suas diferentes formulações, incluindo especialmente o conceito de entropia. A teoria cinética dos gases conduz à obtenção da lei dos gases ideais. É tratado o modelo de van der Waals de um gás real.

Numa introdução à mecânica estatística, a distribuição de Maxwell é deduzida pelo método de Boltzmann. A teoria do movimento browniano leva à relação de Einstein. Há discussões extensas da interpretação estatística da entropia e da origem da seta do tempo.

Esta nova edição, como a do volume 1, foi inteiramente revista e atualizada. A apresentação gráfica foi aprimorada com fotos e novas ilustrações. Tópicos novos introduzidos incluem aplicações da física à biologia. As relações entre física e biologia estão se tornando cada vez mais estreitas, com proveito para ambas. Já existem, em escolas de engenharia, departamentos de engenharia biológica.

Os temas biológicos tratados incluem a motilidade de micro-organismos, o demônio de Maxwell, o Princípio de Landauer, a catraca térmica de Feynman e suas aplicações ao mecanismo de atuação de proteínas motoras. Material suplementar pode ser acessado em www.blucher.com.br, clicando em 'material de apoio'.

Rio de Janeiro, julho de 2013

H. M. Nussenzveig

Conteúdo

1

Estática dos fluidos

1.1 PROPRIEDADES DOS FLUIDOS

Na parte anterior deste curso, discutimos propriedades dos *corpos rígidos*, que representam uma idealização de corpos sólidos. Neste capítulo e no próximo, vamos discutir a mecânica dos *fluidos*, que compreendem tanto líquidos como gases.

Um corpo sólido tem geralmente volume e forma bem definidos, que só se alteram (usualmente pouco) em resposta a forças externas. Um líquido tem volume bem definido, mas não a forma: conservando seu volume, amolda-se ao recipiente que o contém – como a água num copo, mantendo uma *superfície livre* no contato com a atmosfera. Um gás não tem nem forma nem volume bem definidos, expandindo-se enquanto encontrar espaço acessível. Líquidos e gases têm em comum, graças à facilidade de deformação, a propriedade de poderem *se escoar* ou *fluir* facilmente, donde o nome de fluidos.

Para uma definição mais precisa, é necessário classificar os diferentes tipos de forças que atuam num meio material. Se considerarmos um elemento de superfície (externo ou interno) situado no meio, as forças que atuam sobre esse elemento são geralmente proporcionais a sua área. A *força por unidade de área* se chama *tensão*. Conforme a direção, distinguimos entre tensões *normais* e tensões *tangenciais* às superfícies.

Diferentes tipos de tensões normais e tangenciais estão ilustrados na Figura 1.1. Em (a), o bloco B, suspenso do teto por um fio, exerce sobre um elemento de superfície do teto uma tensão **T** *normal* de *tração*. Em (b), o bloco, apoiado no chão, exerce sobre um elemento de superfície do chão uma tensão **T'** também *normal*, de *compressão*, ou, simplesmente, uma *pressão*. Em (c) o bloco está colado entre duas paredes. Em elementos da superfície de contato do bloco com a cola, ele exerce, sobre a cola, tensões *tangenciais* $\mathbf{T}_1$, $\mathbf{T}_2$, chamadas tensões de *cisalhamento*. Essas tensões tenderiam a produzir um deslizamento de camadas adjacentes da cola umas sobre outras (que ocorre enquanto ela está liquefeita).

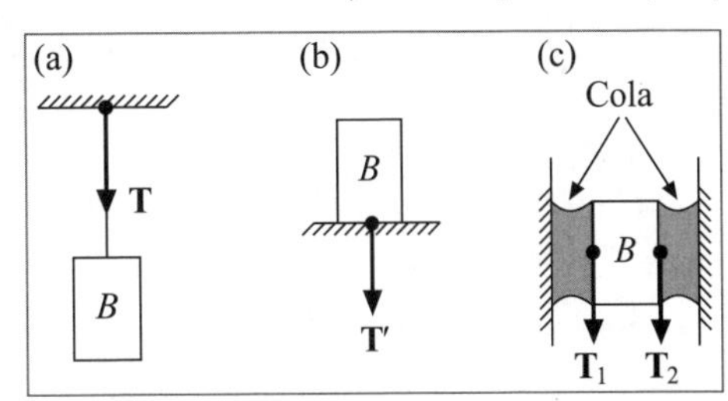

Figura 1.1 Tensões normais e tangenciais.

As reações iguais e contrárias a esse deslizamento, opostas pela cola quando solidificada, equilibram o peso do bloco, sustentando-o entre as paredes.

A diferença fundamental entre sólidos e fluidos está na forma de responder às tensões tangenciais. Um sólido submetido a uma força externa tangencial a sua superfície *se deforma* até que sejam produzidas tensões tangenciais internas que equilibrem a força externa; depois, *permanece em equilíbrio*, ou seja, em repouso. Se a força externa não for excessivamente grande, a deformação é *elástica*, ou seja, o sólido volta à situação inicial quando é retirada a força externa. As deformações elásticas, geralmente, são muito pequenas em confronto com as dimensões do corpo sólido.

Um fluido, ao contrário de um sólido, é incapaz de equilibrar uma força tangencial, por menor que ela seja. Quando submetido a uma tensão tangencial, o fluido *se escoa*, e *permanece em movimento enquanto a força estiver sendo aplicada*. No exemplo (c) da Figura 1.1, enquanto a cola ainda está fluida, ela escorre ao longo das paredes sob a ação do peso; é só quando se solidifica que pode equilibrar as forças tangenciais exercidas pelo bloco.

Uma força arbitrariamente pequena pode produzir num fluido uma deformação arbitrariamente grande, desde que atue durante um tempo suficiente. Um fluido real opõe resistência ao deslizamento relativo de camadas adjacentes: essa resistência mede a *viscosidade* do fluido, e depende da *taxa de variação espacial da velocidade relativa de deslizamento*. Assim, enquanto num sólido a resistência a esforços tangenciais depende da deformação, num fluido ela depende da *velocidade* de deformação, e é por isto que forças pequenas atuando durante tempos grandes podem produzir grandes deformações: para velocidades menores, a resistência oposta é menor.

Por conseguinte, *num fluido em equilíbrio* (velocidade nula), *não pode haver tensões tangenciais*.

Existe uma enorme gama de substâncias com propriedades intermediárias entre sólidos e fluidos, dependendo da natureza e da magnitude das forças, da temperatura e da escala de tempo para que o escoamento sob a ação de esforços tangenciais se torne visível: massa de pão, chiclete, gelatina, piche etc. O piche se fratura como um sólido sob a ação de um impacto brusco, como o de uma martelada, mas também se escoa como um fluido, embora com extrema lentidão, como o asfalto, quando está sendo aplicado numa estrada.

No presente capítulo vamos tratar de propriedades dos fluidos em equilíbrio, ou seja, da *estática* dos fluidos.

1.2 PRESSÃO NUM FLUIDO

Na escala macroscópica, um fluido se comporta como um *meio contínuo*, ou seja, suas propriedades variam com continuidade num entorno de cada ponto do fluido. Isto deixaria de valer na escala microscópica: em dimensões correspondentes às distâncias interatômicas, as propriedades sofrem *flutuações*, que refletem a estrutura atômica da matéria e que serão estudadas mais tarde.

Em condições usuais, as distâncias interatômicas são tão pequenas em confronto com dimensões macroscópicas que as flutuações se tornam imperceptíveis, levando ao modelo do meio contínuo (isto pode deixar de valer para um gás extremamente rarefeito).

Vamo-nos referir com frequência a "elementos de volume infinitésimos" de um fluido. Se $\Delta V = \Delta x\, \Delta y\, \Delta z$ é um tal elemento, ele deve ser entendido como um "infinitésimo físico". Isto significa que as dimensões Δx, Δy, Δz devem ser muito menores que distâncias macroscópicas, mas, ao mesmo tempo, muito maiores que distâncias interatômicas, para que ΔV contenha um grande número de átomos e as flutuações sejam desprezíveis. Como as distâncias interatômicas típicas são da ordem de 10^{-8} cm, é fácil satisfazer simultaneamente a ambas as condições. Assim, por exemplo, para o ar, em condições normais de temperatura e pressão, um cubo de 10^{-3} cm de aresta contém ainda da ordem de 3×10^{10} moléculas, e o número é ainda maior para um líquido, como a água. Considerações análogas valem para um "elemento de superfície infinitésimo" $\Delta S = \Delta x\, \Delta y$.

Assim, podemos definir a *densidade* ρ num ponto P do fluido por

$$\rho = \lim_{\Delta V \to 0} \left(\frac{\Delta m}{\Delta V} \right) = \frac{dm}{dV} \qquad \textbf{(1.2.1)}$$

onde Δm é a massa de um volume ΔV do fluido em torno do ponto P. O limite "$\Delta V \to 0$" nesta expressão deve ser interpretado como significando que ΔV é um infinitésimo físico. A densidade assim definida terá então variação contínua na escala macroscópica. A unidade SI de densidade é o kg/m^3.

Um fluido está em equilíbrio quando cada porção do fluido está em equilíbrio. Para isto, é necessário que a *resultante das forças que atuam sobre cada porção do fluido se anule.*

Podemos classificar as forças atuantes sobre uma porção de um meio contínuo em *forças volumétricas* e *forças superficiais*. As forças volumétricas são forças de longo alcance, como a gravidade, que atuam em todos os pontos do meio, de tal forma que a força resultante sobre um elemento de volume é proporcional ao volume. Assim, no caso da gravidade, a força sobre um elemento de volume ΔV em torno de um ponto do meio onde a densidade é ρ é

$$\Delta \mathbf{F} = \Delta m \mathbf{g} = \rho \mathbf{g} \Delta V \qquad \textbf{(1.2.2)}$$

onde $\mathbf{g}$ é a aceleração da gravidade. Outros exemplos de forças volumétricas seriam forças elétricas sobre um fluido carregado ou forças centrífugas sobre um fluido em rotação, num referencial não inercial, que acompanha a rotação do fluido (Seção 1.4).

As *forças superficiais* são forças de interação entre uma dada porção do meio, limitada por uma superfície S, e porções adjacentes; são forças interatômicas, de curto alcance, transmitidas através da superfície S. A reação de contato entre dois corpos sólidos, estudada no curso anterior, é um exemplo de força superficial. Num recipiente contendo um líquido, a força com que a porção do líquido situada acima de uma dada seção horizontal atua sobre a porção situada abaixo (Figura 1.2) é uma força superficial, aplicada na superfície de separação.

Figura 1.2 Forças superficiais atuam na interface (seta) entre porções adjacentes.

A força superficial sobre um elemento de superfície ΔS é *proporcional* à área ΔS, e a força por unidade de área corresponde à *tensão* (Seção 1.1). Em geral ela pode depender

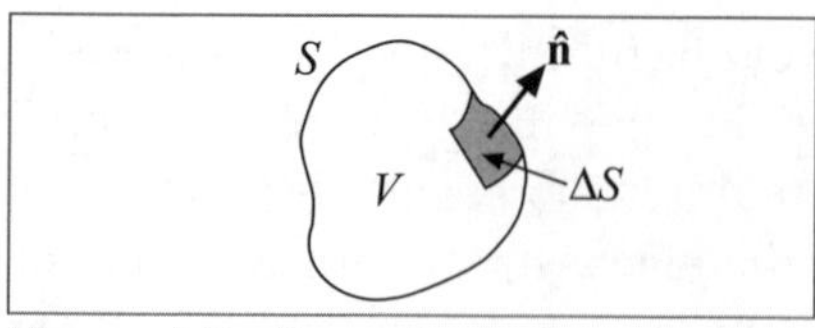

Figura 1.3 Normal externa.

da inclinação do elemento de superfície: no exemplo anterior, poderíamos tomar uma seção vertical ou oblíqua, em lugar de horizontal. Podemos especificar a inclinação dando o vetor unitário $\hat{\mathbf{n}}$ da normal a ΔS, convencionando uma orientação para $\hat{\mathbf{n}}$. Vamos adotar a convenção (Figura 1.3) de que $\hat{\mathbf{n}}$ é a *normal externa*, dirigida para fora da porção do meio que estamos considerando. Assim, $\hat{\mathbf{n}}$ aponta para fora do meio sobre a superfície do qual está sendo exercida a força superficial, e para dentro da porção contígua do meio, que está exercendo essa força. Uma componente positiva de tensão ao longo de $\hat{\mathbf{n}}$ representa um esforço de *tração*, uma componente negativa, uma *pressão* (Seção 1.1).

Consideremos agora o caso de um fluido em equilíbrio. Neste caso, como vimos na Seção 1.1, não pode haver tensões tangenciais: a *força superficial sobre um elemento de superfície dS corresponde a uma pressão p*:

$$d\mathbf{F} = -p\hat{\mathbf{n}}dS \tag{1.2.3}$$

onde

$$p = \left|\frac{d\mathbf{F}}{dS}\right| = \lim_{\Delta S \to 0}\left|\frac{\Delta\mathbf{F}}{\Delta S}\right| \tag{1.2.4}$$

é sempre positiva, e o sinal (–) na (1.2.3) indica tratar-se de uma pressão. Note que a pressão é uma grandeza escalar.

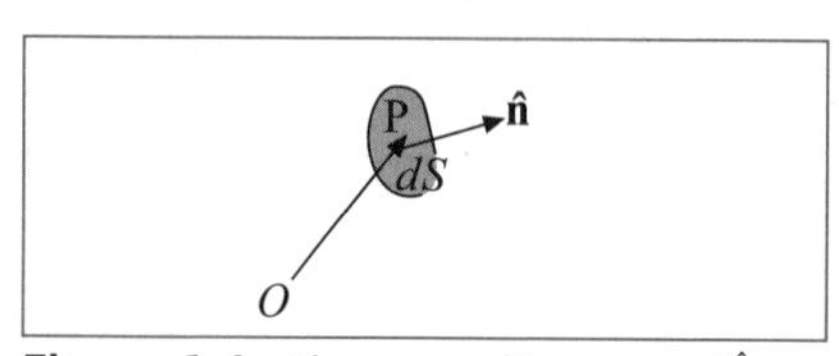

Figura 1.4 Elemento dS e normal $\hat{\mathbf{n}}$.

A pressão p num ponto P do fluido sobre um elemento de superfície dS poderia depender, como vimos, não só de P mas também da orientação (Figura 1.4) da normal $\hat{\mathbf{n}}$ ao elemento dS: $p = p(\mathrm{P}, \hat{\mathbf{n}})$. Vamos ver agora que, num ponto qualquer de um fluido em equilíbrio, p não depende de $\hat{\mathbf{n}}$: a *pressão num ponto de um fluido em equilíbrio é a mesma em todas as direções*.

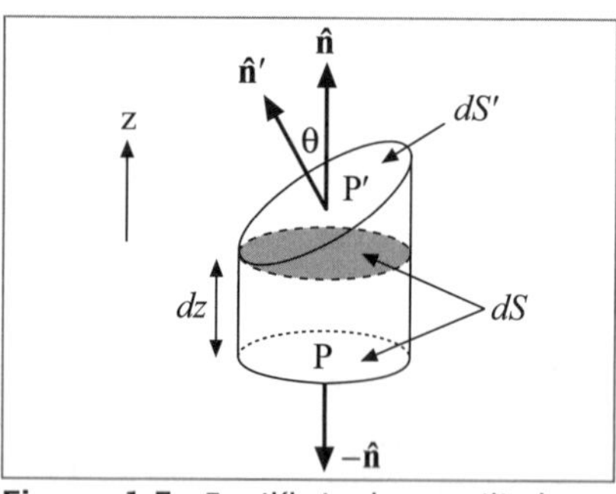

Figura 1.5 Equilíbrio de um cilindro de fluido.

Para demonstrar este resultado, consideremos o equilíbrio de um cilindro infinitésimo do fluido de bases dS e dS' com normais $\hat{\mathbf{n}}$ e $\hat{\mathbf{n}}'$ respectivamente, e geratriz dz, onde tomamos o eixo z paralelo a $\hat{\mathbf{n}}$ (Figura 1.5).

A condição de equilíbrio é que a resultante de todas as forças (volumétricas e superficiais) sobre o cilindro se anule. Vamos escrever as contribuições para a componente z da resultante.

As pressões sobre a superfície lateral do cilindro são normais ao eixo z, de modo que não contribuem. Pela (1.2.3), a força na base superior contribui com ($\mathbf{k}$ = versor de Oz)

$$-p(P',\hat{\mathbf{n}}')dS'\,\hat{\mathbf{n}}'\cdot\mathbf{k} = -p(P',\hat{\mathbf{n}}')dS'\cos\theta$$

onde P′ é o centro da base superior (Figura 1.5). A força na base inferior contribui com

$$-p(P,-\hat{\mathbf{n}})dS(-\hat{\mathbf{n}}\cdot\mathbf{k}) = p(P,\hat{\mathbf{n}})dS$$

pois $\hat{\mathbf{n}} = \mathbf{k}$ e $p(P, -\hat{\mathbf{n}}) = p(P, \hat{\mathbf{n}})$ pela definição de p e pelo princípio de ação e reação.

Como

$$dS'\cos\theta = dS \tag{1.2.5}$$

a contribuição total das forças superficiais é

$$\left[-p(P',\hat{\mathbf{n}}') + p(P,\hat{\mathbf{n}})\right]dS \tag{1.2.6}$$

A contribuição das forças volumétricas pode ser desprezada, porque é proporcional a $dS\,dz$, que é infinitésimo de ordem superior. Analogamente, podemos tomar, na (1.2.6),

$$p(P',\mathbf{n}') \approx p(P,\mathbf{n}') \tag{1.2.7}$$

porque a diferença entre as pressões em P e P′ é infinitésima. Logo, a condição de equilíbrio resulta em

$$\left[-p(P,\hat{\mathbf{n}}') + p(P,\hat{\mathbf{n}})\right]dS = 0$$

ou seja

$$p(P,\hat{\mathbf{n}}') = p(P,\hat{\mathbf{n}}) \tag{1.2.8}$$

quaisquer que sejam $\hat{\mathbf{n}}'$ e $\hat{\mathbf{n}}$, como queríamos demonstrar: a *pressão no interior do fluido só depende da posição* P: $p = p(P)$.

A unidade SI de pressão é 1 N/m^2 = 1 pascal = 1 Pa. Também são utilizados o bar = 10^5 N/m^2 = 10 N/cm^2 = 10^3 milibars, a atmosfera = 1 atm = $1{,}013 \times 10^5$ N/m^2, e o milímetro de mercúrio = 1 mm – Hg = $1{,}316 \times 10^{-3}$ atm.

1.3 EQUILÍBRIO NUM CAMPO DE FORÇAS

Consideremos um fluido em equilíbrio num campo de forças. Seja

$$\Delta\mathbf{F} = \mathbf{f}\,\Delta V \tag{1.3.1}$$

a força volumétrica que atua sobre um volume ΔV do fluido. A densidade de força **f** (força por unidade de volume), pela (1.2.2), seria

$$\mathbf{f} = \rho\mathbf{g} \tag{1.3.2}$$

no caso do campo gravitacional.

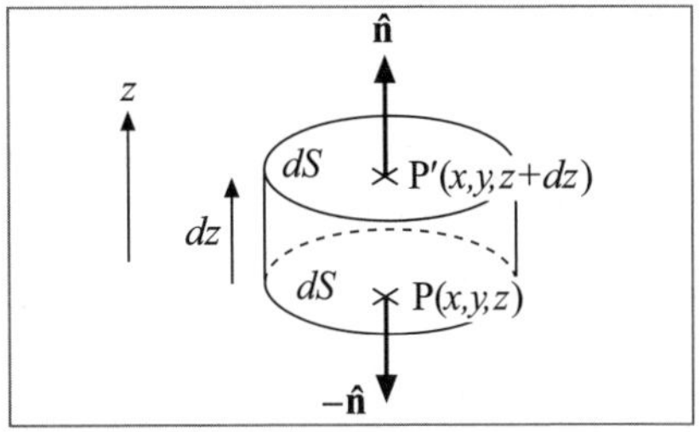

Figura 1.6 Equilíbrio de um cilindro.

Para obter o efeito das forças volumétricas sobre o equilíbrio de um elemento de volume cilíndrico do tipo ilustrado na Figura 1.6, é preciso, conforme vimos na Seção anterior, incluir no cálculo infinitésimos da ordem de $dS\, dz$. Com efeito, a força volumétrica na direção z que atua sobre o cilindro é, pelas (1.3.1) e (1.3.2),

$$f_z dS\, dz \tag{1.3.3}$$

As coordenadas dos pontos P e P′ na Figura 1.6 são, respectivamente, (x, y, z) e $(x, y, z + dz)$. Logo, pela (1.2.6), a contribuição das forças superficiais é

$$\left[-p(x,y,z+dz)+p(x,y,z)\right]dS \tag{1.3.4}$$

e não podemos mais empregar a aproximação (1.2.7). Temos agora, a menos de infinitésimos de ordem superior,

$$p(x,y,z+dz)-p(x,y,z)=\frac{\partial p}{\partial z}(x,y,z)dz$$

de modo que, somando as (1.3.3) e (1.3.4), a condição de equilíbrio fica

$$\left(f_z-\frac{\partial p}{\partial z}\right)dS\, dz=0$$

o que resulta em

$$f_z=\frac{\partial p}{\partial z} \tag{1.3.5}$$

ou seja, a *componente* z *da densidade de força volumétrica é igual à taxa de variação da pressão com* z.

Da mesma forma que tomamos $\hat{\mathbf{n}}$ paralelo ao eixo z, poderíamos ter escolhido um cilindro com $\hat{\mathbf{n}}$ paralelo aos eixos x ou y, levando a resultados análogos para as componentes f_x e f_y. Portanto,

$$\boxed{f_x=\frac{\partial p}{\partial x},\ f_y=\frac{\partial p}{\partial y},\ f_z=\frac{\partial p}{\partial z}} \tag{1.3.6}$$

que são as *equações básicas da estática dos fluidos*. Lembrando a definição do *gradiente* de uma função escalar (**FB1***, Seção 7.4), podemos escrever as (1.3.6) como

$$\boxed{\mathbf{f}=\text{grad}\ p} \tag{1.3.7}$$

ou seja, *a densidade de força volumétrica é igual ao gradiente da pressão.*

Pelas propriedades gerais do gradiente, o vetor grad p é normal às *superfícies isobáricas*, definidas como superfícies sobre as quais a pressão é constante, e aponta para o sentido em que p cresce mais rapidamente. Pela (1.3.7), estes são o sentido e a direção da força volumétrica no ponto correspondente do fluido.

Uma força volumétrica que sempre atua sobre o fluido é a força gravitacional, cuja densidade, pela (1.3.2), é

$$\mathbf{f}=\rho\mathbf{g}=-\rho g\mathbf{k} \tag{1.3.8}$$

---

* A notação **FB1** remete ao volume 1 deste Curso de Física Básica.

tomando o eixo z orientado verticalmente para cima. Neste caso, $f_x = f_y = 0$, e as (1.3.6) mostram que *p só depende da altitude z, $p = p(z)$*, e

$$\boxed{\frac{dp}{dz} = -\rho g} \tag{1.3.9}$$

Logo, no campo gravitacional, a pressão num fluido decresce com a altitude e cresce com a profundidade, como seria de esperar. A sua taxa de variação com a altitude é igual ao *peso específico* ρg do fluido (peso por unidade de volume). Para o elemento de volume cilíndrico da Figura 1.6, a força de pressão sobre a base inferior excede aquela exercida sobre a base superior pelo peso do fluido contido no cilindro, o que leva à (1.3.9).

1.4 FLUIDO INCOMPRESSÍVEL NO CAMPO GRAVITACIONAL

A densidade de um líquido geralmente varia muito pouco, mesmo quando submetido a pressões consideráveis. Por exemplo: a densidade da água só aumenta de ~ 0,5% quando a pressão varia de 1 atm a 100 atm, à temperatura ambiente. Podemos, portanto, com muito boa aproximação, tratar um líquido, na estática dos fluidos, como um *fluido incompressível*, definido por: ρ = constante.

Em muitos casos, a força volumétrica **F** é *conservativa*. Conforme foi visto no volume **1**, Seção 7.4, isto implica que

$$\mathbf{F} = -\text{grad}\ U \tag{1.4.1}$$

onde U é a energia potencial no campo de forças **F**. Se u é a *densidade de energia potencial correspondente* (energia potencial por unidade de volume), temos então, pelas (1.3.1) e (1.3.7),

$$\mathbf{f} = -\text{grad}\ u = \text{grad}\ p \tag{1.4.2}$$

Como as derivadas parciais de $(-u)$ e p em relação a x, y e z (componentes do gradiente) têm de ser iguais, essas duas funções da posição só podem diferir por uma constante:

$$p = -u + \text{constante} \tag{1.4.3}$$

Em particular, as *superfícies isobáricas são também superfícies equipotenciais.*

A superfície livre de um líquido, em contato com a atmosfera, é uma superfície isobárica, pois todos os seus pontos estão submetidos à pressão atmosférica. Logo, a *superfície livre de um líquido em equilíbrio no campo gravitacional é uma superfície equipotencial desse campo.* Assim, a superfície livre dos oceanos é uma superfície esférica, com centro no centro da Terra. Se nos limitarmos à escala de laboratório, na vizinhança da superfície da Terra, a energia potencial de uma massa m é mgz (z = altitude), de forma que a densidade de energia potencial de um fluido de densidade ρ é

$$u = \rho g z \tag{1.4.4}$$

e a superfície livre de um líquido em equilíbrio (como a água num copo) é uma superfície *horizontal* (z = constante). A (1.4.3) fica, neste caso,

$$p(z) = -\rho g z + \text{constante} \quad \textbf{(1.4.5)}$$

o que também decorre diretamente da (1.3.9), integrando-a em relação a z. A variação de pressão entre as altitudes z_1 e z_2 é

$$\boxed{p(z_2) - p(z_1) = -\rho g(z_2 - z_1)} \quad \textbf{(1.4.6)}$$

Se z_1 corresponde à superfície livre do líquido, em contato com a atmosfera,

$$p(z_1) = p_0 = \text{pressão atmosférica}$$

e $z_1 - z_2 = h$ é a *profundidade* abaixo da superfície livre. A (1.4.6) dá então a variação da pressão com a profundidade:

$$\boxed{p = p_0 + \rho g h} \quad \textbf{(1.4.7)}$$

que é a *lei de Stevin: a pressão no interior do fluido aumenta linearmente com a profundidade* (Figura 1.7).

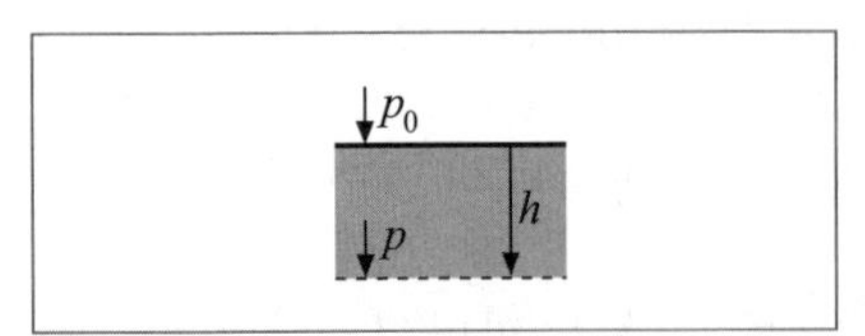

Figura 1.7 Lei de Stevin.

Líquido em rotação: Consideremos um recipiente contendo líquido, em rotação uniforme com velocidade angular ω em relação ao eixo vertical z (Figura 1.8). Como foi mencionado quando discutimos a "experiência do balde girante" de Newton (**FB1**, Seção 13.7), após algum tempo, o líquido gira rigidamente junto com o recipiente. Nestas condições, num referencial não inercial S′ que gira com o recipiente, o líquido está em equilíbrio.

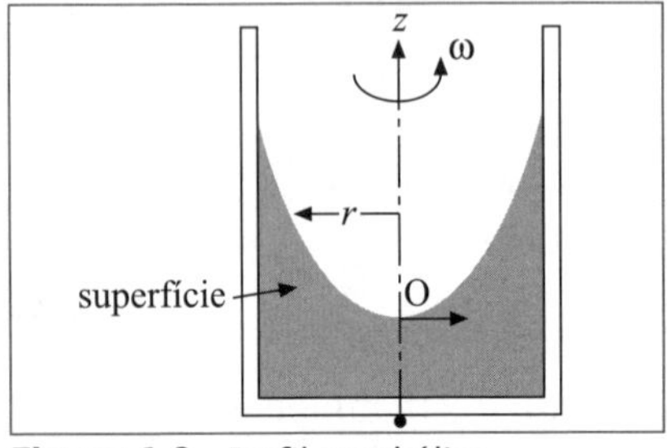

Figura 1.8 Perfil parabólico.

Em S′, além da força da gravidade, de densidade de energia potencial (1.4.4), atuam sobre o fluido as forças centrífugas, dadas por (**FB1**, Seção 13.3)

$$\Delta\mathbf{F}_c = \Delta m \cdot \omega^2 r \hat{\mathbf{r}} \quad \textbf{(1.4.8)}$$

para uma massa $\Delta m = \rho \Delta V$ do fluido situada à distância r do eixo (Figura 1.8); o vetor $\hat{\mathbf{r}}$ aponta radialmente para as paredes a partir do eixo. Temos, portanto, para a densidade de força centrífuga

$$\mathbf{f}_c = \rho\omega^2 r\hat{\mathbf{r}} = -\text{grad } u_c = -\frac{du_c}{dr}\hat{\mathbf{r}} \quad \textbf{(1.4.9)}$$

onde a densidade de "energia potencial centrífuga" $u_c(r)$ é dada por

$$u_c(r) = -\frac{1}{2}\rho\omega^2 r^2 \quad \textbf{(1.4.10)}$$

que devemos somar à (1.4.4) para obter a densidade total.

Substituindo na (1.4.3), obtemos

$$p = \frac{1}{2}\rho\omega^2 r^2 - \rho g z + \text{constante}$$

Tomando a origem O no ponto da superfície livre situado no eixo, vemos, fazendo $r = z = 0$, que a constante é $p = p_0$ (pressão atmosférica). Logo, a distribuição de pressão no líquido é dada por

$$p = p_0 + \frac{1}{2}\rho\omega^2 r^2 - \rho g z \qquad \textbf{(1.4.11)}$$

A equação da superfície livre ($p = p_0$) é

$$\boxed{z = \frac{\omega^2}{2g} r^2} \qquad \textbf{(1.4.12)}$$

que é um paraboloide de revolução (Figura 1.8). Essa propriedade está sendo empregada para construir espelhos parabólicos de eixo vertical, pela rotação de um recipiente com mercúrio. Para utilização como telescópio, fica em torno de 100 vezes mais barato que um espelho de vidro de diâmetro comparável. À primeira vista, não permitiria acompanhar um objeto no céu, pois deve apontar sempre para o zênite, mas arranjos computacionais estão superando esse problema.

A rotação da Terra também modifica a forma da superfície livre dos oceanos: em lugar de uma esfera, tem-se um esferoide oblato.

1.5 APLICAÇÕES

(a) Princípio de Pascal

Pela lei de Stevin, (1.4.6), a *diferença* de pressão entre dois pontos de um líquido homogêneo em equilíbrio é constante, dependendo apenas do desnível entre esses pontos. Logo, *se produzirmos uma variação de pressão num ponto de um líquido em equilíbrio, essa variação se transmite a todo o líquido*, ou seja, todos os pontos do líquido sofrem a mesma variação de pressão.

Este princípio foi enunciado por Pascal, que, em seu "Tratado sobre o equilíbrio dos líquidos" (1663), também o aplicou à *prensa hidráulica*, dizendo:

"Se um recipiente fechado cheio de água tem duas aberturas, uma cem vezes maior que a outra: colocando um pistão bem justo em cada uma, um homem empurrando o pistão pequeno igualará a força de cem homens empurrando o pistão cem vezes maior... E qualquer que seja a proporção das aberturas, estarão em equilíbrio". Ou seja, se F_1 e F_2 são as magnitudes das forças sobre os pistões (Figura 1.9), de áreas A_1 e A_2, respectivamente, temos $F_1/A_1 = F_2/A_2$.

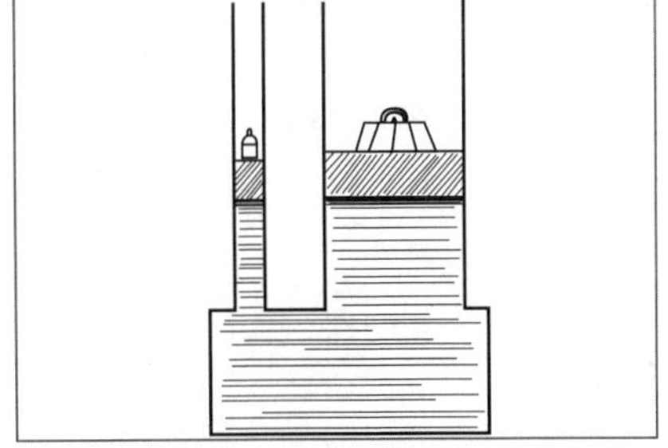

Figura 1.9 Princípio da prensa hidráulica. (Figura de Pascal, séc. XVII).

(b) Vasos comunicantes

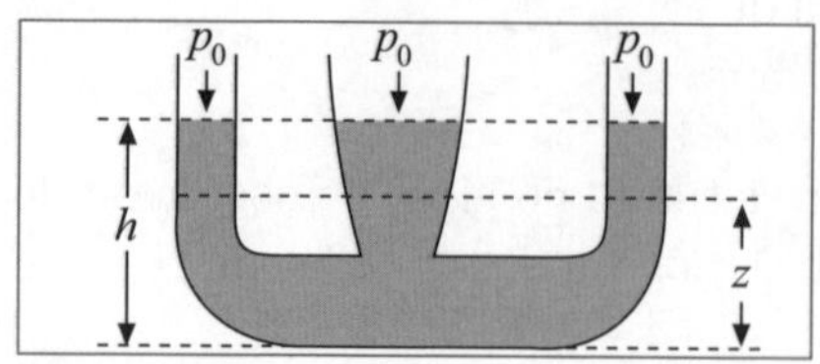

Figura 1.10 Vasos comunicadores.

Se um recipiente é formado de diversos ramos que se comunicam entre si (Figura 1.10), continua valendo que a superfície livre de um líquido que ocupa as diferentes partes do recipiente é horizontal, ou seja, o líquido sobe à mesma altura h em todos os ramos (princípio dos vasos comunicantes). Isto também resulta imediatamente da lei de Stevin (1.4.7) e da igualdade da pressão p em qualquer ponto do fundo do recipiente. Note que a pressão no fluido também tem o mesmo valor em quaisquer pontos dos diferentes ramos que estejam à mesma altura z.

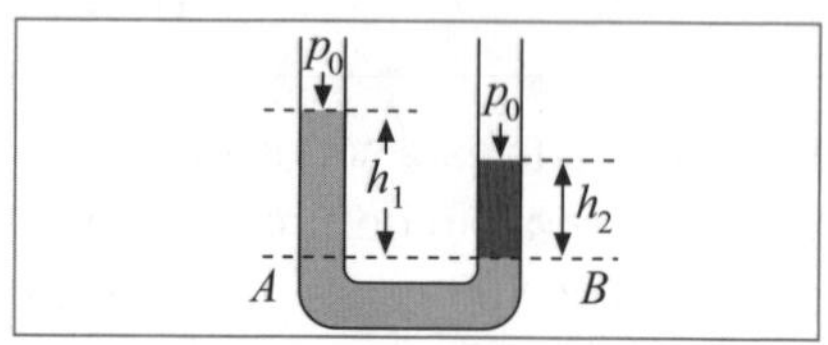

Figura 1.11 Tubo em U.

Se, em dois ramos de um tubo em U, temos dois líquidos de densidades diferentes, $\rho_1 \neq \rho_2$, que não se misturam, eles subirão a alturas diferentes em relação a um plano AB (Figura 1.11) que atravessa os dois ramos pelo mesmo fluido. Se p é a pressão sobre AB, a (1.4.7) resulta em: $p = p_0 + \rho_1 g h_1 = p_0 + \rho_2 g h_2$, de modo que $h_1/h_2 = \rho_2/\rho_1$.

(c) Pressão atmosférica. Manômetros

O princípio da bomba aspirante, o mesmo que produz a sucção de um líquido por uma seringa cujo êmbolo é levantado, era conhecido desde a Antiguidade. Para explicar este e outros efeitos análogos, dizia-se que "a Natureza tem horror ao vácuo": o líquido sobe numa bomba quando o pistão se eleva para não permitir que se forme um espaço vazio, onde existiria o vácuo.

Na época de Galileu, um construtor projetou, para os jardins do duque de Toscana, uma bomba aspirante de grande altura, mas verificou-se que não conseguia aspirar a água a uma altura superior a 10 m. A explicação foi dada por um estudante de Galileu, Evangelista Torricelli, que foi seu sucessor na Academia de Florença. Torricelli afirmou: "Vivemos no fundo de um oceano de ar, que, conforme mostra a experiência, sem dúvida tem peso", devendo, portanto exercer sobre um corpo uma *pressão atmosférica*.

Se esta pressão era justamente suficiente para elevar uma coluna de água a uma altura de ~ 10 m, Torricelli previu que elevaria uma coluna de mercúrio (13,6 vezes mais denso de que a água) a uma altura de ~ (10 m)/13,6 = 76 cm. O experimento conhecido hoje como "experimento de Torricelli" foi realizado em 1643 por seu colega Vincenzo Viviani: um tubo de vidro de aproximadamente 1 m de comprimento, fechado numa extremidade e cheio de mercúrio, foi invertido dentro de uma cuba de mercúrio, tampando antes com o dedo a extremidade aberta (Figura 1.12). A coluna de mercúrio baixou até uma altura ~ 76 cm. Como no "espaço de Torricelli" acima da coluna forma-se um

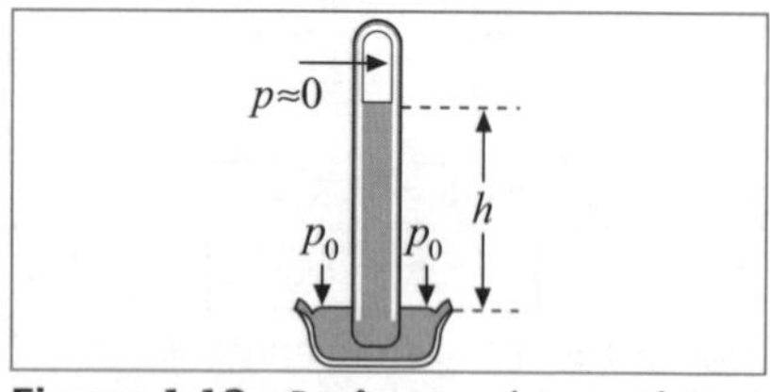

Figura 1.12 Barômetro de mercúrio.

bom vácuo (a pressão de vapor do mercúrio é muito pequena), a (1.4.7) mostra que a pressão atmosférica p_0 é dada por $p_0 = \rho g h$, onde ρ é a densidade do mercúrio. O instrumento constitui um *barômetro de mercúrio*: a altura da coluna de mercúrio permite ler diretamente a pressão atmosférica.

Tomando conhecimento dessa experiência, Pascal concluiu que a altura da coluna barométrica diminuiria no topo de uma montanha, onde a pressão atmosférica deveria ser menor. Pediu a seu cunhado Périer que fizesse a experiência no topo de uma montanha chamada Puy de Dome, e o resultado (em 1648) foi que, para uma diferença de altitude da ordem de 1.000 m, a coluna de mercúrio baixava aproximadamente 8 cm. Em 1654, Otto von Guericke, burgomestre de Magdeburgo, realizou uma demonstração espetacular da pressão atmosférica. Conseguiu produzir um bom vácuo numa esfera oca de cobre formada juntando dois hemisférios, e duas parelhas, de oito cavalos cada, não conseguiram separá-los (veja a Figura P.7 do Probl. 1.8). Esses experimentos tiveram um papel importante, eliminando o preconceito do "horror ao vácuo".

O *manômetro de tubo aberto* (Figura 1.13) é um tubo em U contendo um líquido, com uma extremidade aberta para a atmosfera e a outra ligada ao recipiente onde se quer medir a pressão p. Pela (1.4.7), a pressão num ponto C do fundo do tubo se escreve, sendo ρ a densidade do líquido,

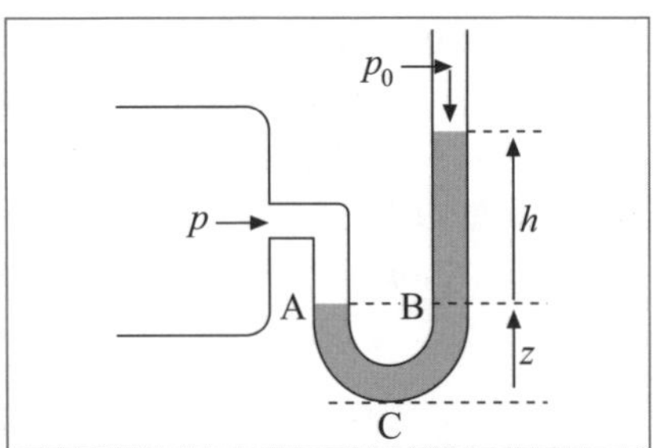

Figura 1.13 Manômetro de tubo aberto.

$$p_C = p + \rho g z = p_0 + \rho g (h + z)$$

o que resulta em

$$p - p_0 = \rho g h \qquad \textbf{(1.5.1)}$$

Este resultado também exprime a igualdade das pressões em pontos A e B do líquido situados à mesma altura z (Figura 1.13). O instrumento mede a *pressão manométrica* $p - p_0$; conhecida a pressão atmosférica p_0, obtém-se a pressão absoluta p.

1.6 PRINCÍPIO DE ARQUIMEDES

Consideremos um corpo sólido cilíndrico circular, de área da base A e altura h, totalmente imerso num fluido em equilíbrio, cuja densidade é ρ (Figura 1.14). Por simetria, vemos que as forças sobre a superfície lateral do cilindro se equilibram duas a duas [pressões (p, p) ou (p', p') na figura]. Entretanto, a pressão p_2 exercida pelo fluido sobre a base inferior é maior do que a pressão p_1 sobre a base superior. Pela (1.4.7),

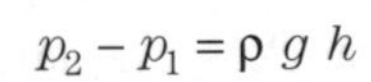

$$p_2 - p_1 = \rho\, g\, h$$

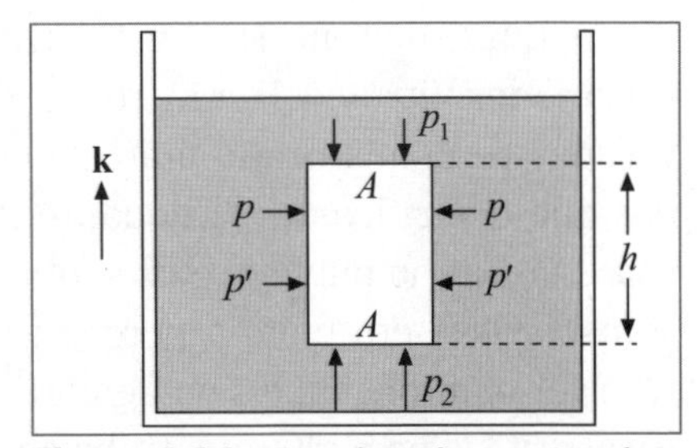

Figura 1.14 Princípio de Arquimedes.

Logo, a *resultante das forças superficiais* exercidas pelo fluido sobre o cilindro será uma força vertical $\mathbf{E} = E\mathbf{k}$ dirigida para cima, com

$$E = p_2A - p_1A = \rho ghA = \rho Vg = mg \quad \textbf{(1.6.1)}$$

onde $V = hA$ é o volume do cilindro e $m = \rho V$ é a massa de fluido deslocada pelo cilindro. Por conseguinte, a força E, que se chama *empuxo*, é dada por

$$\mathbf{E} = mg\mathbf{k} = -\mathbf{P}_f \quad \textbf{(1.6.2)}$$

onde $\mathbf{P}_f$ é o peso da porção de fluido deslocada.

Chega-se ao mesmo resultado aplicando o *princípio de solidificação*, enunciado por Stevin em 1586. Suponhamos que o corpo sólido imerso fosse totalmente substituído pelo fluido. O volume de fluido que ele deslocou estaria em equilíbrio com o resto do fluido. Logo, a resultante das forças superficiais que atuam sobre a superfície S desse volume tem de ser igual e contrária à resultante das forças volumétricas que atuam sobre ele, ou seja, ao peso da porção de fluido deslocada. As pressões superficiais não se alteram se imaginarmos a superfície S "solidificada". Logo, a resultante das forças superficiais sobre o sólido é igual e contrária ao peso da porção de fluido deslocada.

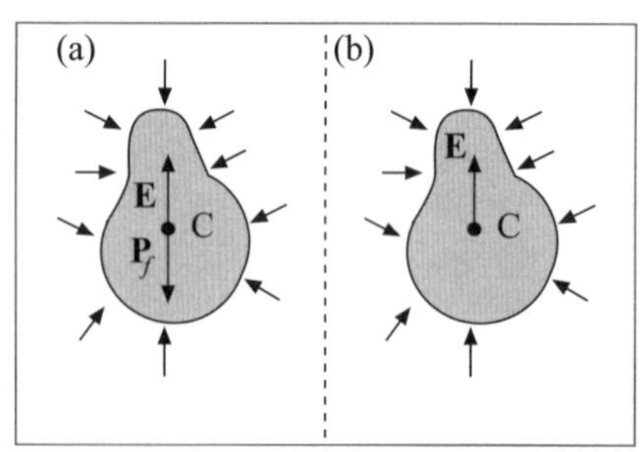

Figura 1.15 Centro de empuxo.

Este raciocínio mostra que o resultado não depende da forma do sólido imerso, que havíamos tomado como sendo um cilindro. Como, para o fluido substituído, $\mathbf{E}$ e $\mathbf{P}_f$, que se equilibram, estão aplicados no *centro de gravidade C da porção de fluido substituída* (Figura 1.15, (a)), concluímos que o empuxo $\mathbf{E}$ sobre o sólido está aplicado no ponto C (Figura 1.15 (b)), que se chama *centro de empuxo*.

Além do empuxo (resultante das forças superficiais), atua sobre o sólido, como força volumétrica, o peso $\mathbf{P}$, aplicado no centro de gravidade G do sólido. Se a densidade média do sólido é menor que a do líquido, ele não pode ficar totalmente imerso, porque isto daria $|\mathbf{E}| > |\mathbf{P}|$; ele ficará então *flutuando*, com o empuxo resultante da porção imersa equilibrando o peso do sólido. Obtivemos assim o enunciado geral do *Princípio de Arquimedes: Um corpo total ou parcialmente imerso num fluido recebe do fluido um empuxo igual e contrário à força peso da porção de fluido deslocada, aplicado no centro de gravidade dessa porção.*

Arquimedes enunciou este princípio no século III a.C. Segundo a lenda contada pelo historiador Vitrúvio, Herão, rei de Siracusa, desconfiava ter sido enganado por um ourives, que teria misturado prata na confecção de uma coroa de ouro, e pediu a Arquimedes que o verificasse: "Enquanto Arquimedes pensava sobre o problema, chegou por acaso ao banho público, e lá, sentado na banheira, notou que a quantidade de água que transbordava era igual à porção imersa de seu corpo. Isto lhe sugeriu um método de resolver o problema, e sem demora saltou alegremente da banheira e, correndo nu para casa, gritava bem alto que tinha achado o que procurava. Pois, enquanto corria, gritava repetidamente em grego 'eureka! eureka!' ('achei!, achei!')". Segundo o historiador, medindo os volumes de água deslocados por ouro e prata e pela coroa, Arquimedes teria comprovado a falsificação.

Equilíbrio dos corpos flutuantes

Na posição de equilíbrio, não só a resultante de **E** (empuxo) e **P** (peso do corpo) tem de ser nula, mas também o torque resultante, o que exige (Figura 1.16) que o centro de empuxo C e o centro de gravidade G do corpo estejam sobre a mesma vertical (**FB1**, Seção 12. 8).

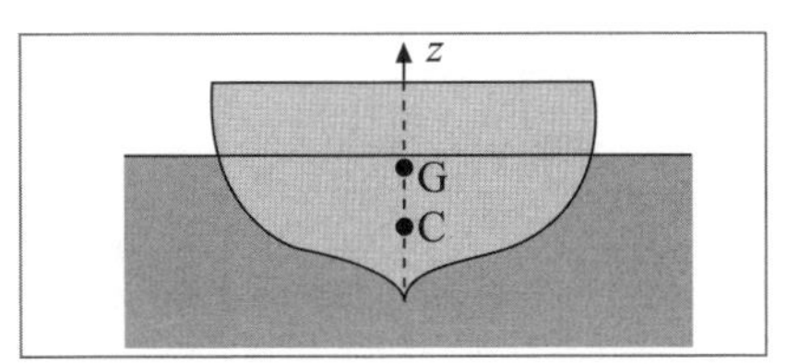

Figura 1.16 Posição de equilíbrio.

Entretanto, isto não garante a *estabilidade* do equilíbrio. Quando o corpo gira, a porção de fluido deslocada muda de forma, e o novo centro de empuxo é C′ (Figura 1.17).

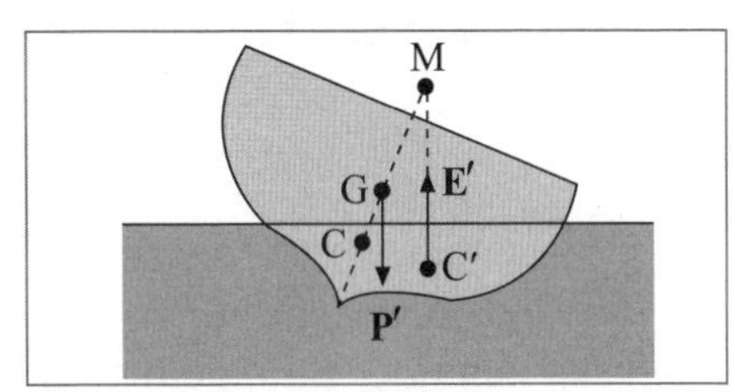

Figura 1.17 Metacentro.

A vertical por C′ corta o eixo CG num ponto M que, para pequenas inclinações, resulta ser praticamente independente do ângulo de inclinação; M chama-se *metacentro*.

Se M está acima de G, o torque gerado por **E**′ e **P**′ (Figura 1.17) tende a restabelecer a posição de equilíbrio, e este é *estável*; se M estiver abaixo de G, o torque tende a aumentar ainda mais o desvio, e o equilíbrio é *instável*. Quando uma ou mais pessoas sentadas se erguem num barco, isto eleva G, e se G subir acima de M o barco tende a virar!

Paradoxo hidrostático: Conforme já havia sido observado por Stevin e por Pascal, se tivermos recipientes de formas muito diferentes, como os da Figura 1.18, mas de mesma área da base A, e se a altura h do líquido é a mesma em todos, a força exercida sobre a base também é, embora o peso do líquido seja muito diferente (paradoxo hidrostático). Isto resulta da igualdade das pressões exercidas sobre o fundo, que só dependem da altura h.

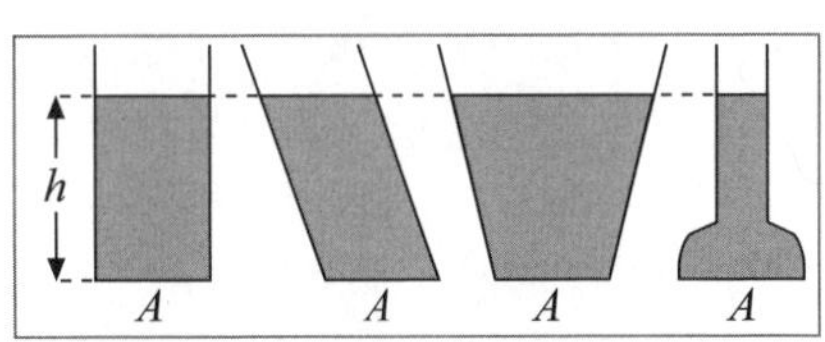

Figura 1.18 Paradoxo hidrostático.

Entretanto, se equilibrarmos uma balança com um frasco vazio sobre o prato, e depois despejarmos líquido, a diferença de peso necessária para reequilibrá-la é igual ao peso do líquido. Para compatibilizar esses resultados, notemos que a força exercida pelo líquido sobre o prato da balança é a resultante de todas as forças exercidas pelo líquido sobre as paredes do frasco (Figura 1.19).

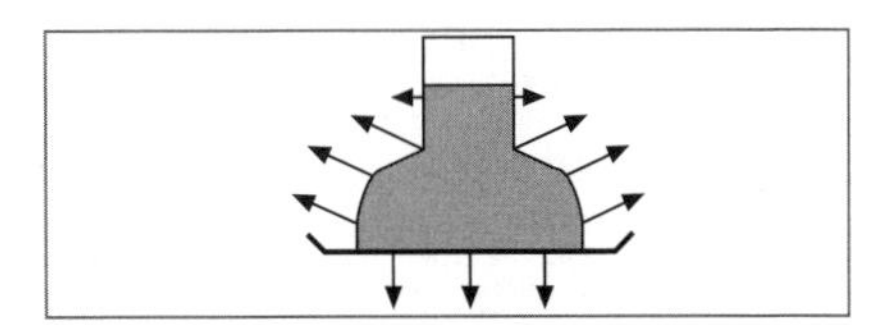
Figura 1.19 Pesagem de líquido.

Estas forças, normais às paredes em cada ponto, são iguais e contrárias às forças exercidas pelas paredes sobre o líquido. Mas a resultante das forças superficiais sobre o líquido, como vimos na demonstração do princípio de Arquimedes, é igual e contrária ao peso do líquido. Logo, a resultante das pressões exercidas pelo líquido sobre as paredes, aplicadas ao prato da balança, é efetivamente igual ao peso do líquido.

A explicação do paradoxo hidrostático resulta imediatamente dessas considerações. Assim, no caso da Figura 1.20 (a), a resultante das pressões sobre as superfícies laterais tem uma componente para baixo, que é responsável pela diferença entre o peso do líquido e a força sobre a base; no caso da Figura 1.20 (b), essa componente é para cima, e é somente no caso da Figura 1.20 (c) que a força sobre a base é igual ao peso do líquido.

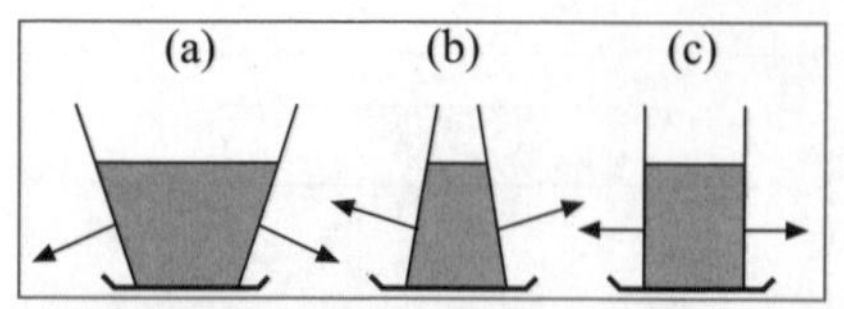

Figura 1.20 Explicação do paradoxo hidrostático.

1.7 VARIAÇÃO DA PRESSÃO ATMOSFÉRICA COM A ALTITUDE

A expressão (1.3.9),

$$\frac{dp}{dz} = -\rho g$$

vale para qualquer fluido em equilíbrio no campo gravitacional, Para um fluido incompressível (líquido), ρ é constante, o que levou à (1.4.6). Para um gás, porém, é preciso levar em conta a compressibilidade, ou seja, o fato de que ρ varia com a pressão.

Se o gás está contido num recipiente de dimensões comparáveis à escala de laboratório, a variação de pressão entre o fundo e o topo é desprezível, porque ρ é muito pequeno. Entretanto, isto não vale para a atmosfera na escala de vários km.

A densidade de um gás está relacionada com a pressão e a temperatura por meio da *equação de estado*. Para o ar, nas condições existentes na atmosfera, vale, com boa aproximação, a lei dos gases perfeitos (Seção 9.1). Para altitudes não muito elevadas ($\leq$ 1 km), podemos desprezar a variação da temperatura com a altitude, supondo a atmosfera *isotérmica*.

A temperatura constante, decorre da lei dos gases perfeitos que a densidade é diretamente proporcional à pressão:

$$\frac{\rho(z)}{p(z)} = \frac{\rho(0)}{p(0)} = \frac{\rho_0}{p_0} \tag{1.7.1}$$

onde tomaremos $z = 0$ como sendo o nível do mar.

Substituindo a (1.7.1) na (1.3.9), vem

$$\frac{dp}{p} = -\frac{\rho_0 g}{p_0} dz = -\lambda dz \tag{1.7.2}$$

onde $\lambda = \rho_0 g/p_0$ é uma constante. A (1.7.2) é análoga à equação que encontramos para a variação da velocidade no movimento de um foguete (**FB1**, Seção 8.6) e se integra de forma análoga:

$$\int_{p_0}^{p} \frac{dp'}{p'} = \ln p' \Big|_{p_0}^{p} = \ln p - \ln p_0 = \ln\left(\frac{p}{p_0}\right) = -\lambda \int_0^z dz' = -\lambda z \quad (1.7.3)$$

o que leva à *lei de Halley*

$$\boxed{p(z) = p_0 e^{-\lambda z}, \qquad \lambda = \frac{\rho_0 g}{p_0}} \quad (1.7.4)$$

Esta *fórmula barométrica* mostra que a pressão, numa atmosfera isotérmica, decresce exponencialmente com a altitude (Figura 1.21), caindo a $1/e \approx 0{,}37$ de seu valor inicial p_0 para uma altitude $z = 1/\lambda = p_0/(\rho_0 g)$. Para o ar à temperatura de 15°C, a densidade ao nível do mar e à pressão de 1 atm = $1{,}013 \times 10^5$ N/m², é $\rho_0 = 1{,}226$ kg/m³, o que daria $1/\lambda = 8{,}4$ km. Esta é a ordem de grandeza da altitude da *troposfera*, a camada mais baixa da atmosfera.

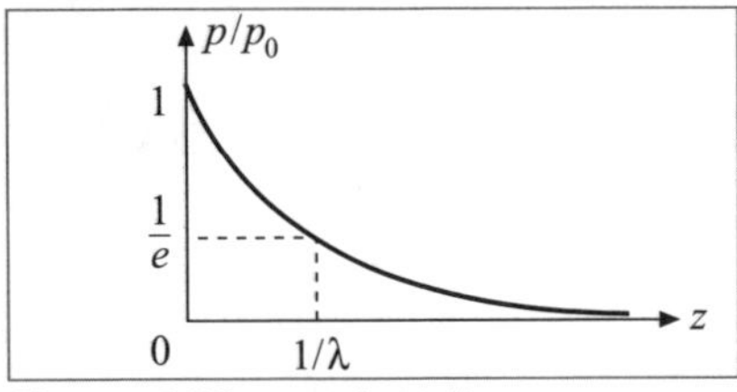

Figura 1.21 Lei de Halley.

A temperatura na troposfera, em lugar de permanecer constante, tende a decrescer para altitudes mais elevadas. A (1.7.4) pode ser empregada se subdividimos a troposfera em camadas de temperatura aproximadamente constante, usando os valores de λ adequados à temperatura média de cada camada. Na estratosfera, situada logo acima da troposfera, a aproximação isotérmica é bastante melhor.

■ PROBLEMAS

1.1 No sistema da Figura P.1, a porção AC contém mercúrio, BC contem óleo e o tanque aberto contém água. As alturas indicadas são: h_0 = 10 cm, h_1 = 5 cm, h_2 = 20 cm; as densidades relativas à da água são: 13,6 (mercúrio) e 0,8 (óleo). Determine a pressão p_A no ponto A (em atm).

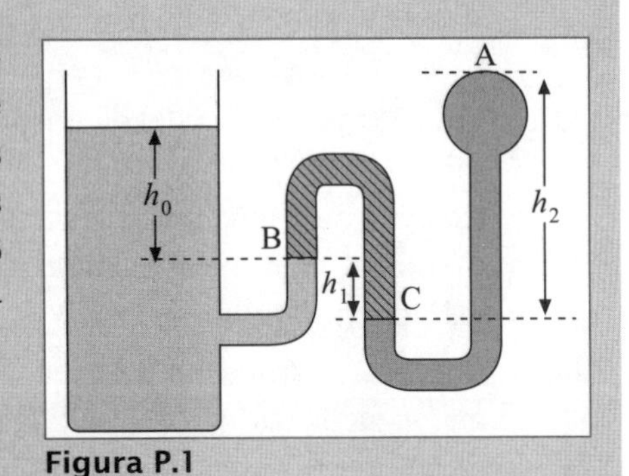

Figura P.1

1.2 No *manômetro de reservatório* (Figura P.2), calcule a diferença de pressão $p_1 - p_2$ entre os dois ramos em função da densidade ρ do fluido, dos diâmetros d e D, e da altura h de elevação do fluido no tubo, relativamente ao nível de equilíbrio N_0 que o fluido ocupa quando $p_1 = p_2$.

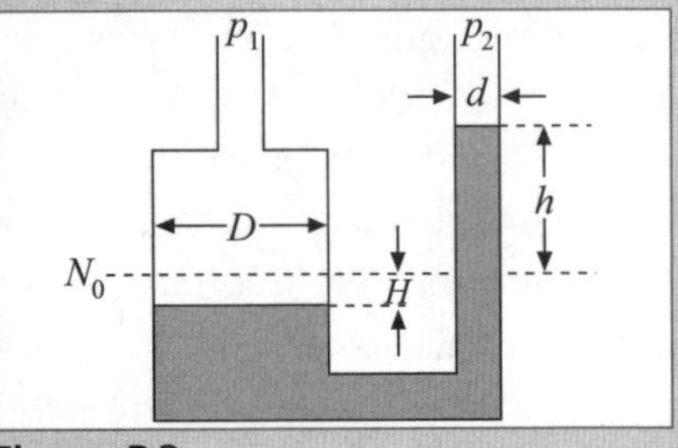

Figura P.2

1.3 O *manômetro de tubo inclinado* (Figura P.3), utilizado para medir pequenas diferenças de pressão, $p_1 - p_2$, difere do descrito no problema 1.2 pela inclinação θ do tubo de diâmetro d. Se o fluido empregado é óleo de densidade $\rho = 0{,}8$ g/cm³, com $d = 0{,}5$ cm, $D = 2{,}5$ cm, escolha θ para que o deslocamento l seja de 5 cm quando $p_1 - p_2 = 0{,}001$ atm.

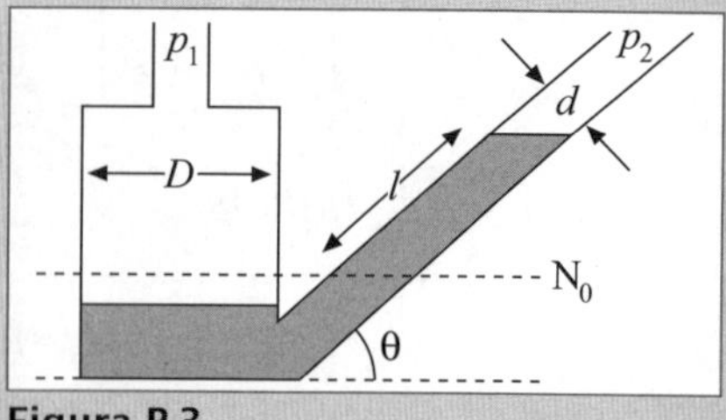

Figura P.3

1.4 Calcule a magnitude F da força exercida por um fluido sobre uma área A de parede plana (inclinada de um ângulo qualquer em relação à vertical) do recipiente que o contém. Para isto, divida a área A em faixas infinitésimas dA horizontais (uma delas é mostrada hachurada na Figura P.4); seja z a profundidade de dA, e ρ a densidade do fluido, (a) Mostre que $F = \rho g\, \bar{z} A$, onde $\bar{z}$ é a profundidade do *centroide* de A, definido como o centro de massa de A, considerada como uma placa plana homogênea.

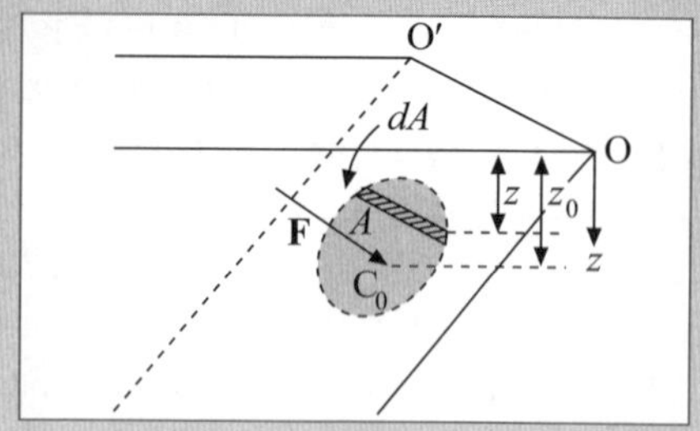

Figura P.4

(b) O torque resultante sobre A, em relação a um eixo horizontal OO′, é o mesmo que se a força F estivesse aplicada num ponto C_0 da área A (veja a Figura P.4), que se chama *centro das pressões*. Mostre que a profundidade z_0 do centro das pressões é dada por $I_0/(\bar{z}A)$, onde $I_0 = \int_A z^2 dA$ é análogo a um "momento de inércia" de A em relação a OO′.

1.5 Uma comporta vertical de forma retangular tem largura l; a altura da água represada é h. (a) Aplicando os resultados do Problema 1.4, calcule a força total F exercida pela água sobre a comporta e localize o centro das pressões; (b) Se $l = 3$ m e o torque máximo suportado pela base da comporta é de 150 kNm, qual é o valor máximo de h admissível?

1.6 Um reservatório tem a forma de um prisma, cujas faces ABCD e A′B′C′D′ são trapézios isósceles com as dimensões indicadas na Figura P.5; as demais faces são retangulares. O reservatório está cheio até o topo de um líquido com densidade ρ. (a) Calcule a força total **F** exercida pelo líquido sobre a base do reservatório, (b) Calcule a resultante **R** das forças exercidas pelo líquido sobre todas as paredes do reservatório e compare-a com o peso total do líquido. Analise o resultado como ilustração do paradoxo hidrostático (Seção 1.6).

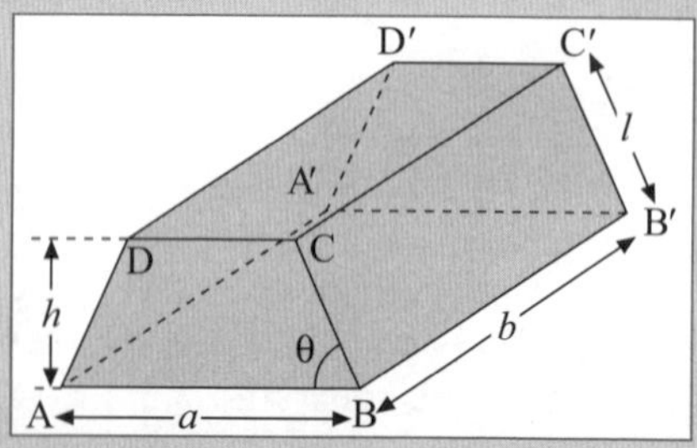

Figura P.5

1.7 Um pistão é constituído por um disco ao qual se ajusta um tubo oco cilíndrico de diâmetro d, e está adaptado a um recipiente cilíndrico de diâmetro D. A massa do pistão com o tubo é M e ele está inicialmente no fundo do recipiente. Despeja-se então pelo tubo uma massa m de líquido de densidade ρ; em consequência, o pistão se eleva de uma altura H. Calcule H.

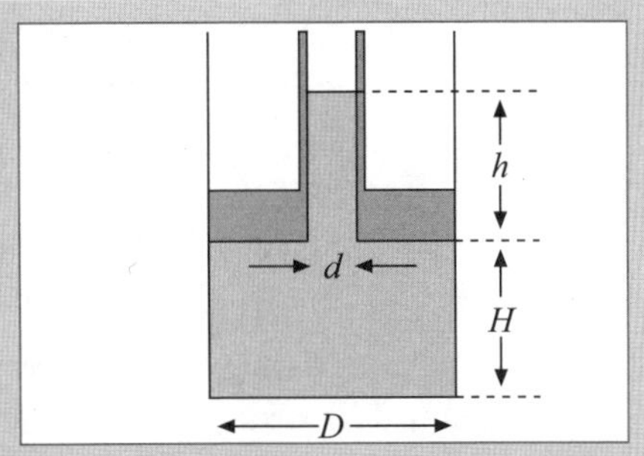

Figura P.6

1.8 No experimento dos hemisférios de Magdeburgo (Seção 1.5) seja Δp a diferença entre a pressão atmosférica externa e a pressão interna, e seja d o diâmetro dos hemisférios, (a) Calcule a força que teria de ser exercida por cada parelha de cavalos para separar os hemisférios, (b) Na experiência realizada em 1654 (Figura P.7), tinha-se d = 37 cm e pode-se estimar a pressão interna residual em 0,1 atm. Qual era a força necessária neste caso? Se um cavalo forte consegue exercer uma tração de 80 kgf, qual teria sido o número mínimo de cavalos em cada parelha necessário para a separação?

Figura P.7 Experimento dos hemisférios de Magdeburgo (desenho de Gaspar Schott).

1.9 É comum dizer que alguma coisa representa apenas "a porção visível de um iceberg". Sabendo-se que a densidade do gelo é 0,92 g/cm^3 e a da água do mar a 1 atm e 0 °C é 1,025 g/cm^3, que fração de um iceberg fica submersa?

1.10 (a) Um cubo de gelo flutua sobre água gelada num copo, com a temperatura da água próxima de 0 °C. Quando o gelo derrete, sem que haja mudança apreciável da temperatura, o nível da água no copo sobe, desce ou não se altera? (b) Um barquinho flutua numa piscina; dentro dele estão uma pessoa e uma pedra. A pessoa joga a pedra dentro da piscina. O nível da água na piscina sobe, desce ou não se altera? (Três físicos famosos a quem este problema foi proposto erraram a resposta. Veja se você acerta!)

1.11 Um *densímetro* tem a forma indicada na Figura P.8, com uma haste cilíndrica graduada, cuja seção transversal tem área A, ligada a um corpo que geralmente contém algum lastro. O densímetro é calibrado mergulhando-o na água, marcando com a graduação "1" a altura na haste até a qual a água sobe e determinando o volume V_0 do densímetro situado abaixo da marca

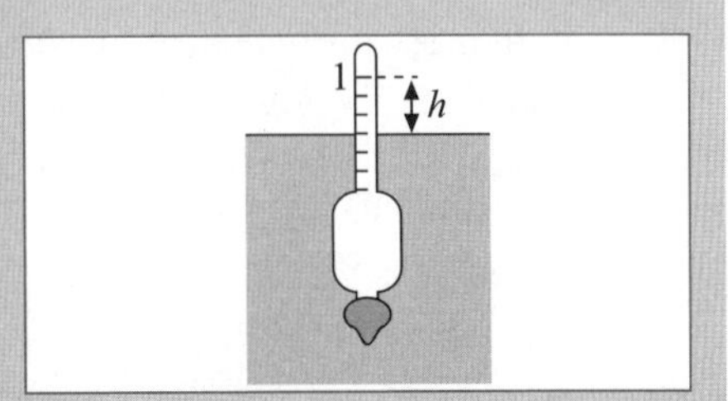

Figura P.8

(ou seja, o volume total que fica mergulhado na água). Seja h a altura da haste entre a graduação "1" e o nível até onde o densímetro mergulha quando colocado num líquido de densidade desconhecida (Figura P.8). Calcule a densidade relativa desse líquido em relação à água, em função de V_0, A e h.

1.12 Suponha que Arquimedes tivesse verificado que: (i) Colocando a coroa do rei Herão dentro de uma banheira cheia de água até a borda, 0,3 l de água transbordavam; (ii) Era preciso aplicar uma força de 2,85 kgf para suspender a coroa mergulhada, retirando-a da água. Sabendo que a densidade do ouro é 18,9 g/cm³ e a da prata é 10,5 g/cm³, que conclusão Arquimedes poderia ter tirado?

Figura P.9

1.13 Um bloco cúbico de aço, de 5 cm de aresta e densidade 7,8 g/cm³, está mergulhado num recipiente com água, suspenso de uma balança de molas graduada em kgf. A massa total do recipiente e da água é de 1 kg, e ele está sobre um prato de uma balança, equilibrado por um peso de massa m no outro prato (Figura P.10). (a) Qual é a leitura da balança de molas? (b) Qual é o valor de m?

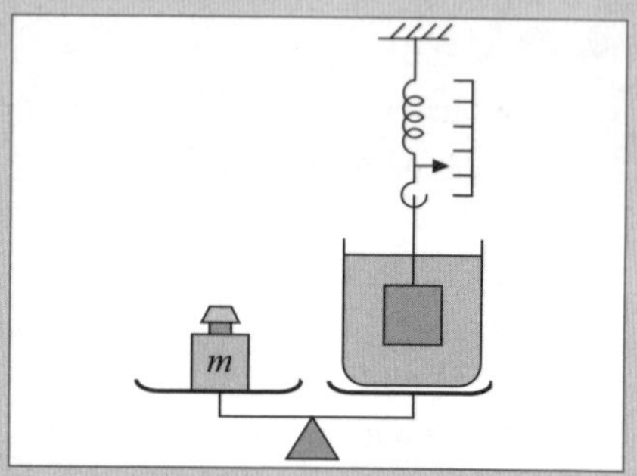

Figura P.10

1.14 Um tubo em U, contendo um líquido, gira em torno do eixo Oz (Figura P.11), com velocidade angular de 10 rad/s. A distância d entre os dois ramos do tubo é de 30 cm, e ambos são abertos na parte superior. Calcule a diferença de altura h entre os níveis atingidos pelo líquido nos dois ramos do tubo.

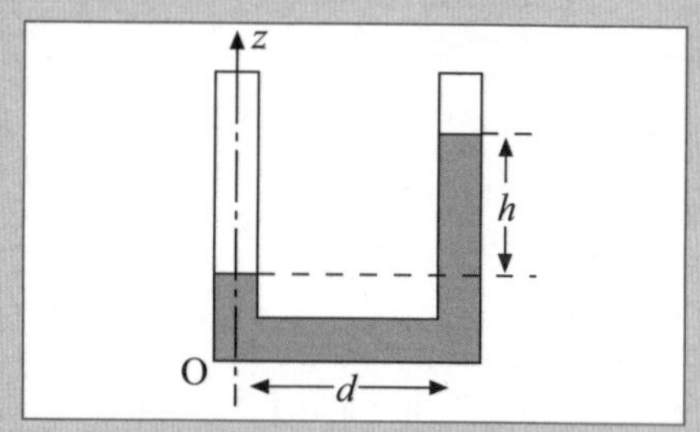

Figura P.11

1.15 Numa corrida de garçons, cada um deles tem de levar uma bandeja com um copo de chope de 10 cm de diâmetro, cheio até uma distância de 1 cm do topo, sem permitir que ele se derrame. Supondo que, ao dar a partida, um garçom acelere o passo uniformemente com aceleração a até atingir a velocidade final, mantendo a bandeja sempre horizontal, qual é o valor máximo de a admissível?

Figura P.12

1.16 Duas bolas de mesmo raio, igual a 10 cm, estão presas uma à outra por um fio curto de massa desprezível. A de cima, de cortiça, flutua sobre uma camada de óleo, de densidade 0,92 g/cm^3, com a metade do volume submersa. A de baixo, 6 vezes mais densa que a cortiça, está imersa metade no óleo e metade na água. (a) Ache a densidade ρ da cortiça; (b) Ache a tensão T no fio.

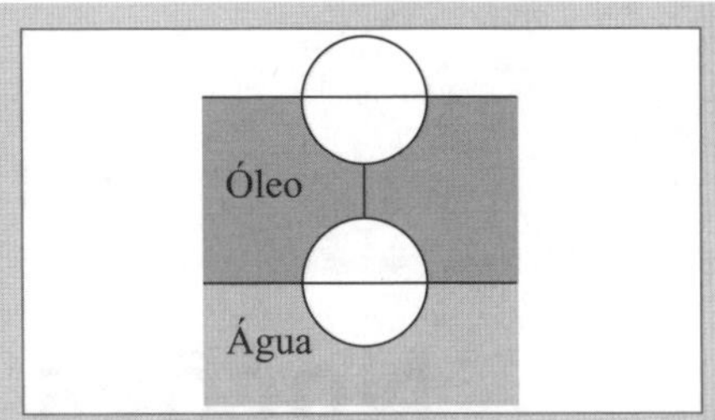

Figura P.13

1.17 Uma campânula cilíndrica de aço, sem fundo, de 3 m de altura, é baixada na água, a partir da superfície, até que seu teto fique a 5 m de profundidade. Que fração do volume da campânula será invadida pela água (Figura P. 14)?

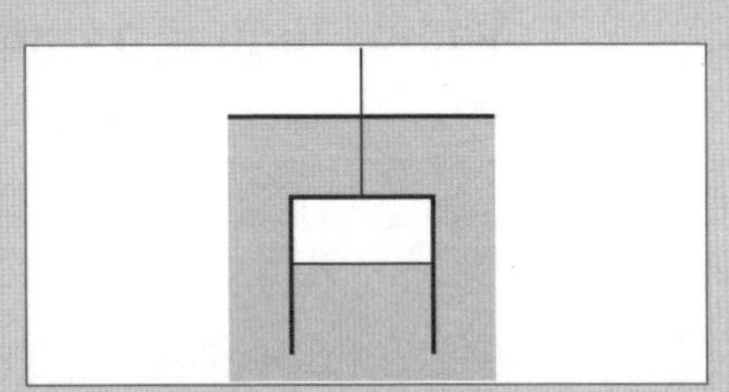
Figura P.14

1.18 Um balão esférico de 5 m de raio está cheio de hidrogênio. Nas condições normais, a densidade do hidrogênio é 0,0899 kg/m^3 e a do ar é 1,29 kg/m^3. Desprezando o peso das paredes, qual é a força ascendente do balão, em kgf?

1.19 Em virtude da variação de temperatura, pressão e salinidade, a densidade ρ da água do mar aumenta com a profundidade h segundo a lei $\rho = \rho_0 + c\,h$, em que ρ_0 é a densidade na superfície e c é uma constante positiva. Calcule a pressão a uma profundidade h.

1.20 Quando pesados no vácuo, um bloco cúbico de alumínio (densidade 2,7 g/cm^3) e um de chumbo (densidade 11,4 g/cm^3), têm peso equivalente a 10 kg cada um. No ar (densidade 1,29 kg/m^3), qual pesa menos, e qual é a diferença de massa correspondente?

1.21 Verifique o resultado da experiência do Puy de Dome, realizada por Périer em 1648 [Seção 1.5(c)].

2

Noções de hidrodinâmica

A dinâmica dos fluidos é um assunto bastante complexo. Vamos limitar o tratamento a algumas noções introdutórias.

2.1 MÉTODOS DE DESCRIÇÃO E REGIMES DE ESCOAMENTO

Como descrever o movimento de um fluido? Uma possibilidade é imaginá-lo subdividido em elementos de volume suficientemente pequenos para que possamos tratar cada um deles como uma partícula, e depois descrever o movimento de cada partícula do fluido.

Para identificar uma dada partícula, basta dar sua posição $\mathbf{r}_0$ no fluido, num dado instante t_0. Num instante posterior t, ela ocupará uma posição $\mathbf{r} = \mathbf{r}\,(t, \mathbf{r}_0, t_0)$. Quando t varia, o vetor $\mathbf{r}$ descreve a *trajetória* da partícula do fluido. Na prática, podemos individualizar a partícula, colocando um pouco de corante no ponto $\mathbf{r}_0$, no instante t_0, e a trajetória é, então, materializada por meio de uma fotografia de longa exposição do fluido.

Se soubermos calcular $\mathbf{r}$ em função de t para qualquer partícula, teremos uma descrição do movimento do fluido. Este método de descrição é devido a Lagrange. Entretanto, é difícil que se consiga obter uma solução tão completa, e, em geral, não há interesse em conhecer integralmente as trajetórias das partículas do fluido, de forma que não é um método muito empregado.

No método mais utilizado, devido a Euler, fixamos a atenção em cada ponto $\mathbf{r}$ do fluido e descrevemos como varia com o tempo a velocidade $\mathbf{v}$ nesse ponto *fixo* do fluido:

$$\mathbf{v} = \mathbf{v}(\mathbf{r}, t) \tag{2.1.1}$$

Em geral, a cada instante t, será uma partícula diferente do fluido que passará pela posição $\mathbf{r}$.

A associação de um vetor a cada ponto do fluido define nele um *campo vetorial*, que é, neste caso, o *campo de velocidades* no fluido. Para visualizar esse campo num determinado instante, podemos introduzir partículas de corante em diferentes pontos do fluido e depois tirar uma fotografia com tempo de exposição curto.

A Figura 2.1 dá uma ideia do que se obteria para o caso do escoamento numa canalização cujo diâmetro diminui na região central. A direção e o comprimento de cada traço na foto dão a direção e a magnitude da velocidade do fluido no ponto correspondente (no caso, a magnitude aumenta no centro). Se o fluido está se deslocando da esquerda para a direita, por exemplo, podemos também colocar uma seta na extremidade de cada traço para indicar o sentido do vetor velocidade.

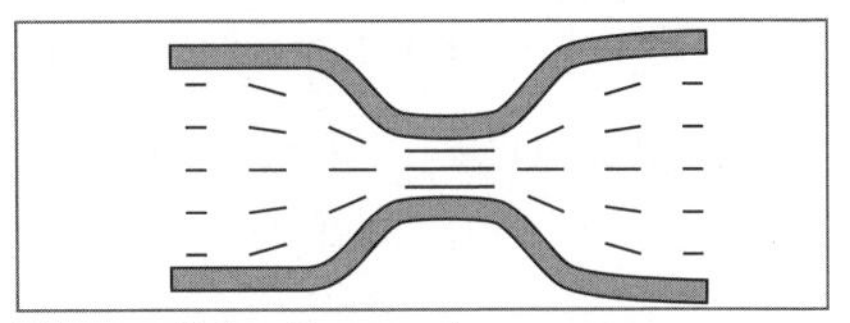
Figura 2.1 Traços de corante.

Chama-se *linha de corrente* num dado instante uma linha *tangente em cada ponto ao vetor* **v** *nesse ponto.* As linhas de corrente são as "linhas de força" do campo de velocidade; é bem conhecido que as linhas de força do campo magnético podem ser visualizadas com o auxílio de limalha de ferro.

A Figura 2.2 mostra o aspecto das linhas de corrente para o exemplo do escoamento numa canalização. Chama-se *tubo de corrente* a superfície formada num determinado instante por todas as linhas de corrente que passam pelos pontos de uma dada curva C fechada situada no fluido (Figura 2.3). Em geral, as linhas e tubos de corrente variam de instante para instante.

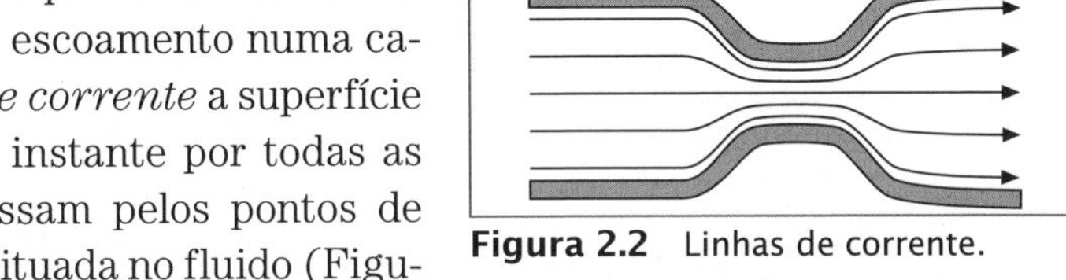
Figura 2.2 Linhas de corrente.

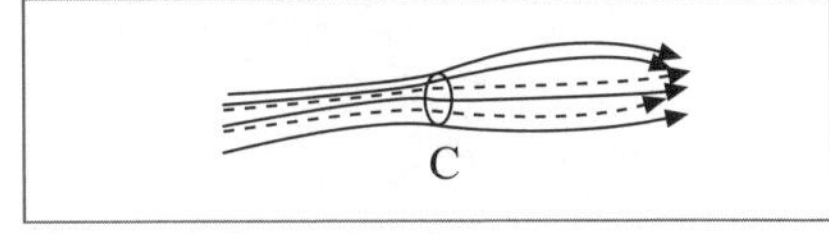

Figura 2.3 Tubo de corrente.

Escoamento estacionário: O escoamento de um fluido se chama *estacionário* ou em *regime permanente* quando o campo de velocidade do fluido não varia com o tempo, ou seja, quando a (2.1.1) se reduz a

$$\mathbf{v} = \mathbf{v}(\mathbf{r}) \qquad \textbf{(2.1.2)}$$

Isto significa que diferentes partículas do fluido sempre passam pelo mesmo ponto com a mesma velocidade, embora **v** possa variar de ponto a ponto. O escoamento de água a baixas velocidades numa canalização ligada a um grande reservatório é, com boa aproximação, estacionário.

Num escoamento estacionário, as linhas de corrente coincidem com as trajetórias das partículas do fluido. Duas linhas de corrente nunca podem se cruzar, porque, num ponto de cruzamento, haveria uma ambiguidade na direção da velocidade, com duas direções diferentes no mesmo ponto. Logo, num escoamento estacionário, as partículas de fluido que estão dentro de um dado tubo de corrente, num dado instante, nunca podem atravessar as paredes desse tubo: permanecem sempre dentro dele, e o fluido escoa dentro do tubo como se suas paredes fossem sólidas, constituindo uma canalização.

Num escoamento *não estacionário*, as linhas de corrente variam a cada instante e não coincidem mais com as trajetórias. Um caso extremo é o escoamento *turbulento*, como o da água numa cachoeira, em que **v** varia de forma extremamente rápida e irregular tanto com t como com **r**.

2.2 CONSERVAÇÃO DA MASSA - EQUAÇÃO DE CONTINUIDADE

Os resultados básicos da dinâmica dos fluidos que vamos estudar decorrem de leis de conservação. Uma delas é a *lei de conservação da massa* aplicada ao movimento do fluido.

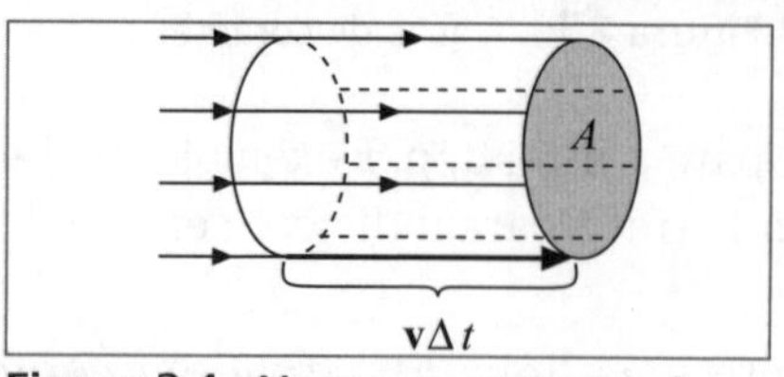

Figura 2.4 Massa que atravessa *A*.

Para ver quais são as consequências dessa lei, consideremos um tubo de corrente cuja seção transversal (⊥ a $\mathbf{v}$) no entorno de um dado ponto do fluido, num dado instante, tem área A (Figura 2.4). Qual é a massa Δm do fluido que atravessa essa seção num intervalo de tempo infinitésimo Δt? Se $\mathbf{v}$ é a velocidade do fluido nesse ponto no instante considerado, é a massa contida num cilindro de base A e altura $v\Delta t$, onde $v = |\mathbf{v}|$. O volume desse cilindro é $Av\Delta t$; logo, se ρ é a densidade do fluido no entorno do ponto considerado, a massa Δm será dada por

$$\Delta m = \rho A v \Delta t \qquad \textbf{(2.2.1)}$$

Consideremos agora um escoamento *estacionário* e uma porção de tubo de corrente situada entre duas seções transversais de áreas A_1 e A_2 (Figura 2.5), onde as velocidades e densidades são, respectivamente, $(\mathbf{v}_1, \rho_1)$ e $(\mathbf{v}_2, \rho_2)$. Como o escoamento é estacionário, a massa do fluido contida entre as seções A_1 e A_2 não pode variar com o tempo, ou seja, a massa Δm_1 que entra por A_1 num intervalo de tempo Δt tem de ser igual à massa Δm_2 que sai do tubo por A_2 nesse mesmo intervalo:

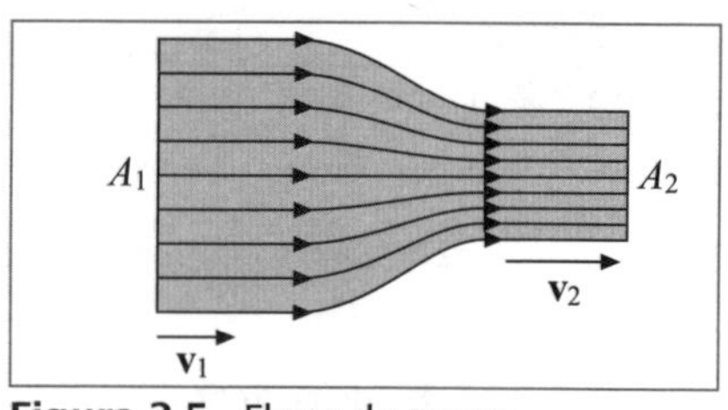

Figura 2.5 Fluxo de massa.

$$\Delta m_1 = \rho_1 A_1 v_1 \Delta t = \Delta m_2 = \rho_2 A_2 v_2 \Delta t \qquad \textbf{(2.2.2)}$$

o que resulta em

$$\boxed{\rho_1 A_1 v_1 = \rho_2 A_2 v_2} \qquad \textbf{(2.2.3)}$$

ou seja, o *produto* ρAv *permanece constante ao longo do tubo de corrente*, representando o *fluxo de massa por unidade de tempo* através da seção transversal do tubo.

Em particular, se o fluido é *incompressível*, temos $\rho_1 = \rho_2 = \rho$ (constante), e a (2.2.3) fica

$$\boxed{A_1 v_1 = A_2 v_2} \text{ (fluido incompressível)} \qquad \textbf{(2.2.4)}$$

O produto Av = constante, neste caso, mede *o volume de fluido que atravessa a seção transversal do tubo por unidade de tempo*, e se chama *vazão do tubo*. A vazão é medida em m^3/s.

A (2.2.4) mostra que, para um fluido incompressível, a velocidade é inversamente proporcional à área da seção transversal do tubo de corrente considerado. Assim, nas regiões onde o tubo sofre um estrangulamento, o fluido tem de se escoar mais rapidamente, para que a vazão permaneça a mesma. Na Figura 2.5, vemos que isto corresponde a uma maior densidade das linhas de corrente representadas. Esta convenção é usualmente adotada no traçado das linhas de corrente: *a velocidade é maior onde elas estão mais próximas entre si.*

Os resultados acima também se aplicam ao escoamento estacionário de um fluido numa canalização: o tubo de corrente, neste caso, é definido pelas paredes da canalização, pois o fluido se escoa tangencialmente a elas.

Para um *fluido compressível*, como um gás, a (2.2.3) mostra que, se a área A do tubo de corrente permanece a mesma, a densidade varia na razão inversa da velocidade. Esse resultado pode ser aplicado ao escoamento estacionário de carros numa estrada: em regiões onde a velocidade diminui (por exemplo, em frente a postos de fiscalização!), a densidade de carros tende a aumentar.

Se quisermos formular o princípio de conservação da massa no caso geral do escoamento não estacionário de um fluido compressível, não adianta considerar um tubo de corrente, porque as linhas de corrente mudam a cada instante.

Consideremos então um volume V fixo do fluido, limitado por uma superfície fechada S, e seja $\hat{\mathbf{n}}$ o *vetor unitário da normal externa* (ou seja, dirigida para fora de V) em cada ponto de S (Figura 2.6).

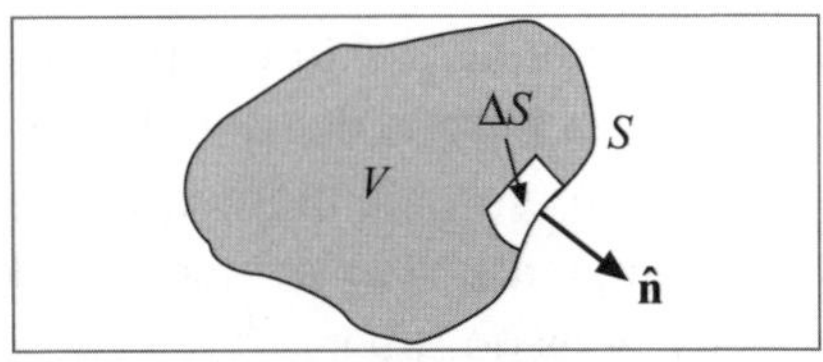

Figura 2.6 Normal externa.

A massa Δm de fluido que atravessa ΔS num intervalo de tempo infinitésimo Δt está contida num cilindro de base ΔS e geratriz $\mathbf{v}\Delta t$ (Figura 2.7), onde $\mathbf{v}$ é a velocidade do fluido no entorno de ΔS no instante considerado, que em geral é oblíqua a ΔS. No caso ilustrado na figura, em que $\mathbf{v}\cdot\hat{\mathbf{n}} > 0$, a altura do cilindro é $\mathbf{v}\cdot\hat{\mathbf{n}}\,\Delta t$, de modo que

$$\Delta m = \rho\mathbf{v}\cdot\hat{\mathbf{n}}\Delta t\Delta S \quad \textbf{(2.2.5)}$$

Vemos que $\mathbf{v}\cdot\hat{\mathbf{n}}\,\Delta S$ representa *o fluxo de massa para fora do volume V, por unidade de tempo através de ΔS*, no instante considerado. Isto continua valendo se for $\mathbf{v}\cdot\hat{\mathbf{n}} < 0$ (por exemplo, se invertermos o sentido de $\mathbf{v}$ na Figura 2.7): o sinal negativo significa simplesmente que o fluxo, neste caso, está dirigido para *dentro* de V. Por exemplo, na Figura 2.5, o fluxo através de A_1 é negativo e através de A_2 é positivo.

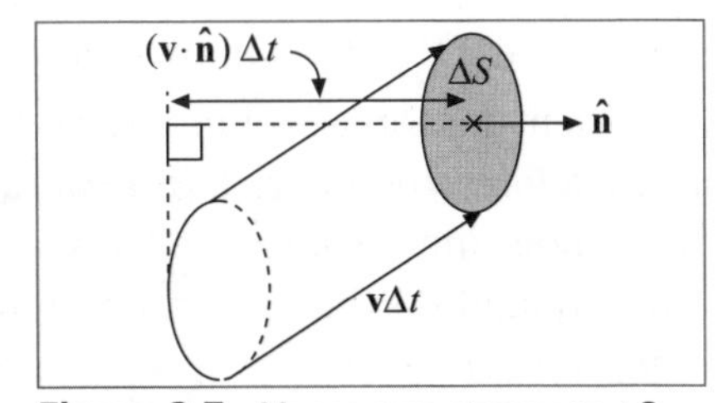

Figura 2.7 Massa que atravessa ΔS.

A massa total de fluido contida dentro do volume V num dado instante é

$$m = \int_V \rho dV \quad \textbf{(2.2.6)}$$

onde dV é o elemento de volume, ρ é a densidade em cada ponto de V no instante considerado, e a integral é estendida ao volume V.

A massa m pode variar com o tempo. Entretanto, como *massa não pode ser criada nem destruída*, tal variação só pode ser devida ao fluxo resultante através da superfície S: m aumenta se entra mais fluido do que sai, e diminui em caso contrário. Pela (2.2.5), o fluxo resultante por unidade de tempo é

$$\oint_S \rho \mathbf{v} \cdot \hat{\mathbf{n}} dS \qquad (2.2.7)$$

onde dS é o elemento de superfície e $\oint_s$ significa a integral estendida à superfície fechada S. Esse fluxo representa o *decréscimo* por unidade de tempo da massa de fluido contida em V, ou seja,

$$\boxed{\oint_S \rho \mathbf{v} \cdot \hat{\mathbf{n}} dS = -\frac{dm}{dt} = -\frac{d}{dt}\int_V \rho dV} \qquad (2.2.8)$$

onde o sinal é negativo porque $dm/dt < 0$ quando o fluxo total para fora é positivo.

A (2.2.8), que é a expressão geral da *lei de conservação da massa* num fluido, chama-se *equação da continuidade*. Num escoamento estacionário, ρ em cada ponto é independente do tempo e o 2° membro da (2.2.8) se anula. Se tomarmos como volume V a porção de tubo de corrente ilustrada na Figura 2.5, o 1° membro se reduz a $\rho_2 A_2 v_2 - \rho_1 A_1 v_1$, de modo que a (2.2.8) se reduz à (2.2.3), neste caso particular. Note que o fluxo através da superfície lateral de um tubo de corrente é nulo, porque $\mathbf{v} \cdot \hat{\mathbf{n}} = 0$ nas paredes do tubo.

2.3 FORÇAS NUM FLUIDO EM MOVIMENTO

Consideremos uma partícula do fluido de volume ΔV. A equação de movimento dessa partícula é dada pela 2ª lei de Newton,

$$\Delta m \mathbf{a} = \rho \mathbf{a} \Delta V = \mathbf{\Delta F}_v + \mathbf{\Delta F}_s \qquad (2.3.1)$$

onde $\mathbf{a}$ é a aceleração da partícula, $\mathbf{\Delta F}_v$ é a resultante das forças volumétricas que atuam sobre ela e $\mathbf{\Delta F}_s$ é a resultante das forças superficiais.

Além das forças volumétricas externas que atuam sobre o fluido, como a gravidade, há uma força volumétrica *interna* que corresponde ao *atrito* no deslizamento de camadas fluidas umas sobre as outras, a força de *viscosidade* (Seção 1.1). Essa força, que só surge quando o fluido está em movimento, corresponde ao aparecimento de *tensões tangenciais*.

Um fluido real sempre tem alguma viscosidade, embora para a água ela seja muito menor do que para um fluido espesso como o mel, por exemplo. Como a viscosidade introduz complicações consideráveis, a dinâmica dos fluidos desenvolveu-se em primeiro lugar ignorando os seus efeitos, levando-os em conta somente numa abordagem posterior. Chama-se *fluido perfeito* ou *fluido ideal* um fluido de viscosidade desprezível. Embora nenhum fluido real seja perfeito, os resultados obtidos na dinâmica dos fluidos ideais podem ser aplicados em diversos casos (com algumas precauções) a fluidos reais, o que justifica o seu estudo.

Num fluido perfeito, não existem tensões tangenciais, mesmo quando ele está em movimento, de modo que as forças superficiais continuam correspondendo a *pressões*, normais às superfícies sobre as quais atuam. Continua também valendo a (1.2.8), ou seja, *a pressão num ponto do fluido não depende da orientação do elemento de superfície sobre o qual atua*. Com efeito, na demonstração dada para um fluido em equilíbrio, a contribuição das forças volumétricas foi desprezada por ser proporcional a ΔV, infinitésimo de ordem superior (Seção 1.2). Para um fluido em movimento, porém, o 1º membro da (2.3.1), que representa o efeito do movimento, também é proporcional a ΔV, de forma que a demonstração dada na Seção 1.2 continua válida: a *pressão num fluido perfeito em movimento só pode depender da posição*. No caso de *equilíbrio*, este resultado vale tanto para um fluido perfeito como real.

A resultante das forças volumétricas e das forças superficiais de pressão sobre um elemento de volume ΔV, calculada na Seção 1.3 para um fluido em equilíbrio, permanece válida, portanto, para um fluido perfeito em movimento (cf. linha acima da (1.3.5)):

$$\mathbf{\Delta F}_v + \mathbf{\Delta F}_s = (\mathbf{f} - \text{grad } p)\Delta V \tag{2.3.2}$$

onde **f** é a densidade de força volumétrica externa [veja (1.3.1)].

Substituindo a (2.3.2) na (2.3.1), obtemos a equação de movimento de um fluido perfeito:

$$\boxed{\rho\mathbf{a} = \mathbf{f} - \text{grad } p} \tag{2.3.3}$$

A relação entre a aceleração **a** e a velocidade **v** num ponto fixo do fluido [cf. (2.1.1)] não é simples, porque **a** é a aceleração de uma partícula do fluido, *acompanhada em seu movimento*, enquanto **v** se refere a um ponto *fixo*.

O caso mais importante na prática é aquele em que **f** se reduz à densidade de força gravitacional, dada por (cf. (1.4.2) e (1.4.4))

$$\mathbf{f} = -\text{grad } (\rho g z) \tag{2.3.4}$$

A (2.3.3) fica

$$\boxed{\rho\mathbf{a} = -\text{grad } (p + \rho g z)} \tag{2.3.5}$$

mostrando que a pressão p se comporta como uma *densidade de energia potencial*. Esta energia está associada às forças superficiais internas, que podem realizar trabalho sobre a superfície de um elemento de volume quando essa superfície se desloca [cf. (1.4.3)].

Para $\mathbf{a} = 0$, as (2.3.3) e (2.3.5) se reduzem às equações básicas da estática dos fluidos (1.3.7) e (1.4.5), respectivamente.

2.4 EQUAÇÃO DE BERNOULLI

Vamos aplicar ao movimento de um fluido perfeito, descrito pelas (2.3.5), a lei de conservação da energia (note que, como ignoramos a viscosidade, não há atrito). Vamos nos limitar para isto ao *escoamento estacionário de um fluido perfeito incompressível*.

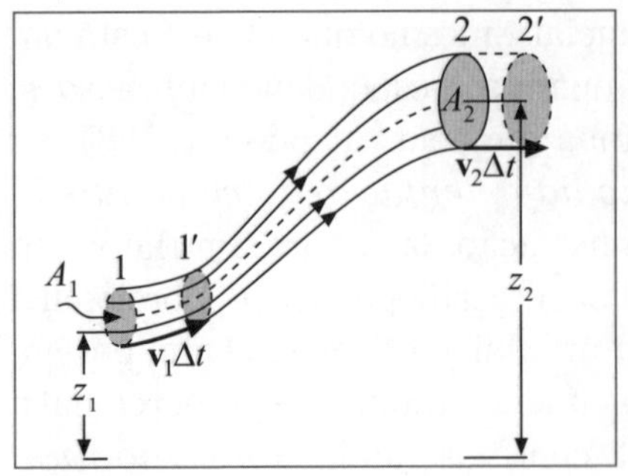

Figura 2.8 Filete de corrente.

Consideremos um tubo de corrente limitado por duas seções transversais de áreas A_1 e A_2, situadas no entorno dos pontos 1 e 2 do fluido (Figura 2.8), respectivamente, onde as pressões são p_1 e p_2, as magnitudes das velocidades v_1 e v_2, e as alturas em relação a um plano horizontal de referência z_1 e z_2. O tubo deve ser suficientemente delgado para que se possa desprezar a variação de todas essas grandezas sobre sua seção transversal; tal tubo estreito se chama um *filete de corrente*.

Durante o intervalo de tempo infinitésimo Δt, a porção considerada do filete, compreendida entre as seções 1 e 2, se desloca para uma nova posição, compreendida entre 1′ e 2′ (Figura 2.8). Como o escoamento é estacionário, a porção do filete compreendida entre 1′ e 2 não precisa ser levada em conta no balanço de energia, pois nessa porção as condições permanecem as mesmas. Para esse balanço, tudo se passa como se a porção entre 1 e 1′ fosse transportada para a região compreendida entre 2 e 2′. Já vimos pela (2.2.4) que as massas dessas duas porções são iguais:

$$\Delta m_1 = \rho A_1 v_1 \Delta t = \rho A_2 v_2 \Delta t = \Delta m_2 \tag{2.4.1}$$

A variação de energia cinética correspondente a esse transporte é

$$\Delta T = \frac{1}{2}\Delta m_2 v_2^2 - \frac{1}{2}\Delta m_1 v_1^2 \tag{2.4.2}$$

Esta variação é igual (**FB1**, Seção 7.2) ao trabalho realizado pelas forças que atuam sobre o sistema, ou seja, pelas forças de pressão e pela gravidade.

O deslocamento $1 \rightarrow 1'$ é no mesmo sentido das forças de pressão, enquanto $2 \rightarrow 2'$ é em sentido contrário, de modo que o trabalho das forças de pressão é

$$(p_1 A_1)(v_1 \Delta t) - (p_2 A_2)(v_2 \Delta t) \tag{2.4.3}$$

O trabalho realizado pelas forças gravitacionais é contrário à variação da energia potencial gravitacional (**FB1**, Seção 7.3), ou seja, é dado por

$$-g(\Delta m_2 z_2 - \Delta m_1 z_1) \tag{2.4.4}$$

Somando as (2.4.3) e (2.4.4) e igualando o resultado à (2.4.2), obtemos

$$\frac{1}{2}\Delta m_2 v_2^2 - \frac{1}{2}\Delta m_1 v_1^2 = p_1 \underbrace{(A_1 v_1 \Delta t)}_{=\Delta m_1/\rho} - p_2 \underbrace{(A_2 v_2 \Delta t)}_{=\Delta m_2/\rho} - g(\Delta m_2 z_2 - \Delta m_1 z_1)$$

Como $\Delta m_1 = \Delta m_2$, resulta

$$\frac{1}{2}v_2^2 + g z_2 + \frac{p_2}{\rho} = \frac{1}{2}v_1^2 + g z_1 + \frac{p_1}{\rho} \tag{2.4.5}$$

que exprime a conservação da *energia por unidade de massa* ao longo do filete. Foi suposto que o fluido é incompressível porque, para um fluido compressível, existe a possibilidade adicional de variação da *energia interna*, armazenada sob a forma de energia térmica, conforme veremos na Seção 9.2. Para o caso considerado do fluido incompressível, essa possibilidade não existe, e a (2.4.5), multiplicada por ρ, resulta na *equação de Bernoulli*

$$\boxed{\frac{1}{2}\rho v^2 + p + \rho g z = C} \tag{2.4.6}$$

onde C é *constante ao longo de um filete*. Esse resultado foi publicado por Daniel Bernoulli em seu tratado "Hidrodinâmica" (1738). Note que, como na equação de movimento (2.3.5), a pressão se comporta como uma densidade de energia potencial.

A constante C pode, em geral, tomar valores diferentes sobre filetes de corrente diferentes (a rigor, um valor de C deve ser associado a cada linha de corrente). Entretanto, é comum, na prática, aplicar a equação de Bernoulli ao escoamento estacionário de um líquido que se origina num grande reservatório, cuja superfície livre está em contato com a atmosfera. As linhas de corrente têm origem na superfície do reservatório, que é horizontal e se mantém quase inalterada, apesar do escoamento, se o reservatório é suficientemente grande. Logo, na superfície do reservatório, $p = p_0$ (pressão atmosférica), $z = z_0$ = constante e v^2 é desprezível, dando

$$C = p_0 + \rho g z_0 \tag{2.4.7}$$

que tem nesse caso o mesmo valor para todas as linhas de corrente originárias da superfície do reservatório, ou seja, para todo o escoamento.

A hidrostática é um caso limite, obtido quando $v \to 0$. Neste caso, C é constante em todo o fluido e a (2.4.6) se reduz à (1.4.6).

Se dividirmos por ρg todos os termos da (2.4.6), obtemos outra forma equivalente da equação de Bernoulli:

$$\boxed{z + \frac{v^2}{2g} + \frac{p}{\rho g} = C'} \tag{2.4.8}$$

onde $C' = C/(\rho g)$ também é constante ao longo de um filete de corrente.

Todos os termos da (2.4.8) têm dimensões de comprimento e costumam ser interpretados em termos de *alturas*. O termo z é simplesmente a altura do filete em relação ao plano horizontal de referência no ponto considerado, ou *altura geométrica*.

O termo $v^2/(2g)$, pela bem conhecida "fórmula de Torricelli" (**FB1**, Seção 6.1), representa a altura da qual um corpo deve cair em queda livre a partir do repouso para adquirir a velocidade v, e se chama *altura cinética* [cf. (2.5.1)].

Finalmente, $h = p/(\rho g)$ seria a altura da coluna do fluido considerado correspondente à pressão p num barômetro que empregasse esse fluido (Seção 1.5); esse termo é chamado de *altura piezométrica* (ou seja, de medida da pressão).

A equação de Bernoulli (2.4.8) pode pois ser enunciada: *a soma das alturas geométrica, cinética e piezométrica permanece constante ao longo de cada linha de corrente, no escoamento estacionário de um fluido incompressível no campo gravitacional.*

2.5 APLICAÇÕES

(a) Fórmula de Torricelli

Consideremos um reservatório contendo líquido, em cuja parede lateral há um *pequeno* orifício *circular* através do qual o líquido se escoa. Conforme mostra a Figura 2.9, observa-se que a veia líquida que escapa pelo orifício O se afunila, sofrendo uma contração, até assumir forma cilíndrica num ponto bem próximo à parede, para depois encurvar-se, sob a ação da gravidade, num jato de forma parabólica. Como o orifício é pequeno, o nível do reservatório baixa muito lentamente e a velocidade v_0 na superfície é desprezível.

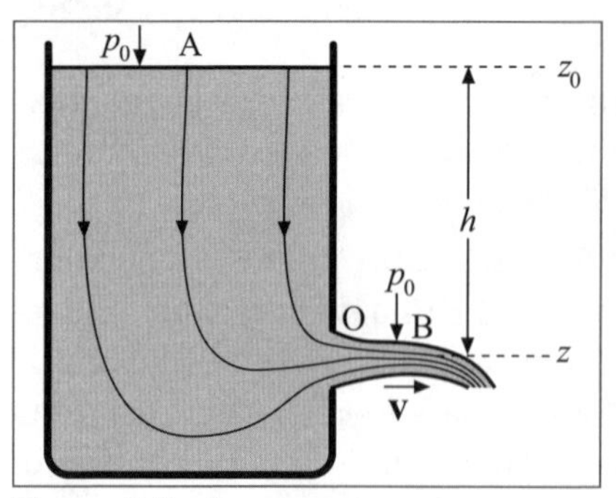

Figura 2.9 Escoamento por um orifício.

A Figura 2.9 mostra a forma das linhas de corrente, que se iniciam na superfície livre, onde a pressão é a pressão atmosférica p_0. Vamos aplicar a equação de Bernoulli (2.4.8) entre o ponto inicial A de uma linha de corrente na superfície e um ponto B na parte cilíndrica do jato, onde a pressão volta a ser p_0 (Figura 2.9) e a velocidade é v:

$$z + \frac{v^2}{2g} + \frac{p_0}{\rho g} = z_0 + \underbrace{\frac{v_0^2}{2g}}_{\approx 0} + \frac{p_0}{\rho g}$$

Como $z_0 - z = h$ é a altura de que o líquido desce entre a superfície livre e o orifício (Figura 2.9), obtemos, finalmente,

$$\boxed{v = \sqrt{2gh}} \qquad \textbf{(2.5.1)}$$

ou seja, a velocidade é a mesma que seria atingida na queda livre de uma altura h. Esse resultado foi obtido por Torricelli em 1636.

O *fator de contração* observado da veia líquida é da ordem de 0,61 a 0,64, ou seja, a área da seção transversal do jato na porção cilíndrica B é ≈ 60% da área A do orifício circular O. A vazão é, portanto, ≈ 0,6 Av. A velocidade média sobre o orifício é correspondentemente menor, e a pressão na vizinhança de O é $> p_0$ (seria a pressão hidrostática $p_0 + \rho g h$ se o líquido estivesse em repouso). A contração da veia entre O e B está associada à queda de pressão até o valor p_0. Para formas não circulares do orifício de saída, obtêm-se resultados diferentes.

(b) Tubo de Pitot

Para medir a pressão ou a velocidade num fluido em movimento, é necessário introduzir nele algum instrumento de medida, que geralmente perturba o escoamento. Para relacionar o resultado obtido com a grandeza a medir, é preciso compreender a natureza dessa perturbação. Assim, se introduzirmos num campo de escoamento inicialmente uniforme, de velocidade v (Figura 2.10, (a)) um corpo afilado, de forma "aerodinâmica" (Figura 2.10 (b)), ele perturba as linhas de corrente da forma indicada na figura. No ponto O (Figura 2.10 (b)), o fluido é freado, ou seja, a velocidade se reduz praticamente a zero. Um tal ponto chama-se *ponto de estagnação*. Por outro lado, num ponto como A na Figura 2.10 (b), a velocidade de escoamento quase não sofre perturbação, ou seja, continua igual a v.

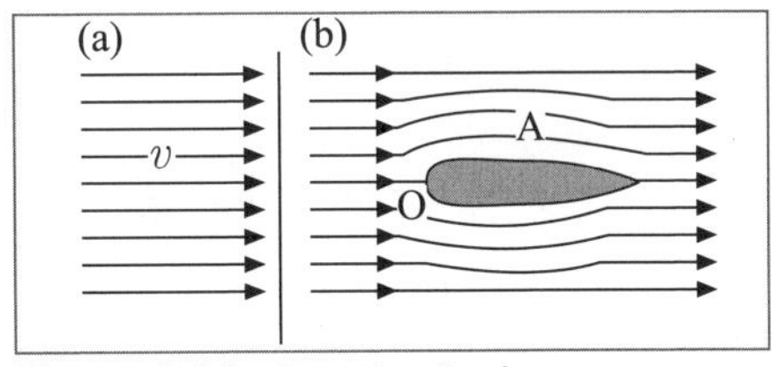

Figura 2.10 Pertubação do escoamento.

Se p é a pressão em A e p_0 a pressão em O, como a diferença de altura entre esses pontos é desprezível, a equação de Bernoulli (2.4.6) resulta em, tomando $v_0 = 0$ em O,

$$\boxed{p_0 = p + \frac{1}{2}\rho v^2} \quad \textbf{(2.5.2)}$$

A pressão no ponto de estagnação se eleva para p_0, que é chamada de *pressão dinâmica*, em razão do freamento do fluido.

Acoplando o corpo considerado a um manômetro diferencial para medir $p - p_0$, obtemos um *tubo de Pitot* (Figura 2.11). Se ρ_0 é a densidade do fluido no tubo em U e h a diferença de nível entre os dois ramos, temos, analogamente à (1.5.1),

$$p_0 - p = \rho_0 g h = \frac{1}{2}\rho v^2 \text{ [pela (2.5.2)]}$$

o que permite medir a velocidade v de escoamento do fluido:

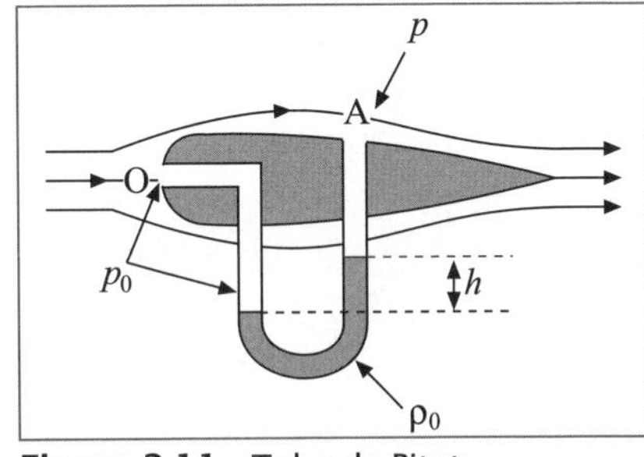

Figura 2.11 Tubo de Pitot.

$$\boxed{v = \sqrt{2\frac{\rho_0}{\rho} gh}} \quad \textbf{(2.5.3)}$$

Este sistema é usado para medir a velocidade de aviões.

(c) Fenômeno de Venturi

Consideremos o escoamento estacionário de um fluido incompressível numa canalização horizontal de seção transversal variável (Figura 2.12). Sejam A_1 e A_2 as áreas da seção nos pontos 1 e 2 e (p_1, v_1) e (p_2, v_2) as pressões e velocidades correspondentes; supomos as seções suficientemente pequenas para que essas grandezas possam ser tomadas como constantes sobre elas, e que as alturas geométricas z das seções possam ser consideradas idênticas. A equação de Bernoulli (2.4.6) resulta então em:

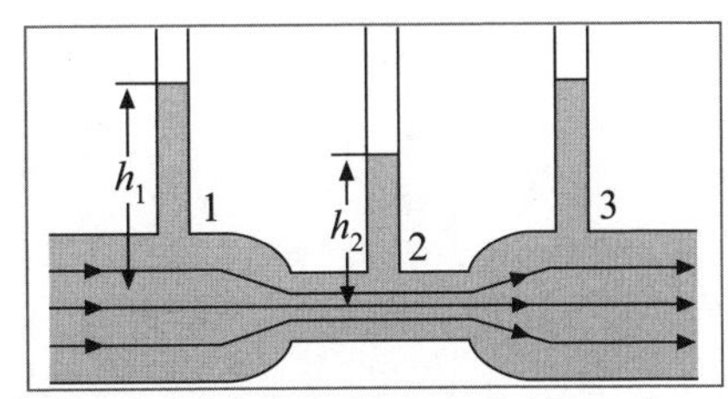

Figura 2.12 Fenômeno de Venturi.

$$p_1 + \frac{1}{2}\rho v_1^2 = p_2 + \frac{1}{2}\rho v_2^2 \tag{2.5.4}$$

e a equação de continuidade (2.2.4) resulta em

$$v_2 = \frac{A_1}{A_2} v_1 \tag{2.5.5}$$

de modo que $v_2 > v_1$ *e, consequentemente,* $p_2 < p_1$: *nas regiões de estrangulamento, onde a velocidade de escoamento é maior, a pressão é menor.*

Esse fenômeno foi primeiro observado por Venturi, que esperava obter o resultado contrário, acreditando que a pressão teria de aumentar no estrangulamento, em razão do espaço mais reduzido. Pela constância da vazão, é a velocidade que tem de aumentar, e essa aceleração tem de ser devida a uma força, que só pode se originar de uma queda da pressão.

Na Figura 2.12, o líquido sobe até alturas h_1 e h_2 em manômetros inseridos nos pontos 1 e 2, o que permite medir a diferença de pressão $p_1 - p_2$:

$$p_1 - p_2 = (p_0 + \rho g h_1) - (p_0 + \rho g h_2) = \rho g (h_1 - h_2) = \rho g h \tag{2.5.6}$$

onde h é a diferença entre as alturas.

Uma aplicação do fenômeno de Venturi é o *medidor de Venturi*, empregado para medir a velocidade de escoamento ou a vazão numa tubulação. Para esse fim, insere-se na tubulação um estrangulamento e mede-se a diferença de pressão (como na (2.5.6)). Resolvendo as (2.5.4), (2.5.5) e (2.5.6) em relação à velocidade desejada v_1, obtém-se:

$$v_1 = A_2 \sqrt{\frac{2gh}{A_1^2 - A_2^2}} \tag{2.5.7}$$

e a vazão é $A_1\, v_1$.

O fenômeno de Venturi também é aplicado para aspirar fluidos e produzir vácuo, utilizando a queda de pressão num estrangulamento: é o princípio das *bombas aspirantes*, como a trompa de água, que permite evacuar um recipiente até pressões da ordem de 20 mm Hg. A aspiração de ar para mistura com o jato de gás num bico de Bunsen e a aspiração de vapor de gasolina num motor de explosão baseiam-se no mesmo princípio.

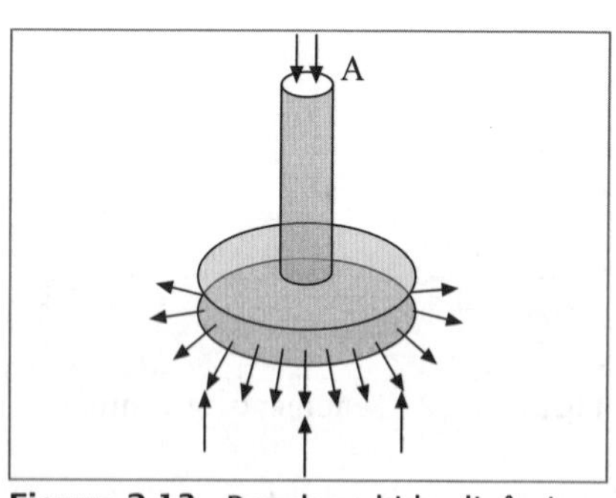

Figura 2.13 Paradoxo hidrodinâmico.

Se duas folhas de papel estão bem juntas e se procura separá-las soprando-se no espaço entre elas, elas se grudam uma na outra! A Figura 2.13 mostra uma forma de realizar esse experimento: soprando pela abertura A de um canudo de papel que se comunica com o espaço entre dois discos de papel bem próximos, o disco de baixo, ao invés de se afastar, é aspirado para cima! A explicação desse *paradoxo hidrodinâmico* é o fenômeno de Venturi: o escapamento de ar com grande velocidade reduz a pressão no interstício entre os discos. A face de cima do disco inferior fica então sujeita a uma pressão menor que a de baixo, onde atua a pressão atmosférica. O disco inferior é soerguido por essa diferença de pressão.

2.6 CIRCULAÇÃO, APLICAÇÕES

(a) Circulação

Uma grandeza importante para caracterizar o tipo de escoamento de um fluido é a *circulação*. Seja Γ uma curva fechada orientada, ou seja, para a qual é definido um sentido positivo de percurso (por exemplo, anti-horário), situada no interior do fluido. Chama-se *circulação* C_Γ *ao longo de* Γ *a integral de linha*

$$\boxed{C_\Gamma = \oint_\Gamma \mathbf{v} \cdot \mathbf{dl}} \tag{2.6.1}$$

onde $\mathbf{v}$ é a velocidade do fluido e $\mathbf{dl}$ o elemento de linha ao longo de Γ, orientado (Figura 2.14) no sentido positivo de percurso.

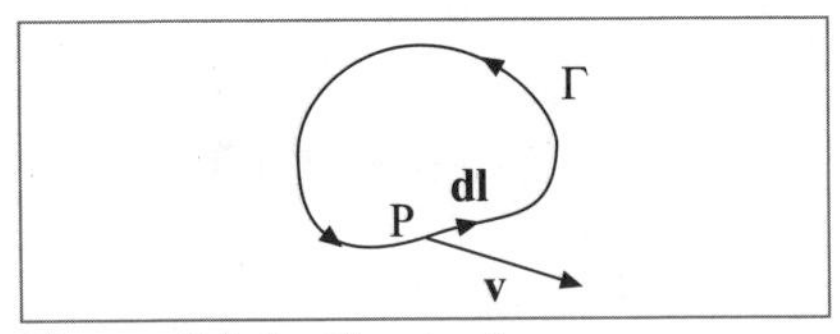

Figura 2.14 Circulação.

Os conceitos de integral de linha e de circulação de um vetor foram introduzidos no volume **1**, Seção 7.3, quando discutimos o trabalho de uma força ao longo de um caminho. Analogamente ao que foi visto nesse caso, só intervém na (2.6.1) a projeção de $\mathbf{v}$ sobre o deslocamento $\mathbf{dl}$ (produto escalar), ou seja, a componente da velocidade ao longo do caminho.

Exemplo 1: Consideremos um recipiente cilíndrico contendo líquido em rotação uniforme com velocidade angular ω (Seção 1.4).

O líquido gira como um corpo rígido, com essa velocidade angular. A velocidade $\mathbf{v}$ num ponto P do líquido, à distância r do eixo de rotação (Figura 2.15), é, portanto,

$$\mathbf{v} = \omega r\,\hat{\boldsymbol{\theta}} = v\hat{\boldsymbol{\theta}} \tag{2.6.2}$$

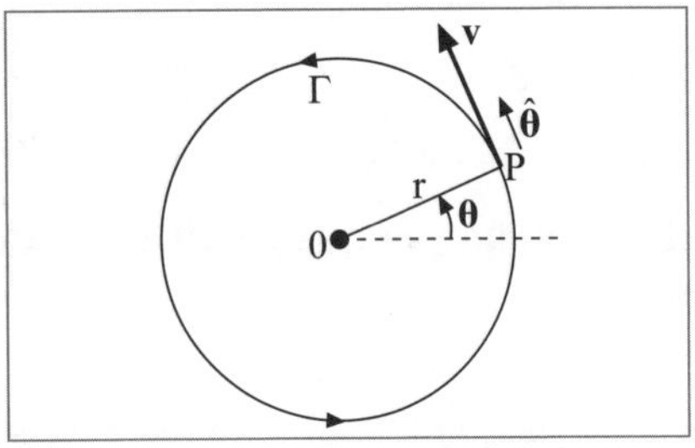

Figura 2.15 Líquido em rotação.

Se tomarmos para Γ um círculo de raio r com centro na origem, orientado no sentido da rotação, temos

$$\mathbf{dl} = r\,d\theta\,\hat{\boldsymbol{\theta}} \quad \{ \quad \mathbf{v} \cdot \mathbf{dl} = vr\,d\theta \tag{2.6.3}$$

o que resulta em

$$C_\Gamma = vr\oint_\Gamma d\theta = vr\int_0^{2\pi} d\theta = 2\pi r v \tag{2.6.4}$$

Como Γ coincide com uma linha de corrente, e $|\mathbf{v}| = v$ é constante ao longo dela, C_Γ é neste caso o produto de v pelo comprimento $2\pi r$ do caminho. Como $v = \omega r$, a (2.6.4) resulta em

$$C_\Gamma = 2\pi r^2 \omega \tag{2.6.5}$$

ou seja, a circulação sobre um círculo de raio r cresce com r^2.

Exemplo 2: Consideremos agora outro escoamento com linhas de corrente circulares e $|\mathbf{v}|$ função só de r, ao qual impomos a condição de que a circulação C_Γ sobre *qualquer* círculo de raio r com centro no eixo é *constante* (independente de r). Neste caso, pela (2.6.4), devemos ter, em lugar da (2.6.2),

$$v = \frac{C_\Gamma}{2\pi r}, \quad \mathbf{v} = v\hat{\boldsymbol{\theta}} \tag{2.6.6}$$

ou seja, a velocidade varia inversamente com r, em lugar de ser proporcional a r como na (2.6.2). Como $v \to \infty$ para $r \to 0$, o eixo é uma linha singular, e é preciso geralmente excluir do escoamento um entorno do eixo.

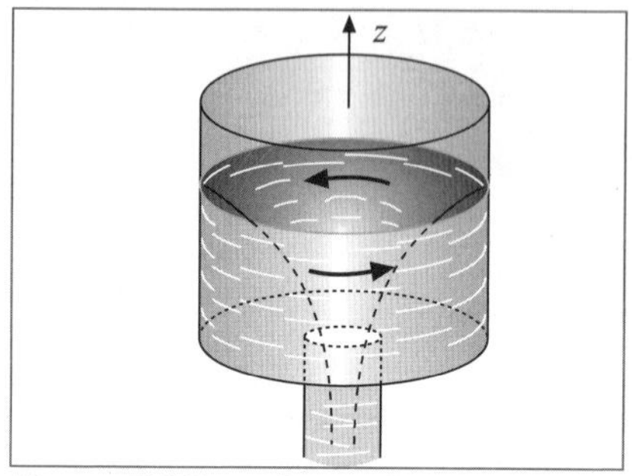

Figura 2.16 Redemoinho.

A Figura 2.16 mostra uma realização prática aproximada desse tipo de escoamento: o líquido escapa do recipiente pelo orifício inferior, circulando em torno do eixo e formando um redemoinho, em que a velocidade aumenta à medida que nos aproximamos do eixo, como quando a água se escoa pelo ralo de uma banheira. A superfície livre assume a forma característica afunilada, ilustrada na figura, que podemos explicar imediatamente pela fórmula de Bernoulli (2.4.8): como $p = p_0 =$ constante (pressão atmosférica) sobre a superfície livre, temos, pela (2.6.6),

$$z + \frac{v^2}{2g} = z + \frac{C_\Gamma^2}{8\pi^2 g r^2} = \text{constante},$$

de modo que a equação da superfície livre é

$$z = A - \frac{B}{r^2} \tag{2.6.7}$$

onde A e $B > 0$ são constantes. O líquido ocupa a região externa ao funil centrado no eixo, de modo que a singularidade em $r = 0$ é excluída do campo de escoamento.

(b) Escoamentos rotacionais e irrotacionais

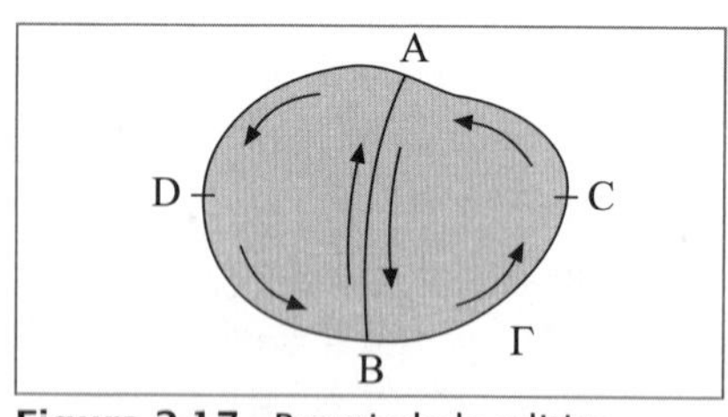

Figura 2.17 Propriedade aditiva.

A circulação ao longo de um caminho tem uma propriedade aditiva, ilustrada na Figura 2.17: se decompusermos Γ em dois circuitos de mesma orientação, CABC e BADB, por meio de uma partição por um arco AB, temos

$$C_\Gamma = C_{\text{CABC}} + C_{\text{BADB}} \tag{2.6.8}$$

porque a porção comum AB é percorrida duas vezes em sentidos opostos ($\mathbf{dl} \to -\mathbf{dl}$), e as contribuições correspondentes se cancelam.

Utilizando esta propriedade, podemos tomar uma superfície qualquer de contorno Γ e decompô-la numa malha de subcircuitos de mesma orientação (Figura 2.18): C_Γ se reduz à soma das circulações ao longo de todos os subcircuitos. Eventualmente, tomando subcircuitos infinitesimais, podemos associar a circulação a uma propriedade *local*, definida em cada ponto do fluido.

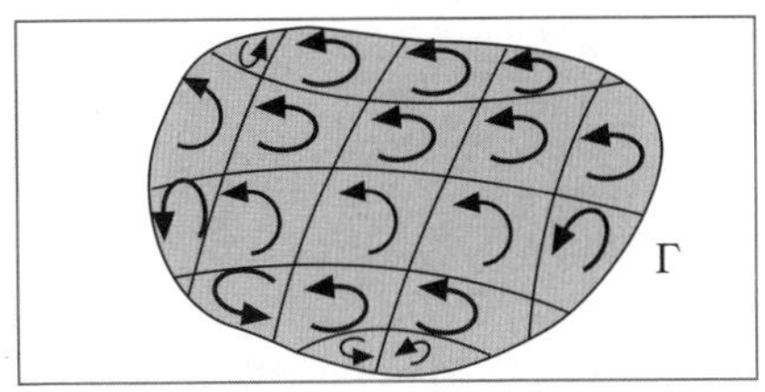

Figura 2.18 Malha de subcircuitos.

Deste ponto de vista, existe uma diferença fundamental entre os escoamentos dos Exemplos 1 e 2 considerados aqui. Consideremos um circuito infinitésimo ABCD (Figura 2.19) de abertura $d\theta$, com centro no eixo, compreendido entre os círculos de raios r e $r + dr$. Em ambos os exemplos, temos $\mathbf{v} = v\hat{\boldsymbol{\theta}}$, *onde* $v = v\,(r)$ é função somente de r. Logo, sobre os lados AB e CD, é $\mathbf{v} \cdot \mathbf{dl} = 0$, e vem

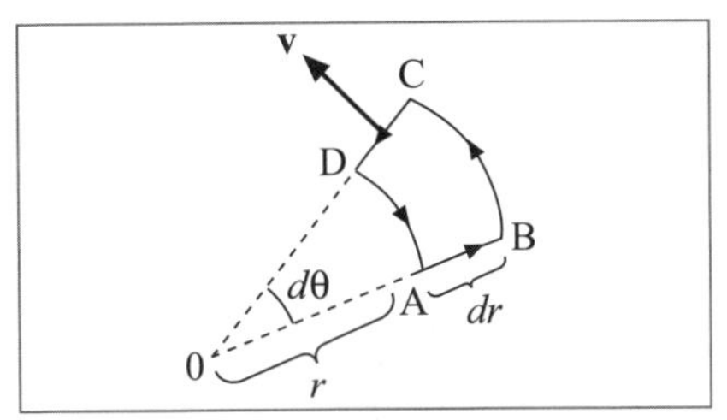

Figura 2.19 Circuito infinitésimo.

$$C_{\text{ABCD}} = v(r+dr) \times \underbrace{\text{arco BC}}_{(r+dr)d\theta} - v(r) \times \underbrace{\text{arco AD}}_{rd\theta}$$

ou seja,

$$C_{\text{ABCD}} = \left[(r+dr)v(r+dr) - rv(r)\right]d\theta \qquad \textbf{(2.6.9)}$$

No Exemplo 1, pela (2.6.2), é $v(r) = \omega r$, de modo que

$$C_{\text{ABCD}} = \omega\left[(r+dr)^2 - r^2\right]d\theta \approx 2\omega \cdot rdrd\theta \qquad \textbf{(2.6.10)}$$

desprezando infinitésimos de ordem superior. Como $rdrd\theta$ é a área envolvida pelo circuito infinitésimo considerado, vemos que, para este circuito,

$$C_\Gamma \,/\, \text{área}_\Gamma = 2\omega \quad (\text{Exemplo 1}) \qquad \textbf{(2.6.11)}$$

onde área_Γ é a área envolvida pelo circuito Γ. Logo, no Exemplo 1, *a circulação por unidade de área para um circuito infinitésimo* é *constante* e igual a 2ω. Pela propriedade aditiva, isto continua valendo para um circuito finito, conforme é ilustrado pela (2.6.5): $C_\Gamma/(\pi r^2) = 2\omega$.

No Exemplo 2, pela (2.6.6), é

$$(r+dr)v(r+dr) = rv(r) = C_\Gamma \,/\, (2\pi)$$

e a (2.6.9) resulta, para o circuito ABCD, em

$$C_\Gamma \,/\, \text{área}_\Gamma = 0 \quad (\text{Exemplo 2}) \qquad \textbf{(2.6.12)}$$

Pela propriedade aditiva, este resultado se estende a qualquer circuito *que não envolve o eixo* (já vimos que, nesse caso, o eixo é uma linha singular e deve ser excluído).

Se a circulação por unidade de área no entorno de cada ponto se anula numa dada região, o escoamento nessa região se chama *irrotacional* (Exemplo 2). Caso contrário (Exemplo 1), o escoamento se diz *rotacional*. A distinção entre esses dois tipos de escoamento é fundamental: no escoamento rotacional, um elemento do fluido com centro num ponto possui momento angular em torno desse ponto, ou seja, gira ao mesmo tempo em que é transportado pelo movimento; no escoamento irrotacional, o momento angular de cada partícula fluida em torno de seu centro é nulo.

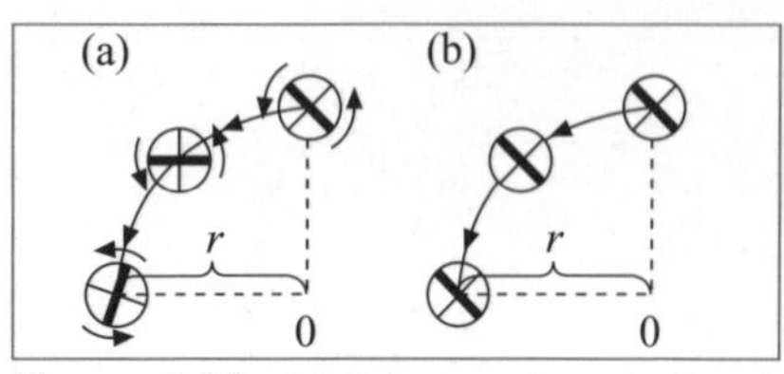

Figura 2.20 (a) Escoamento rotacional (b) irrotacional.

Podemos detectar a diferença, colocando uma pequena rodinha de pás no interior do fluido: no escoamento rotacional, a rodinha gira enquanto é transportada (Exemplo 1, Figura 2.20 (a)); no escoamento irrotacional, a rodinha é transportada sem girar (Exemplo 2, Figura 2.20 (b)).

Se o escoamento é irrotacional, a propriedade aditiva implica

$$C_\Gamma = \oint_\Gamma \mathbf{v} \cdot \mathbf{dl} = 0 \qquad \textbf{(2.6.13)}$$

para *qualquer* circuito Γ na região considerada. Por analogia com o que vimos no volume **1**, Seções 7.3 e 7.4, a (2.6.13) implica a existência de uma função φ tal que

$$\mathbf{v} = \text{grad } \varphi \qquad \textbf{(2.6.14)}$$

A função φ se chama *potencial de velocidades*, e um escoamento irrotacional é também chamado, por isso, de *escoamento potencial*. Os exemplos de escoamento vistos até aqui são todos irrotacionais.

(c) Efeito Magnus

Se um cilindro é introduzido num campo de escoamento inicialmente uniforme, as linhas de corrente no escoamento em torno do cilindro têm o aspecto indicado na Figura 2.21 (a); uma realização experimental aparece na Figura 2.21(d). Conforme mencionado na Seção 2.2, a velocidade é maior na região onde as linhas de corrente estão mais juntas. A grande distância, o escoamento permanece aproximadamente uniforme. A Figura 2.21 (b) mostra as linhas de corrente para uma *circulação* constante em torno do cilindro, que é o escoamento do Exemplo 2, com **v** dado pela (2.6.6). Finalmente, a Figura 2.21 (c) mostra as linhas de corrente resultantes da *superposição* dos dois escoamentos: a velocidade em cada ponto é a soma vetorial das velocidades correspondentes nos escoamentos (a) e (b). Escoamentos irrotacionais de fluidos incompressíveis (escoamentos potenciais) podem ser superpostos dessa forma. Com efeito, decorre da definição do gradiente que grad $(\varphi_1 + \varphi_2)$ = grad φ_1 + grad φ_2.

Em pontos acima do cilindro, as velocidades de (a) e (b) se somam em magnitude, ao passo que, abaixo, se subtraem. Isto dá origem à distribuição assimétrica de linhas de corrente da Figura 2.21(c), cuja densidade é maior acima do que abaixo do cilindro, correspondendo a uma velocidade de escoamento que assume valores mais elevados na metade superior do cilindro do que na inferior.

Em consequência do fenômeno de Venturi (Seção 2.5 (c)), essa assimetria da distribuição de velocidade produz uma assimetria correspondente da distribuição de pressão sobre o cilindro: a pressão abaixo é maior do que a pressão acima. A resultante das forças de pressão é, portanto, um empuxo vertical **E** dirigido para cima (Figura 2.21 (c)), que se chama *empuxo dinâmico*. Se invertermos o sentido da circulação (tomando-a como anti-horária, em lugar de horária, como em (b)), inverte-se também o sentido de **E**.

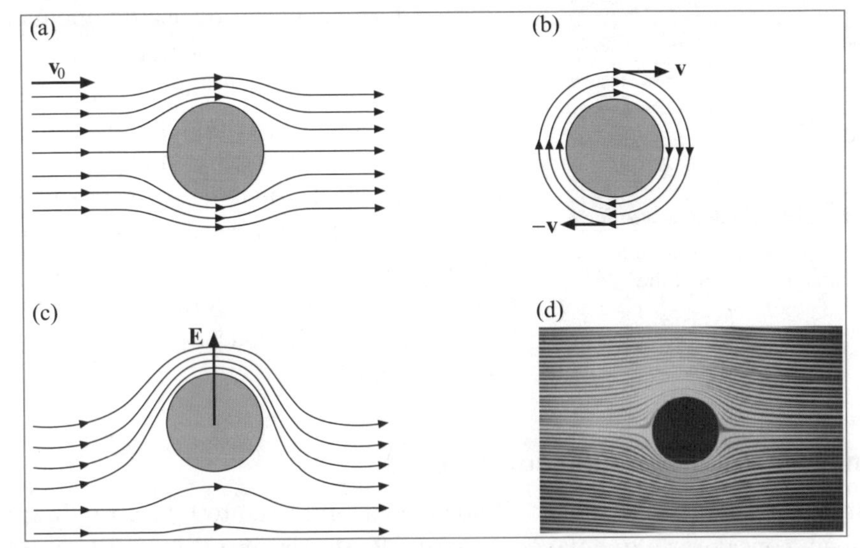

Figura 2.21 (a) (b) (c) Efeito Magnus; (d) Escoamento laminar em torno de um cilindro. *Fonte*: O. G. Tietjens, *Applied Hydro and Aeromechanics*, McGraw-Hill, NY, 1934.

Esse efeito, estudado experimentalmente por Magnus em 1853, é conhecido como *efeito Magnus*. Passando para um referencial em que o fluido a grande distância está em repouso, o escoamento descreve agora o deslocamento do cilindro dentro do fluido, e a circulação pode ser obtida imprimindo-se uma rotação ao cilindro. O efeito Magnus, atuando sobre uma esfera, é responsável pelo desvio das bolas de tênis ou pingue-pongue lançadas "com efeito", de forma a girar rapidamente sobre o próprio eixo.

Em 1920, Flettner propôs utilizar o efeito Magnus para a propulsão de um barco pelo vento, utilizando, em lugar de uma vela, um cilindro vertical em rotação rápida: o empuxo dinâmico, nesse caso, é horizontal. A ideia não alcançou muito sucesso na prática, embora tenha sido usada num navio que cruzou o Atlântico.

O empuxo dinâmico resultante da combinação de um escoamento uniforme com uma circulação também é responsável pela sustentação dos aviões. Consideremos, para simplificar, um corte vertical da asa de um avião, conhecido como "aerofólio". A asa (Figura 2.22) corresponde a um cilindro muito

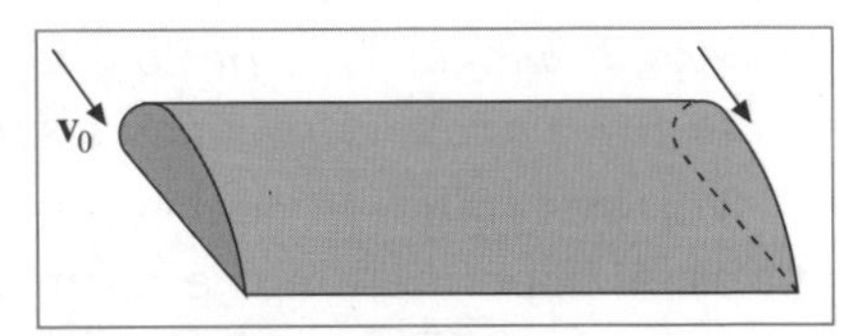

Figura 2.22 Aerofólio.

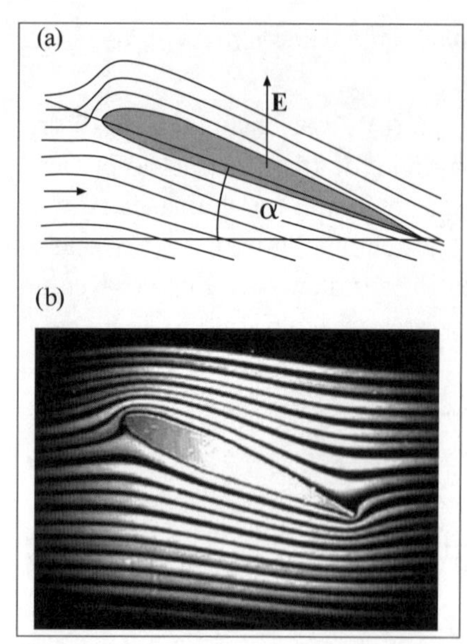

Figura 2.23 (a) Ângulo de ataque α e empuxo dinâmico **E**; (b) Linhas de corrente.

longo, de perfil arredondado de um lado e afilado do outro, inserido num campo de escoamento, inicialmente uniforme, de velocidade v_0. Essa é a situação típica num túnel de vento, que simula o deslocamento do avião, com velocidade $-v_0$, através da atmosfera em repouso (visto do referencial do avião).

A Figura 2.23(b) mostra o aspecto das linhas de corrente do escoamento em torno do aerofólio, num plano de seção transversal. A velocidade é maior na parte superior da asa do que na inferior: o ar tem uma distância maior a percorrer por cima, em virtude da assimetria introduzida pelo perfil e pelo *ângulo de ataque* α com a horizontal. Novamente, pela equação de Bernoulli (fenômeno de Venturi), a velocidade maior de escoamento reduz a pressão na parte superior, e é o empuxo dinâmico **E** resultante que sustenta o avião. Note a analogia com o escoamento da Figura 2.21(c): como naquele caso, há uma circulação em torno do aerofólio, de sentido horário.

(d) Conservação da circulação. Vórtices

Em lugar de considerar a circulação C_Γ ao longo de um circuito Γ *fixo no fluido*, podemos também considerar a circulação ao longo de um circuito Γ_t *formado sempre das mesmas partículas fluidas*, e que, portanto, varia com o tempo (daí o índice t), acompanhando o fluido no seu deslocamento.

William Thomson (Lord Kelvin) em 1869, demonstrou o seguinte teorema: *No escoamento de um fluido perfeito homogêneo sujeito apenas a forças conservativas, tem-se*

$$\frac{d}{dt}\left(C_{\Gamma_t}\right) = 0 \qquad \textbf{(2.6.15)}$$

ou seja, a *circulação ao longo de um circuito formado sempre das mesmas partículas fluidas se conserva.*

Este resultado, cuja demonstração requer recursos mais avançados, tem consequências importantes. Se um escoamento é irrotacional, num dado instante t_0, temos $C_{\Gamma t 0} = 0$ para qualquer circuito no fluido. A (2.6.15) mostra então que, nas condições do teorema, o *movimento permanece sempre irrotacional*. Em particular, *para um fluido perfeito, homogêneo, sujeito apenas a forças conservativas, qualquer escoamento iniciado a partir do repouso é sempre irrotacional.*

Vórtices (também conhecidos como *turbilhões* ou *redemoinhos*) desempenham um papel importante nos escoamentos rotacionais. Combinando os escoamentos dos Exemplos 1 e 2 (Figuras 2.15 e 2.16), obtemos um modelo de um *filete de vórtice reti-*

líneo. É constituído por um núcleo cilíndrico de raio r_0, em que o fluido gira como um corpo rígido, como no Exemplo 1, em torno do qual se superpõe o escoamento irrotacional de circulação constante (2.6.6), onde $C_\Gamma = 2\pi r^2_0 \omega$ [cf. (2.6.5)]. A Figura 2.24 mostra o perfil de velocidades, linear na região do núcleo, onde $v = \omega r$, e proporcional a $1/r$ na região externa ao núcleo. O escoamento só é rotacional na região do núcleo, e a circulação em torno do filete é constante.

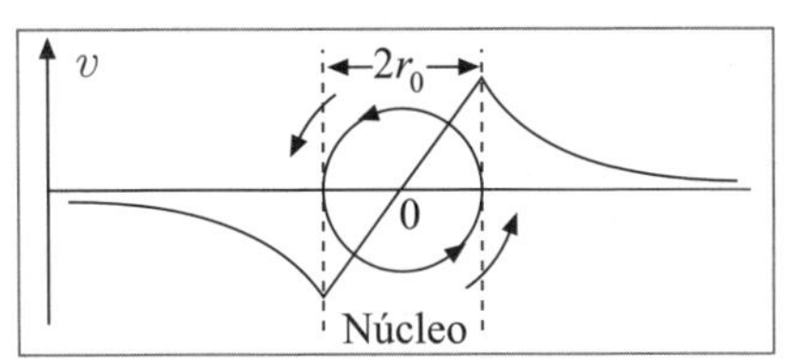

Figura 2.24 Perfil de velocidades.

Um *anel de vórtice* [Figura 2.25(a)] pode ser pensado como um filete de vórtice cilíndrico que se enrola em forma de anel (toro). O fluido circula em torno do anel enquanto este se desloca, conforme ilustrado na Figura 2.24. Um exemplo bem conhecido de anéis de vórtice são os anéis de fumaça. Um deles, expelido em 2005 por um vulcão na Guatemala, aparece na foto da Figura 2.25(b).

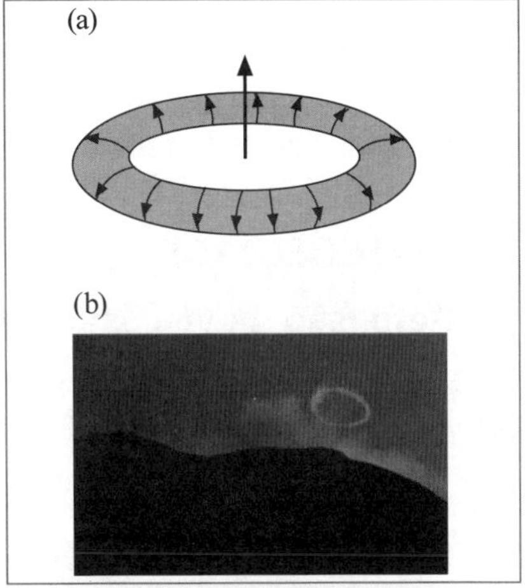

Figura 2.25 (a) Anel de vórtice; (b) Anel de fumaça expelido por vulcão.

O teorema de Thomson e outros resultados análogos devidos a Helmholtz mostram que, num fluido perfeito, filetes (em particular, anéis) de vórtice, em seu deslocamento, são sempre formados pelas mesmas partículas fluidas, e a circulação em torno deles se conserva. Esses resultados estão relacionados com a *lei de conservação do momento angular*.

(e) Crítica da hidrodinâmica clássica

A dinâmica dos fluidos perfeitos, também conhecida como hidrodinâmica clássica, conduz a uma série de resultados em flagrante contradição com a experiência.

Consideremos, por exemplo, o problema de um cilindro introduzido num campo de escoamento inicialmente uniforme. Conforme ilustrado na Figura 2.21 (a), a magnitude da velocidade de escoamento em torno do cilindro está distribuída simetricamente, não só em relação ao plano horizontal que passa pelo centro, mas também em relação ao plano vertical. Pela equação de Bernoulli, a distribuição de pressões em torno do cilindro terá também a mesma simetria. Logo, a resultante das forças de pressão, que é a força exercida pelo fluido sobre o cilindro, se anula* (não só não há empuxo dinâmico, mas também não há componente horizontal da força). A mesma simetria, levando ao mesmo resultado, existe no escoamento em torno de uma esfera.

Num referencial em que o fluido a grande distância está em repouso, como vimos, esses escoamentos descrevem o deslocamento do cilindro (ou esfera) através do fluido.

* Não estamos levando em conta as forças gravitacionais que dão origem ao empuxo hidrostático.

Logo, um *fluido perfeito não oferece resistência a esse deslocamento*. Esse resultado é válido não só para cilindros e esferas: pode-se mostrar que vale para o escoamento estacionário irrotacional de um fluido perfeito incompressível em torno de qualquer obstáculo finito, o que constitui o *paradoxo de d'Alembert*. Um fluido real, naturalmente, sempre opõe resistência ao deslocamento de um corpo através dele!

Vimos também que, num fluido perfeito, sob a ação de forças conservativas, qualquer movimento iniciado a partir do repouso permanece sempre irrotacional. Num fluido real, nessas condições, é fácil gerar vórtices e outros movimentos rotacionais. O matemático John von Neumann chamava o tratamento da água como fluido perfeito de "hidrodinâmica da água seca", e como fluido real de "hidrodinâmica da água molhada".

A origem de todas essas contradições é a hipótese de que o fluido é perfeito, ou seja, tem viscosidade desprezível. Vamos discutir agora, de forma extremamente sumária, alguns efeitos da viscosidade.

2.7 VISCOSIDADE

(a) Definição da viscosidade

Conforme foi mencionado na Seção 2.3, a viscosidade é uma força volumétrica de *atrito interno* que aparece no deslizamento de camadas fluidas umas sobre outras, dando origem a tensões tangenciais.

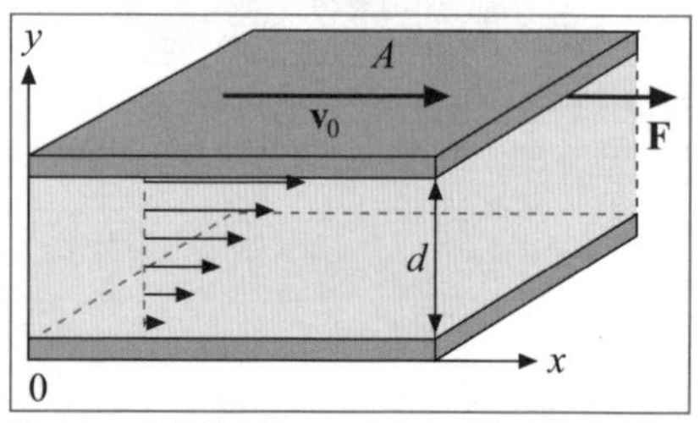

Figura 2.26 Escoamento viscoso.

Consideremos uma camada de fluido contida entre duas placas planas paralelas, de área A e espaçamento d (Figura 2.26). A experiência mostra que, se puxarmos a placa superior para a direita, exercendo uma força constante **F**, ela se desloca com velocidade constante $\mathbf{v}_0$, de modo que a resistência viscosa do fluido é igual e contrária a **F** (por quê?).

É um fato experimental que um *fluido real, em contato com um sólido, permanece em repouso em relação à superfície de contato*, de modo que é arrastado juntamente com ela. Assim, o fluido em contato com a placa superior se desloca também com velocidade $\mathbf{v}_0$. A placa inferior e o fluido em contato com ela permanecem em repouso. As camadas intermediárias vão sendo arrastadas por atrito com velocidades decrescentes de cima para baixo.

A experiência mostra que, para $v_0 = |\mathbf{v}_0|$ não demasiado elevado, a velocidade varia *linearmente* entre esses dois extremos no espaço entre as placas, ou seja, com o sistema de coordenadas indicado na Figura 2.26, e $\mathbf{F} = F\,\mathbf{i}$,

$$\mathbf{v}(y) = \frac{v_0}{d} y\mathbf{i} = v(y)\mathbf{i} \tag{2.7.1}$$

O escoamento se chama *laminar*, porque o fluido se desloca em camadas planas paralelas ou lâminas, que deslizam umas sobre as outras (como as cartas de um baralho).

A tensão tangencial F/A (força por unidade de área) necessária para manter o deslocamento da placa superior com velocidade v_0 é dada pela *lei de Newton da viscosidade*

$$\boxed{\frac{F}{A} = \eta \frac{v_0}{d} = \eta \frac{dv}{dy}} \qquad \textbf{(2.7.2)}$$

ou seja, a tensão é proporcional à *taxa de variação espacial da velocidade* (cf. Seção 1.1). Newton enunciou essa lei como uma hipótese nos "Principia".

A constante de proporcionalidade η se chama *coeficiente de viscosidade* do fluido. A unidade SI de η é o $N{\cdot}s/m^2$, ou seja, Newton × segundo/m^2. A unidade mais empregada na prática é o *centipoise* (cp), dado por

$$1 \text{ cp} = 10^{-2} \text{ poise} = 10^{-3} \text{ N} \cdot \text{s} / \text{m}^2$$

Para um líquido, η é tanto maior quanto mais "espesso" o líquido, e geralmente diminui quando a temperatura aumenta. Para um gás, em geral, η aumenta com a temperatura. Valores típicos a 20 °C são $\eta \approx 1$ cp para a água, $\eta \approx 800$ cp para a glicerina; para o piche, $\eta \approx 2{,}3 \times 10^{11}$ cp; para o ar, $\eta \approx 1{,}8 \times 10^{-2}$ cp.

O escoamento descrito pela (2.7.1) é um escoamento *rotacional*, como é fácil ver tomando a circulação ao longo do circuito retangular Γ da Figura 2.27: os lados verticais 2 e 4 não contribuem (porque **v** é perpendicular a eles), e os lados horizontais, de comprimento l, dão $C_\Gamma = (v_1 - v_3)\, l$; como a velocidade v_1 no lado 1 é maior que v_3 no lado 3, temos uma circulação positiva no sentido horário.

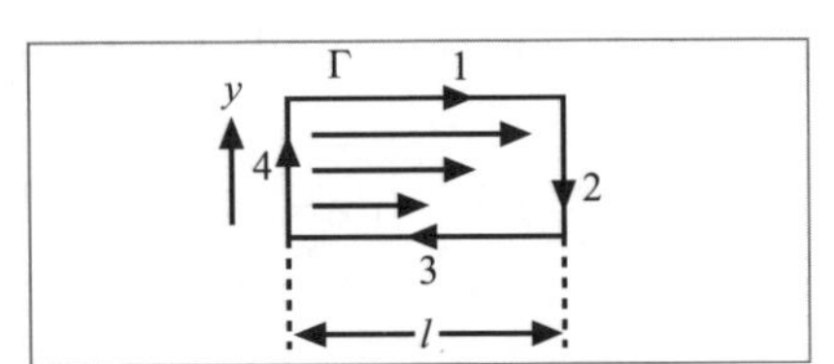

Figura 2.27 Circuito Γ.

A Figura 2.28 mostra o que acontece com uma partícula fluida inicialmente de forma cúbica durante o escoamento: a deformação sofrida pelo fato de a velocidade ser maior em cima do que em baixo está claramente associada a uma rotação no sentido horário.

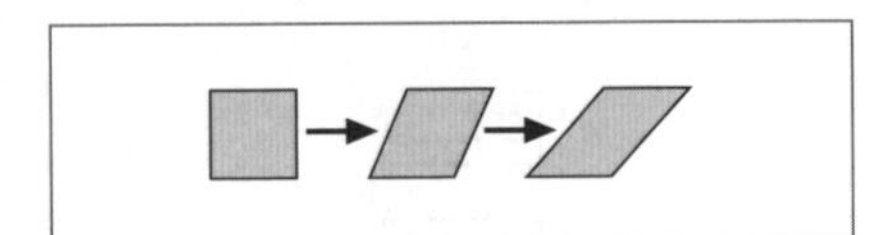
Figura 2.28 Deformação pelo escoamento.

(b) A lei de Hagen-Poiseuille

Consideremos o escoamento de um fluido viscoso através de uma tubulação cilíndrica de seção circular e raio a. Para velocidades de escoamento não muito grandes, o escoamento é laminar, com velocidade máxima no centro do tubo e decrescente até zero nas paredes: podemos imaginar o fluido decomposto em camadas cilíndricas concêntricas de espessura infinitésima, que escorregam umas sobre as outras como tubos que se encaixam numa montagem telescópica.

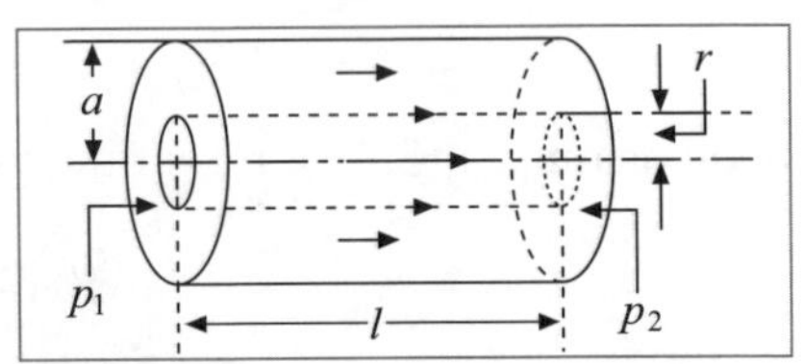

Figura 2.29 Escoamento viscoso num tubo cilíndrico.

Em regime estacionário, o fluido escoa através de uma porção de comprimento l (Figura 2.29) sob o efeito de uma diferença de pressão $p_1 - p_2$, onde p_1 e p_2 são as pressões nas extremidades. Sobre um cilindro fluido coaxial de raio r atua uma força $(p_1 - p_2)\,\pi r^2$ em razão dessa diferença de pressão. Como a área da superfície lateral do cilindro é $2\pi rl$, essa força provoca uma tensão tangencial distribuída sobre essa superfície de valor

$$\frac{F}{A} = \frac{(p_1 - p_2)\pi r^2}{2\pi rl} = \frac{(p_1 - p_2)}{2l} r \tag{2.7.3}$$

A velocidade v de escoamento a uma distância r do eixo só depende de r, $v = v\ (r)$ e temos $dv/dr < 0$, de modo que a lei de Newton (2.7.2) fica

$$\frac{F}{A} = -\eta \frac{dv}{dr} \tag{2.7.4}$$

Identificando as (2.7.3) e (2.7.4), vem

$$\frac{dv}{dr} = -\frac{(p_1 - p_2)}{2l\eta} r$$

Integrando ambos os membros em relação a r de um dado valor até a, e lembrando que a velocidade se anula nas paredes ($v\ (a) = 0$), vem

$$\int_r^a \frac{dv}{dr'} dr' = \int_r^a dv = \underbrace{v(a)}_{=0} - v(r) = -v(r) = -\frac{(p_1 - p_2)}{2l\eta}\int_r^a r'\,dr' = -\frac{(p_1 - p_2)}{2l\eta}\left[\frac{r'^2}{2}\right]_{r'=r}^{r'=a}$$

ou seja

$$\boxed{v(r) = \frac{(p_1 - p_2)}{4l\eta}\left(a^2 - r^2\right)} \tag{2.7.5}$$

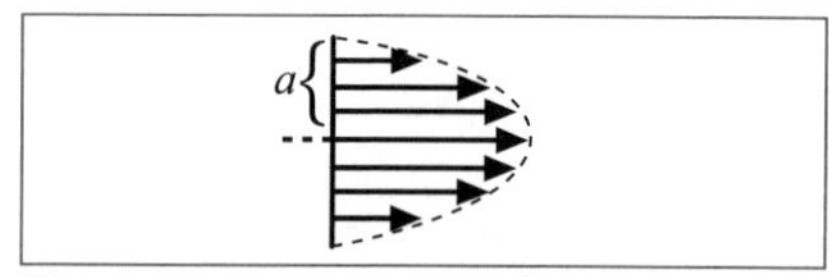

Figura 2.30 Perfil parabólico.

O gráfico de $v\ (r)$ em função de r é uma parábola (Figura 2.30): diz-se que o *perfil de velocidades é parabólico.*

Para calcular a vazão total V (Seção 2.2), ou seja, o volume que se escoa por unidade de tempo através da seção do tubo, consideremos primeiro a contribuição dV associada à porção compreendida entre dois cilindros de raios r e $r + dr$ (Figura 2.31). A área do anel circular correspondente é $2\pi r\,dr$, e a (2.7.5) resulta em

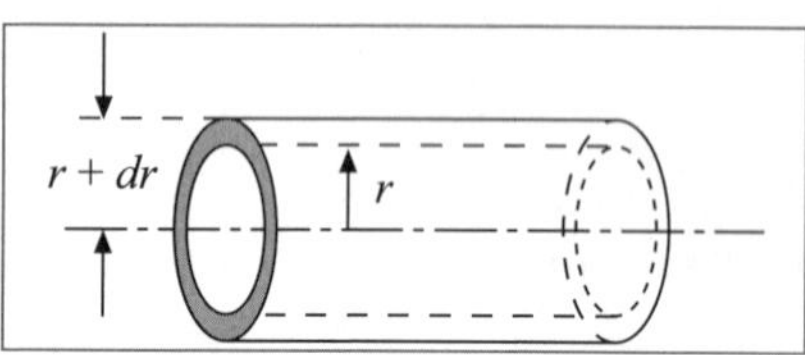

Figura 2.31 Cálculo da vazão.

$$dV = v(r)\cdot 2\pi r dr = \frac{\pi(p_1 - p_2)}{2l\eta}\left(a^2 - r^2\right) r dr$$

onde usamos a (2.7.5). Integrando entre $r = 0$ e $r = a$,

$$V = \frac{\pi(p_1 - p_2)}{2l\eta}\underbrace{\int_0^a \left(a^2 - r^2\right) r dr}_{a^2\cdot\frac{a^2}{2} - \frac{a^4}{4} = \frac{a^4}{4}}$$

ou seja,

$$V = \frac{\pi a^4}{8\eta}\left(\frac{p_1 - p_2}{l}\right) \tag{2.7.6}$$

A vazão é, portanto, *proporcional à queda de pressão por unidade de comprimento, inversamente proporcional ao coeficiente de viscosidade* e *varia com a quarta potência do raio do tubo.*

A (2.7.6) é a *lei de Hagen-Poiseuille*, obtida experimentalmente por Hagen e Poiseuille entre 1839 e 1846 (Poiseuille, que também era médico, estava investigando o escoamento do sangue através de um capilar). Uma de suas aplicações práticas importantes é para medir o coeficiente de viscosidade η determinando a vazão através de um tubo, em regime de escoamento laminar.

Aplicada à circulação do sangue, a lei revela a extrema sensitividade do fluxo ao raio dos vasos sanguíneos: uma vasoconstricção por um fator 2 diminui a vazão por um fator 16. Na realidade, o escoamento não é bem laminar e o sangue não é um fluido homogêneo: 40% a 45% do seu volume é formado por hemácias, cujo diâmetro é comparável ao de vasos sanguíneos típicos, cujas paredes também não são rígidas, mas flexíveis.

(c) O número de Reynolds

O movimento de um corpo através de um fluido viscoso depende criticamente do seu tamanho, da velocidade v com que se move e da densidade ρ e viscosidade η do fluido. Essa dependência pode ser expressa por meio de um parâmetro conhecido como *número de Reynolds*, indicado por Re.

Para um corpo de tamanho a, que se desloca de uma distância igual ao seu tamanho, a massa de fluido deslocada é $\sim \rho a^3$ e a *energia cinética* correspondente é $T \sim \rho a^3 v^2$, que mede a *resistência inercial* oposta pelo fluido ao deslocamento. A resistência de atrito, para velocidades não muito grandes, é proporcional a v, como vimos para a resistência do ar na queda de um corpo, e também a η; o coeficiente de atrito correspondente é proporcional a ηa (ele pode ser calculado explicitamente para uma esfera). Assim, a *resistência de atrito* é $F \sim \eta a v$, e para um deslocamento a a *energia dissipada pelo atrito é* $W = Fa \sim \eta a^2 v$. O número de Reynolds é definido por

$$Re = \frac{\text{resistência inercial}}{\text{resistência de atrito}} = \frac{T}{W} = \frac{\rho a v}{\eta} \tag{2.7.7}$$

que mede a razão (força de inércia)/(força de atrito viscoso).

No escoamento de um fluido perfeito, nada impede que ele deslize sobre um sólido com velocidade tangencial não nula. É o que sucede, por exemplo, no escoamento em torno de um cilindro, representado na Figura 2.21 (a). Para um fluido real, a viscosidade não permite esse deslizamento: como vimos, na superfície de contato com o sólido, o fluido tem de estar em repouso em relação a ele.

Para um fluido de viscosidade pequena, como a água, a ação da viscosidade confina-se geralmente a uma camada muito delgada junto à superfície do obstáculo (de espessura muito menor do que as dimensões do obstáculo). Nessa *camada limite*, cuja existência foi sugerida por Prandtl em 1904, a velocidade varia rapidamente, desde um valor nulo, junto à parede, até um valor característico do escoamento, no seio do fluido.

Essa variação da magnitude da velocidade transversalmente à direção do escoamento representa um escoamento *rotacional* dentro da camada limite, conforme vimos na Figura 2.27. Para velocidades de escoamento suficientemente baixas, a camada limite permanece colada ao obstáculo. O escoamento fora dela, com muito boa aproximação, continua sendo *irrotacional* e praticamente idêntico ao de um fluido perfeito. *Nessa região, a hidrodinâmica clássica pode ser aplicada*, o que a justifica e define o seu domínio de validade.

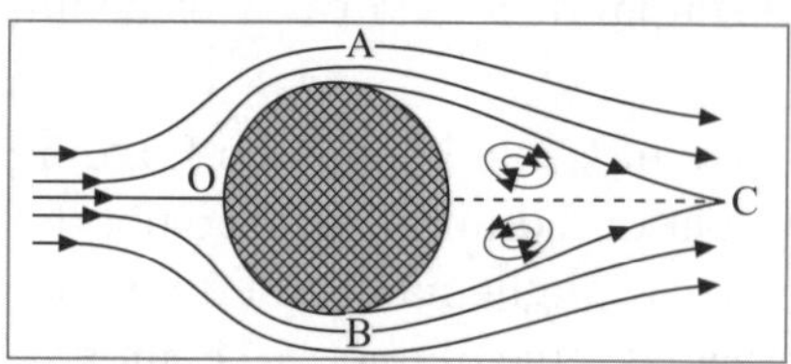

Figura 2.32 Esteira com vórtices.

Para velocidades de escoamento mais elevadas, a camada limite se "descola" do obstáculo, em pontos como A e B na Figura 2.32, e forma-se uma *esteira* (região A B C da figura), onde aparecem *vórtices*, trazendo um refluxo em direção ao obstáculo.

Continuando a aumentar a velocidade de escoamento, verifica-se que os vórtices se destacam e começam a ser arrastados pelo fluido. À medida que isto acontece, novos vórtices se formam na esteira do obstáculo e vão-se destacando por seu turno, criando *fileiras de vórtices* atrás do obstáculo. O regime de escoamento deixa de ser estacionário.

Para velocidades ainda maiores, o escoamento na esteira do obstáculo se torna *turbulento*: o movimento é extremamente irregular e aparentemente caótico; as linhas de corrente se emaranham e variam a cada instante. A Figura 2.33 ilustra essa evolução. A Figura 2.34 mostra a realização experimental desses resultados, com os respectivos números de Reynolds: (a) e (c) correspondem às Figuras 2.33 (b) e (c), respectivamente. A Figura 2.34 (b) mostra a fileira de vórtices a distância maior, quando os vórtices se expandiram.

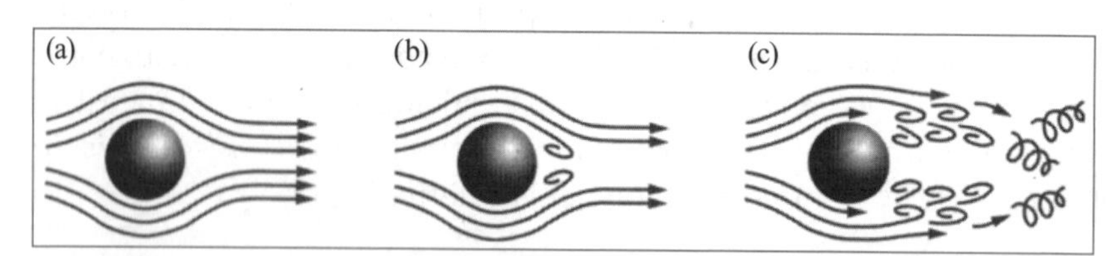

Figura 2.33 Evolução do escoamento em torno de uma esfera para velocidades crescentes. *Fonte*: VAN DYKE, M. *Album of fluid motion*. Stanford University, 1982.

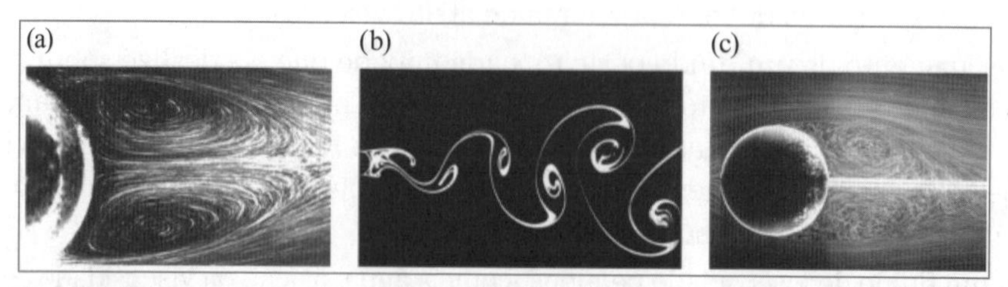

Figura 2.34 (a) $Re = 118$; (b) $Re = 140$ (fileira de vórtices); (c) $Re = 15.000$ (turbulência). *Fonte*: VAN DYKE, M. *Album of fluid motion*. Stanford University, 1982.

Um exemplo astronômico de escoamento turbulento é a *grande mancha vermelha* na atmosfera do planeta Júpiter (Figura 2.35), uma tempestade persistente de dimensões maiores do que a Terra.

Figura 2.35 A grande mancha vermelha de Júpiter.

Por uma mudança de referencial, podemos aplicar estes resultados para discutir o deslocamento de um corpo através do fluido. A resistência oposta pelo fluido a esse deslocamento depende do regime de escoamento. Para baixas velocidades, antes do descolamento da camada limite, a resistência provém do atrito na camada limite, e é proporcional à velocidade v e ao coeficiente de viscosidade η, como já foi discutido aqui.

Para velocidades mais elevadas, quando se forma a esteira com vórtices, a resistência é dominada pela assimetria na distribuição de pressões entre as partes dianteira e traseira do obstáculo. Na parte dianteira, há um ponto de estagnação (ponto O na Figura 2.32), e, como no tubo de Pitot (cf. (2.5.2)), a pressão dinâmica aumenta por um termo proporcional a v^2, o que não acontece na esteira do obstáculo. A resistência se torna então proporcional a v^2 (**FB1**, Seção 5.2).

Um corpo de forma aerodinâmica arredondado na parte dianteira e afilado na traseira, como um peixe ou uma asa de avião, dá origem a um escoamento estacionário, em que as linhas de corrente acompanham a forma do corpo (Figura 2.23), sem descolamento da camada limite, o que minimiza a resistência oposta pelo fluido ao deslocamento do corpo.

No caso de uma asa de avião (Figura 2.36 (a)), a descontinuidade na direção da velocidade entre linhas de corrente, que passam por cima e por baixo, dá origem a um enrolamento da linha de corrente que passa pela ponta afilada, gerando vórtices (Figura 2.36 (b)). A circulação ao longo de um circuito A B C D suficientemente distante para que o fluido possa ser tratado como perfeito era inicialmente nula, e permanece nula pelo teorema de Thomson (2.6.15). Na porção E B C F que envolve o vórtice (Figura 2.36 (a)), há uma circulação anti-horária. Logo, cria-se assim uma circulação horária no circuito A E F D que envolve a asa, dando origem ao empuxo dinâmico que sustenta o peso do avião. A resistência ao deslocamento é compensada pela tração do motor.

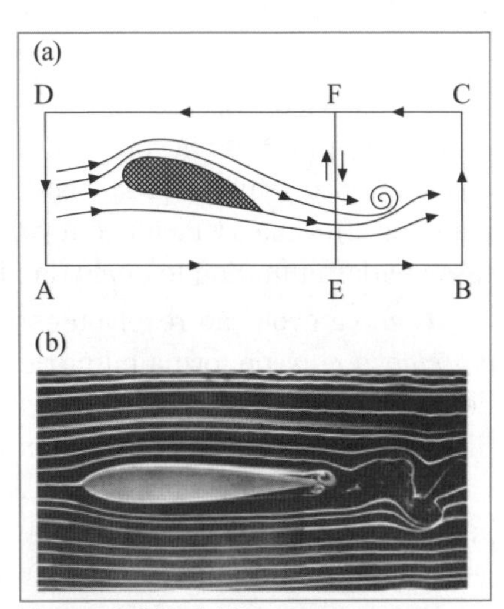

Figura 2.36 (a) Escoamento em torno de uma asa de avião; (b) Geração de vórtices. *Fonte*: RUTHERFORD, D. E. *Fluid dynamics*. New York: Oliver and Boyd, 1939.

O tratamento teórico de muitos dos problemas aqui descritos é extremamente difícil e encontra-se ainda incompleto. Em particular, estamos longe de ter uma compreensão satisfatória do mecanismo de aparecimento da turbulência e do regime turbulento, embora haja importantes progressos recentes nesse sentido.

(b) Aplicação à biologia

Uma imensa variedade de organismos vivem na água, precisando se deslocar nela em busca de alimentação. A estratégia empregada para o deslocamento depende crucialmente do número de Reynolds *Re* associado. Na expressão (2.7.7) de *Re*, para a água à temperatura ambiente, $\rho \approx 10^3$ kg/m^3 e $\eta \approx 1$ cp = 10^{-3} N·s/m^2. Assim,

$$Re \approx \frac{a_{(\mathrm{m})} v_{(\mathrm{m/s})}}{10^{-6}\ \mathrm{m/s^2}},$$

onde a está em m e v em m/s. Para um peixe de 10 cm nadando a 1 m/s, isso dá $Re \approx 10^5$, de forma que a inércia é muito mais importante do que o atrito viscoso, e muitos peixes se propelem com as nadadeiras, como nós fazemos com os braços, empurrando a água para trás: para nós, *Re* é uma ordem de grandeza maior.

Por outro lado, para uma bactéria, de tamanho típico 1 μm, nadando a 10 μm/s, é $Re \approx 10^{-5}$, e *a inércia é desprezível em confronto com o atrito viscoso*. Assim, na presença de uma força externa, a equação de movimento só conteria essa força além do atrito, que cresce com a velocidade, e valeria a física aristotélica: a velocidade seria proporcional à força externa.

Voltando às estimativas que levaram à (2.7.7), para um corpo que percorre a distância a com velocidade v, a taxa de dissipação da energia devida ao atrito, por unidade de tempo, é

$$P = \frac{W}{a/v} \sim \frac{\eta a^2 v}{a/v} = \eta a v^2,$$

e o tempo que leva para dissipar a energia cinética T é

$$\tau = \frac{T}{P} \sim \frac{\rho a^3 v^2}{\eta a v^2} = \frac{\rho a^2}{\eta}.$$

Para a bactéria, esse tempo é ~ 10^{-6} s = 1 μs, e o espaço percorrido correspondente é $v\tau \sim 10^{-5}$ μm = 0,1 Å, ou seja, ela para quase instantaneamente, em decorrência do atrito viscoso (salvo flutuações devidas ao movimento browniano, que estudaremos mais tarde). Uma situação com valor comparável de *Re* seria a de um peixe que procurasse nadar num tanque cheio de piche.

Como a evolução resolveu esse problema? Uma das bactérias mais comuns, a *Escherichia coli*, de forma cilíndrica, com 2 μm de comprimento e 1 μm de diâmetro, é dotada tipicamente de 4 a 6 *flagelos*, filamentos tubulares de 20 nm (nanômetros) de diâmetro e ~ 10 μm de comprimento, de forma helicoidal, com um motor na base, que a bactéria utiliza para se deslocar. A potência do motor provém de um fluxo de prótons gerado pelo metabolismo bacteriano. A Figura 2.37 mostra parte do flagelo e uma imagem (montada por microscopia eletrônica) do motor.

O motor é rotatório, com velocidade de rotação de centenas a milhares de Hz, e reversível. Conforme o seu sentido de rotação, os flagelos formam um feixe para propulsão ou se desenfeixam para frear e mudar a direção do deslocamento. A bactéria utiliza um sofisticado mecanismo de amostragem de concentração para orientar-se em direção a um nutriente.

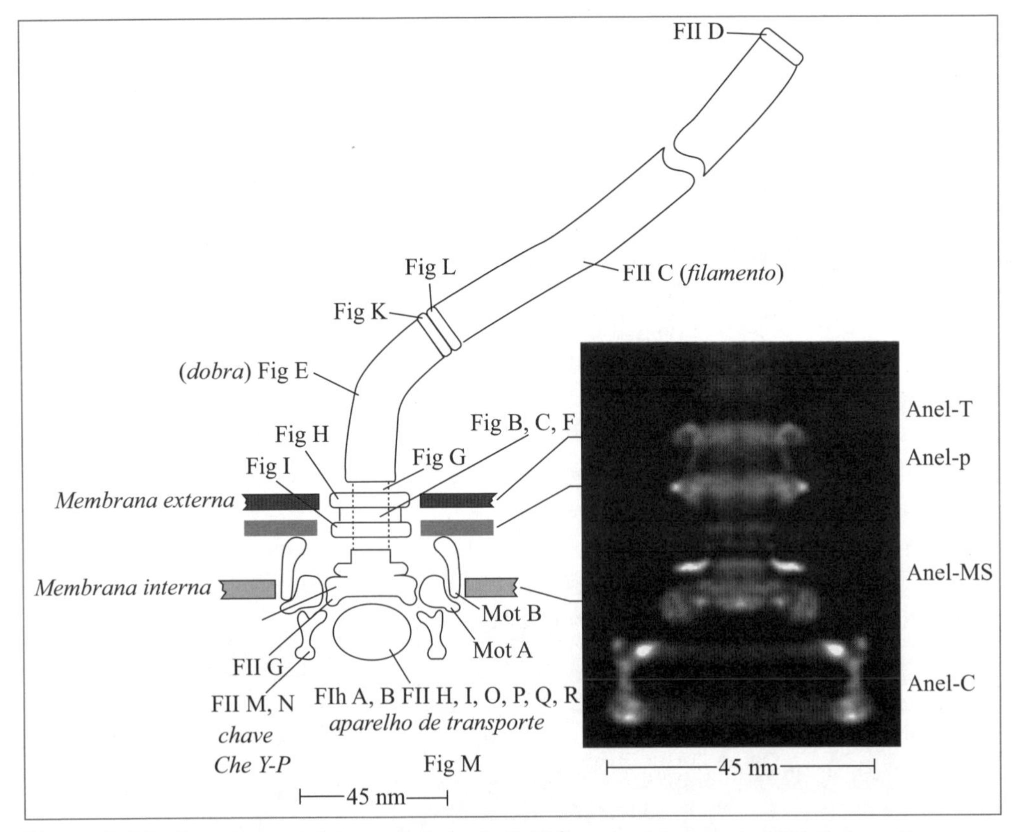

Figura 2.37 O motor rotatório e o flagelo da *E. Coli*. *Fonte*: Adaptado de BERG, H. *Annu. Rev. Biochem.*, v. 72, n. 19, 2003.

Esse e outros mecanismos de motilidade de micro-organismos continuam sendo ativamente investigados até hoje.

■ PROBLEMAS

2.1 Um tanque de grandes dimensões contém água até a altura de 1 m e tem na sua base um orifício circular de 1 cm de diâmetro. O fator de contração da veia líquida que sai pelo orifício é 0,69 [Seção 2.5 (a)]. Deseja-se alimentar o tanque, despejando água continuamente na sua parte superior, de forma a manter constante o nível da água em seu interior. Calcule a vazão de água (em l/s) necessária para este fim.

2.2 Um reservatório de paredes verticais, colocado sobre um terreno horizontal, contém água até a altura h. Se abrirmos um pequeno orifício numa parede lateral: (a) A que distância máxima d da parede o jato de água que sai pelo orifício poderá atingir o chão? (b) Em que altura deve estar o orifício para que essa distância máxima seja atingida?

2.3 Um reservatório contém água até 0,5 m de altura e, sobre a água, uma camada de óleo de densidade 0,69 g/cm^3, também com 0,5 m de altura. Abre-se um pequeno orifício na base do reservatório. Qual é a velocidade de escoamento da água?

2.4 Um tubo contendo ar comprimido a uma pressão de 1,25 atm tem um vazamento através de um pequeno orifício em sua parede lateral. Sabendo que a densidade do ar na atmosfera é de 1,3 kg/m^3, calcule a velocidade de escapamento do ar através do orifício.

2.5 Um modelo aproximado da câmara de combustão de um foguete é um recipiente contendo gás que se mantém a uma pressão constante p, com um orifício pelo qual o gás escapa para o exterior, onde a pressão é $p_0 < p$. Tratando o gás como um fluido incompressível, demonstre que o empuxo resultante sobre o foguete (**FB1**, Seção 8.5) é igual a $2A\,(p - p_0)$, onde A é a área do orifício.

2.6 Um tanque de água se encontra sobre um carrinho que pode mover-se sobre um trilho horizontal com atrito desprezível. Há um pequeno orifício numa parede, a uma profundidade h abaixo do nível da água no tanque (Figura P.1). A área do orifício é A (despreze o fator de contração da veia líquida), a massa inicial da água é M_0 e a massa do carrinho e do tanque é m_0. Qual é a aceleração inicial do carrinho?

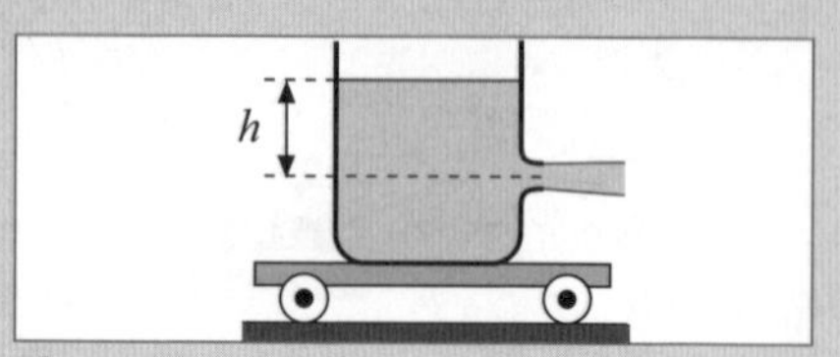

Figura P.1

2.7 Uma ampulheta é formada, de cada lado, por um tronco de cone circular de altura h = 10 cm, raio da base maior R = 10 cm e raio da base menor r = 0,1 cm. Após enchê-la de água até a metade, ela é invertida (Figura P.2). (a) Calcule a velocidade inicial de descida do nível da água; (b) Calcule a velocidade de descida do nível depois de ele ter baixado de 5 cm; (c) Que forma deveria ter a superfície lateral (de revolução) da ampulheta para que o nível da água baixasse uniformemente (relógio de água)?

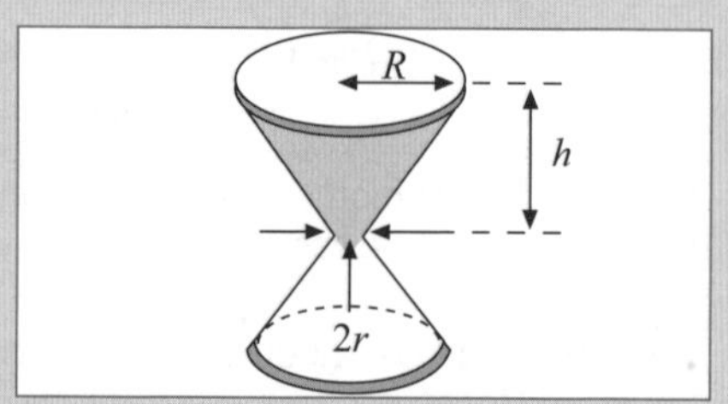

Figura P.2

2.8 Um filete de água escorre verticalmente de uma torneira de raio a, com escoamento estacionário de vazão Q. Ache a forma do jato de água que cai, determinando o raio ρ da seção transversal em função da altura z de queda (Figura P.3).

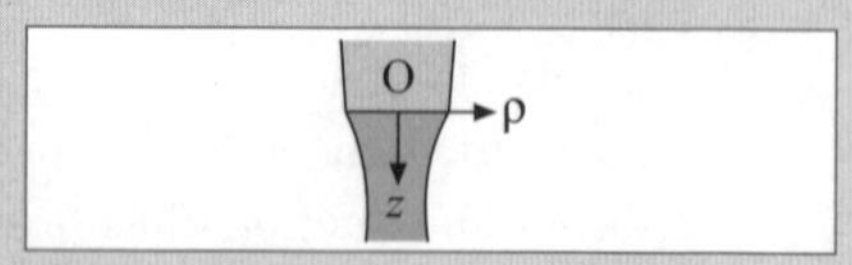

Figura P.3

2.9 Dois tubinhos de mesmo diâmetro, um retilíneo e o outro com um cotovelo, estão imersos numa correnteza horizontal de água de velocidade v. A diferença entre os níveis da água nos dois tubinhos é $h = 5$ cm (Figura P.4). Calcule v.

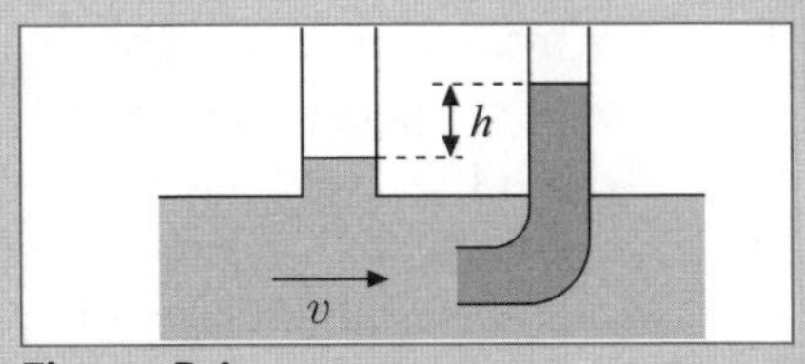

Figura P.4

2.10 A Figura P.5 ilustra uma variante do tubo de Pitot, empregada para medir a velocidade v de escoamento de um fluido de densidade ρ. Calcule v, em função do desnível h entre os dois ramos do manômetro e da densidade ρ_f do fluido manométrico.

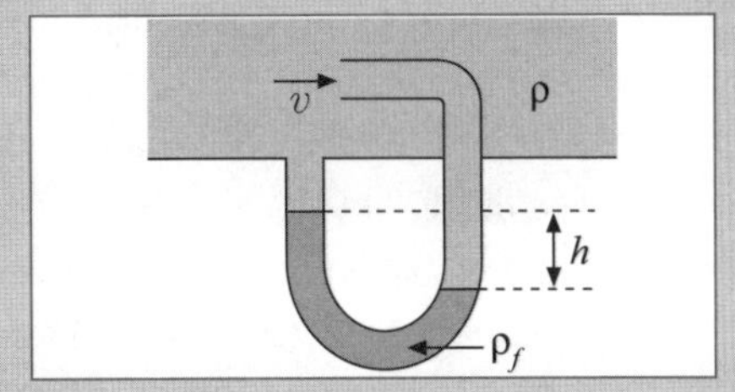

Figura P.5

2.11 Um medidor tipo Venturi é inserido numa tubulação inclinada de raio R, por onde escoa um fluido de densidade ρ. O estreitamento tem raio r e os ramos do manômetro são inseridos em pontos de alturas z_1 e z_2 (Figura P.6); o líquido manométrico tem densidade ρ_f. Calcule a vazão Q do fluido na tubulação em função destes dados e do desnível h entre os dois ramos do manômetro.

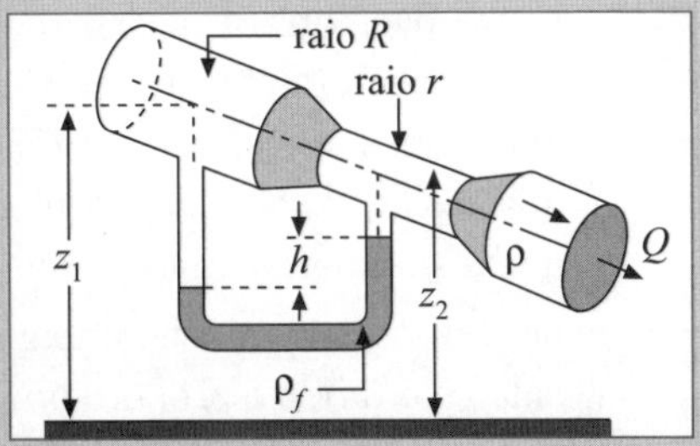

Figura P.6

2.12 Um sifão é estabelecido, aspirando o líquido do reservatório (de densidade ρ) através do tubo recurvado ABC e fazendo-o jorrar em C, com velocidade de escoamento v. (a) Calcule v em função dos parâmetros da Figura P.7. (b) Calcule a pressão nos pontos A e B. (c) Qual é o valor máximo de h_0 para o qual o sifão funciona?

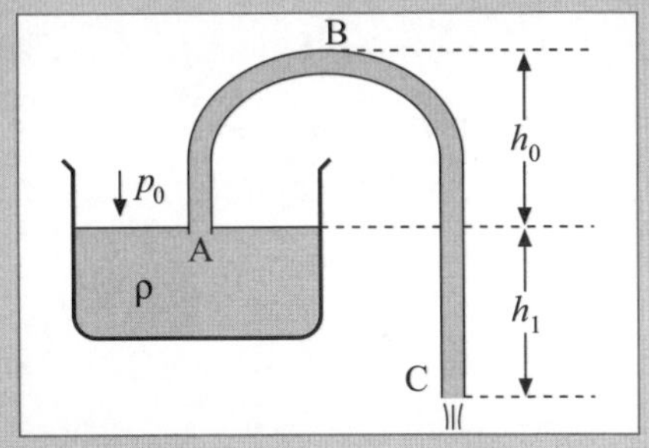

Figura P.7

2.13 Petróleo, de densidade 0,85 g/cm^3 e viscosidade 1 poise, é injetado, à pressão de 5 atm, numa extremidade de um oleoduto de 20 cm de diâmetro e 50 km de comprimento, emergindo na outra extremidade à pressão atmosférica. (a) Calcule a vazão em litros/dia; (b) Calcule a velocidade de escoamento ao longo do eixo do oleoduto.

2.14 Um avião tem uma massa total de 2.000 kg, e a área total coberta por suas asas é de 30 m^2. O desenho de suas asas é tal que a velocidade de escoamento acima delas é 1,25 vezes maior que abaixo, quando o avião está decolando. A densidade da atmosfera é 1,3 kg/m^3. Que velocidade mínima (em km/h) de escoamento acima das asas precisa ser atingida para que o avião decole?

2.15 Para o escoamento com circulação constante, definido pela (2.6.6), demonstre que, num plano horizontal, a pressão p varia com a distância r ao eixo com uma taxa de variação dada por $dp/dr = \rho v^2/r$ onde ρ é a densidade do fluido. Interprete esse resultado. Obtenha p como função de r a partir dessa equação e explique o resultado obtido.

2.16 Uma vieira consegue locomover-se rapidamente na água (Figura P.8) abrindo (devagar) e fechando (depressa) sua dupla concha, como se fosse uma dobradiça, para produzir um jato de água e aproveitar o recuo. Demonstre o "teorema da vieira" (E. Purcell, "Life at low Reynolds number", Am. J. Phys. **45**, 3 (1977)), segundo o qual esse método não funciona para pequenos números de Reynolds, como o de micro-organismos.

Figura P.8 Vieira nadando.

Sugestão: Pela relação linear entre velocidade v e força para $Re \ll 1$, a força exercida pelo fluido é proporcional à velocidade angular $d\theta/dt$ da abertura/fechamento, que para natação deve ser periódica, com período τ.

$$v = \frac{dx}{dt} = C\frac{d\theta}{dt}$$

onde C é uma constante. Integrando ambos os membros entre $t = 0$ e $t = \tau$, mostre que o deslocamento total por período é identicamente nulo.

3

O oscilador harmônico

3.1 INTRODUÇÃO

Neste capítulo e nos que se seguem, vamos abordar o estudo de *oscilações e ondas*, fenômenos de importância fundamental na física. As oscilações correspondem a vibrações localizadas, ao passo que ondas estão associadas à propagação.

Oscilações são encontradas em todos os campos da física. Exemplos de sistemas mecânicos vibratórios incluem pêndulos, diapasões, cordas de instrumentos musicais e colunas de ar em instrumentos de sopro. A corrente elétrica alternada de que nos servimos é oscilatória, e oscilações da corrente em circuitos elétricos têm inúmeras aplicações importantes.

Um pêndulo desviado da posição de equilíbrio e depois solto fornece um exemplo de *oscilações livres*, em que o sistema, após ser estabelecida a configuração inicial, não é submetido a forças externas oscilatórias, e estabelece seu próprio período de oscilação, determinado pelos parâmetros que o caracterizam. Se submetermos o pêndulo a impulsos externos periódicos, teremos uma *oscilação forçada*, em que é preciso levar em conta também o período das forças externas e sua relação com o período próprio das oscilações livres do sistema.

Os sistemas oscilantes mais simples, que estudaremos inicialmente, têm apenas *um grau de liberdade*, ou seja (conforme **FB1**, Seção 11.1), são descritos por uma única coordenada, por exemplo o ângulo de desvio do pêndulo em relação à posição vertical de equilíbrio.

Já vimos de forma qualitativa no curso anterior (**FB1**, Seção 6.5) como surgem oscilações periódicas no movimento unidimensional sob a ação de forças conservativas, associadas a uma energia potencial $U(x)$. Num entorno de uma posição de equilíbrio estável, $U(x)$ tem a forma de um "poço de potencial", com um mínimo na posição de equilíbrio, que pode ser tomada como origem O (Figura 3.1). Para uma dada energia E, a partícula oscila periodicamente entre os pontos de retorno x_1 e x_2. A Figura 3.1 também mostra o gráfico da força $F(x)$, dada por

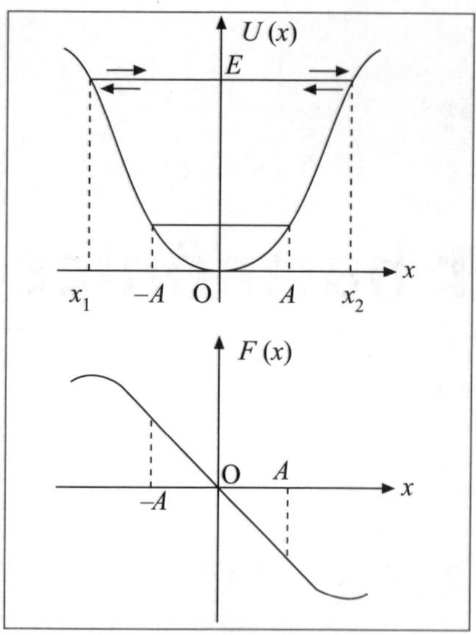

Figura 3.1 Energia potencial U e força F num movimento oscilatório.

$$F(x) = -\frac{dU}{dx} \tag{3.1.1}$$

Vimos também que, para pequenos desvios da posição de equilíbrio estável, o gráfico de $F(x)$ é aproximadamente linear. Assim, na Figura 3.1, para $-A \leq x \leq A$, temos aproximadamente

$$\boxed{F(x) = -kx} \tag{3.1.2}$$

ou seja, a força restauradora, que tende a fazer a partícula voltar à posição de equilíbrio ($k > 0$), *obedece aproximadamente à lei de Hooke* (cf. **FB1**, Seções 5.2 e 6.3). Correspondentemente, $U(x)$ pode ser aproximado nessa região por [**FB1**, (6.4.5)]

$$\boxed{U(x) = \frac{1}{2}kx^2} \tag{3.1.3}$$

ou seja, num entorno suficientemente pequeno de um mínimo, podemos aproximar $U(x)$ por uma parábola. Note que a (3.1.2) se obtém da (3.1.3) por derivação, de acordo com a (3.1.1).

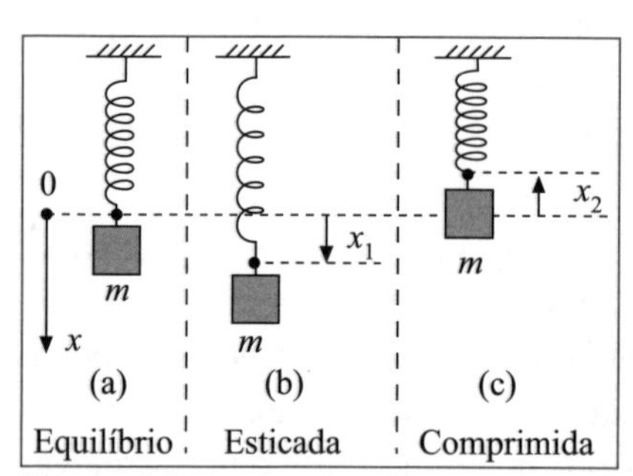

Figura 3.2 Massa e mola.

Um exemplo simples é o sistema constituído por uma massa m suspensa verticalmente por uma mola. A Figura 3.2 (a) mostra a posição de equilíbrio estável, em que a força devida à distensão da mola equilibra o peso. Em (b), a mola foi esticada, sofrendo um deslocamento $x_1 > 0$ em *relação ao nível de equilíbrio estável* correspondente a $x = 0$. Em (c), ela foi comprimida, com um deslocamento $x_2 < 0$. A força restauradora é dada pela (3.1.2), onde k é a *constante da mola*.

A equação de movimento correspondente é

$$m\ddot{x} = F(x) = -kx \tag{3.1.4}$$

ou seja,

$$\boxed{\ddot{x} = \frac{d^2x}{dt^2} = -\omega^2 x} \tag{3.1.5}$$

onde

$$\boxed{\omega = \sqrt{\frac{k}{m}}} \tag{3.1.6}$$

O sistema dinâmico descrito pela equação de movimento (3.1.5) se chama *oscilador harmônico* (unidimensional). A discussão precedente mostra que, para *pequenos* desvios de uma posição de equilíbrio estável, qualquer sistema com um grau de liberdade deve obedecer, com boa aproximação, a essa equação de movimento. Essa grande generalidade de aplicação é uma das razões da importância fundamental do oscilador harmônico.

A restrição a *pequenos desvios é* importante. Para desvios maiores, tendem a aparecer *correções não lineares* (termos adicionais proporcionais a x^2, x^3, ...) na lei de forças (3.1.2) (cf. Figura 3.1). Assim, se passarmos do *limite elástico* de uma mola, ela não retorna à posição de equilíbrio: produzem-se deformações permanentes. Não vamos considerar as *oscilações não lineares*, que dão origem a efeitos mais complicados.

3.2 OSCILAÇÕES HARMÔNICAS

(a) Soluções

O movimento de um oscilador harmônico se chama *movimento harmônico simples* (MHS). Para obter a lei horária do MHS, temos de resolver a equação de movimento (3.1.5) em relação à função incógnita $x(t)$. A (3.1.5) é uma *equação diferencial ordinária* para $x(t)$, porque contém derivadas de x em relação a t. Ela é de 2ª ordem, porque a derivada mais elevada que aparece é a 2ª.

No volume **1**, Seção 2.5, já resolvemos uma equação diferencial ordinária de 2ª ordem, a equação do movimento retilíneo uniformemente acelerado

$$\frac{d^2x}{dt^2} = a = \text{constante} \tag{3.2.1}$$

Vimos que, integrando ambos os membros em relação a t, obtemos a lei de variação da velocidade,

$$\int_0^t \frac{d^2x}{dt^2}dt = \underbrace{\left[\frac{dx}{dt}\right]_0^t}_{v} = v(t) - \underbrace{v(0)}_{v_0} = a\int_0^t dt = at$$

ou seja,

$$v(t) = \frac{dx}{dt} = v_0 + at$$

onde v_0 é a *velocidade inicial*. Integrando novamente em relação a t,

$$\int_0^t \frac{dx}{dt'}dt' = [x]_0^t = x(t) - \underbrace{x(0)}_{x_0} = v_0\int_0^t dt' + a\int_0^t t'\,dt' = v_0 t + \frac{1}{2}at^2$$

ou seja, finalmente, sendo x_0 a posição inicial,

$$x(t) = x_0 + v_0 t + \frac{1}{2}at^2 \tag{3.2.2}$$

Este resultado familiar ilustra o fato de que a *solução geral de uma equação diferencial ordinária de 2ª ordem depende de duas constantes arbitrárias*, que na (3.2.2) correspondem às condições iniciais

$$\begin{cases} x(0) = x_0 & (3.2.3) \\ \dfrac{dx}{dt}(0) = v(0) = v_0 & (3.2.4) \end{cases}$$

Poderíamos também ter reconhecido que

$$x(t) = A + Bt + \frac{1}{2}at^2 \tag{3.2.5}$$

é solução da (3.2.1) quaisquer que sejam as constantes A e B; logo, é a solução geral, por conter duas constantes arbitrárias ajustáveis independentemente. Os valores de A e B poderiam, então, ser obtidos seja dando as condições iniciais (3.2.3) e (3.2.4), seja dando outras duas condições equivalentes, como, por exemplo, os valores $x(t_1)$ e $x(t_2)$ de $x(t)$ em dois instantes diferentes t_1 e t_2.

Para resolver uma equação diferencial mais geral, como a (3.1.5), dadas as condições iniciais, podemos sempre procurar soluções aproximadas por métodos numéricos. Na prática, isto se faz efetivamente com o auxílio de computadores. Para Δt suficientemente pequeno, podemos aproximar

$$\frac{d^2x}{dt^2}(t) \approx \frac{1}{\Delta t}\left[\frac{dx}{dt}(t + \Delta t) - \frac{dx}{dt}(t)\right] \tag{3.2.6}$$

$$\frac{dx}{dt}(t) \approx \frac{1}{\Delta t}\left[x(t + \Delta t) - x(t)\right] \tag{3.2.7}$$

Logo, partindo de $t = 0$, onde são dadas as (3.2.3) e (3.2.4), obtemos

$$x(\Delta t) \approx x(0) + \Delta t \frac{dx}{dt}(0) = x_0 + v_0 \Delta t \tag{3.2.8}$$

$$\frac{dx}{dt}(\Delta t) \approx \frac{dx}{dt}(0) + \Delta t \cdot \underbrace{\frac{d^2x}{dt^2}}_{=-\omega^2 x(0)}(0) = v_0 - \omega^2 x_0 \Delta t \tag{3.2.9}$$

onde usamos também a equação diferencial (3.1.5). As (3.2.8) e (3.2.9) definem um novo par de "condições iniciais", mas agora no instante Δt.

Repetindo o mesmo processo, obteríamos x e $\dfrac{dx}{dt}$ no instante $2\Delta t$, e assim sucessivamente.

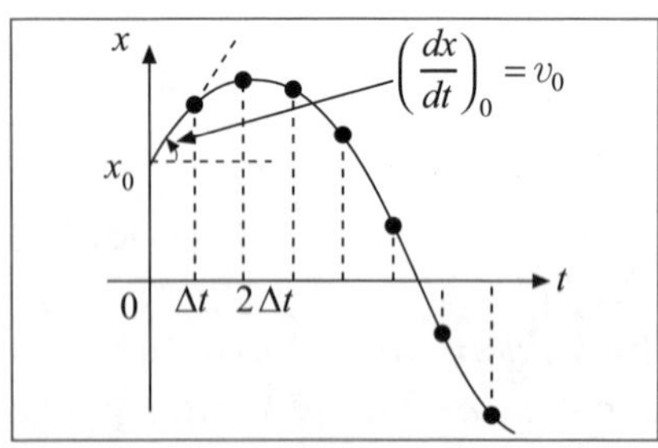

Figura 3.3 Resolução numérica.

Num gráfico de x em função de t, unindo os pontos assim obtidos $x(0)$, $x(\Delta t)$, $x(2\Delta t)$, ... por segmentos de reta, obtém-se uma poligonal, que se aproxima tanto mais da curva solução $x(t)$ quanto menor o intervalo Δt.

A Figura 3.3 mostra o aspecto qualitativo da solução aproximada, obtida dessa forma (tomamos $x_0 > 0$, $v_0 > 0$).

A (3.1.5) se escreve

$$\frac{d}{dt}\left(\frac{dx}{dt}\right) = -\omega^2 x \tag{3.2.10}$$

Logo, para $x > 0$, o coeficiente angular dx/dt da tangente à curva decresce quando passamos de t a $t + \Delta t$: a declividade diminui, passa pelo zero (tangente horizontal) e depois se torna negativa e crescente em valor absoluto.

Por conseguinte, enquanto está acima do eixo das abscissas, a curva é côncava para baixo; quando está sob o eixo ($x < 0$), é o contrário: a concavidade fica voltada para cima. Isto caracteriza o comportamento *oscilatório*. A (3.2.10) também mostra que a curvatura é tanto mais acentuada quanto maior for $|x|$.

O gráfico aproximado lembra uma senoide, sugerindo considerar soluções do tipo sen(ct), cos(ct), onde c é uma constante a ser ajustada. Temos:

$$\frac{d}{dt}\left[\operatorname{sen}(ct)\right] = c\cos(ct)\left\{\frac{d^2}{dt^2}\left[\operatorname{sen}(ct)\right] = -c^2\operatorname{sen}(ct)\right.$$

$$\frac{d}{dt}\left[\cos(ct)\right] = -c\operatorname{sen}(ct)\left\{\frac{d^2}{dt^2}\left[\cos(ct)\right] = -c^2\cos(ct)\right.$$

Logo, tomando $c = \omega$, obtemos as seguintes soluções da (3.1.5):

$$\boxed{\begin{aligned} x_1(t) &= \cos(\omega t) \\ x_2(t) &= \operatorname{sen}(\omega t) \end{aligned}} \tag{3.2.11}$$

(b) Linearidade e princípio de superposição

A (3.1.5) é uma equação diferencial *linear*, ou seja, só contém termos *lineares* na função incógnita e suas derivadas: não comparecem termos em $x^2, x^3, \ldots, (dx/dt)^2, \ldots, (d^2x/dt^2)^3, \ldots$. A equação diferencial linear de 2ª ordem mais geral é da forma

$$A\frac{d^2x}{dt^2} + B\frac{dx}{dt} + Cx = F \tag{3.2.12}$$

onde os coeficientes A, B, C e F não dependem de x, mas poderiam, em geral, depender de t. Na (3.1.5), esses coeficientes são *constantes*. Além disso, a (3.1.5) é uma equação *homogênea*, ou seja, com

$$F = 0 \tag{3.2.13}$$

Qualquer *equação diferencial linear de 2ª ordem homogênea* tem as seguintes propriedades fundamentais, cuja verificação é imediata:

(i) Se $x_1(t)$ e $x_2(t)$ são soluções, $x_1(t) + x_2(t)$ também é.

(ii) Se $x(t)$ é solução, $ax(t)$ (a = constante) também é.

Note que estes resultados não seriam válidos para equações não lineares: por exemplo, se o 2º membro da (3.1.5) fosse proporcional a x^2 em lugar de x (verifique!).

Combinando (i) e (ii), vemos que, se $x_1(t)$ e $x_2(t)$ são soluções, qualquer *combinação linear*

$$x(t) = ax_1(t) + bx_2(t) \tag{3.2.14}$$

onde a e b são constantes arbitrárias, é solução.

Este resultado é uma forma do *princípio de superposição*. Resultados análogos valem para equações diferenciais lineares de ordem qualquer, como é fácil ver.

Uma consequência imediata é que, se $x_1(t)$ e $x_2(t)$ são duas soluções *independentes*, ou seja, se $x_2(t)$ não é múltipla de $x_1(t)$, a (3.2.14) é a solução geral, pois depende de duas constantes arbitrárias a e b [se $x_2(t)$ fosse múltipla de $x_1(t)$, $x_2(t) = cx_1(t)$, a (3.2.14) ficaria: $x(t) = (a + bc)\, x_1(t) = dx_1(t)$, ou seja, só teríamos uma constante efetivamente ajustável].

Aplicando a (3.2.14) à (3.2.11), obtemos a forma geral das *oscilações livres do oscilador harmônico:*

$$\boxed{x(t) = a\cos(\omega t) + b\,\text{sen}(\omega t)} \tag{3.2.15}$$

o que também podemos escrever de outra forma equivalente:

$$\boxed{x(t) = A\cos(\omega t + \varphi)} \tag{3.2.16}$$

onde as duas constantes arbitrárias passam a ser A e φ.

É fácil obter a relação entre essas duas formas de escrever a solução. Como cos $(\omega t + \varphi)$ = cos (ωt) cosφ – sen (ωt) senφ, vem

$$\boxed{a = A\cos\varphi, \quad b = -A\,\text{sen}\,\varphi} \tag{3.2.17}$$

Inversamente, dados a e b, podemos obter A e φ:

$$\boxed{\begin{array}{l} A = \sqrt{a^2 + b^2} \\ \cos\varphi = \dfrac{a}{\sqrt{a^2+b^2}}, \quad \text{sen}\,\varphi = -\dfrac{b}{\sqrt{a^2+b^2}} \end{array}} \tag{3.2.18}$$

o que determina φ a menos de um múltiplo de 2π, ou seja, de forma consistente com a (3.2.16), onde φ só é definido a menos de um múltiplo de 2π.

(c) Interpretação física dos parâmetros

Pela (3.2.16), vemos que $x(t)$ oscila entre os valores extremos $-A$ e A (veja Figura 3.1). Logo, $A = |x(t)|_{\text{máx}}$ = *amplitude* de oscilação.

Como cos $(\omega t + \varphi)$ é uma função periódica de ωt de período 2π, vemos que o *período* de oscilação é

$$\boxed{\tau = \frac{2\pi}{\omega} = \frac{1}{\nu}} \tag{3.2.19}$$

onde ν, a *frequência* de oscilação, se mede em *ciclos por segundo* ≡ *hertz* (Hz). A grandeza $\omega = 2\pi\nu$ se chama *frequência angular* e se mede em rad/s ou simplesmente s^{-1}. O argumento do cosseno na (3.2.16),

$$\boxed{\theta = \omega t + \varphi} \tag{3.2.20}$$

chama-se *fase* do movimento, e φ é a *constante de fase* ou *fase inicial* (valor da fase para $t = 0$).

A Figura 3.4 mostra o efeito de variar φ mantendo constantes os demais parâmetros: desloca a curva como um todo, começando num ponto diferente. Diz-se que a oscilação com $\varphi = \pi/2$ (90°) está em *quadratura* em relação a $\varphi = 0$: quando $|x|$ é máximo numa, é nulo na outra. A oscilação com $\varphi = \pi$ (180°) está em *oposição de fase* em relação a $\varphi = 0$: os valores de x, em instantes correspondentes, são iguais e opostos.

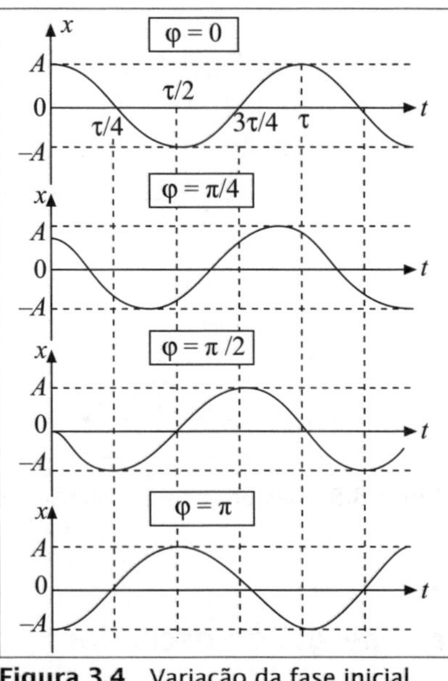

Figura 3.4 Variação da fase inicial.

Note que, pelas (3.2.19) e (3.1.6), o período de oscilação é independente da amplitude, o que, conforme veremos depois, deixa de valer para oscilações não lineares. A (3.1.6) se escreve

$$\omega^2 = k/m \tag{3.2.21}$$

Como $k = |F/x|$ pela (3.1.4), isto equivale a

$$\boxed{\omega^2 = \begin{Bmatrix} \text{força restauradora por unidade de} \\ \text{deslocamento e por unidade de massa} \end{Bmatrix}} \tag{3.2.22}$$

o que vale para sistemas vibrantes em geral: quanto maior a força restauradora por unidade de deslocamento do equilíbrio e quanto menor a inércia (massa), mais rápidas são as oscilações.

(d) Ajuste das condições iniciais

A (3.2.16) resulta em

$$\boxed{\dot{x}(t) = v(t) = -\omega A \operatorname{sen}(\omega t + \varphi)} \tag{3.2.23}$$

de modo que, para satisfazer as condições iniciais (3.2.3) e (3.2.4), devemos ter

$$\left.\begin{aligned} A\cos\varphi &= x_0 \\ -\omega A \operatorname{sen}\varphi &= v_0 \end{aligned}\right\} \tag{3.2.24}$$

Comparando com as (3.2.17), podemos escrever a solução sob a forma (3.2.15):

$$\boxed{x(t) = x_0\cos(\omega t) + \frac{v_0}{\omega}\operatorname{sen}(\omega t)} \tag{3.2.25}$$

Também podemos determinar A e φ a partir das (3.2.24):

$$A = \sqrt{x_0^2 + \frac{v_0^2}{\omega^2}} \quad \textbf{(3.2.26)}$$

$$\cos\varphi = x_0 / A, \quad \operatorname{sen}\varphi = -v_0 / (\omega A) \quad \textbf{(3.2.27)}$$

onde, nas (3.2.27), A é dado pela (3.2.26). Em particular, quando o oscilador é solto em repouso, a (3.2.26) resulta em $A = |x_0|$, ou seja, o deslocamento inicial fornece a amplitude de oscilação.

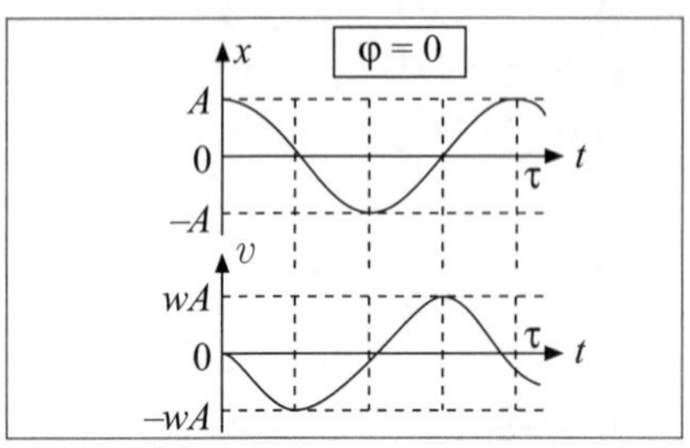

Figura 3.5 Deslocamento e velocidade.

Como $\cos\left(\theta + \frac{\pi}{2}\right) = -\operatorname{sen}\theta$, vemos, comparando a (3.2.23) com a (3.2.16), que a velocidade do oscilador está adiantada de $\pi/2$ em relação ao deslocamento (Figura 3.5), ou seja, está em *quadratura* com ele. Quando $|x| = A$ (deslocamento máximo), a velocidade é nula: são os *pontos de inversão*, em que o sentido do movimento se inverte; quando a partícula passa pela posição de equilíbrio ($x = 0$), a velocidade tem magnitude máxima.

(e) Energia do oscilador

Pela (3.2.23), a energia cinética do oscilador no instante t é

$$\boxed{T(t) = \frac{1}{2}m\dot{x}^2(t) = \frac{1}{2}m\omega^2 A^2 \operatorname{sen}^2(\omega t + \varphi)} \quad \textbf{(3.2.28)}$$

e, pelas (3.1.3) e (3.2.16), a energia potencial é

$$\boxed{U(t) = \frac{1}{2}kx^2 = \frac{1}{2}m\omega^2 x^2 = \frac{1}{2}m\omega^2 A^2 \cos^2(\omega t + \varphi)} \quad \textbf{(3.2.29)}$$

onde utilizamos também a (3.2.21).

Somando membro a membro, obtemos a energia total E, que se conserva:

$$\boxed{\frac{1}{2}m\dot{x}^2 + \frac{1}{2}kx^2 = E = \frac{1}{2}m\omega^2 A^2 = \text{constante}} \quad \textbf{(3.2.30)}$$

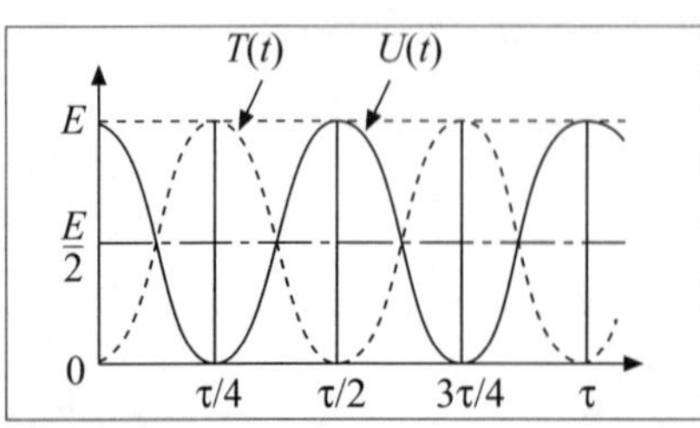

Figura 3.6 Valores médios de T e U.

Vemos que *a energia total é proporcional ao quadrado da amplitude, e também ao quadrado da frequência.*

A Figura 3.6 mostra os gráficos de $U(t)$ e $T(t)$ durante um período de oscilação, correspondentes às curvas de $x(t)$ e $v(t)$ da Figura 3.5. Nos instantes em que o oscilador passa pela posição de equilíbrio, a energia é puramente cinética; quando a magnitude do deslocamento é máxima, ela é puramente potencial (no exemplo da Figura 3.2, fica armazenada na mola). Em instantes intermediários, as contribuições à energia oscilam entre esses dois extremos.

O *valor médio* de uma função $f(t)$ num intervalo $0 \leq t \leq \tau$ é definido por

$$\boxed{\bar{f} = \frac{1}{\tau}\int_0^{\tau} f(t)dt} \quad \textbf{(3.2.31)}$$

Se subdividirmos o intervalo em N partes iguais, é fácil ver que $\bar{f}$ é o limite da média aritmética de f nos pontos de subdivisão quando $N \to \infty$. Decorre imediatamente desta definição que

$$\overline{\left[f(t) - \bar{f}\right]} = 0 \quad \textbf{(3.2.32)}$$

Como as curvas de $T(t)$ e $U(t)$ na Figura 3.6 são simétricas em torno de $E/2$ (têm a mesma área acima e abaixo dessa ordenada), temos

$$\bar{T} = \bar{U} = \frac{1}{2}E = \frac{1}{4}m\omega^2 A^2 \quad \textbf{(3.2.33)}$$

ou seja, a *energia cinética média por período é igual à energia potencial média por período*, valendo portanto metade da energia total.

Também decorre das (3.2.28) a (3.2.30) que

$$T = \frac{1}{2}m\left(\frac{dx}{dt}\right)^2 = E - U(x) = \frac{1}{2}m\omega^2\left(A^2 - x^2\right) \quad \textbf{(3.2.34)}$$

o que, para uma energia total dada, define a energia cinética como função da posição do oscilador.

Como o gráfico de $U(x)$ é uma porção de parábola entre $-A$ e A, o gráfico de $T(x)$ é uma porção de parábola invertida (Figura 3.7); máximos de U são zeros de T e vice-versa.

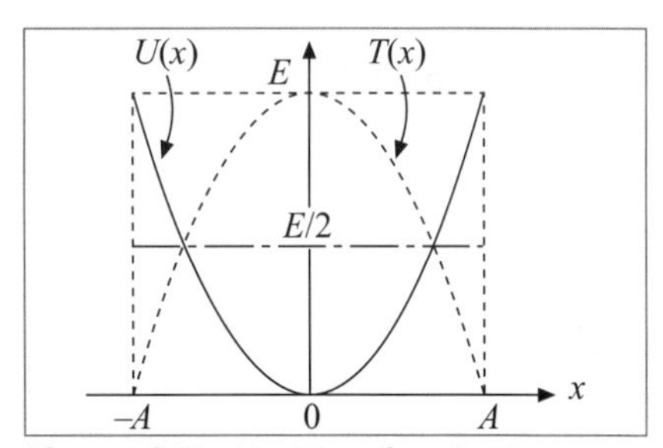

Figura 3.7 U e T em função de x.

A (3.2.34) também fornece a velocidade instantânea em função de x:

$$v = \frac{dx}{dt} = \pm\omega\sqrt{A^2 - x^2} \quad \textbf{(3.2.35)}$$

onde o sinal depende da porção do ciclo de oscilação considerada.

Já vimos no volume **1**, Seção 6.6, que a (3.2.35) pode ser diretamente integrada para dar a lei horária $x = x(t)$. O resultado lá obtido, $x(t) = A\ \text{sen}(\omega t + \varphi_0)$, é equivalente à (3.2.16), bastando fazer $\varphi_0 \to \varphi + \frac{\pi}{2}$ e notar que sen $\left(\theta + \frac{\pi}{2}\right) = \cos\theta$.

3.3 EXEMPLOS E APLICAÇÕES

Como vimos, praticamente qualquer sistema conservativo com um grau de liberdade, na vizinhança de uma posição de equilíbrio estável, se comporta como um oscilador harmônico, de modo que a variedade de exemplos é muito grande. Uma ilustração simples, já vista, é uma massa presa a uma mola (Figura 3.2). Vamos considerar agora outros exemplos e aplicações práticas.

(a) O pêndulo de torção

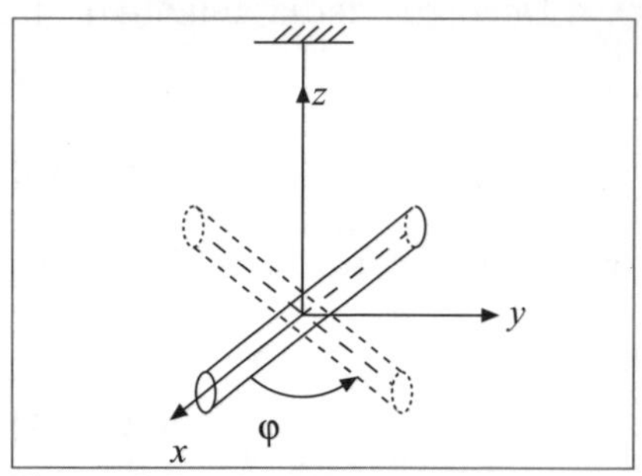

Figura 3.8 Pêndulo de torção.

Consideremos uma barra horizontal suspensa em equilíbrio, por um fio vertical (Figura 3.8). Se defletirmos a barra, no plano horizontal, de um *pequeno* ângulo em relação à posição de equilíbrio, a lei de Hooke para a *torção* do fio diz que ele reage com um *torque restaurador* proporcional ao ângulo de torção:

$$\boxed{\tau = -K\varphi} \quad \textbf{(3.3.1)}$$

onde K é o *módulo de torção* do fio, que depende do seu comprimento, diâmetro e material, e o sinal negativo, como na (3.1.2), indica que o torque é no sentido de trazer o sistema de volta à posição de equilíbrio.

Se I é o momento de inércia da barra em relação ao eixo vertical, a equação de movimento é (**FB1**, Seção 12.1)

$$\tau = I\alpha = I\ddot{\varphi} \quad \textbf{(3.3.2)}$$

ou seja, pela (3.3.1),

$$\ddot{\varphi} + \omega^2\varphi = 0 \quad \textbf{(3.3.3)}$$

onde

$$\boxed{\omega^2 = \frac{K}{I}} \quad \textbf{(3.3.4)}$$

que é da forma (3.2.22) (ω^2 = torque restaurador por unidade de deslocamento angular e de momento de inércia).

Sistemas desse tipo são empregados em instrumentos de laboratório muito sensíveis, como a balança de torção utilizada na experiência de Cavendish (**FB1**, Seção 10.8) e o galvanômetro. Nas oscilações do volante de um relógio, o torque restaurador provém de uma mola espiral.

(b) O pêndulo simples

O pêndulo simples consiste numa massa m suspensa por um fio ou haste de comprimento l e massa desprezível (Figura 3.9). A massa m se move sobre um círculo de raio l, sob a ação do peso $m\mathbf{g}$ e da tensão $\mathcal{T}$. Decompondo-se a aceleração em componentes tangencial e radial (**FB1**, Seção 3.8), as equações de movimento são, para um ângulo de desvio θ em relação à posição vertical de equilíbrio,

$$ma_r = -ml\left(\frac{d\theta}{dt}\right)^2 = mg\cos\theta - \mathcal{T} \quad \textbf{(3.3.5)}$$

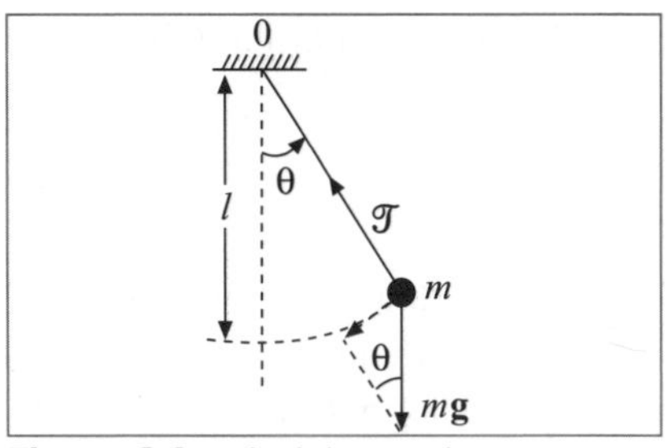

Figura 3.9 Pêndulo simples.

$$ma_\theta = ml\frac{d^2\theta}{dt^2} = -mg\,\text{sen}\,\theta \quad \textbf{(3.3.6)}$$

A componente tangencial (3.3.6) dá a *equação* de *movimento do pêndulo simples*

$$\boxed{\frac{d^2\theta}{dt^2} = -\frac{g}{l}\,\text{sen}\,\theta} \quad \textbf{(3.3.7)}$$

e a componente radial (3.3.5) permite obter a tensão $\mathcal{T}$ uma vez resolvida a equação de movimento.

Medindo o ângulo θ em radianos, temos, para ângulos θ pequenos,

$$\boxed{\theta \ll 1 \Rightarrow \text{sen}\theta \approx \theta} \quad \textbf{(3.3.8)}$$

Por exemplo, para θ = 0,1745 rad (10°), temos sen θ = 0,1736, de modo que a (3.3.8) ainda é válida com erro relativo da ordem de 0,5%. Logo, para *pequenos* desvios da posição de equilíbrio estável, a (3.3.7) se reduz, como deveria, à equação de oscilação harmônica

$$\ddot{\theta} + \frac{g}{l}\theta = 0 \quad \textbf{(3.3.9)}$$

o que resulta em

$$\boxed{\omega^2 = g/l} \quad \textbf{(3.3.10)}$$

Como $-mg\,\theta$ é a força restauradora para um pequeno deslocamento $l\theta$, a (3.3.10) é da forma (3.2.22).

Pela (3.2.19), o período τ das *pequenas oscilações* do pêndulo é

$$\boxed{\tau = 2\pi\sqrt{\frac{l}{g}}} \quad \textbf{(3.3.11)}$$

O fato de que τ é *independente da amplitude de oscilação* (desde que esta permaneça pequena) constitui o *isocronismo* das pequenas oscilações do pêndulo, descoberto por Galileu (**FB1**, Seção 1.7). Galileu menciona em "Duas Novas Ciências" que "os tempos de vibração de corpos suspensos por fios de comprimentos diferentes estão entre si como as raízes quadradas dos comprimentos dos fios". Vimos também (**FB1**, Seção 13.7) que Newton verificou com precisão a igualdade entre massa inercial e massa gravitacional, medindo os períodos de pêndulos simples: no 1º membro da (3.3.6), m é a massa inercial; no último membro, é a massa gravitacional.

A energia cinética do pêndulo é

$$\boxed{T = \frac{1}{2}mv^2 = \frac{1}{2}ml^2\left(\frac{d\theta}{dt}\right)^2} \quad (3.3.12)$$

Tomando como nível zero de energia potencial a posição de equilíbrio estável $\theta = 0$, a energia potencial U se obtém (**FB1**, Seção 7.3) do trabalho realizado pela força (3.3.6) num deslocamento entre 0 e θ:

$$U = -W_{0\to\theta} = mg\int_0^\theta \text{sen}\theta' \cdot l\,d\theta' = \left[-mgl\cos\theta'\right]_0^\theta \quad (3.3.13)$$

ou seja

$$\boxed{U = mgl(1-\cos\theta)} \quad (3.3.14)$$

Em particular, na aproximação (3.3.8), a (3.3.13) fica

$$U = mgl\int_0^\theta \theta'\,d\theta' = mgl\left[\frac{(\theta')^2}{2}\right]_0^\theta$$

ou seja, levando em conta a (3.3.10),

$$\boxed{U = \frac{1}{2}mgl\theta^2 = \frac{1}{2}m\omega^2 l^2\theta^2}\,(\theta \ll 1) \quad (3.3.15)$$

que deve ser comparado com a (3.2.29).

Discussão qualitativa para grandes amplitudes

Pelas (3.3.12) e (3.3.14), a energia total do pêndulo, para qualquer valor de θ (não só para $\theta << 1$) é dada por

$$\boxed{E = \frac{1}{2}ml^2\left(\frac{d\theta}{dt}\right)^2 + mgl(1-\cos\theta)} \quad (3.3.16)$$

Valores de θ que diferem por múltiplos de 2π correspondem ao mesmo ângulo, de modo que poderíamos tomar como intervalo de variação de θ, por exemplo, $-\pi < \theta < \pi$.

Nada impede, porém, que apliquemos à (3.3.16) o método de discussão qualitativa do movimento unidimensional apresentado no volume **1**, Seção 6.5, fazendo θ variar, como x, entre $-\infty$ e ∞, desde que lembremos que θ e $\theta + 2k\pi$ ($k = \pm 1, \pm 2, \ldots$) correspondem à mesma posição do pêndulo.

A energia potencial $U(\theta)$ dada pela (3.3.14) corresponde, nesta representação, a um gráfico *periódico* de período 2π (na Figura 3.10 há três períodos representados). A força restauradora na posição θ é

$$F(\theta) = -\frac{dU}{l\,d\theta} = -mg\,\text{sen}\,\theta$$

como na (3.3.6), e as posições de equilíbrio, em que $F = 0$, são $\theta = 0$ e $\theta = \pi$ (a menos de $2k\pi$). As energias de equilíbrio correspondentes se obtêm fazendo $d\theta/dt = 0$ na (3.3.16), e são: $E = 0$ para $\theta = 0$ e

$$E = E_0 = 2mgl \qquad \textbf{(3.3.17)}$$

para $\theta = \pi$.

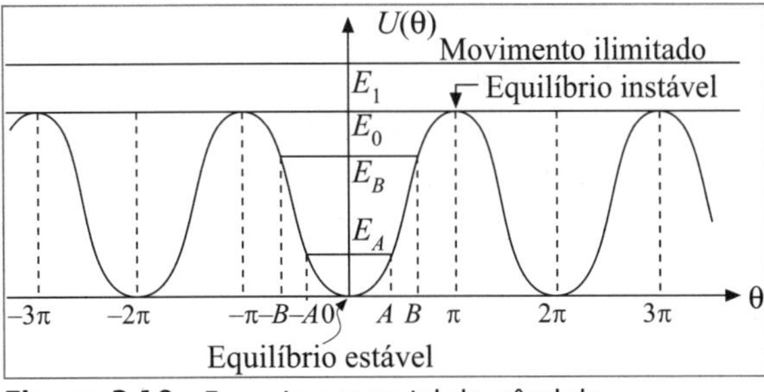

Figura 3.10 Energia potencial do pêndulo.

A posição $\theta = 0$ corresponde à posição vertical de equilíbrio *estável*, com o pêndulo abaixo do ponto de suspensão O, enquanto $\theta = \pi$ *é* a posição vertical de equilíbrio *instável*, com o pêndulo acima do ponto O (Figura 3.11): é preciso neste caso que a massa m esteja na extremidade de uma haste rígida, e não de um fio, porque o fio se dobraria antes de atingir essa posição (cf. **1**, Seção 7.6 (c)).

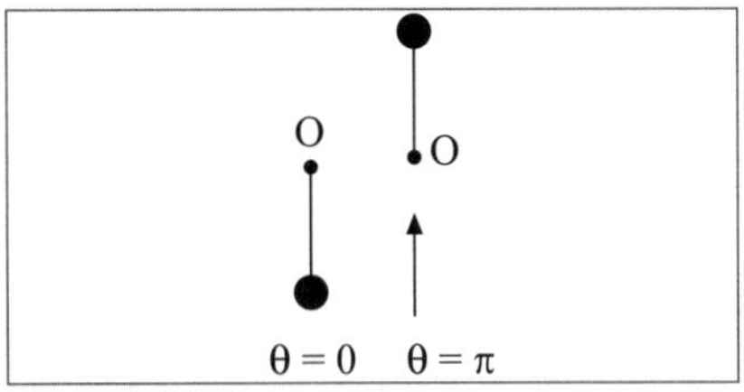

Figura 3.11 Posições de equilíbrio estável e instável.

Para uma energia total $E < 2\,mgl$, o pêndulo oscila entre os pontos de inversão $\theta = \pm\,\theta_0$ nos quais $d\theta/dt = 0$, de modo que [cf. (3.3.16)]

$$E = mgl\left(1 - \cos\theta_0\right)$$

e, subtraindo-se membro a membro da (3.3.16),

$$\frac{1}{2}ml^2\left(\frac{d\theta}{dt}\right)^2 + mgl\left(\cos\theta_0 - \cos\theta\right) = 0 \left\{ \frac{d\theta}{dt} = \pm\sqrt{(2g/l)\left(\cos\theta - \cos\theta_0\right)} \right.$$

onde o sinal + vale durante metade do período, digamos de t_0 a $t_0 + \tau/2$, quando o pêndulo oscila de $-\theta_0$ a θ_0, e o sinal − para o retorno. Integrando durante a primeira metade, vem

$$\int_{t_0}^{t_0+\frac{\tau}{2}} dt = \boxed{\frac{\tau}{2} = \sqrt{\frac{l}{2g}} \int_{-\theta_0}^{\theta_0} \frac{d\theta}{\sqrt{\cos\theta - \cos\theta_0}}} \qquad \textbf{(3.3.18)}$$

que é a expressão geral do período em função da amplitude de oscilação θ_0.

Para $E = E_A << 2\,mgl$ (Figura 3.10), temos $\theta_0 = A << 1$, de modo que $U(\theta)$ pode ser aproximado pela parábola (3.3.15). Comparando com a (3.3.14), vemos que isto corresponde à aproximação

$$\cos\theta - \cos\theta_0 = \left(1 - \cos\theta_0\right) - \left(1 - \cos\theta\right) = \frac{1}{2}\left(\theta_0^2 - \theta^2\right) \qquad \textbf{(3.3.19)}$$

e a (3.3.18) fica (**FB1**, Seção 6.6)

$$\tau = 2\sqrt{\frac{l}{g}} \int_{-\theta_0}^{\theta_0} \frac{d\theta}{\sqrt{\theta_0^2 - \theta^2}} = 2\sqrt{\frac{l}{g}} \left[\text{sen}^{-1}\left(\frac{\theta}{\theta_0}\right) \right]_{-\theta_0}^{\theta_0} = 2\pi\sqrt{\frac{l}{g}}$$

concordando com a (3.3.11). Para estas pequenas oscilações, vale a aproximação de oscilador harmônico (3.3.9).

Para $E = E_B$ (Figura 3.10), a amplitude de oscilação $\theta_0 = B$ não é mais << 1, e obtém-se o período calculando a integral (3.3.18), que não é redutível a funções elementares: é do tipo conhecido como *integral elíptica* (seus valores numéricos se encontram em tabelas). Pode-se mostrar que, para θ_0 ainda pequeno, a primeira correção à (3.3.11) é da forma

$$\tau = 2\pi\sqrt{\frac{l}{g}}\left(1+\frac{1}{16}\theta_0^2\right) \tag{3.3.20}$$

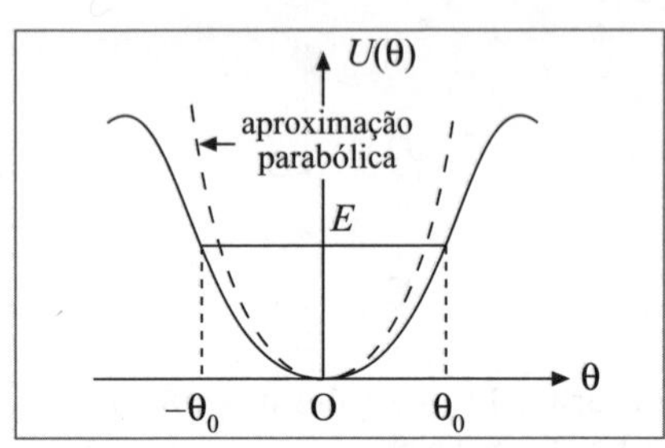

Figura 3.12 Energia potencial para grandes amplitudes.

Assim, para amplitudes maiores, o pêndulo deixa de ser isócrono: o período depende da amplitude, crescendo com θ_0. A correção se torna ~ 1% para θ_0 ~ 0,4 rad ~ 22°. O fato de que o período *aumenta* com a amplitude pode ser visto comparando $U(\theta)$ com a aproximação parabólica (Figura 3.12). Como $U(\theta)$ cresce mais lentamente que a parábola, a força restauradora $F(\theta)$ é *menor* do que a dada pela lei de Hooke para ângulos grandes, o que, pela (3.2.22), implica uma diminuição de ω^2 (aumento de τ).

Para energias $E_1 > 2\ mgl$, o movimento é ilimitado, ou seja, $|\theta|$ cresce indefinidamente na representação da (Figura 3.10). Levando em conta a periodicidade, isto significa que o pêndulo, para energia total suficientemente elevada, passa a girar indefinidamente (na ausência de atrito e para suspensão por uma haste rígida, não um fio), descrevendo círculos completos em torno de seu ponto de suspensão.

(c) O pêndulo físico

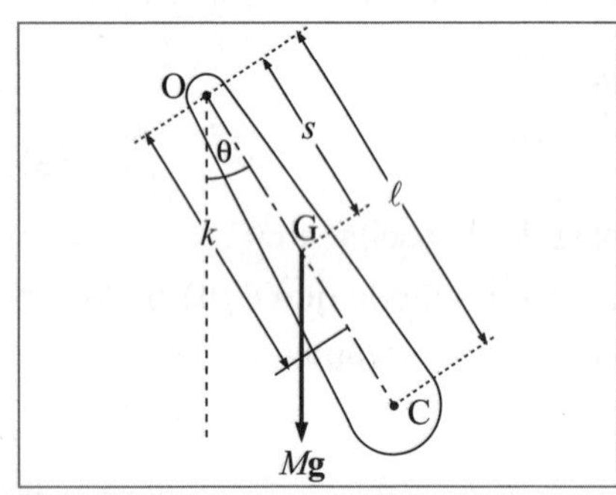

Figura 3.13 Pêndulo físico.

Qualquer corpo rígido suspenso de um ponto O de tal forma que possa girar livremente (sem atrito) em torno de um eixo horizontal, passando pelo ponto de suspensão O, constitui um *pêndulo físico* (Figura 3.13), também chamado de pêndulo composto. Seja G o centro de gravidade, situado a uma distância s de O; na posição de equilíbrio estável, G está abaixo de O e na mesma vertical.

Se θ é o ângulo de desvio de OG em relação à vertical e M a massa total, o torque $\mathcal{T}$ em relação a O é

$$\mathcal{T} = -Mgs \operatorname{sen}\theta \tag{3.3.21}$$

Se I é o momento de inércia do pêndulo em relação ao eixo horizontal que passa por O, a equação de movimento é (**FB1**, Seção 12.1)

$$I\alpha = I\frac{d^2\theta}{dt^2} = \mathcal{T} = -Mgs \operatorname{sen}\theta \tag{3.3.22}$$

Comparando esta equação com a (3.3.7), vemos que é idêntica à equação de movimento de um pêndulo simples de comprimento

$$\boxed{l = \frac{I}{Ms}} \tag{3.3.23}$$

De fato, o pêndulo simples é um caso particular, em que a massa fica toda concentrada num ponto à distância l do ponto de suspensão O, de modo que $s = l$ e $I = Ml^2$, o que converte a (3.3.23) numa identidade.

O ponto C da reta OG tal que $\overline{OC} = l$ (Figura 3.13) chama-se *centro de oscilação* do pêndulo físico: se a massa total M fosse concentrada em C e ligada a O por uma haste sem peso, teríamos um pêndulo simples equivalente. O resultado (3.3.23) e o conceito de centro de oscilação são devidos a Huygens, figurando em seu tratado sobre o pêndulo (1673).

O *raio de giração k* do pêndulo em relação ao eixo horizontal que passa por O é dado por (**FB1**, Seção 12.2)

$$I = Mk^2 \tag{3.3.24}$$

Comparando com a (3.3.23), obtemos

$$k^2 = ls \tag{3.3.25}$$

ou seja, k *é* a média geométrica $\sqrt{ls}$ entre l e s.

Suponhamos agora que se tome C como novo ponto de suspensão em lugar de O, e sejam s_C, l_C, e k_C, as grandezas correspondentes a s, l e k nessa nova situação. A Figura 3.13 resulta em

$$s_C = l - s \tag{3.3.26}$$

Para calcular k_C, calculemos I_C, o momento de inércia em relação ao eixo horizontal que passa por C. Se I_G é *o* momento de inércia referido ao eixo horizontal que atravessa o centro de gravidade G, o teorema de Steiner (**FB1**, Seção 12.2) resulta em

$$I = I_G + Ms^2 = Mk^2 \quad \left\{ I_G = M\left(k^2 - s^2\right) \right. \tag{3.3.27}$$

$$I_C = I_G + Mk_C^2 \tag{3.3.28}$$

ou seja, substituindo as (3.3.26) e (3.3.27),

$$\begin{aligned} k_C^2 &= k^2 - s^2 + (l-s)^2 = \underbrace{k^2}_{\substack{=ls \\ \text{pela} \\ (3.3.25)}} - 2ls + l^2 = l^2 - ls \\ &= l(l-s) \\ \therefore\ \ k_C^2 &= ls_C \end{aligned} \tag{3.3.29}$$

pela (3.3.26). Comparando as (3.3.25) e (3.3.29), concluímos que

$$\boxed{I_C = I} \tag{3.3.30}$$

ou seja, *o novo centro de oscilação* é o ponto O!

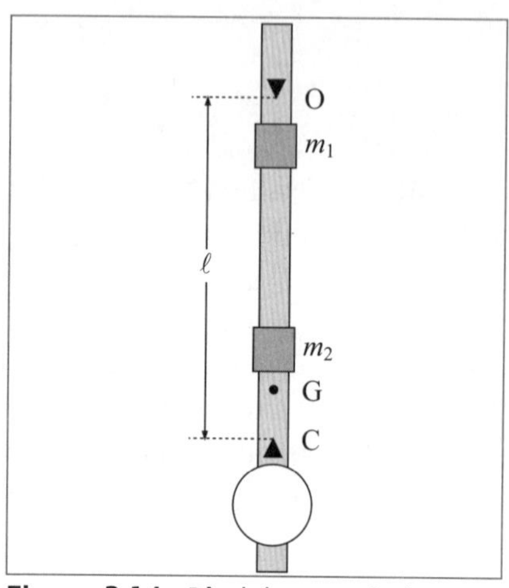

Figura 3.14 Pêndulo reversível.

Esta *reciprocidade* entre ponto de suspensão e centro de oscilação é a ideia básica do *pêndulo reversível* de Kater, usado para medir g com precisão. Através de dois cutelos, separados por uma distância l bem determinada, o pêndulo pode ser suspenso por O ou C (Figura 3.14). As massas m_1 e m_2 podem ser deslocadas para cima e para baixo, e suas posições são ajustadas até que o período τ das pequenas oscilações seja o mesmo para as duas suspensões, o que garante ser l o comprimento do pêndulo simples equivalente (note que o sistema é deliberadamente assimétrico: G não deve coincidir com o ponto médio de OC. Por quê?) Podemos então utilizar a (3.3.11), e obter g a partir de l e τ.

(d) Oscilações de um líquido num tubo em U

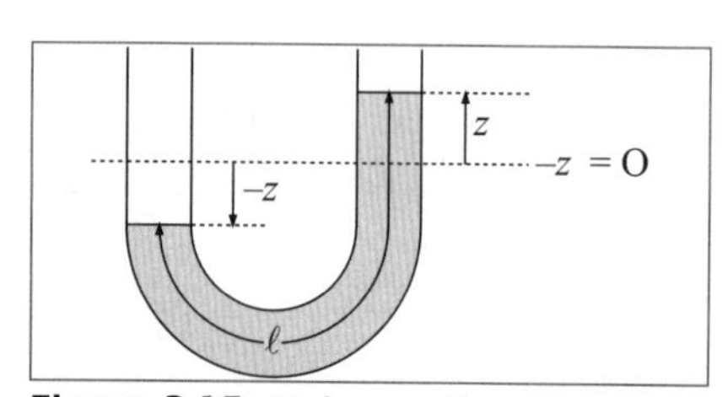

Figura 3.15 Tubo em *U*.

Consideremos um líquido de densidade ρ contido num tubo em U de seção transversal A, e seja l o comprimento total da coluna líquida, de modo que a massa total de líquido é $M = \rho A l$. Em equilíbrio, o líquido em o mesmo nível nos dois ramos, que tomamos como nível $z = 0$ (Figura 3.15), correspondente à energia potencial $U = 0$. Se o nível baixa de uma altura z num ramo, subindo de z no outro, isto equivale a elevar de uma altura z, em bloco, a massa de água $\rho A z$ removida do outro ramo, de modo que a energia potencial correspondente é

$$U(z) = \underbrace{\rho A z}_{\substack{\text{massa} \\ \text{elevada}}} \cdot g z = \rho A g z^2 \tag{3.3.31}$$

A coluna líquida entra em oscilação com velocidade instantânea dz/dt, ou seja, com energia cinética

$$T = \frac{1}{2} \underbrace{\rho A l}_{M} \left(\frac{dz}{dt} \right)^2 \tag{3.3.32}$$

A energia total associada à oscilação é, portanto,

$$E = \frac{1}{2} \rho A l \left(\frac{dz}{dt} \right)^2 + \rho A g z^2 \tag{3.3.33}$$

Comparando com as (3.2.28) a (3.2.30), vemos que ρAg corresponde a $\frac{1}{2}k = \frac{1}{2}M\omega^2$, com $M = \rho Al$. Logo,

$$\rho Ag = \frac{1}{2}\rho Al\omega^2 \left\{ \boxed{\omega^2 = \frac{2g}{l}} \right. \tag{3.3.34}$$

fornece a frequência angular das oscilações harmônicas da massa líquida.

Comparando a (3.3.34) com a (3.3.10), vemos que ela equivale às oscilações harmônicas de um pêndulo de comprimento $l/2$. Newton formulou este resultado nos "Principia" da seguinte forma: "Se água sobe e desce alternadamente nos ramos de um tubo; e se construirmos um pêndulo cujo comprimento entre o ponto de suspensão e o centro de oscilação é igual à metade do comprimento da água no tubo: digo então que a água subirá e descerá nos mesmos tempos em que o pêndulo oscila".

(e) Oscilações de duas partículas acopladas

Consideremos um sistema de duas partículas de massas m_1 e m_2 ligadas por uma mola de massa desprezível e constante elástica k. Supomos que as partículas só podem mover-se numa dimensão e que a única força que atua sobre elas é a força restauradora da mola. Se l é o comprimento de equilíbrio da mola e x_1 e x_2 as posições das partículas em relação a uma origem O arbitrária (Figura 3.16), a deformação da mola é

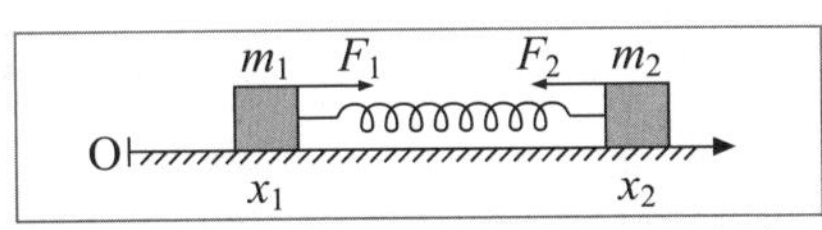

Figura 3.16 Sistema de duas partículas.

$$x = (x_2 - x_1) - l \tag{3.3.35}$$

de modo que as forças restauradoras sobre as duas partículas são (tomamos $x > 0$ na figura)

$$F_1 = kx = -F_2 \tag{3.3.36}$$

o que fornece as equações de movimento

$$\left.\begin{aligned} m_1\ddot{x}_1 &= kx \\ m_2\ddot{x}_2 &= -kx \end{aligned}\right\} \tag{3.3.37}$$

Seja

$$X = (m_1x_1 + m_2x_2)/M \quad (M = m_1 + m_2) \tag{3.3.38}$$

a coordenada do CM das duas partículas. Decorre imediatamente das (3.3.37) que

$$\ddot{X} = 0 \quad \left\{ \dot{X} = V = \text{constante} \right. \tag{3.3.39}$$

como deveria ser.

Multiplicando a primeira (3.3.37) por m_1, a segunda por m_2 e subtraindo membro a membro, vem

$$\boxed{\mu\ddot{x} = -kx} \tag{3.3.40}$$

onde μ é a *massa reduzida* do sistema,

$$\boxed{\mu = \frac{m_1 m_2}{m_1 + m_2}} \tag{3.3.41}$$

A (3.3.41) corresponde ao resultado obtido no volume **1**, Seção 10.10, para forças centrais: a *coordenada relativa* $x_2 - x_1$ se comporta como a coordenada de uma partícula única, de massa igual à massa reduzida, sujeita à força de interação entre as duas partículas, ao passo que o CM permanece em repouso ou movimento retilíneo uniforme.

Vimos também no volume **1**, Seção 12.3, que a energia cinética do sistema é

$$T = \frac{1}{2}\sum_{i=1}^{2} m_i v_i'^2 + \frac{1}{2}MV^2 \tag{3.3.42}$$

onde o 1.° termo é a energia cinética do movimento interno T', sendo

$$v_1' = -\frac{m_2}{M}\dot{x}, \quad v_2' = -\frac{m_1}{M}\dot{x} \tag{3.3.43}$$

as velocidades relativas ao CM (**FB1**, Seção 10.10). Logo,

$$T' = \frac{1}{2}\left(\frac{m_1 m_2^2 + m_2 m_1^2}{M_2}\right)\dot{x}^2 = \frac{1}{2}\mu\dot{x}^2 \tag{3.3.44}$$

Como a energia potencial associada à deformação da mola é $\frac{1}{2}kx^2$, a energia total é

$$E = E_{CM} + E' \tag{3.3.45}$$

onde

$$E_{CM} = T_{CM} = \frac{1}{2}MV^2 \tag{3.3.46}$$

$$E' = \frac{1}{2}\mu\dot{x}^2 + \frac{1}{2}kx^2 \tag{3.3.47}$$

A energia do CM (3.3.46) e a energia total interna (3.3.47) se conservam separadamente; a translação do CM não afeta a oscilação. A energia de oscilação (3.3.47) é idêntica à de um oscilador harmônico de massa μ e deslocamento x.

Exemplo: *Molécula diatômica*: Vimos no volume **1**, Seção 6.5, que a energia potencial de interação entre dois átomos que têm condições de formar uma molécula diatômica pode ser representada sob a forma

$$U(r) = D\left[\left(\frac{a}{r}\right)^{12} - 2\left(\frac{a}{r}\right)^{6}\right] \tag{3.3.48}$$

onde a é a distância de equilíbrio (correspondente ao mínimo de U) e $D = -U(a)$ é a *energia de dissociação* da molécula (Figura 3.17).

Para pequenos deslocamentos da posição $r = a$ de equilíbrio estável, definidos por

$$x = r - a \tag{3.3.49}$$

podemos aproximar $U(r) = U(a + x)$ por uma parábola (Figura 3.17)

$$U(r) \approx -D + \frac{1}{2}k\overbrace{(r-a)^2}^{x^2} \tag{3.3.50}$$

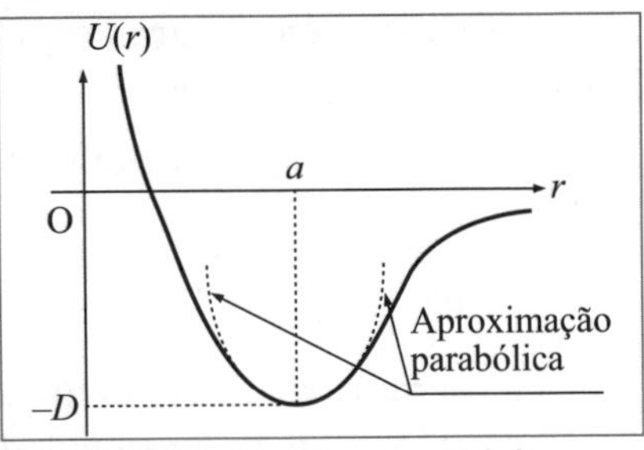

Figura 3.17 Energia potencial de molécula diatômica.

Derivando duas vezes em relação a r os dois membros da (3.3.50) e fazendo $r = a$, obtemos

$$k = \left(\frac{d^2U}{dr^2}\right)_{r=a} \tag{3.3.51}$$

Pela (3.3.48),

$$\left(\frac{d^2U}{dr^2}\right)_{r=a} = \frac{12D}{a^2}\left[13\left(\frac{a}{r}\right)^{14} - 7\left(\frac{a}{r}\right)^{8}\right]_{r=a} = \frac{72D}{a^2} \tag{3.3.52}$$

de modo que a (3.3.51) resulta em

$$k = 72D/a^2 \tag{3.3.53}$$

A força restauradora associada à (3.3.50) é $F(x) = -dU/dx = -kx$, o que leva à equação de movimento (3.3.40) para as pequenas vibrações da molécula em torno da posição de equilíbrio. A frequência angular vibracional ω seria

$$\omega = \sqrt{k/\mu} \tag{3.3.54}$$

onde k é dado pela (3.3.53) e μ é a massa reduzida.

Na realidade, o tratamento correto de um sistema atômico como este deve ser dado pela mecânica quântica. Vejamos, entretanto, qual é a ordem de grandeza dos resultados apresentados aqui para um caso típico, a molécula de CO. Como 1 u.m.a. (unidade de massa atômica) vale $\approx 1{,}66 \times 10^{-27}$ kg, temos [cf. (3.3.41)]

$$\left.\begin{aligned} m\left(\mathrm{C}^{12}\right) &= 12 \text{ u.m.a} \approx 2 \times 10^{-26}\text{ kg} \\ m\left(\mathrm{O}^{16}\right) &= 16 \text{ u.m.a} \approx 2{,}7 \times 10^{-26}\text{ kg} \end{aligned}\right\} \mu \approx 1{,}16 \times 10^{-26}\text{ kg}$$

O raio molecular é $a \approx 1{,}1 \times 10^{-10}$ m e a energia de dissociação é $D \approx 10$ eV $= 1{,}6 \times 10^{-18}$ J.

A (3.3.53) fornece então

$$k \approx 9{,}5 \times 10^3 \text{ N/m}$$

Uma mola com essa constante de força sofreria uma elongação da ordem de 10^{-3} m = 1 mm, se dela suspendêssemos uma massa de 1 kg, de modo que seria relativamente "dura", mas a ordem de grandeza da força restauradora não deixa de ser comparável à de uma mola macroscópica.

A frequência de vibração ν se obtém desses valores pela (3.3.54):

$$\nu = \frac{1}{2\pi}\sqrt{\frac{k}{\mu}} \approx 1,4 \times 10^{14}\, s^{-1}$$

o que, para radiação eletromagnética, corresponde a um comprimento de onda $\lambda = c/\nu \sim 2 \times 10^{-6}$ m = 2 μm (c = velocidade da luz no vácuo), que está na região do infravermelho. Sabe-se que as vibrações da molécula de CO dão origem a radiação infravermelha, com $\lambda \approx 4,7$ μm para uma vibração fundamental, de modo que a ordem de grandeza dos resultados é correta, embora o tratamento adequado requeira o emprego da mecânica quântica.

3.4 MOVIMENTO HARMÔNICO SIMPLES E MOVIMENTO CIRCULAR UNIFORME

Notação complexa

Pela (3.2.20), o ângulo de fase θ no MHS varia linearmente com o tempo. Consideremos um círculo de raio A e um ponto P desse círculo cujo vetor de posição **OP** forma um ângulo θ com o eixo dos x no instante t.

Como $\theta = \omega t + \varphi$, o ponto P descreve um *movimento circular uniforme de velocidade angular* ω sobre o círculo (Figura 3.18), partindo da posição inicial P_0 tal que $\theta(0) = \varphi$. Se X é a projeção de P sobre o eixo dos x, temos

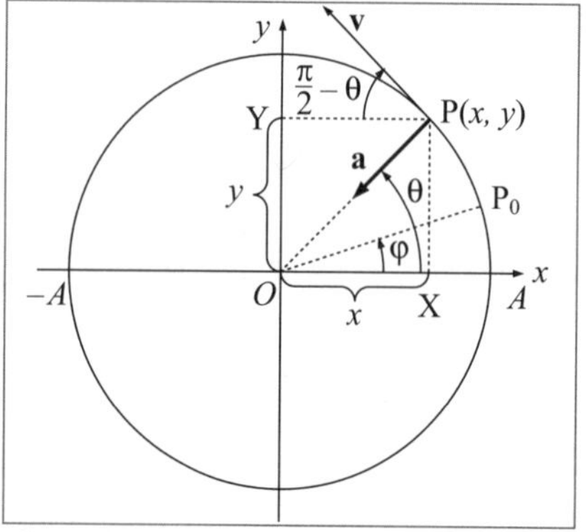

Figura 3.18 Círculo de referência.

$$\overline{OX} = x = A\cos\theta = A\cos(\omega t + \varphi) \quad \textbf{(3.4.1)}$$

o que, pela (3.2.16), coincide com o *deslocamento instantâneo da partícula no MHS.*

A velocidade v do movimento circular uniforme é tangencial e de magnitude ωA (**FB1**, Seção 3.7); sua projeção sobre Ox é (Figura 3.18)

$$v_x = -\omega A \cos\left(\frac{\pi}{2} - \theta\right) = -\omega A \text{ sen } (\omega t + \varphi) = \dot{x} \quad \textbf{(3.4.2)}$$

que coincide com a velocidade da partícula no MHS. A aceleração do ponto P é radial e de magnitude $|\mathbf{a}| = \omega^2 A$; sua projeção sobre Ox é

$$a_x = -\omega^2 A \cos\theta = -\omega^2 x = \ddot{x} \quad \textbf{(3.4.3)}$$

que é a aceleração do MHS.

Vemos portanto que se pode considerar o MHS *como projeção de um movimento circular uniforme.* A Figura 3.19 mostra uma realização concreta da projeção: um pequeno poste cilíndrico é montado sobre o prato de um toca-discos em rotação, e um pêndulo de mesmo período oscila sobre o prato. Um feixe de luz paralela projeta as sombras do toca-discos e do pêndulo sobre um anteparo. Se a sombra do pêndulo está inicialmente superposta à do poste, ela a acompanha, permanecendo sobre ela durante todo o movimento.

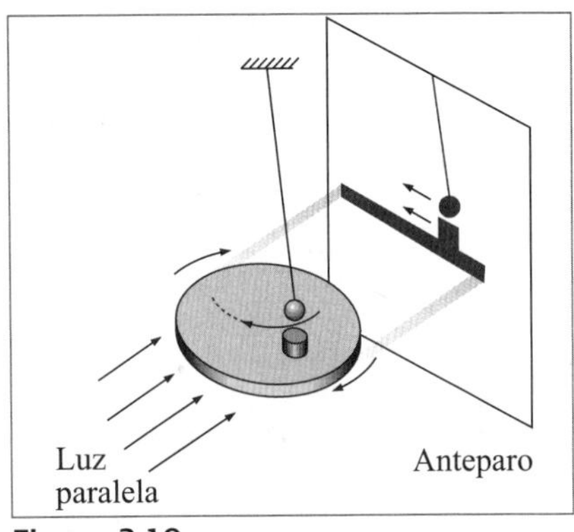

Figura 3.19

A projeção do ponto P sobre o eixo dos y (Figura 3.18) é

$$\overline{OY} = y = A\,\text{sen}\theta = A\,\text{sen}(\omega t + \varphi) \qquad \textbf{(3.4.4)}$$

que também é um MHS. Como $\text{sen}(\omega t + \varphi) = \cos\left(\omega t + \varphi - \frac{\pi}{2}\right)$, este movimento tem uma *defasagem* de $\frac{\pi}{2}$ em relação ao da (3.4.1), ou seja, está em quadratura com ele (cf. Seção 3.2).

A representação do MHS pelo movimento circular uniforme a ele associado é chamada de representação em termos do *vetor girante* **OP** e o círculo de raio A é chamado de *círculo* de *referência*. Vamos ver agora que se pode obter uma representação análoga, extremamente conveniente, em termos de *números complexos*.

Números complexos

Vamos recordar algumas propriedades fundamentais dos números complexos, que podemos introduzir com base na sua representação geométrica. Consideremos um ponto P do plano xy, cujo vetor de posição é

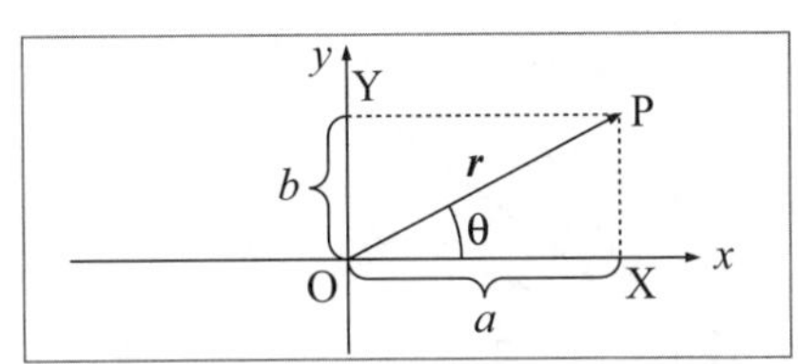

Figura 3.20 Representação geométrica.

$$\mathbf{OP} = a\hat{\mathbf{x}} + b\hat{\mathbf{y}} \qquad \textbf{(3.4.5)}$$

onde $\hat{\mathbf{x}}$ e $\hat{\mathbf{y}}$ são vetores unitários nas direções dos eixos Ox e Oy, respectivamente.

Podemos associar a **OP** um *número complexo* z relacionado com a (3.4.5) por

$$\boxed{z = a + ib} \qquad \textbf{(3.4.6)}$$

que se obtém da (3.4.5) pelas substituições $\hat{\mathbf{x}} \to 1, \hat{\mathbf{y}} \to i$. Como a e b são números reais, o elemento novo na (3.4.6) é o símbolo i, que podemos interpretar como indicando a seguinte operação geométrica:

$$\boxed{i = \text{rotação de} + \frac{\pi}{2}\ \text{no plano}\ xy} \qquad \textbf{(3.4.7)}$$

Assim, um número real a fica associado a um ponto X de abscissa a sobre Ox. O número real b estaria associado a outro ponto, digamos B, do eixo Ox. Pela (3.4.7), o ponto ib se obtém aplicando

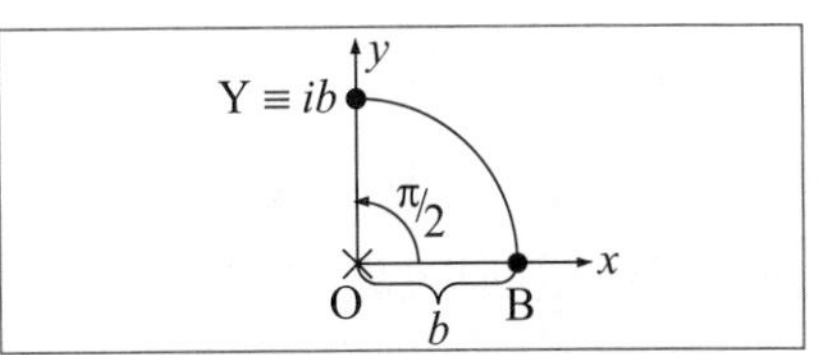

Figura 3.21 Número imaginário.

uma rotação de $+\frac{\pi}{2}$ ao vetor **OB** (Figura 3.21), ou seja, rebatendo-o sobre Oy no sentido anti-horário, o que leva ao ponto Y, e a soma na (3.4.6) corresponde à soma vetorial **OX** + **OY** = **OP**.

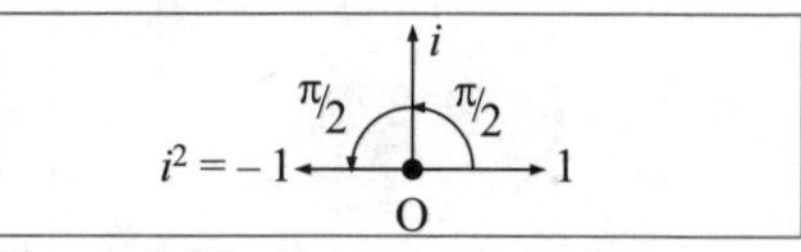

Figura 3.22 Unidade imaginária.

Em particular, para $b = 1$, obtemos o ponto i, que está a uma unidade de distância da origem sobre o eixo Oy (Figura 3.22). Aplicando a este ponto nova rotação de + π/2, o que, pela (3.4.7), equivale a multiplicá-lo por i, obtemos uma rotação de π, que leva o ponto 1 em – 1 (Figura 3.22), ou seja,

$$\boxed{i^2 = -1 \quad \left(i = \sqrt{-1}\right)} \tag{3.4.8}$$

O número complexo i chama-se *unidade imaginária*. O plano xy chama-se *plano complexo*, e o ponto de coordenadas (a, b) nesse plano chama-se *imagem* do *número complexo* $z = a + ib$; vamo-nos referir a ele como o *ponto* z do plano complexo.

Na (3.4.6), define-se

$$\boxed{z = a + ib \Rightarrow \begin{cases} a \equiv \operatorname{Re} z \\ b \equiv \operatorname{Im} z \end{cases}} \tag{3.4.9}$$

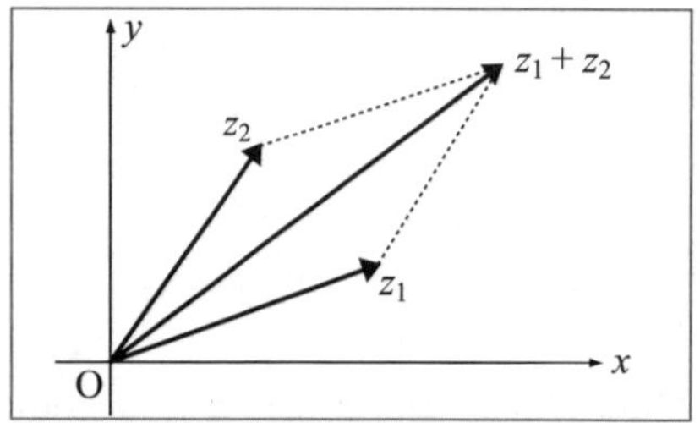
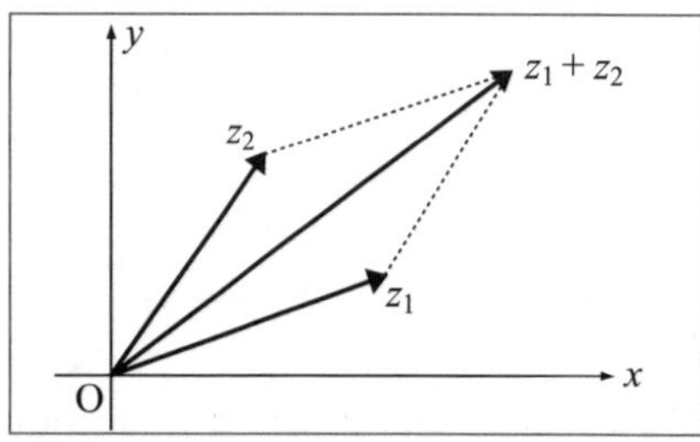

Figura 3.23 Soma de números complexos.

onde essas notações significam que a é a *parte real* de z e b *é a parte imaginária* de z.

A *soma de números complexos* corresponde pela representação geométrica à soma de vetores (Figura 3.23), de modo que as componentes se somam:

$$(a + ib) + (c + id) = (a + c) + i(b + d) \tag{3.4.10}$$

Chama-se *complexo conjugado* z^* do número complexo $z = a + ib$ o número

$$z^* = (a + ib)^* = a - ib \tag{3.4.11}$$

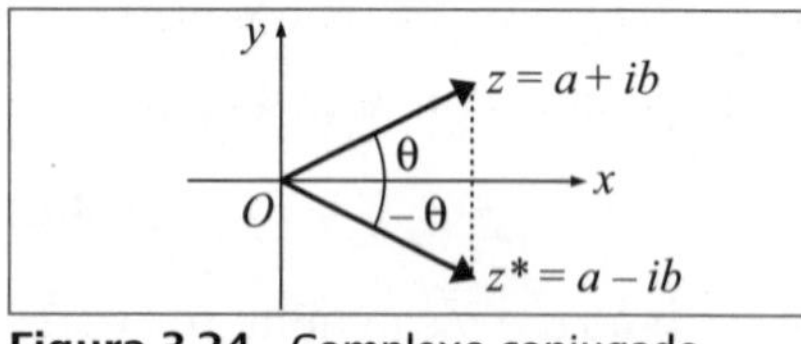

Figura 3.24 Complexo conjugado.

cuja imagem (Figura 3.24) é simétrica à de z em relação ao *eixo real Ox*. O eixo Oy chama-se *eixo imaginário*. As (3.4.9) a (3.4.11) dão

$$\boxed{\begin{aligned} \operatorname{Re} z &= \frac{1}{2}(z + z^*) \\ \operatorname{Im} z &= \frac{1}{2i}(z - z^*) \end{aligned}} \tag{3.4.12}$$

O *produto* de dois números complexos define-se de tal forma que valha a propriedade distributiva e utilizando a (3.4.8), o que resulta em

$$\boxed{(a + ib)(c + id) = (ac - bd) + i(ad + bc)} \tag{3.4.13}$$

Veremos mais adiante a interpretação geométrica desta operação. As (3.4.11) e (3.4.13) dão

$$\boxed{|z|^2 \equiv z^* z = (a - ib)(a + ib) = a^2 + b^2} \quad \textbf{(3.4.14)}$$

que define o *módulo* |z| do número complexo z. Comparando com a (3.4.5), vemos que coincide com o módulo $\sqrt{a^2 + b^2}$ do vetor representativo **r**. O módulo de um número real é um caso particular.

O *quociente* de dois números complexos pode ser calculado multiplicando numerador e denominador pelo complexo conjugado do denominador e utilizando a (3.4.14):

$$\frac{(c + id)}{(a + ib)} = \frac{(c + id)(a - ib)}{(a + ib)(a - ib)} = \frac{ac + bd}{a^2 + b^2} + i\frac{ad - bc}{a^2 + b^2} \quad \textbf{(3.4.15)}$$

A fórmula de Euler

A função exponencial

$$f(x) = e^{\lambda x} \quad \textbf{(3.4.16)}$$

é a solução da equação diferencial linear de 1ª ordem

$$\frac{df}{dx} = \lambda f(x) \quad \textbf{(3.4.17)}$$

que satisfaz a condição inicial

$$f(0) = 1 \quad \textbf{(3.4.18)}$$

Temos

$$\frac{d}{dx}\cos x = -\text{sen}x, \qquad \frac{d}{dx}\text{sen}x = \cos x$$

o que resulta em

$$\frac{d}{dx}(\cos x + i\ \text{sen}x) = i\cos x - \text{sen}x = i(\cos x + i\ \text{sen}x)$$

Para $x = 0$, temos $\cos x + i\ \text{sen}x = 1$. Comparando estes resultados com as (3.4.17) e (3.4.18), somos levados a definir

$$\boxed{e^{ix} = \cos x + i\ \text{sen}x} \quad \textbf{(3.4.19)}$$

A (3.4.16) também satisfaz a relação funcional

$$f(x_1 + x_2) = e^{\lambda(x_1 + x_2)} = e^{\lambda x_1}\, e^{\lambda x_2} = f(x_1) f(x_2)$$

Pela (3.4.13),

$$(\cos x_1 + i\ \text{sen}\ x_1)(\cos x_2 + i\ \text{sen}\ x_2) = (\cos x_1 \cos x_2 - \text{sen}\ x_1\ \text{sen}\ x_2)$$
$$+ i(\text{sen}\ x_1 \cos x_2 + \cos x_1\ \text{sen}\ x_2) = \cos(x_1 + x_2) + i\ \text{sen}(x_1 + x_2)$$

de modo que a (3.4.19) também satisfaz a relação funcional acima, característica da função exponencial. A (3.4.19) é a *fórmula de Euler*, por ele obtida em 1748 e considerada como um dos mais notáveis resultados da matemática.

Aplicando as (3.4.11) e (3.4.12) à (3.4.19), obtemos:

$$\boxed{\begin{aligned}\cos x &= \mathrm{Re}\left(e^{ix}\right) = \frac{1}{2}\left(e^{ix} + e^{-ix}\right)\\ \mathrm{sen}x &= \mathrm{Im}\left(e^{ix}\right) = \frac{1}{2i}\left(e^{ix} - e^{-ix}\right)\end{aligned}} \tag{3.4.20}$$

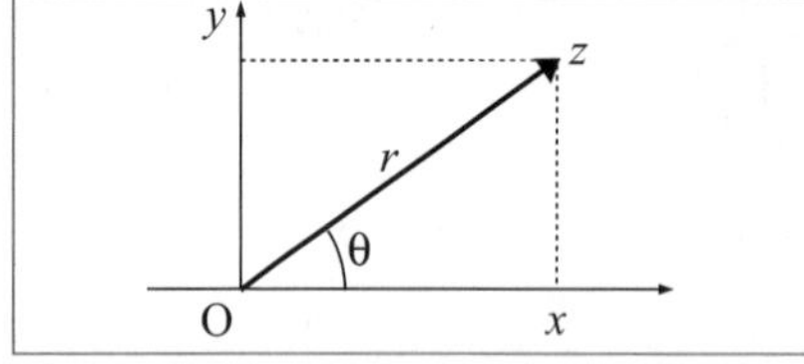

Figura 3.25 Forma trigonométrica.

A imagem z do número complexo $x + iy$ é um ponto de coordenadas cartesianas (x, y). Se passarmos a coordenadas polares (r, θ) (Figura 3.25),

$$\left.\begin{aligned}x &= r\cos\theta\\ y &= r\,\mathrm{sen}\theta\end{aligned}\right\} \tag{3.4.21}$$

a (3.4.19) resulta em

$$\boxed{z = x + iy = r\left(\cos\theta + i\ \mathrm{sen}\,\theta\right) = re^{i\theta}} \tag{3.4.22}$$

que é a *forma trigonométrica* do número complexo z. Pela (3.4.14), temos

$$\boxed{r = |z| = \sqrt{x^2 + y^2}} \tag{3.4.23}$$

e θ chama-se *argumento de z*, dado por

$$\boxed{\theta = \mathrm{Arg}\ z = \mathrm{tg}^{-1}\left(y / x\right)} \tag{3.4.24}$$

Em particular, temos

$$\boxed{\left|e^{i\theta}\right| = 1} \tag{3.4.25}$$

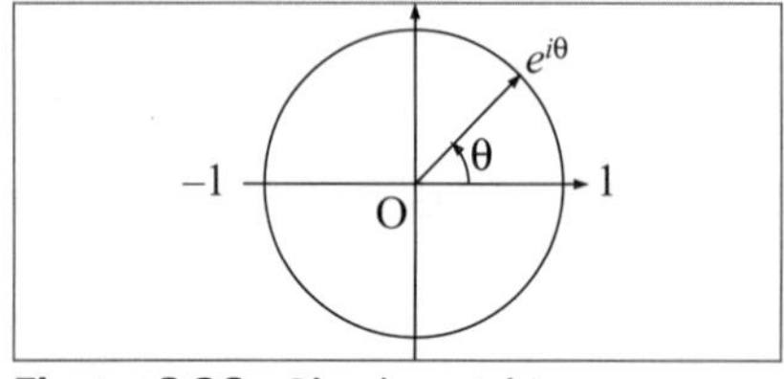

Figura 3.26 Círculo unitário.

Um número complexo da forma $z = e^{i\theta}$ chama-se um *fator de fase*, e sua imagem é um ponto do círculo unitário (Figura 3.26), correspondente a um vetor que faz um ângulo θ com o eixo real. Casos particulares são:

$$\boxed{e^{\pm i\pi/2} = \pm i, \quad e^{\pm i\pi} = -1, \quad e^{2i\pi} = 1} \tag{3.4.26}$$

A consequência da fórmula de Euler

$$\boxed{e^{i\pi} + 1 = 0}$$

é frequentemente chamada "a fórmula mais bela da matemática". Os cinco números que nela aparecem são constantes matemáticas fundamentais, e representam etapas cruciais da história da matemática: a aritmética ("1"), a invenção do zero ("0"), a geometria ("π"), a álgebra ("i", introduzido para resolução de equações) e a análise ("e", base dos logaritmos neperianos e associado por Euler à função inversa do logaritmo).

O produto de dois números complexos $z_1 = r_1 e^{i\theta_1}$ e $z_2 = r_2 e^{i\theta_2}$ é

$$\boxed{z_1 z_2 = \left(r_1 e^{i\theta_1}\right)\left(r_2 e^{i\theta_2}\right) = r_1 r_2 e^{i(\theta_1+\theta_2)}} \qquad \textbf{(3.4.27)}$$

ou seja, o *módulo do produto é o produto dos módulos e o argumento é a soma dos argumentos.*

A Figura 3.27 mostra a interpretação geométrica do produto. Os pontos P_1 e P_2 são as imagens de z_1 e z_2 e $\overline{\mathbf{OU}} = 1$ no eixo real. A imagem P do produto $z_1 z_2$ se obtém construindo um triângulo OP_2P semelhante a OUP_1, de tal forma que OP se obtém de OP_2 por uma rotação de $+\theta_1$ e multiplicação do seu módulo por $r_1 = |\overline{\mathbf{OP}}|_1$ (pela semelhança dos triângulos, $|\overline{\mathbf{OP}}| / |\overline{\mathbf{OP}}_2| = |\overline{\mathbf{OP}}_1| / |\overline{\mathbf{OU}}| = |\overline{\mathbf{OP}}_1|$ o que concorda com a (3.4.27).

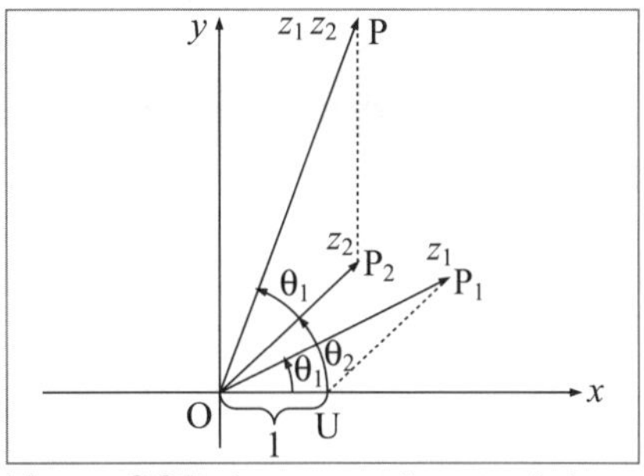

Figura 3.27 Interpretação geométrica do produto.

Em particular, tomando $r_1 = 1$, a (3.4.27) mostra que exp $(i\theta)$, *aplicado a um número complexo, equivale a uma rotação de $+\theta$ da imagem do número*, o que generaliza a (3.4.7).

Analogamente, obtemos

$$\boxed{z_1 / z_2 = r_1 e^{i\theta_1} / r_2 e^{i\theta_2} = \left(r_1 / r_2\right) e^{i(\theta_1-\theta_2)}} \qquad \textbf{(3.4.28)}$$

ou seja, *o módulo de um quociente é o quociente dos módulos, e o argumento do quociente é a diferença dos argumentos.*

As (3.4.19) e (3.4.20) permitem definir a exponencial de um número complexo qualquer, $c = a + ib$,

$$\boxed{e^{a+ib} = e^a \cdot e^{ib} = e^a\left(\cos b + i \operatorname{sen} b\right)} \qquad \textbf{(3.4.29)}$$

É fácil verificar que, se λ_1 e λ_2 são números *reais* e z_1 e z_2 são complexos

$$\operatorname{Re}\left(\lambda_1 z_1 + \lambda_2 z_2\right) = \lambda_1 \operatorname{Re} z_1 + \lambda_2 \operatorname{Re} z_2 \qquad \textbf{(3.4.30)}$$

ou seja, *a parte real de qualquer combinação linear com coeficientes reais de números complexos é a mesma combinação linear das partes reais desses números.*

Note que isso não é verdade se os coeficientes λ_1, λ_2 são complexos. Com efeito, a (3.4.13) mostra que

$$\operatorname{Re}\left(z_1 z_2\right) \neq \operatorname{Re} z_1 \operatorname{Re} z_2 \quad \text{se} \quad \operatorname{Im} z_1 \neq 0, \quad \operatorname{Im} z_2 \neq 0 \qquad \textbf{(3.4.31)}$$

Se $z(t) = x(t) + iy(t)$ é função de um parâmetro real t, temos

$$\frac{dz}{dt} = \frac{d}{dt}\left[x(t) + iy(t)\right] = \frac{dx}{dt} + i\frac{dy}{dt} \qquad \textbf{(3.4.32)}$$

de modo que

$$\text{Re}\left(\frac{dz}{dt}\right) = \frac{d}{dt}(\text{Re } z) \tag{3.4.33}$$

o que se estende a derivadas de ordem superior, como d^2z/dt^2.

Em consequência deste resultado e da (3.4.30), vemos que, se $z(t)$ é solução de uma equação diferencial linear de coeficientes *reais*, como a (3.2.12), Re $z(t)$ também é solução dessa equação.

Aplicação ao oscilador harmônico

Consideremos a equação diferencial (3.1.5) do MHS para uma função complexa $z(t)$:

$$\boxed{\frac{d^2z}{dt^2} + \omega^2 z = 0} \tag{3.4.34}$$

Tratando-se de uma equação diferencial linear homogênea de coeficientes constantes, procuremos uma solução da forma

$$\boxed{z(t) = e^{pt}} \tag{3.4.35}$$

onde p é uma constante, que pode ser complexa.

A (3.4.35) resulta em

$$\frac{dz}{dt} = pe^{pt} = pz \qquad \left\{\frac{d^2z}{dt^2} = p\frac{dz}{dt} = p^2 z\right. \tag{3.4.36}$$

ou seja, a operação de derivação em relação a t (d/dt) pode ser substituída pela multiplicação por p:

$$\boxed{\frac{d}{dt} \leftrightarrow p} \tag{3.4.37}$$

de modo que a equação diferencial (3.4.34) é levada numa equação *algébrica*:

$$p^2 + \omega^2 = 0 \tag{3.4.38}$$

que se chama a *equação característica*.

Resolvendo em relação a p, obtemos as raízes

$$\boxed{p^2 = -\omega^2 \quad \{p_\pm = \pm i\omega} \tag{3.4.39}$$

Vamos ver que basta tomar uma das raízes, que escolhemos como p_+:

$$\boxed{p = i\omega} \tag{3.4.40}$$

Levando à (3.4.35), vemos que

$$\boxed{z(t) = Ce^{i\omega t}} \tag{3.4.41}$$

onde C é uma constante complexa arbitrária, é solução da (3.4.34). Podemos escrever C sob forma trigonométrica,

$$\boxed{C = Ae^{i\varphi}} \tag{3.4.42}$$

Substituindo na (3.4.41) e tomando a parte real, obtemos:

$$\boxed{x(t) = \text{Re } z(t) = \text{Re}\left[Ae^{i(\omega t+\varphi)}\right] = A\cos(\omega t + \varphi)} \tag{3.4.43}$$

que é novamente a solução geral (3.2.16), obtida agora pelo *método da notação complexa*. A razão por que basta tomar uma das raízes na (3.4.39) é que a (3.4.41) já depende, por meio de C, de *duas* constantes (reais) arbitrárias: no caso, A e φ.

As (3.4.37) e (3.4.40) dão

$$\boxed{\frac{d}{dt} \leftrightarrow i\omega} \tag{3.4.44}$$

de modo que, por exemplo,

$$\frac{dz}{dt} = +i\omega Ae^{i(\omega t+\varphi)} \quad \left\{\frac{dx}{dt} = \text{Re}\left(\frac{dz}{dt}\right) = -\omega A \text{ sen}(\omega t + \varphi)\right.$$

o que concorda com a (3.2.23). Lembrando a (3.4.7), vemos que, no plano complexo, dz/dt está adiantado de $+\pi/2$ em relação a z, o que corresponde à quadratura entre deslocamento e velocidade no movimento circular associado.

De fato, lembrando a interpretação de $e^{i\theta}$ como rotação de um ângulo θ, vemos que na (3.4.43), onde $\theta = \omega t + \varphi$, a imagem de $z(t)$ no plano complexo descreve o movimento circular uniforme associado ao MHS.

A vantagem do emprego da notação complexa está no fato de que é bem mais fácil manipular a exponencial do que senos e cossenos. A própria derivada, conforme mostra a (3.4.44), reduz-se a uma operação algébrica: multiplicação por $i\omega$. Veremos depois que o método é especialmente útil na extensão a um oscilador amortecido.

É importante lembrar, porém, que a ideia de trabalhar com números complexos e somente no fim tomar a parte real, como na (3.4.33), *deixa de valer quando há operações não lineares* no que se refere aos complexos, como ilustrado pela (3.4.31) (por exemplo, quando um número complexo é elevado ao quadrado).

3.5 SUPERPOSIÇÃO DE MOVIMENTOS HARMÔNICOS SIMPLES

Há inúmeras situações em que movimentos harmônicos simples se superpõem, gerando um movimento resultante. Exemplo: dois diapasões vibrantes produzem tons musicais puros (que correspondem a MHS), que atingem simultaneamente o tímpano de nosso ouvido, colocando-o em vibração; esta oscilação é gerada pela resultante dos dois MHS.

(a) Mesma direção e frequência

Consideremos primeiro o movimento resultante de dois MHS de mesma direção x e de mesma frequência angular ω:

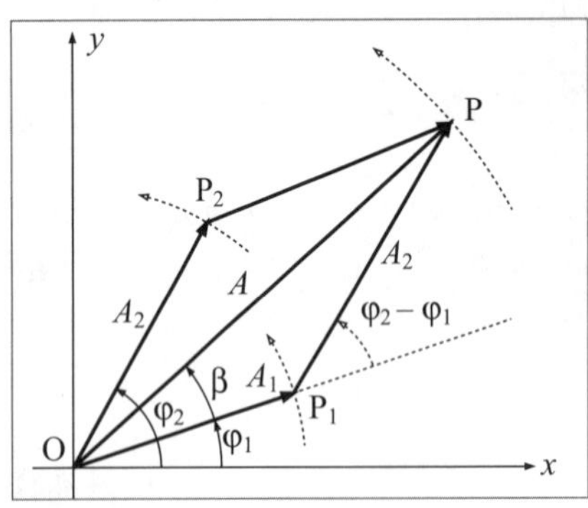

Figura 3.28 Resultante de vetores girantes.

$$x(t) = x_1(t) + x_2(t) \quad \begin{cases} x_1(t) = A_1 \cos(\omega t + \varphi_1) \\ x_2(t) = A_2 \cos(\omega t + \varphi_2) \end{cases} \quad \textbf{(3.5.1)}$$

Se pensarmos em x_1 e x_2 como projeções de vetores girantes $\mathbf{OP}_1$ e $\mathbf{OP}_2$ (Figura 3.28), x será a projeção da resultante **OP** desses dois vetores (o conjunto gira rigidamente com velocidade angular ω). A magnitude $A = |\mathbf{OP}|$ da resultante e o ângulo $\varphi_1 + \beta$ que faz com Ox (figura) se obtêm aplicando as leis dos cossenos e dos senos ao triângulo $\mathrm{OP_1P}$:

$$\boxed{A^2 = A_1^2 + A_2^2 + 2A_1A_2\cos(\varphi_2 - \varphi_1)} \quad \textbf{(3.5.2)}$$

$$\frac{A_2}{\operatorname{sen}\beta} = \frac{A}{\operatorname{sen}(\varphi_2 - \varphi_1)} \left\{ \boxed{\operatorname{sen}\beta = \frac{A_2}{A}\operatorname{sen}(\varphi_2 - \varphi_1)} \right. \quad \textbf{(3.5.3)}$$

O movimento resultante é

$$\boxed{x(t) = A\cos(\omega t + \varphi_1 + \beta)} \quad \textbf{(3.5.4)}$$

Como a soma de vetores é a imagem da soma de números complexos, chegaríamos naturalmente ao mesmo resultado (verifique!) tomando a parte real de

$$z_1 + z_2 = A_1 e^{i(\omega t + \varphi_1)} + A_2 e^{i(\omega t + \varphi_2)} = e^{i(\omega t + \varphi_1)} \underbrace{\left[A_1 + A_2 e^{i(\varphi_2 - \varphi_1)} \right]}_{Ae^{i\beta}}$$

(b) Mesma direção e frequências diferentes. Batimentos

Neste caso,

$$x_1(t) = A_1 \cos(\omega_1 t + \varphi_1); \quad x_2(t) = A_2 \cos(\omega_2 t + \varphi_2) \quad \textbf{(3.5.5)}$$

A diferença de fase entre os dois MHS, $\theta_2 - \theta_1 = (\omega_2 - \omega_1)\, t + \varphi_2 - \varphi_1$, varia com o tempo, de modo que podemos tomar

$$\varphi_1 = \varphi_2 = 0 \quad \textbf{(3.5.6)}$$

sem restrição significativa da generalidade.

Para ω_1 e ω_2 quaisquer, o movimento resultante, $x(t) = x_1(t) + x_2(t)$ não será em geral sequer um movimento periódico. Para que exista um período τ após o qual x_1 e x_2 voltem simultaneamente ao valor inicial, é necessário que

$$\left.\begin{aligned}\omega_1\tau = 2n_1\pi \\ \omega_2\tau = 2n_2\pi\end{aligned}\right\} \frac{\omega_1}{\omega_2} = \frac{\tau_2}{\tau_1} = \frac{n_1}{n_2} \quad (n_1, n_2 \text{ inteiros})$$

ou seja,

$$\boxed{n_1\tau_1 = n_2\tau_2 = \tau} \tag{3.5.7}$$

de modo que os períodos devem ser *comensuráveis*. O período τ corresponde à solução da (3.5.7) com os *menores valores* inteiros possíveis para n_1 e n_2.

A Figura 3.29 mostra um exemplo com $A_1 = 3A_2$ e $\tau_1 = 3\tau_2$. Se a razão das frequências é irracional (por exemplo, $\sqrt{2}$), o movimento resultante não é mais periódico.

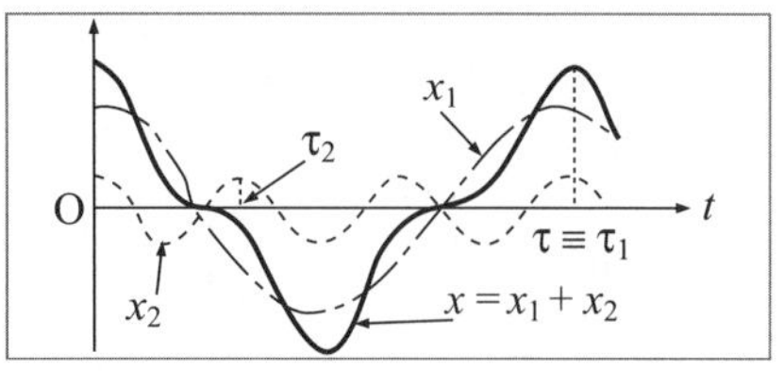

Figura 3.29 Períodos comensuráveis.

Batimentos

Um caso especial muito importante é aquele em que ω_1 e ω_2 são muito próximas uma da outra. É mais simples analisar o que acontece quando os dois MHS têm a mesma amplitude $A_1 = A_2 = A$. Vamos supor $\omega_1 > \omega_2$.

Introduzindo a *frequência angular média*

$$\boxed{\bar{\omega} = \frac{1}{2}(\omega_1 + \omega_2) = 2\pi / \bar{\tau} = 2\pi\bar{\nu}} \tag{3.5.8}$$

e a *diferença de frequências*

$$\boxed{\Delta\omega = \omega_1 - \omega_2 = 2\pi\Delta\nu (> 0)} \tag{3.5.9}$$

temos

$$\omega_1 = \bar{\omega} + \frac{1}{2}\Delta\omega, \quad \omega_2 = \bar{\omega} - \frac{1}{2}\Delta\omega \tag{3.5.10}$$

Logo,

$$x = A\left\{\cos\left(\bar{\omega}t + \frac{\Delta\omega}{2}t\right) + \cos\left(\bar{\omega}t - \frac{\Delta\omega}{2}t\right)\right\}$$

ou seja,

$$x = 2A\cos\left(\frac{\Delta\omega}{2}t\right)\cos(\bar{\omega}t) \tag{3.5.11}$$

Este resultado vale quaisquer que sejam ω_1 e ω_2, e mas o caso de interesse, em que ω_1 e ω_2 são muito próximas, corresponde a supor

$$\boxed{\Delta\omega \ll \bar{\omega}} \tag{3.5.12}$$

Nestas condições, $\cos(\bar{\omega}t)$ oscila *rapidamente* em confronto com

$$\boxed{a(t) = 2A\cos\left(\frac{\Delta\omega}{2}t\right)} \tag{3.5.13}$$

e podemos considerar $x(t)$ como uma oscilação de frequência angular $\bar{\omega}$ cuja "amplitude" $|a(t)|$ é *lentamente variável* com o tempo, oscilando com frequência angular dada pela (3.5.13).

A Figura 3.30 mostra o gráfico de $x(t)$ (linha cheia) e da *envoltória* das oscilações rápidas (linha interrompida) que corresponde a $\pm\ |a(t)|$. A *modulação da amplitude* leva ao fenômeno dos *batimentos*, com um período para $|a(t)|$ dado por $1/\Delta\nu$, (intervalo entre dois zeros consecutivos ou dois máximos de $|a|$ consecutivos), que é $>> 1/\bar{\nu}$, intervalo entre dois máximos consecutivos de $x(t)$.

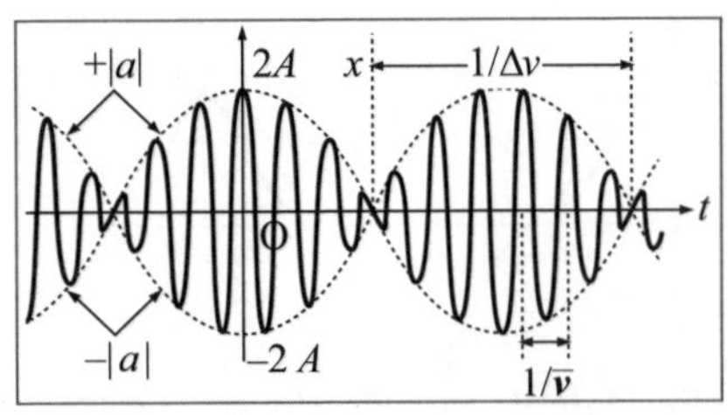

Figura 3.30 Batimentos.

Se as amplitudes de $x_1(t)$ e $x_2(t)$ não são iguais, temos ainda uma modulação da amplitude resultante, que passa por máximos e mínimos, mas os mínimos não são mais nulos.

Um exemplo de batimentos sonoros se obtém fazendo vibrar simultaneamente dois diapasões de frequências de oscilação muito próximas, por exemplo $\nu_1 = 439$ Hz e $\nu_2 = 441$ Hz. O efeito resultante sobre nosso ouvido será a nota musical "lá", de frequência $\bar{\nu} = 440$ Hz, mas a intensidade sonora (proporcional a $|a(t)|^2$) aumentará e diminuirá periodicamente, passando por um máximo 2 vezes por segundo ($\Delta\nu = 2$ Hz). Batimentos também são perceptíveis quando tocamos simultaneamente uma tecla branca e a tecla preta vizinha num piano, na região dos graves. A desaparição dos batimentos pode ser utilizada como critério na afinação de instrumentos musicais.

(c) Mesma frequência e direções perpendiculares

Um *oscilador harmônico bidimensional* seria uma partícula cujo movimento é restrito a um plano, sujeita a uma força restauradora proporcional ao deslocamento a partir da posição de equilíbrio estável. Tomando essa posição como origem e o plano do movimento como plano (xy), a equação de movimento será

$$m\ddot{\mathbf{r}} = \mathbf{F} = -k\mathbf{r} \tag{3.5.14}$$

o que resulta em

$$\ddot{\mathbf{r}} + \omega^2\mathbf{r} = 0, \quad \omega^2 = k/m \tag{3.5.15}$$

onde $\mathbf{r} = x\mathbf{i} + y\mathbf{j}$, ou seja,

$$\ddot{x} + \omega^2 x = 0, \quad \ddot{y} + \omega^2 y = 0 \tag{3.5.16}$$

o que resulta em

$$\left.\begin{array}{l} x(t) = A\cos(\omega t + \varphi_1) \\ y(t) = B\cos(\omega t + \varphi_2) \end{array}\right\} \qquad \textbf{(3.5.17)}$$

Um exemplo prático seriam as pequenas oscilações de um pêndulo cujo movimento não é restrito a um plano vertical dado. Suspendendo por um fio um pequeno funil com areia (Figura 3.31), a trajetória da ponta fica marcada no plano (xy) pela areia que escorre. Essa trajetória, cujas equações paramétricas são as (3.5.17), representa a composição de dois MHS de mesma frequência em direções perpendiculares.

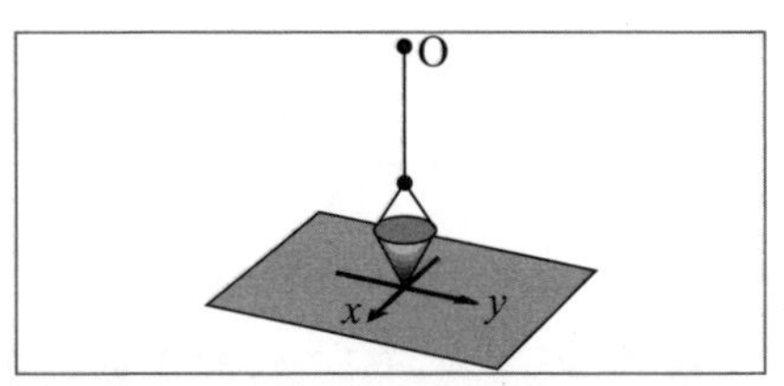

Figura 3.31 Oscilador bidimensional.

Para simplificar, podemos escolher a origem dos tempos de tal forma que $\varphi_1 = 0$ na (3.5.17) (isto não muda a trajetória, mas tão somente o seu ponto inicial).

$$x(t) = A\cos(\omega t); \quad y(t) = B\cos(\omega t + \varphi) \qquad \textbf{(3.5.18)}$$

onde φ representa a *defasagem* entre as componentes x e y.

Como $-A \le x \le A$, $-B \le y \le B$, vemos que a trajetória está sempre inscrita num retângulo de lados $2A$ e $2B$. Podemos obter a equação da curva eliminando t entre as (3.5.18):

$$\frac{y}{B} = \cos(\omega t)\cos\varphi - \text{sen}(\omega t)\text{sen}\omega = \frac{x}{A}\cos\varphi \pm \sqrt{1 - \frac{x^2}{A^2}}\text{sen}\varphi$$

que leva a (verifique!)

$$\boxed{\frac{x^2}{A^2} + \frac{y^2}{B^2} - 2\frac{xy}{AB}\cos\varphi = \text{sen}^2\varphi} \qquad \textbf{(3.5.19)}$$

curva de 2.° grau que, por estar inscrita num retângulo, representa geralmente uma *elipse*.

Casos particulares [cf. (3.5.18) e (3.5.19)]:

$$\left.\begin{array}{l} \varphi = 0 \quad \left\{\dfrac{y}{x} = \dfrac{B}{A}\right. \\[2ex] \varphi = \pi \quad \left\{\dfrac{y}{x} = -\dfrac{B}{A}\right. \end{array}\right\} \qquad \textbf{(3.5.20)}$$

ou seja, nesses casos, a elipse degenera num segmento de reta, que é (Figura 3.32) a diagonal principal ou secundária do retângulo. O pêndulo do exemplo anterior oscila como pêndulo plano.

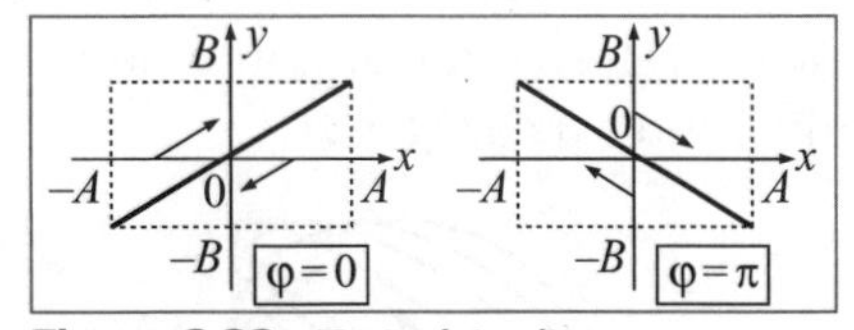

Figura 3.32 Trajetórias lineares.

$$\left.\begin{array}{l} \varphi = \dfrac{\pi}{2} \\[2ex] \varphi = \dfrac{3\pi}{2} \end{array}\right\} \frac{x^2}{A^2} + \frac{y^2}{B^2} = 1 \qquad \textbf{(3.5.21)}$$

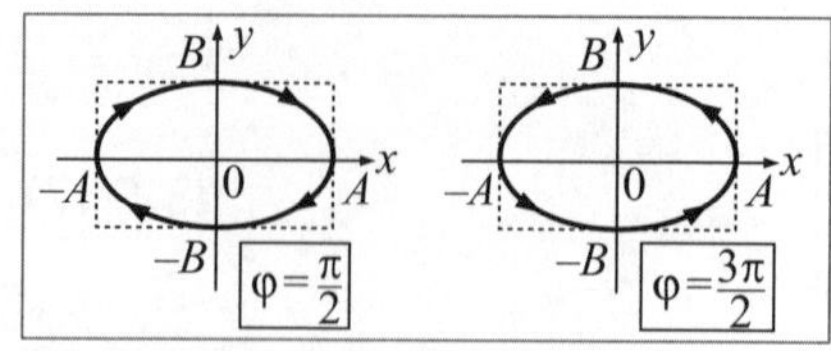

Figura 3.33 Trajetórias elípticas.

Nestes casos, os eixos principais da elipse coincidem com os eixos coordenados (Figura 3.33). A diferença entre os dois casos é o sentido de percurso da elipse, que é *horário* para $\varphi = \pi/2$ *e anti-horário* para $\varphi = \frac{3\pi}{2}$. Isto pode ser visto pelas (3.5.18), que dão $(x, y) = (A, 0)$ para $t = 0$ e, para $t = \tau/4$ $(\omega t = \pi/2)$, com $\varphi = \pi/2$, $(x, y) = (0, -B)$, e, com $\varphi = 3\,\pi/2$, $(x, y) = (0, B)$.

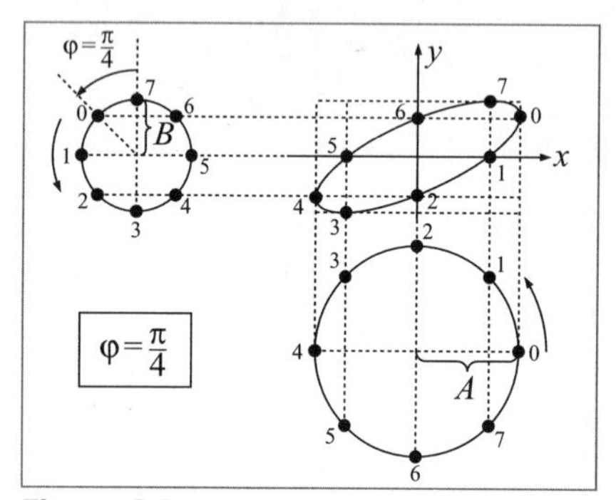

Figura 3.34 Defasagem $\varphi = \pi/4$.

Para outros valores da defasagem φ, a elipse é inclinada em relação aos eixos coordenados, como mostra a Figura 3.34 para $\varphi = \pi/4$. A figura também ilustra um método de construção geométrica da trajetória a partir das posições simultâneas de vetores girantes em dois círculos de referência, um associado ao oscilador x e outro ao oscilador y.

Conforme será visto mais tarde, numa onda eletromagnética plana de frequência ω que se propaga na direção z, o vetor campo elétrico **E** tem componentes x e y que oscilam harmonicamente, como as (3.5.18). Logo, num dado plano z = constante, a extremidade de **E** descreve uma elipse: diz-se que a onda é *elipticamente polarizada*. O caso particular (3.5.20) corresponde a *polarização linear*, e as (3.5.21), com $A = B$, a *polarização circular*, que é *direita* ou *esquerda* conforme o sentido de percurso do círculo nesse caso.

(d) Frequências diferentes e direções perpendiculares

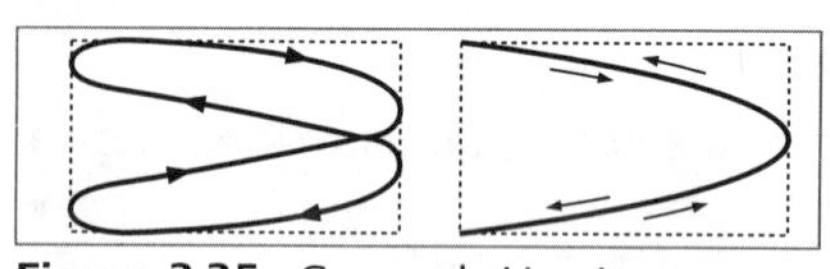

Figura 3.35 Curvas de Lissajous.

Uma realização experimental, neste caso, consiste em aplicar duas voltagens oscilantes de frequências angulares τ_1 e τ_2 aos pares de placas defletoras perpendiculares (x e y) de um osciloscópio: a imagem do feixe de elétrons na tela descreve então as trajetórias correspondentes, que se chamam *curvas* de *Lissajous*. A construção geométrica dessas curvas pode ser feita pelo método dos círculos de referência, acima indicado.

Se os períodos τ_1 e τ_2 são comensuráveis [cf. (3.5.7)], a trajetória é periódica, ou seja, acaba retornando ao ponto de partida, como ilustrado na Figura 3.35 para $\tau_2 = 2\tau_1$, e diferentes defasagens.

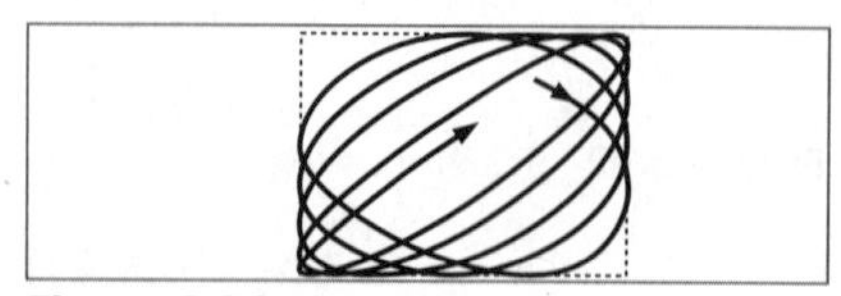

Figura 3.36 Períodos incomensuráveis.

Se os períodos são incomensuráveis, a trajetória não é periódica, ou seja, nunca "se fecha"; um exemplo está ilustrado na Figura 3.36.

■ PROBLEMAS

3.1 Um bloco de massa M, capaz de deslizar com atrito desprezível sobre um trilho de ar horizontal, está preso a uma extremidade do trilho por uma mola de massa desprezível e constante elástica k, inicialmente relaxada. Uma bolinha de chiclete de massa m, lançada em direção ao bloco, com velocidade horizontal v, atinge-o no instante $t = 0$ e fica grudada nele (Figura P.1). Ache a expressão do deslocamento x do sistema para $t > 0$.

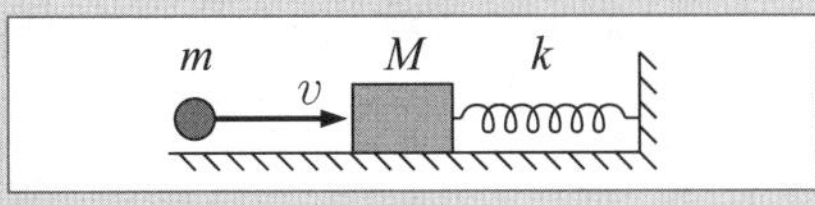

Figura P.1

3.2 Uma partícula de massa m está suspensa do teto por uma mola de constante elástica k e comprimento relaxado l_0, cuja massa é desprezível. A partícula é solta em repouso, com a mola relaxada. Tomando o eixo Oz orientado verticalmente para baixo, com origem no teto, calcule a posição z da partícula em função do tempo.

3.3 Duas partículas 1 e 2 de mesma massa m estão presas por molas de constante elástica k, comprimento relaxado l_0 e massa desprezível, a paredes verticais opostas, separadas de $2l_0$; as massas podem deslizar sem atrito sobre uma superfície horizontal (Figura P.2). Tem-se $m = 10$ g e $k = 100$ N/m. No instante $t = 0$, a partícula 1 é deslocada de 1 cm para a esquerda e a partícula 2 de 1 cm para a direita, comunicando-se a elas velocidades de magnitude $\sqrt{3}$ m/s, para a esquerda (partícula 1) e para a direita (partícula 2). (a) Escreva as expressões dos deslocamentos x_1 e x_2 das duas partículas para $t > 0$. (b) As partículas irão colidir uma com a outra? Em que instante? (c) Qual a energia total do sistema?

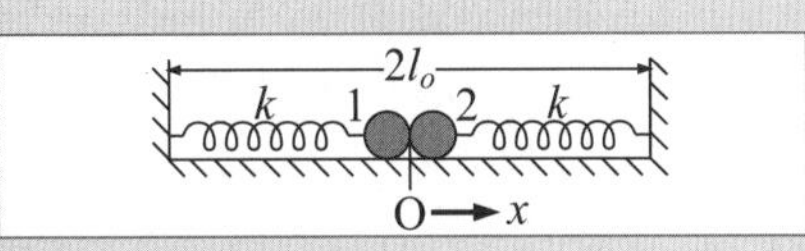

Figura P.2

3.4 Uma conta de massa m enfiada num aro vertical fixo de raio r, no qual desliza sem atrito, desloca- se em torno do ponto mais baixo, de tal forma que o ângulo θ (Figura P.3) permanece pequeno. Mostre que o movimento é harmônico simples e calcule o período.

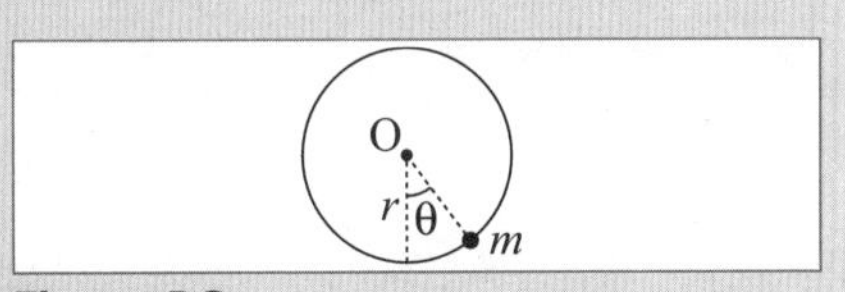

Figura P.3

3.5 Uma bola de massa m de massa fresca de pão cai de uma altura h sobre o prato de uma balança de mola e fica grudada nele (**1**, Capítulo 6, Problema 6.6). A constante da mola *é* k, e as massas da mola e do prato podem ser desprezadas, (a) Qual é a amplitude de oscilação do prato? (b) Qual é a energia total de oscilação?

3.6 Uma placa circular homogênea de raio R e massa M é suspensa por um fio de módulo de torção K de duas maneiras diferentes: (a) Pelo centro C da placa, ficando ela num plano horizontal; (b) Por um ponto O da periferia, com a placa vertical. Calcule os períodos τ_a e τ_b das pequenas oscilações de torção, respectivamente nos casos (a) e (b) (Figura P.4).

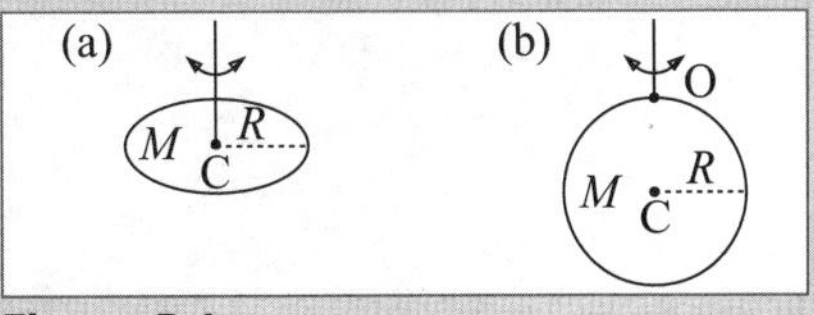

Figura P.4

3.7 Um pêndulo balístico de madeira, de massa igual a 10 kg, suspenso por um fio de 1 m de comprimento, é atingido no instante $t = 0$ por uma bala de 10 g, viajando à velocidade de 300 m/s, que fica encravada nele. Ache o ângulo θ (em rad) entre o fio e a vertical como função de t.

3.8 Um disco de massa M, preso por uma mola de constante elástica k e massa desprezível a uma parede vertical, desliza sem atrito sobre uma mesa de ar horizontal. Um bloquinho de massa m está colocado sobre o disco (Figura P.5), com cuja superfície tem um coeficiente de atrito estático μ_e. Qual é a amplitude máxima de oscilação do disco para que o bloquinho não escorregue sobre ele?

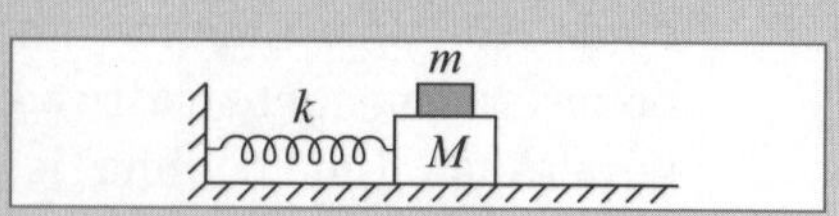

Figura P.5

3.9 Um densímetro (Capítulo 1, Problema 1.11), flutuando em equilíbrio na água, tem um volume V_0 submerso (Figura P.6); a área da seção transversal da porção cilíndrica é A. Empurrando-o verticalmente para baixo, o densímetro entra em pequenas oscilações na direção vertical. Calcule a frequência angular de oscilação.

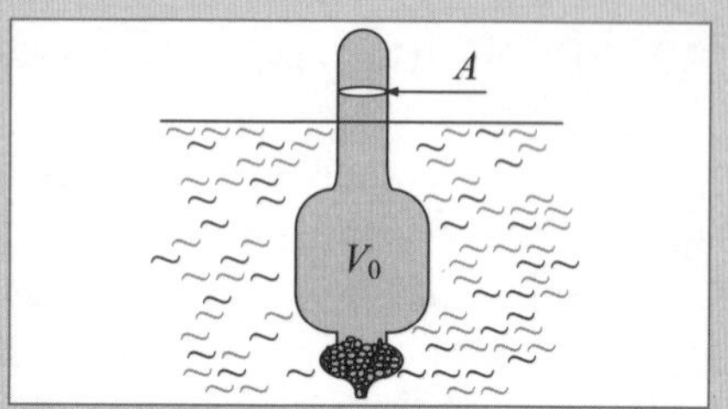

Figura P.6

3.10 Quando um nadador caminha até a extremidade de um trampolim horizontal, ele desce 5 cm sob a ação do peso, no equilíbrio. Desprezando a massa do trampolim, calcule a sua frequência angular de oscilação em torno do equilíbrio, com o nadador permanecendo na extremidade.

3.11 Um tremor de terra coloca em vibração no sentido vertical, com frequência angular $\omega = 20\ s^{-1}$ e amplitude de 4 cm, uma plataforma horizontal, sobre a qual está colocado um bloquinho de madeira. A plataforma se move inicialmente para cima. (a) De que altura terá subido a plataforma no momento em que o bloquinho se desprende dela? (b) De que altura adicional se eleva o bloquinho depois que se separou da plataforma?

3.12 A energia total de um sistema conservativo na vizinhança de um equilíbrio estável é da forma $E = a(\dot{q}^2 + \omega^2 q^2)$, onde q (deslocamento, ângulo, ...) é o desvio do equilíbrio e a e ω são constantes. Mostre que o sistema oscila com frequência angular ω.

3.13 Uma bolinha homogênea de massa m e raio r rola sem deslizar sobre uma calha cilíndrica de raio $R >> r$, na vizinhança do fundo, ou seja, com $\theta << 1$ (Figura P.7). Mostre que o movimento é harmônico simples e calcule a frequência angular ω.

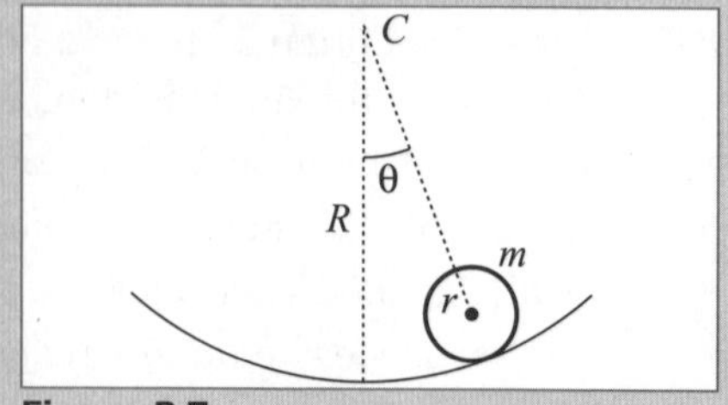

Figura P.7

3.14 Considere os seguintes objetos oscilando num plano vertical: aro circular de diâmetro l, suspenso de O_a [Figura P.8 (a)] e placa circular homogênea de diâmetro l, suspensa de O_b [Figura P.8 (b)]. Compare os respectivos períodos τ_a e τ_b com o período de oscilação τ de um pêndulo simples de comprimento l.

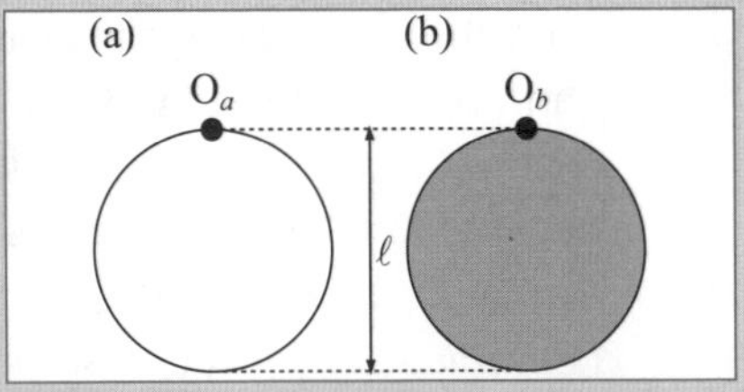

Figura P.8

3.15 Um pêndulo físico é formado por uma barra delgada homogênea de comprimento l, suspensa por um ponto à distância s ($< l/2$) de seu centro, oscilando num plano vertical. Para que valor de s o período de oscilação é mínimo? Quanto vale então?

3.16 Um fio de arame de comprimento $2l$ é dobrado ao meio, formando um ângulo de 60°, e é suspenso pelo vértice O (Figura P.9), oscilando num plano vertical. Calcule o período τ de pequenas oscilações em torno da posição de equilíbrio.

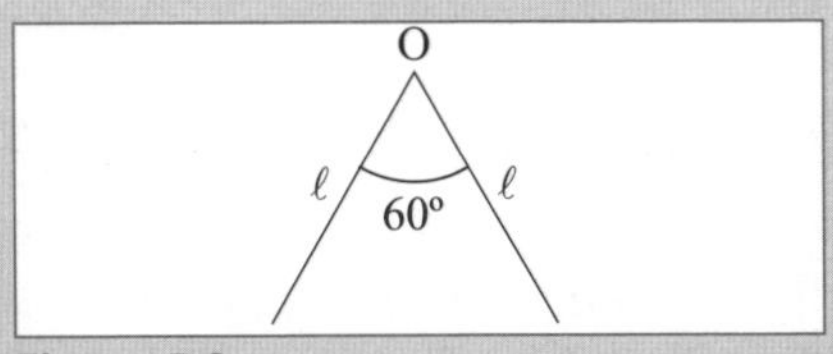

Figura P.9

3.17 Um oscilador harmônico começa a oscilar em $t = 0$. Após 1/4 de período, sua energia cinética é três vezes maior que a energia potencial. Qual é a fase inicial? (Dê todos os valores possíveis).

3.18 Com um bloco de massa m e duas molas, de constantes elásticas k_1 e k_2, montam-se os dois arranjos indicados nas Figuras P.10(a) e (b). Calcule as respectivas frequências angulares ω_a e ω_b de pequenas oscilações verticais em tomo do equilíbrio.

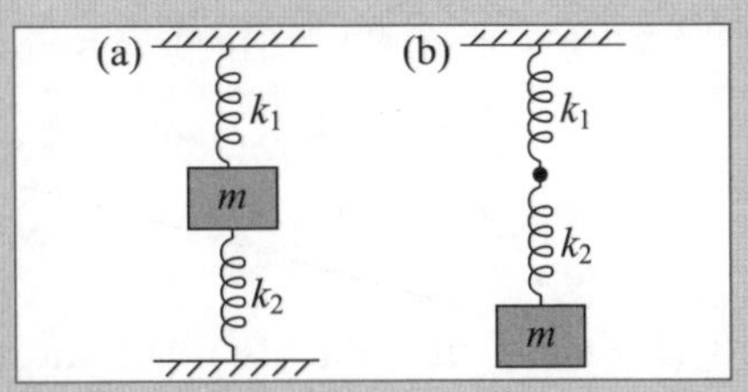

Figura P.10

3.19 O pêndulo da Figura P.11, formado por uma barra de massa desprezível e comprimento l com uma massa m suspensa, está ligado em seu ponto médio a uma mola horizontal de massa desprezível e constante elástica k, com a outra extremidade fixa e relaxada quando o pêndulo está em equilíbrio na vertical. Calcule a frequência angular ω de pequenas oscilações no plano vertical.

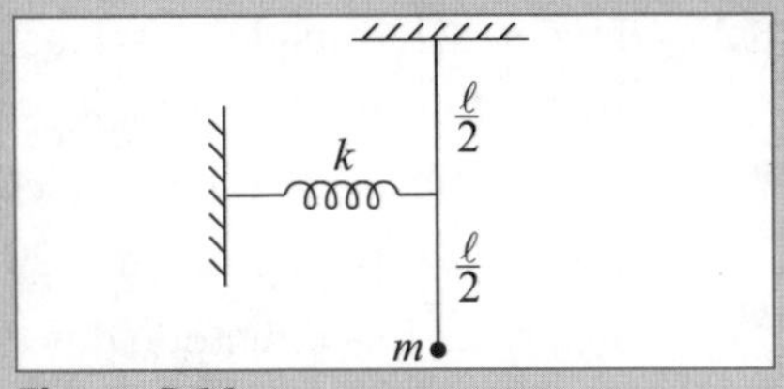

Figura P.11

3.20 Um tubo cilíndrico cuja seção transversal tem área A está dobrado em forma de V, com um ramo vertical e o outro formando um ângulo φ com a vertical, e contém uma massa M de um líquido de densidade ρ (Figura P.12). Produz-se um *pequeno desnível* entre um ramo e o outro. Calcule a frequência angular de oscilação da massa líquida.

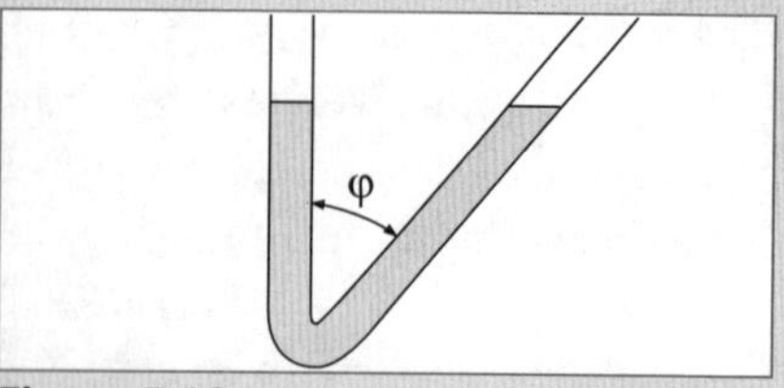

Figura P.12

3.21 A molécula de HCl é uma molécula iônica, que podemos considerar como resultante da interação entre os íons H^+ e Cl^-, com energia potencial de interação dada por $U(r) = -K(e^2/r) + B/r^{10}$, onde r é a distância entre os centros. O primeiro termo é a atração coulombiana ($K = 9 \times 10^9$ N.m²/C², $e = 1{,}6 \times 10^{-19}$ C), e o segundo representa uma interação repulsiva a curta distância ($B > 0$). A distância entre os centros na molécula é de 1,28 Å; uma unidade de massa atômica vale $1{,}66 \times 10^{-27}$ kg. (a) Calcule a "constante de mola efetiva" k da ligação, (b) Calcule a frequência de vibração ν da molécula (clássica).

3.22 Use a fórmula de Euler (3.4.19) e as regras para cálculo de produto e potências de números complexos para calcular: (a) cos $(a + b)$ e sen $(a + b)$; (b) cos $(3a)$ e sen $(3a)$ em função de cos e sen de a e b.

3.23 As funções ch x (cosseno hiperbólico) e sh x (seno hiperbólico) são definidas por: $\text{ch } x = \frac{1}{2}\left(e^x + e^{-x}\right)$ e $\text{sh } x = \frac{1}{2}\left(e^x - e^{-x}\right)$. Mostre que:

(a) $\cos(ix) = \text{ch } x$; $\text{sen}(ix) = i \text{ sh } x$;

(b) $\text{ch}^2 x - \text{sh}^2 x = 1$;

(c) $\text{sh}(2x) = 2 \text{ sh } x \text{ ch } x$.

3.24 Ache o movimento resultante de dois movimentos harmônicos simples na mesma direção, dados por: $x_1 = \cos\left(\omega t - \frac{\pi}{6}\right), x_2 = \text{sen}\,(\omega t)$. Represente graficamente os respectivos vetores girantes.

3.25 Trace as figuras de Lissajous correspondentes à composição dos seguintes movimentos harmônicos simples em direções perpendiculares:

(a) $x = A \cos(\omega t)$, $y = A \text{ sen}(2\omega t)$

(b) $x = A \text{ sen}(\omega t)$, $y = A \cos(2\omega t)$

Sugestão: Use o método dos dois círculos de referência [Seção 3.5 (c)].

4

Oscilações amortecidas e forçadas

4.1 OSCILAÇÕES AMORTECIDAS

As oscilações harmônicas simples, estudadas no capítulo anterior, ocorrem em sistemas conservativos ideais, em que a energia mecânica se conserva. Na prática, sempre existe dissipação da energia: energia mecânica se converte em outras formas, tipicamente em calor.

Assim, no caso de um pêndulo, as oscilações se amortecem em razão da resistência do ar (além do atrito no suporte). As oscilações de um líquido num tubo em U se amortecem devido à viscosidade do líquido. As vibrações de um diapasão produzem um som audível porque são comunicadas ao ar, gerando ondas sonoras. A energia utilizada para isto provém do oscilador, dando origem a amortecimento por emissão de radiação sonora.

Conforme vimos (Seção 2.7; **FB1**, Seção 5.2), a resistência de um fluido, como o ar, ao deslocamento de um corpo, é proporcional à velocidade para velocidades suficientemente pequenas, o que se aplica a pequenas oscilações. Vamos considerar, portanto, uma força de amortecimento proporcional à velocidade.

Para um oscilador unidimensional, como o descrito pela equação de movimento (3.1.4), a resistência dá origem a um termo adicional nessa equação:

$$\boxed{m\ddot{x} = -kx - \rho\dot{x}, \quad \rho > 0} \tag{4.1.1}$$

onde $-\rho\dot{x}$ representa a resistência dissipativa, que atua em sentido oposto à velocidade ($\rho > 0$). Dividindo por m ambos os membros da (4.1.1), obtemos, em lugar da (3.1.5),

$$\boxed{\ddot{x} + \gamma\dot{x} + \omega_0^2 x = 0} \tag{4.1.2}$$

onde

$$\boxed{\omega_0^2 = k / m, \quad \gamma = \rho / m > 0} \tag{4.1.3}$$

A (4.1.2) é uma equação diferencial linear homogênea de 2ª ordem com coeficientes constantes (3.2.12), de modo que, como na (3.4.35), podemos procurar uma solução, usando notação complexa, da forma

$$z(t) = e^{pt} \quad \{\dot{z} = pz, \quad \ddot{z} = p^2 z \tag{4.1.4}$$

o que leva à equação característica

$$p^2 + \gamma p + \omega_0^2 = 0 \tag{4.1.5}$$

cujas raízes são

$$\boxed{p_\pm = -\frac{\gamma}{2} \pm \sqrt{\frac{\gamma^2}{4} - \omega_0^2}} \tag{4.1.6}$$

Se $\gamma/2 < \omega_0$, dizemos que o amortecimento é *subcrítico*. Neste caso, na (4.1.6), temos a raiz quadrada de um número negativo, e [cf. (3.4.39)] reescrevemos a (4.1.6) como

$$\boxed{p_\pm = -\frac{\gamma}{2} \pm i\omega, \quad \omega = \sqrt{\omega_0^2 - \frac{\gamma^2}{4}}} \tag{4.1.7}$$

Para satisfazer às condições iniciais, precisamos de uma solução com duas constantes reais arbitrárias. Podemos tomar a combinação linear das soluções correspondentes às duas raízes da equação característica:

$$z(t) = ae^{p_+ t} + be^{p_- t} \tag{4.1.8}$$

onde a e b são constantes reais. Para amortecimento subcrítico, pela (4.1.7),

$$z(t) = e^{-\frac{\gamma}{2}t}\left(ae^{i\omega t} + be^{-i\omega t}\right) \tag{4.1.9}$$

A partir da (4.1.9), obteríamos a solução da (4.1.2) em forma análoga à (3.2.15) para o MHS:

$$\boxed{x(t) = e^{-\frac{\gamma}{2}t}\left[a\cos(\omega t) + b\,\mathrm{sen}(\omega t)\right]} \tag{4.1.10}$$

Outra forma equivalente se obtém procedendo como nas (3.4.41) a (3.4.43):

$$z(t) = e^{-\frac{\gamma}{2}t} \cdot Ce^{i\omega t}, \quad C = Ae^{i\varphi} \tag{4.1.11}$$

o que dá, tomando a parte real,

$$\boxed{x(t) = Ae^{-\frac{\gamma}{2}t}\cos(\omega t + \varphi)} \tag{4.1.12}$$

onde as duas constantes reais arbitrárias são agora A e φ.

Ajuste das condições iniciais: A (4.1.10) dá

$$\dot{x}(t) = -\frac{\gamma}{2}x(t) + e^{-\frac{\gamma}{2}t}\left[-\omega a\,\mathrm{sen}(\omega t) + \omega b\cos(\omega t)\right]$$

de modo que, para satisfazer às condições iniciais (3.2.3) e (3.2.4), devemos ter

$$\left.\begin{aligned} x(0) &= x_0 = a \\ \dot{x}(0) &= v_0 = -\frac{\gamma}{2}a + \omega b \end{aligned}\right\} b = \frac{1}{\omega}\left(v_0 + \frac{\gamma}{2}x_0\right)$$

o que leva a [cf. (3.2.25)]

$$\boxed{x(t) = e^{-\frac{\gamma}{2}t}\left[x_0\cos(\omega t) + \left(\frac{v_0}{\omega} + \frac{\gamma x_0}{2\omega}\right)\mathrm{sen}(\omega t)\right]} \quad \textbf{(4.1.13)}$$

o que também pode ser escrito sob a forma (4.1.12) [cf. (3.2.26) e (3.2.27)].

A grande vantagem da notação complexa é a unificação entre as funções trigonométricas e a função exponencial [cf. (4.1.8), (4.1.10)]. Vale a pena verificar diretamente, por diferenciação, que a (4.1.12) satisfaz a equação diferencial (4.1.2).

4.2 DISCUSSÃO DOS RESULTADOS

Vamos agora discutir e interpretar os resultados obtidos na Seção anterior. Há três casos: (a) *Amortecimento subcrítico*: $\gamma/2 < \omega_0$; (b) *Amortecimento supercrítico*: $\gamma/2 > \omega_0$; (c) *Amortecimento crítico*: $\gamma/2 = \omega_0$.

(a) Amortecimento subcrítico ($\gamma/2 < \omega_0$)

Neste caso, a solução é dada pela (4.1.12). O gráfico de $x(t)$ está representado na Figura 4.1, para $\varphi = 0$. Vemos que representa efetivamente uma oscilação amortecida. Para o caso de amortecimento fraco, $\gamma \ll \omega_0$, o fator $Ae^{-\gamma t/2}$ pode ser considerado como amplitude de oscilação lentamente variável [cf. (3.5.13)], e as curvas exponencialmente decrescentes $\pm Ae^{-\gamma t/2}$ definem a envoltória das oscilações (em linha interrompida na Figura 4.1).

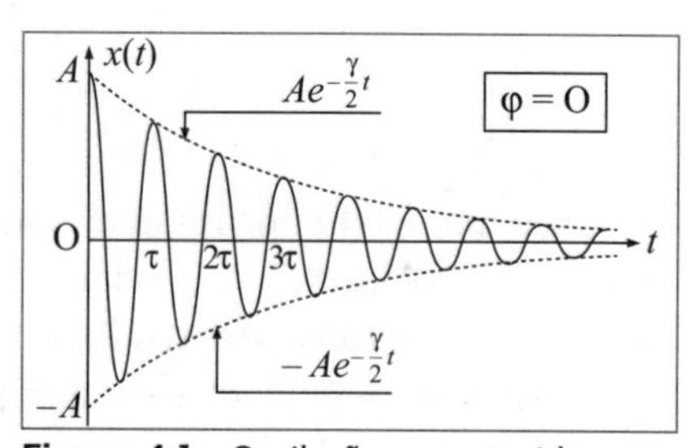

Figura 4.1 Oscilações amortecidas.

Embora as oscilações não sejam mais periódicas, continuaremos chamando de "período" o intervalo $\tau = 2\pi/\omega$. Note que, pela (4.1.7), é $\omega = \left(\omega_0^2 - \frac{1}{4}\gamma^2\right)^{1/2}$ ou seja, ω é $< \omega_0$ e decresce à medida que o amortecimento aumenta.

O balanço de energia

A energia mecânica do oscilador no instante t é dada por [cf. (3.2.30)]

$$\boxed{E(t) = \frac{1}{2}m\dot{x}^2(t) + \frac{1}{2}kx^2(t)} \quad \textbf{(4.2.1)}$$

e não é mais conservada: a dissipação a converte em outras formas de energia. A taxa de variação temporal de $E(t)$ é

$$\frac{dE}{dt} = m\dot{x}\ddot{x} + kx\dot{x} = \dot{x}\left(m\ddot{x} + kx\right)$$

ou seja, pelas (4.1.1) e (4.1.3),

$$\frac{dE}{dt} = -\rho\dot{x}^2 = -m\gamma\,\dot{x}^2 \tag{4.2.2}$$

Logo, a taxa instantânea de dissipação da energia mecânica do oscilador é igual ao produto da força de resistência $-\rho\dot{x}$ pela velocidade $\dot{x}$, sendo assim proporcional ao quadrado da velocidade instantânea. Note que dE/dt é sempre ≤ 0, anulando-se nos instantes em que a velocidade se anula, e acompanhando a oscilação de $\dot{x}^2$ durante cada período.

Substituindo na (4.2.1) os valores de $x(t)$ e $\dot{x}(t)$ tirados da (4.1.12), obtemos

$$E(t) = \frac{1}{2}mA^2e^{-\gamma t}\left[\left(\omega_0^2 + \frac{\gamma^2}{4}\right)\cos^2(\omega t + \varphi) + \right.$$
$$\left. +\omega^2\text{sen}^2(\omega t + \varphi) + \frac{\gamma}{2}\omega \cdot \underbrace{2\,\text{sen}(\omega t + \varphi)\cos(\omega t + \varphi)}_{\text{sen}[2(\omega t + \varphi)]}\right] \tag{4.2.3}$$

Para *amortecimento fraco*, $\gamma << \omega_0$, o fator $e^{-\gamma t}$ na (4.2.3) varia muito pouco durante um período de oscilação (ou mesmo durante vários períodos). Interessa-nos calcular o valor médio $\overline{E}(t)$ da energia instantânea durante um período, definido de forma análoga à (3.2.31):

$$\boxed{\overline{E}(t) = \frac{1}{\tau}\int_t^{t+\tau} E(t')dt'} \tag{4.2.4}$$

Note que $\overline{E}(t)$ continua dependendo de t através dos limites de integração. Substituindo $E(t')$ pela (4.2.3), podemos, para $\gamma << \omega_0$, tomar $e^{-\gamma t'} \approx e^{-\gamma t}$, ou seja, tratar esse fator como constante dentro do intervalo de integração, retirando-o para fora da integral. Podemos, depois, utilizar os resultados

$$\boxed{\overline{\cos^2(\omega t + \varphi)} = \overline{\text{sen}^2(\omega t + \varphi)} = \frac{1}{2}, \quad \overline{\text{sen}[2(\omega t + \varphi)]} = 0} \tag{4.2.5}$$

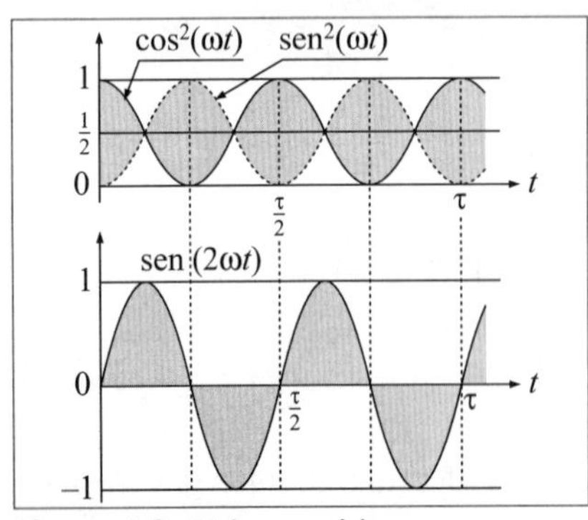

Figura 4.2 Valores médios.

cuja demonstração gráfica se encontra na Figura 4.2 (onde tomamos $\varphi = 0$). As áreas das curvas situadas acima e abaixo do valor médio (sombreadas nas figuras) são iguais. É fácil dar também uma demonstração analítica (verifique!), usando as identidades

$$\cos^2 x = \frac{1}{2}(1 + \cos 2x), \quad \text{sen}^2 x = \frac{1}{2}(1 - \cos 2x) \tag{4.2.6}$$

as integrais

$$\left.\begin{aligned}\int \cos(2\omega t' + \varphi)\,dt' &= \frac{\operatorname{sen}(2\omega t' + \varphi)}{2\omega} \\ \int \operatorname{sen}(2\omega t' + \varphi)\,dt' &= -\frac{\cos(2\omega t' + \varphi)}{2\omega}\end{aligned}\right\} \tag{4.2.7}$$

e a periodicidade das funções trigonométricas. Também já utilizamos estes resultados para obter as (3.2.33).

Finalmente, o resultado da substituição da (4.2.3) na (4.2.4) é

$$\boxed{\left.\begin{aligned}\bar{E}(t) &= \frac{1}{2} m\omega_0^2 A^2 e^{-\gamma t} \\ &= \bar{E}(0) e^{-\gamma t}\end{aligned}\right\}(\gamma \ll \omega_0)} \tag{4.2.8}$$

mostrando que, *para amortecimento fraco, a energia média do oscilador decai exponencialmente com o tempo.*

A Figura 4.3 mostra o gráfico de $\bar{E}(t)$ (linha cheia), bem como do valor instantâneo $E(t)$ (linha interrompida), que oscila em torno de $\bar{E}(t)$. Podemos caracterizar o tempo de decaimento τ_d (Figura 4.3) como aquele para o qual a energia média cai a $1/e \approx 1/2{,}7$ de seu valor inicial, o que dá

$$\boxed{\tau_d = 1/\gamma} \tag{4.2.9}$$

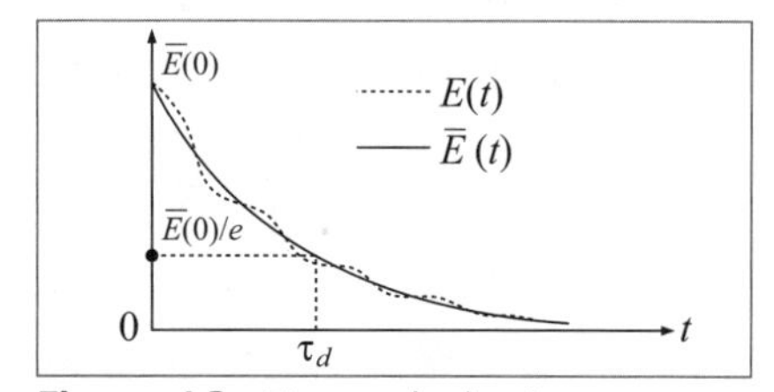

Figura 4.3 Tempo de decaimento.

A (4.2.8) fornece

$$\boxed{\frac{d\bar{E}}{dt} = -\gamma \bar{E}}\,(\gamma \ll \omega_0) \tag{4.2.10}$$

de modo que γ representa a *taxa de decréscimo relativo da energia média por unidade de tempo.*

Fator de mérito

A energia dissipada em 1 ciclo de oscilação, de acordo com a (4.2.10), é

$$\Delta\bar{E} = -\frac{d\bar{E}}{dt} \cdot \tau = \gamma \bar{E} \tau \tag{4.2.11}$$

pois corresponde a um intervalo de tempo $\Delta T = \tau$. Na (4.2.11), $\bar{E}$ representa a energia mecânica média ainda armazenada no oscilador no instante considerado.

Chama-se *fator de mérito* ou *fator* "Q" (= qualidade) do oscilador a grandeza

$$\boxed{Q = 2\pi\left(\frac{\text{Energia armazenada no oscilador}}{\text{Energia dissipada por ciclo}}\right)} \tag{4.2.12}$$

Pela (4.2.11),

$$Q = 2\pi \bar{E} / \Delta \bar{E} = \frac{2\pi}{\gamma\tau} = \frac{\omega_0}{\gamma} \quad (4.2.13)$$

que é >> 1, pela hipótese do amortecimento fraco.

Quanto maior o fator Q, menor o amortecimento por oscilação. Pela (4.2.9), podemos também escrever

$$Q = 2\pi\, \tau_d / \tau \quad (4.2.14)$$

ou seja, o fator Q é proporcional à razão do tempo de decaimento para o período. Esse parâmetro é empregado como fator de mérito nas oscilações da voltagem ou corrente em circuitos elétricos, que, conforme será visto mais tarde, são inteiramente análogas às oscilações mecânicas.

(b) Amortecimento supercrítico ($\gamma/2 > \omega_0$)

Neste caso, podemos utilizar diretamente as (4.1.8), (4.1.6), que dão

$$x(t) = e^{-\frac{\gamma}{2}t}\left(ae^{\beta t} + be^{-\beta t}\right) \quad (4.2.15)$$

onde

$$\beta = \sqrt{\frac{\gamma^2}{4} - \omega_0^2} \quad (4.2.16)$$

que é sempre < $\gamma/2$, de modo que

$$x(t) = a \exp\left[-\underbrace{\left(\frac{\gamma}{2} - \beta\right)}_{>0} t\right] + b \exp\left[-\left(\frac{\gamma}{2} + \beta\right)t\right]$$

é sempre a soma de duas exponenciais decrescentes.

Aquela que tem $\gamma/2 + \beta$ no expoente decai mais rapidamente do que a outra, de modo que, para tempos grandes, o decaimento é como

$$\exp\left[-\left(\frac{\gamma}{2} - \beta\right)t\right]$$

De qualquer forma, o movimento não é mais periódico, prevalecendo o amortecimento. A Figura 4.4 dá uma ideia do comportamento de $x(t)$ quando $x_0 > 0$, $v_0 > 0$.

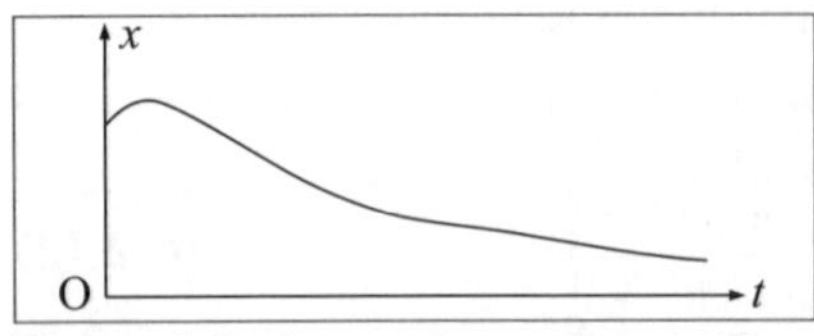

Figura 4.4 Amortecimento supercrítico.

Como vimos na Seção 2.7(c), é uma situação comum na biologia celular que o número de Reynolds seja muito pequeno. A resistência de atrito viscosa é proporcional ao tamanho do objeto, ao passo que a inércia do fluido deslocado é proporcional ao seu volume (cubo do tamanho). Assim, o número de Reynolds tende a diminuir com o tamanho, sendo muito pequeno, para moléculas e organelas no interior das células. O seu movimento é assim superamortecido. Em muitos casos, ele é promovido pela ação de *proteínas motoras*.

(c) Amortecimento crítico ($\gamma/2 = \omega_0$)

Como $\beta = 0$, neste caso, as duas soluções independentes na (4.2.15) se reduzem a uma única. Entretanto, para $\beta > 0$, a combinação linear

$$x(t) = e^{-\frac{\gamma}{2}t}\left(\frac{e^{\beta t} - e^{-\beta t}}{2\beta}\right)$$

é solução. Para $\beta \to 0$, o fator entre parênteses tende a

$$\left[\frac{d}{d\beta}\left(e^{\beta t}\right)\right]_{\beta=0} = t$$

de modo que

$$x_1(t) = te^{-\frac{\gamma}{2}t} \tag{4.2.17}$$

deveria ser solução da (4.1.2) quando $\omega_0 = \gamma/2$. Isto pode ser comprovado por substituição direta (verifique!).

A solução geral para amortecimento crítico é então

$$\boxed{x(t) = e^{-\frac{\gamma}{2}t}(a + bt)} \tag{4.2.18}$$

que decai mais rapidamente, para tempos grandes, do que a (4.2.15), em que o termo em $e^{\beta t}$ como vimos, reduz o decaimento. A Figura 4.5, que compara as soluções dos três tipos para as mesmas condições iniciais, mostra que a solução com amortecimento crítico é aquela que retorna ao equilíbrio mais rapidamente. Por isso, esse tipo de amortecimento é empregado quando desejamos amortecer o movimento o mais depressa possível, como acontece em galvanômetros ou balanças de precisão, para tornar mais rápida a leitura do instrumento.

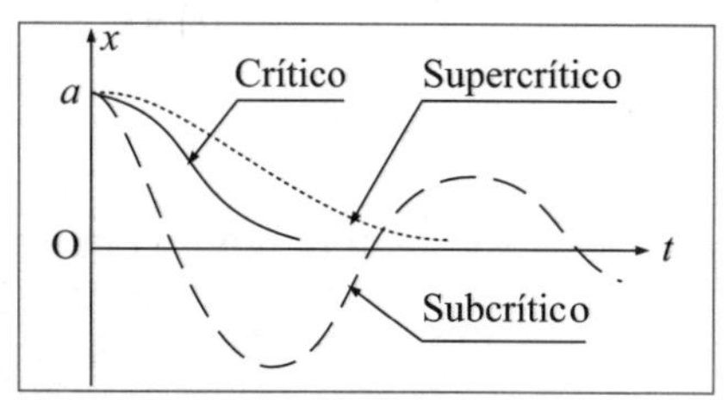

Figura 4.5 Comparação de amortecimentos.

4.3 OSCILAÇÕES FORÇADAS. RESSONÂNCIA

Até agora, consideramos apenas oscilações livres, em que o oscilador recebe uma certa energia inicial (através de seu deslocamento e velocidade iniciais) e depois é solto, evoluindo livremente. O período de oscilação é determinado pela própria natureza do oscilador, ou seja, por sua inércia e pelas forças restauradoras que atuam sobre ele. A oscilação é amortecida pelas forças dissipativas atuantes (ou, no caso limite em que as desprezamos, persiste indefinidamente).

Vamos estudar agora o efeito produzido sobre o oscilador por uma força externa *periódica*. O período dessa força não coincidirá em geral com o período próprio do oscilador, de modo que as oscilações por ela produzidas se chamam *oscilações forçadas*. A força externa supre continuamente energia ao oscilador, compensando a dissipação.

Alguns exemplos de oscilações forçadas são: as oscilações do diafragma de um microfone ou do tímpano de nosso ouvido sob a ação das ondas sonoras; as oscilações de uma pessoa sentada num balanço sob a ação de empurrões periódicos; as oscilações elétricas, produzidas num circuito detector de rádio ou televisão sob o efeito do sinal eletromagnético captado; as oscilações dos elétrons em átomos ou moléculas de um meio material sob a ação de uma onda eletromagnética, como a luz, que se propaga nesse meio.

Nesta Seção, vamos considerar o caso limite de um oscilador não amortecido.

(a) Solução estacionária

Seja

$$\boxed{F(t) = F_0 \cos(\omega t)} \tag{4.3.1}$$

a força externa, de frequência angular ω. A equação de movimento é então [cf. (3.1.4)]:

$$\boxed{m\ddot{x} + kx = F(t) = F_0 \cos(\omega t)} \tag{4.3.2}$$

Vamos chamar de ω_0 a *frequência própria* ou *frequência natural* (abreviando para "frequência" a expressão "frequência angular", o que faremos muitas vezes) das oscilações livres:

$$\boxed{\omega_0^2 = k / m} \tag{4.3.3}$$

A (4.3.2) resulta, então em

$$\boxed{\ddot{x} + \omega_0^2 x = \frac{F_0}{m} \cos(\omega t)} \tag{4.3.4}$$

A (4.3.4) é uma equação diferencial de 2ª ordem *inomogênea* [cf. (3.2.12)], ou seja, não vale mais a (3.2.13). Por conseguinte, o princípio de superposição sob a forma da Seção 3.2 não é mais válido: se $x_1(t)$ e $x_2(t)$ são soluções, não é mais verdade que a combinação linear (3.2.14) é solução. Entretanto, o princípio continua valendo no seguinte sentido:

Princípio de superposição para equações lineares inomogêneas: *Se $x_1(t)$ é solução para o 2° membro (termo inomogêneo) $F_1(t)$, e $x_2(t)$ para o 2° membro $F_2(t)$, então $x(t) = ax_1(t) + bx_2(t)$ é solução para o 2° membro $F(t) = aF_1(t) + bF_2(t)$.* A verificação a partir da (3.2.12) é imediata.

Em particular, tomando $F_2(t) = 0$, vemos que, somando a uma solução da equação inomogênea uma solução da equação homogênea, obtemos ainda uma solução da mesma equação inomogênea.

A solução geral, tratando-se de uma equação diferencial de 2ª ordem, continua dependendo de duas constantes arbitrárias (necessárias para o ajuste às condições iniciais). Se já conhecemos a solução geral da equação homogênea (como acontece no caso atual), contendo duas constantes arbitrárias, o resultado apresentado aqui mostra que basta obter uma *solução particular da equação inomogênea: a solução geral da equação inomogênea obtém-se somando à solução geral da equação homogênea uma solução particular da equação inomogênea.*

A solução geral da equação homogênea corresponde neste caso às oscilações livres. Na presença de dissipação (que sempre existe na prática), sabemos que as oscilações livres são amortecidas, ou seja, tendem a zero para $t \to \infty$, tornando-se desprezíveis para tempos maiores que τ_d, o tempo de decaimento. Por outro lado, a força externa (4.3.1) continua suprindo energia indefinidamente, de modo que as oscilações forçadas devem persistir e, para $t >> \tau_d$, devem sobreviver apenas as oscilações forçadas, correspondendo à solução particular da equação inomogênea.

Dizemos, por isso, que a solução particular é a *solução estacionária*, ao passo que a parte de oscilações livres é um *transiente*, ou seja, tem um efeito transitório, dependente das condições iniciais, que desaparece para $t >> \tau_d$. Em geral, nas oscilações forçadas, interessa-nos apenas a solução estacionária.

Embora a (4.3.2) corresponda ao caso limite ideal em que desprezamos a dissipação, continuaremos empregando a mesma linguagem. A solução estacionária, que desejamos obter, é então uma solução particular da equação inomogênea.

Para obter essa solução, vamos empregar a notação complexa. Se

$$\boxed{z(t) = x(t) + iy(t)} \quad \textbf{(4.3.5)}$$

a (4.3.4) é a parte real da equação complexa

$$\boxed{\ddot{z} + \omega_0^2 z = \frac{F_0}{m} e^{i\omega t}} \quad \textbf{(4.3.6)}$$

de modo que basta achar uma solução particular desta equação, e depois tomar sua parte real.

É de se esperar que a oscilação produzida pela força externa tenha a mesma frequência que essa força. Isso nos leva a procurar uma solução particular da forma

$$\boxed{z(t) = z_0 e^{i\omega t}} \quad \textbf{(4.3.7)}$$

o que resulta em [cf. (3.4.37)]

$$\dot{z} = i\omega z \left\{ \ddot{z} = -\omega^2 z \right\} \underset{(4.3.6)}{\left(\omega_0^2 - \omega^2\right)} z = \frac{F_0}{m} e^{i\omega t}$$

ou seja,

$$\boxed{z(t) = \frac{F_0}{m\left(\omega_0^2 - \omega^2\right)} e^{i\omega t}} \qquad \textbf{(4.3.8)}$$

Temos [cf. (3.4.41), (3.4.42)]

$$\frac{F_0}{m\left(\omega_0^2 - \omega^2\right)} = Ae^{i\varphi} \qquad \textbf{(4.3.9)}$$

onde

$$\boxed{A = \frac{F_0}{m\left|\omega_0^2 - \omega^2\right|}} \qquad \textbf{(4.3.10)}$$

e podemos tomar

$$\boxed{\varphi = 0\left(\omega < \omega_0\right), \quad \varphi = -\pi\left(\omega > \omega_0\right)} \qquad \textbf{(4.3.11)}$$

Isto significa apenas que o número real (4.3.9) é positivo para $\omega < \omega_0$ e negativo para $\omega > \omega_0$. Como $-1 = e^{\pm i\pi}$ (3.4.26), poderíamos também ter tomado $\varphi = +\pi$ para $\omega > \omega_0$. Tomando a parte real da (4.38), obtemos, como na (3.4.43),

$$\boxed{x(t) = A\cos(\omega t + \varphi)} \qquad \textbf{(4.3.12)}$$

de modo que esta solução particular (solução estacionaria) corresponde a uma oscilação de mesma frequência que a força externa, amplitude A e defasagem φ em relação à força externa, onde A e φ são dados pelas (4.3.10) e (4.3.11), respectivamente.

(b) Interpretação física

(i) ***Limite de baixas frequências,*** $\omega << \omega_0$. Neste caso, a aceleração associada à (4.3.12),

$$\ddot{x} = -\omega^2 x \qquad \textbf{(4.3.13)}$$

é muito menor do que aquela associada à força restauradora, que corresponde ao termo $\omega_0^2 x$ na (4.3.4), de modo que temos aproximadamente

$$\omega_0^2 x \approx \frac{F_0}{m}\cos(\omega t) \Bigg\{ x \approx \frac{F_0}{m\omega_0^2}\cos(\omega t), \quad \omega \ll \omega_0 \qquad \textbf{(4.3.14)}$$

ou seja, o deslocamento é no mesmo sentido da força externa ($\varphi = 0$), que equilibra a força restauradora na (4.3.2), ($-kx + F(t) \approx 0$). Diz-se que *o movimento é dominado pela força restauradora.*

(ii) ***Limite de altas frequências,*** $\omega >> \omega_0$: Neste caso, é a aceleração $-\omega_0^2 x$ associada à força restauradora que é desprezível em confronto com a (4.3.13), de modo que temos aproximadamente

$$-\omega^2 x \approx \frac{F_0}{m}\cos(\omega t)\Bigg\{ x \approx -\frac{F_0}{m\omega^2}\cos(\omega t), \quad (\omega \gg \omega_0) \qquad \textbf{(4.3.15)}$$

ou seja, o deslocamento está em oposição de fase com a força externa ($\varphi = -\pi$). Isto se explica por ser a aceleração fornecida quase totalmente pela força externa (kx é desprezível em confronto com o termo de inércia $m\ddot{x}$ na (4.3.2)), e a aceleração está em oposição de fase com o deslocamento no MHS. Diz-se que *o movimento é dominado pela inércia.*

Comparando as (4.3.14) e (4.3.15), vemos que $|x|$ é muito menor para $\omega >> \omega_0$ que para $\omega << \omega_0$, e $x \to 0$ para $\omega \to \infty$. A inércia do oscilador não lhe permite acompanhar oscilações excessivamente rápidas da força externa: a amplitude da resposta é muito pequena.

(iii) ***Ressonância***, $\omega \to \omega_0$: Pela (4.3.10), à medida que a frequência ω da força externa se aproxima da frequência ω_0 das oscilações livres, a amplitude A da resposta vai crescendo, e $A \to \infty$ para $\omega \to \omega_0$. Essa divergência, naturalmente, é incompatível com o modelo de pequenas oscilações: para amplitudes suficientemente grandes, a lei de Hooke deixa de valer e termos não lineares na resposta do oscilador têm de ser levados em conta.

O crescimento da resposta quando ω se aproxima de ω_0 corresponde ao fenômeno da *ressonância*. Um exemplo familiar de ressonância ocorre quando procuramos impulsionar uma pessoa sentada num balanço. A amplitude de oscilação aumenta fortemente quando a frequência de transmissão dos impulsos, em fase com a oscilação, se aproxima da frequência de oscilação livre, podendo até provocar a queda da pessoa.

Os gráficos da Figura 4.6 resumem a discussão precedente. Note a descontinuidade brusca da defasagem, que passa de 0 a $-\pi$ na ressonância. Tanto essa descontinuidade quanto a divergência da amplitude para $\omega = \omega_0$ indicam apenas que o modelo empregado deixa de valer nessa situação. Por um lado, a dissipação, por menor que seja, não pode ser desprezada para $\omega \approx \omega_0$ (veremos mais adiante que a presença de dissipação elimina tanto a divergência como a descontinuidade). Por outro lado, se a amplitude cresce suficientemente, conforme observado aqui, a aproximação de pequenas oscilações, que leva às equações lineares empregadas, deixa de valer: efeitos não lineares entram em jogo.

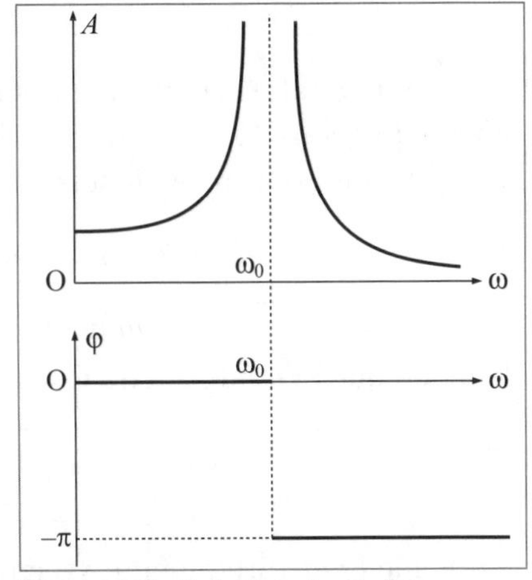

Figura 4.6 Solução estacionária.

Há vários exemplos dos efeitos catastróficos que podem ser produzidos pela ressonância. Um deles é o desabamento de pontes que entram em ressonância com a marcha cadenciada de uma tropa de soldados ao atravessá-las. Outro é o da voz de uma cantora induzindo vibrações tão fortes num cálice de cristal que acabam por parti-lo*. Em ambos os casos, é óbvio que aproximações lineares do tipo da lei de Hooke deixam de valer.

* No *Talmud* (Século II) está legislado que, se um galo, cantando com a cabeça dentro de um utensílio de vidro, quebrá-lo, o prejuízo terá de ser reembolsado.

(c) Efeito das condições iniciais

Como vimos, a solução geral da (4.3.2) é a soma da solução particular encontrada (4.3.12) com a solução geral do problema das oscilações livres:

$$x(t) \approx \frac{F_0}{m(\omega_0^2 - \omega^2)} \cos(\omega t) + B\cos(\omega_0 t + \varphi_0) \qquad \textbf{(4.3.16)}$$

onde as constantes arbitrárias B e φ_0 são determinadas pelas condições iniciais.

Consideremos como exemplo o caso particular em que o oscilador se encontra inicialmente em repouso na posição de equilíbrio:

$$x(0) = 0, \quad \dot{x}(0) = 0 \qquad \textbf{(4.3.17)}$$

Substituindo na (4.3.16), obtemos:

$$\left.\begin{array}{l} x(0) = \dfrac{F_0}{m(\omega_0^2 - \omega^2)} + B\cos\varphi_0 = 0 \\ \dot{x}(0) = -\omega_0 B \operatorname{sen}\varphi_0 = 0 \; \{ \; \varphi_0 = 0 \end{array}\right\} B = -\frac{F_0}{m(\omega_0^2 - \omega^2)}$$

Levando este valor de B na (4.3.16), resulta

$$\boxed{x(t) = -\frac{F_0}{m(\omega_0 + \omega)}\left[\frac{\cos(\omega_0 t) - \cos(\omega t)}{\omega_0 - \omega}\right]} \qquad \textbf{(4.3.18)}$$

o que, em geral, corresponde à superposição de dois MHS de frequências diferentes (livre e forçada) discutida na Seção 3.5 (b), podendo levar a batimentos para ω próximo de ω_0. No limite da ressonância exata, a expressão entre colchetes na (4.3.18) tende a

$$\lim_{\omega \to \omega_0}\left[\frac{\cos(\omega t) - \cos(\omega_0 t)}{\omega - \omega_0}\right] = \left[\frac{d}{d\omega}\cos(\omega t)\right]_{\omega = \omega_0} = -t \operatorname{sen}(\omega_0 t) \qquad \textbf{(4.3.19)}$$

de modo que a (4.3.18), para $\omega = \omega_0$, fica

$$\boxed{x(t) = \frac{F_0}{2m\omega_0} t \operatorname{sen}(\omega_0 t) \quad (\omega = \omega_0)} \qquad \textbf{(4.3.20)}$$

É fácil ver diretamente (verifique!) que a (4.3.20) satisfaz a equação diferencial (4.3.4) com $\omega = \omega_0$ e as condições iniciais (4.3.17).

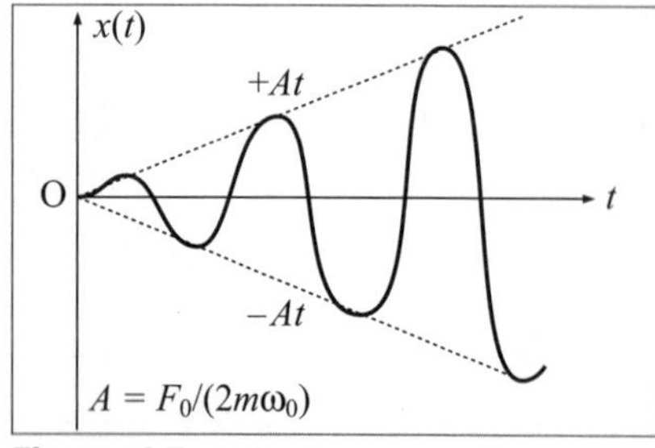

Figura 4.7 Solução ressonante.

Conforme mostra o gráfico da (4.3.20) (Figura 4.7), o efeito da ressonância é produzir um crescimento linear com o tempo da amplitude de oscilação, a partir das condições iniciais dadas. A amplitude cresce, na realidade, até que seja estabilizada por outros efeitos, tais como a presença de efeitos dissipativos ou não lineares.

4.4 OSCILAÇÕES FORÇADAS AMORTECIDAS

Introduzindo uma força dissipativa proporcional à velocidade, a (4.3.2) fica

$$\boxed{m\ddot{x} + \rho\dot{x} + kx = F(t) = F_0 \cos(\omega t)} \tag{4.4.1}$$

ou, dividindo por m e usando as (4.1.3),

$$\boxed{\ddot{x} + \gamma\dot{x} + \omega_0^2 x = \frac{F_0}{m}\cos(\omega t)} \tag{4.4.2}$$

(a) Solução estacionária

Procuremos novamente uma solução particular usando notação complexa, $x(t) = \text{Re}\, z(t)$,

$$\left.\begin{array}{l} \ddot{z} + \gamma\dot{z} + \omega_0^2 z = \dfrac{F_0}{m} e^{i\omega t} \\ z(t) z_0 e^{i\omega t} \quad \{\dot{z} = i\omega z \quad \{\ddot{z} = -\omega^2 z \end{array}\right\} \left(\omega_0^2 + i\gamma\omega - \omega^2\right) z_0 = \frac{F_0}{m} \tag{4.4.3}$$

ou seja,

$$z(t) = A e^{i(\omega t + \varphi)} \tag{4.4.4}$$

onde

$$A e^{i\varphi} = z_0 = \frac{F_0}{m\left(\omega_0^2 - \omega^2 + i\gamma\omega\right)} \tag{4.4.5}$$

Para obter o módulo A e o argumento φ do número complexo z_0, utilizamos as (3.4.28), (3.4.23) e (3.4.24), que dão

$$\left.\begin{array}{l} z_1 = F_0 / m = r_1 \ (\text{real}) \\ z_2 = \omega_0^2 - \omega^2 + i\gamma\omega = r_2 e^{i\theta_2} \end{array}\right\} z_0 = \frac{z_1}{z_2} = \frac{r_1}{r_2} e^{-i\theta_2}$$

onde $r_2 = \sqrt{\left(\omega_0^2 - \omega^2\right)^2 + \gamma^2\omega^2}$, $\text{tg}\,\theta_2 = \gamma\omega / \left(\omega_0^2 - \omega^2\right)$. Logo,

$$\boxed{A^2(\omega) = \frac{(F_0)^2}{m^2\left[\left(\omega_0^2 - \omega^2\right)^2 + \gamma^2\omega^2\right]}} \tag{4.4.6}$$

$$\boxed{\varphi(\omega) = -\text{tg}^{-1}\left(\frac{\gamma\omega}{\omega_0^2 - \omega^2}\right)} \tag{4.4.7}$$

Finalmente, a solução estacionária é

$$\boxed{x(t) = \text{Re}\ z(t) = A(\omega)\cos\left[\omega t + \varphi(\omega)\right]} \tag{4.4.8}$$

O uso da notação complexa facilita bastante o cálculo, dando diretamente a amplitude A e a constante de fase φ da solução.

(b) Efeitos de ressonância

O caso mais interessante é o do amortecimento fraco, $\gamma << \omega_0$. No caso limite em que $\gamma \to 0$, as (4.4.6) e (4.4.7) reduzem-se às (4.3.10) e (4.3.11), que correspondem aos gráficos da Figura 4.6. Para $\gamma << \omega_0$, devemos esperar, portanto, que, na vizinhança de $\omega = \omega_0$, a amplitude seja máxima e a fase varie rapidamente.

Vamos tomar ω suficientemente próximo de ω_0 para que se tenha

$$|\omega - \omega_0| \ll \omega_0 \tag{4.4.9}$$

Neste caso,

$$\omega_0^2 - \omega^2 = \underbrace{(\omega_0 + \omega)}_{=2\omega_0+\omega-\omega_0}(\omega_0 - \omega) \approx 2\omega_0(\omega_0 - \omega)$$

e $\gamma\omega = \gamma(\omega_0 + \omega - \omega_0)$, de modo que as (4.4.6) e (4.4.7) ficam

$$A^2(\omega) \approx \frac{F_0^2}{m^2\left[4\omega_0^2(\omega_0 - \omega)^2 + \gamma^2\omega_0^2\right]}, \quad \varphi(\omega) \approx -\text{tg}^{-1}\left[\frac{\gamma\omega_0}{2\omega_0(\omega_0 - \omega)}\right]$$

ou seja,

$$\boxed{A^2(\omega) \approx \left(\frac{F_0}{2m\omega_0}\right)^2 \frac{1}{\left[(\omega - \omega_0)^2 + \dfrac{\gamma^2}{4}\right]}} \tag{4.4.10}$$

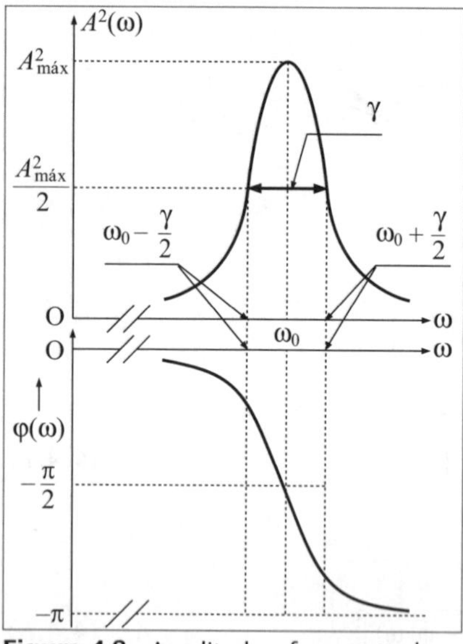

Figura 4.8 Amplitude e fase perto de ressonância.

$$\boxed{\varphi(\omega) \approx -\text{tg}^{-1}\left(\frac{\gamma}{2(\omega_0 - \omega)}\right)} \tag{4.4.11}$$

A Figura 4.8 mostra o andamento de A^2 e φ dados pelas (4.4.10), (4.4.11). A forma de A^2 é típica de um *pico de ressonância* associado a uma ressonância estreita. O valor máximo A^2_{max} é atingido para $\omega = \omega_0$ e A^2 cai à metade do valor máximo nos pontos $\omega = \omega_0 \pm \gamma/2$. A distância $\Delta\omega = \gamma$ entre eles chama-se *semilargura* do pico de ressonância, e $A^2(\omega)$ cai rapidamente fora da semilargura do pico. A defasagem $\varphi(\omega)$ entre o deslocamento e a força externa [cf. (4.4.1) e (4.4.8)] também varia rapidamente dentro da semilargura do pico, desde $\varphi < 0$, $|\varphi| <<1$, para $\omega << \omega_0$ até $\varphi \approx -\pi$ para $\omega >> \omega_0$ [cf. (4.4.11)], passando por $\varphi = -\pi/2$ na ressonância, $\omega = \omega_0$ (Figura 4.8).

A amplitude máxima A_{max} segundo a (4.4.10) é dada por

$$A_{máx} = A(\omega_0) = \frac{F_0}{m\omega_0\gamma} \qquad \textbf{(4.4.12)}$$

Para $\gamma \to 0$, vemos que $A_{max} \to \infty$ e a transição de φ entre 0 e $-\pi$ torna-se descontínua: as curvas da Figura 4.8 tendem às da Figura 4.6.

Podemos comparar A_{max} com o valor da amplitude $A(\omega)$ no limite de baixas frequências $\omega << \omega_0$, quando a (4.4.6) resulta em $A(\omega) \approx A(0) = F_0/(m\omega_0^2)$ [cf. (4.3.14)]. A (4.4.12) resulta, então, em

$$\frac{A(\omega_0)}{A(0)} = \frac{\omega_0}{\gamma} = Q \qquad \textbf{(4.4.13)}$$

ou seja, *o fator de amplificação produzido pela ressonância em relação à amplitude para* $\omega << \omega_0$ *é precisamente igual ao fator* Q *do oscilador*, definido na (4.2.13). Quanto mais estreita a ressonância, mais pronunciada ela é, ou seja, mais alto é o pico.

Vemos também, pela (4.2.9), que

$$\boxed{\Delta\omega = \gamma = 1/\tau_d} \qquad \textbf{(4.4.14)}$$

ou seja, *a semilargura do pico de ressonância nas oscilações forçadas é o inverso do tempo de decaimento das oscilações livres*. Esta relação extremamente importante é válida para qualquer ressonância estreita (amortecimento fraco), ou seja, para $Q >> 1$.

Para valores mais baixos de Q, convém exprimir os resultados (4.4.6) e (4.4.7) em termos da variável adimensional

$$\alpha = \omega / \omega_0 \qquad \textbf{(4.4.15)}$$

o que dá

$$\frac{A(\alpha)}{A(0)} = \frac{1}{\sqrt{\left(1-\alpha^2\right)^2 + \alpha^2/Q^2}}, \qquad \varphi = -\text{tg}^{-1}\left(\frac{\alpha/Q}{1-\alpha^2}\right) \qquad \textbf{(4.4.16)}$$

As curvas da Figura 4.9 representam os resultados para alguns valores de Q. À medida que Q diminui, a ressonância se torna cada vez menos acentuada (note que a posição do pico ocorre um pouco abaixo de $\alpha = 1$), até que desaparece completamente. Para $Q >> 1$, a semilargura do pico, nessas unidades, é $\Delta\alpha = 1/Q$.

Para $|\omega - \omega_0| >> \gamma$, ou seja, $|\alpha - 1| >> 1/Q$, o termo de amortecimento $\gamma^2\omega^2$ no denominador da

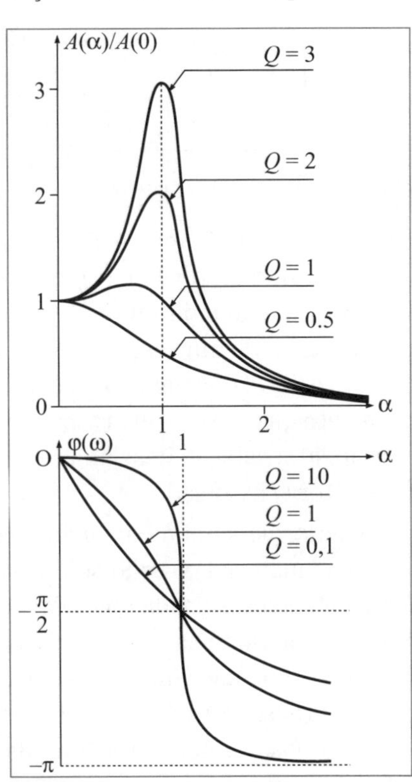

Figura 4.9 Curvas em função de Q.

(4.4.6) é desprezível, e recaímos na (4.3.10), cuja interpretação para baixas e altas frequências já foi discutida na Seção 4.3.

Como foi feito na Seção 4.3 (c), também aqui podemos completar a solução ajustando-a a condições iniciais dadas. A solução geral é a soma da solução estacionária (4.4.8) com a solução geral para oscilações livres [cf. (4.1.12) e (4.3.16)]

$$x_0(t) = Be^{-\frac{\gamma}{2}t}\cos(\omega_0 t + \varphi_0) \quad \textbf{(4.4.17)}$$

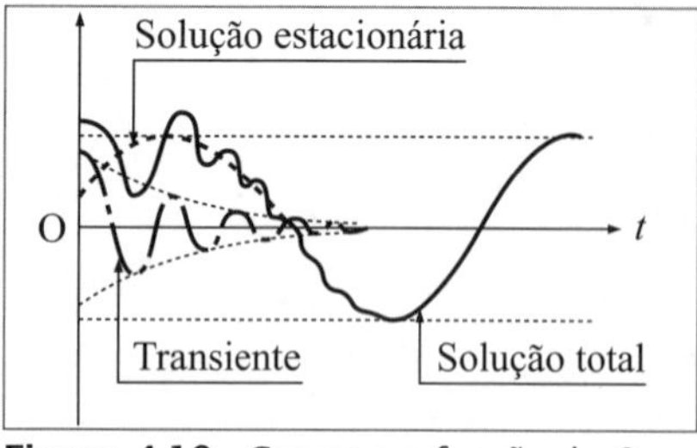

Figura 4.10 Curvas em função de Q.

onde B_0 e φ_0 são determinados pelas condições iniciais. Neste caso, a (4.4.17) representa de fato um transiente, que se torna desprezível para $t >> \tau_d = 1/\gamma$. A Figura 4.10 mostra um exemplo do efeito do termo transiente, com $\omega << \omega_0$. A solução é modulada pelo transiente, para tempos curtos, e se aproxima da solução estacionária para $t >> \tau_d$.

Exemplos

Já foram citados alguns exemplos de efeitos de ressonância, e veremos outros mais adiante, em conexão com a acústica. Efeitos do mesmo gênero têm grande importância em todos os campos da física.

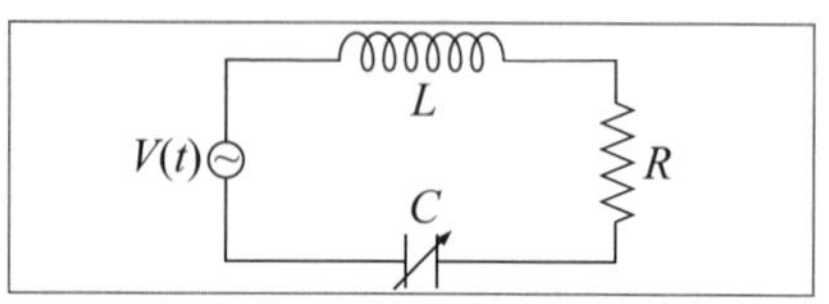

Figura 4.11 Circuito ressonante.

A Figura 4.11 mostra um circuito ressonante constituído de uma bobina (indutância L), um resistor (resistência R) e um capacitor de capacitância C variável, alimentado por uma fonte de voltagem alternada $V(t)$. Conforme será visto mais tarde, este é um sistema inteiramente análogo ao oscilador forçado amortecido. A voltagem ou corrente num circuito LC tem uma frequência característica de oscilação livre ω_0, e a resistência R é o elemento dissipativo. A fonte de voltagem desempenha o papel de força externa e pode representar, por exemplo, um sinal de uma estação de rádio, captado por uma antena e amplificado. A capacitância variável C, acoplada ao botão de sintonização do aparelho receptor, permite ajustar ω_0 até que se obtenha ressonância com a frequência ω do sinal, o que corresponde a sintonizar a estação desejada. A seletividade do circuito será tanto maior quanto maior for o fator Q associado.

Conforme já foi mencionado na Seção 4.3, os elétrons dos átomos ou moléculas de um meio material em que se propaga a luz entram em oscilação forçada sob a ação da força elétrica associada ao campo eletromagnético da onda luminosa. As regiões próximas das ressonâncias com as oscilações livres dos elétrons correspondem às "faixas de absorção", em que a interação entre os elétrons e o campo incidente se torna particularmente intensa. A variação da resposta dos elétrons em função da frequência ω incidente é responsável pelo fenômeno da *dispersão da luz*, ou seja, a variação do índice de refração do meio com a frequência da luz (o violeta sofre refração maior que o vermelho), bem como pelos efeitos de *absorção da luz*, que ocorrem principalmente nas regiões próximas de ressonâncias.

4.5 O BALANÇO DE ENERGIA

Já discutimos na Seção 4.2 o balanço de energia no caso das oscilações livres. A taxa de variação instantânea da energia mecânica $E(t)$ armazenada no oscilador no instante t (4.2.1) continua sendo dada por

$$\frac{dE}{dt} = \dot{x}\left(m\ddot{x} + kx\right) \quad \textbf{(4.5.1)}$$

mas a equação de movimento é agora a (4.4.1), de modo que obtemos, em lugar da (4.2.2),

$$\boxed{\frac{dE}{dt} = -m\gamma\dot{x}^2 + P(t)} \quad \textbf{(4.5.2)}$$

onde

$$\boxed{P(t) = F(t)\dot{x}(t)} \quad \textbf{(4.5.3)}$$

é a potência fornecida pela força externa (**FB1**, Seção 7.6). O 2º membro da (4.5.2) representa o balanço entre essa potência e a potência dissipada pela força de atrito.

Regime estacionário

Vamos considerar o balanço de energia somente para a solução estacionária, desprezando os efeitos transientes, com $F(t)$ dado pela (4.4.1) e $x(t)$ pela (4.4.8):

$$\left.\begin{array}{r} F(t) = F_0\cos(\omega t) \\ x(t) = A\cos(\omega t + \varphi) \quad \{ \ \dot{x}(t) = -\omega A \text{ sen}(\omega t + \varphi) \end{array}\right\} \Rightarrow$$
$$\Rightarrow P(t) = -\omega F_0 A\cos(\omega t)\text{ sen}(\omega t + \varphi) \quad \textbf{(4.5.4)}$$

Para a solução estacionária, a (4.5.1) dá, como $\ddot{x} = -\omega^2 x$ e $k = m\omega_0^2$

$$\frac{dE}{dt} = m\left(\omega_0^2 - \omega^2\right)x\dot{x} = m\omega\left(\omega^2 - \omega_0^2\right)A^2 \times \underbrace{\text{sen}(\omega t + \varphi)\cos(\omega t + \varphi)}_{\frac{1}{2}\text{sen}[2(\omega t + \varphi)]} \quad \textbf{(4.5.5)}$$

mostrando que a energia instantânea oscila com frequência angular 2ω. Na prática, interessa-nos a média sobre um período (ou, o que é equivalente, sobre um número inteiro de períodos). Pelas (4.5.5) e (4.2.5), obtemos para a média

$$\overline{\frac{dE}{dt}} = 0 \quad \textbf{(4.5.6)}$$

como tinha de ser, no regime estacionário.

Pela (4.5.2), a (4.5.6) também se escreve

$$\boxed{\bar{P} = m\gamma\overline{\dot{x}^2}} \tag{4.5.7}$$

ou seja, *no regime estacionário, a potência média fornecida pela força externa é igual à potência média dissipada*. Em particular, para $\gamma \to 0$, vemos que a potência absorvida pelo oscilador não amortecido durante uma metade do ciclo tem de ser devolvida durante a outra metade. Utilizando novamente a (4.2.5), temos

$$\overline{\dot{x}^2} = \omega^2 A^2 \overline{\text{sen}^2(\omega t + \varphi)} = \frac{1}{2}\omega^2 A^2 \tag{4.5.8}$$

de modo que as (4.5.7) e (4.4.6) dão

$$\boxed{\bar{P}(\omega) = \frac{1}{2}\gamma m \omega^2 A^2 = \frac{\gamma F_0^2 \omega^2}{2m\left[\left(\omega^2 - \omega_0^2\right)^2 + \gamma^2\omega^2\right]}} \tag{4.5.9}$$

Em termos de $\alpha = \omega/\omega_0$ [cf. (4.4.15)], este resultado se escreve

$$\bar{P}(\omega) = \frac{F_0^2}{2mQ\omega_0} \cdot \frac{1}{\left[\left(\alpha - \frac{1}{\alpha}\right)^2 + \frac{1}{Q^2}\right]} \tag{4.5.10}$$

o que passa por um máximo precisamente na ressonância ($\alpha = 1$), com

$$\boxed{\bar{P}(\omega_0) = \bar{P}_{\text{máx}} = Q\frac{F_0^2}{2m\omega_0}} \tag{4.5.11}$$

Para $Q \gg 1$ e ω suficientemente perto de ω_0 para que valha a (4.4.10), é fácil ver que a (4.5.9) pode ser aproximada por

$$\boxed{\bar{P}(\omega) = \left(\frac{\gamma F_0^2}{8m}\right)\frac{1}{\left[(\omega - \omega_0)^2 + \frac{\gamma^2}{4}\right]}} \tag{4.5.12}$$

que é novamente um pico de ressonância da forma (4.4.10), representado na Figura 4.8. Na ótica, uma curva de ressonância desse tipo é conhecida como um *pico lorentziano*; na física nuclear, chama-se um *pico de Breit-Wigner*.

A (4.5.4) mostra que

$$\bar{P}(\omega) = -\omega F_0 A\left[\cos\varphi\underbrace{\overline{\text{sen}(\omega t)\cos(\omega t)}}_{=0} + \text{sen}\varphi\underbrace{\overline{\cos^2(\omega t)}}_{=1/2}\right]$$

ou seja,

$$\boxed{\bar{P}(\omega) = -\frac{\omega}{2}F_0 A\ \text{sen}\varphi} \tag{4.5.13}$$

O fator $|\text{sen}\ \varphi|$, que relaciona a potência média fornecida pela força externa com a defasagem φ entre o deslocamento $x(t)$ e a força externa, chama-se *fator de potência*. Temos $-\pi \leq \varphi \leq 0$, e $\overline{P}$ é máximo na ressonância, quando $\varphi = -\pi/2$.

É fácil entender por que isso acontece. Sabemos que, no MHS, a velocidade $\dot{x}$ está adiantada em fase de $\pi/2$ em relação ao deslocamento x (Seção 3.4). Na ressonância, x está atrasado de $\pi/2$ em relação à força externa F. Logo, na ressonância, F está em fase com $\dot{x}$, o que, pela (4.5.3), explica por que a potência média é máxima.

A energia média armazenada no oscilador é, pela (4.2.1),

$$\bar{E} = \frac{1}{2} m \overline{\dot{x}^2} + \frac{1}{2} \underbrace{m\omega_0^2}_{k} \overline{x^2} \tag{4.5.14}$$

Temos

$$\overline{x^2} = A^2 \overline{\cos^2(\omega t + \varphi)} = \frac{1}{2} A^2 \tag{4.5.15}$$

e $\overline{\dot{x}^2}$ é dado pela (4.5.8), de modo que

$$\boxed{\bar{E} = \frac{1}{4} m\left(\omega^2 + \omega_0^2\right) A^2} \tag{4.5.16}$$

onde o termo em ω^2 provém da energia cinética média e o termo em ω_0^2 da energia potencial média; na ressonância, as duas contribuem igualmente.

Pelas (4.5.7) e (4.5.9), a energia média dissipada durante um período de oscilação τ é

$$\bar{P}\tau = \frac{2\pi}{\omega} \bar{P} = \pi \gamma m \omega A^2 \tag{4.5.17}$$

O fator Q de um oscilador forçado amortecido também pode ser definido por

$$\boxed{Q = 2\pi \cdot \left(\frac{\text{Energia média armazenada}}{\text{Energia média dissipada por ciclo}} \right)} \tag{4.5.18}$$

como na (4.2.12) para oscilações livres. Pelas (4.5.16) e (4.5.17), obtemos

$$\boxed{Q = \frac{1}{2} \left(\frac{\omega}{\omega_0} + \frac{\omega_0}{\omega} \right) \frac{\omega_0}{\gamma}} \tag{4.5.19}$$

Em particular, na ressonância ($\omega = \omega_0$) obtemos $Q = \omega_0/\gamma$, o que coincide com o valor (4.2.13) para oscilações livres.

4.6 OSCILAÇÕES ACOPLADAS

Consideremos um sistema de dois pêndulos ligados por uma mola e sujeitos a oscilar no plano vertical definido pelas suas posições de equilíbrio (Figura 4.12). A distância d entre os pêndulos, na posição de equilíbrio, é igual ao comprimento natural da mola, de modo que, nessa posição, ela não se encontra comprimida nem esticada; seja k a cons-

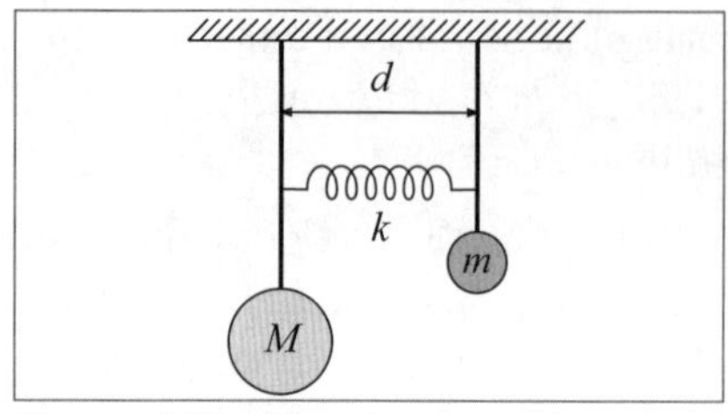

Figura 4.12 Pêndulos acoplados.

tante elástica da mola. Se a massa M suspensa de um dos pêndulos é muito maior que a massa m do outro, temos um típico problema de oscilações forçadas: as oscilações do pêndulo pesado, transmitidas através da mola, atuam sobre o pêndulo leve como uma força externa, forçando-o a oscilar com a frequência do pêndulo pesado.

O problema se torna mais interessante quando os pêndulos acoplados são idênticos, ou seja, têm o mesmo comprimento l e a mesma massa m. Terão, portanto, também a mesma frequência angular de oscilação livre, que, para pequenas oscilações, é dada pela (3.3.10):

$$\omega_0^2 = g / l \tag{4.6.1}$$

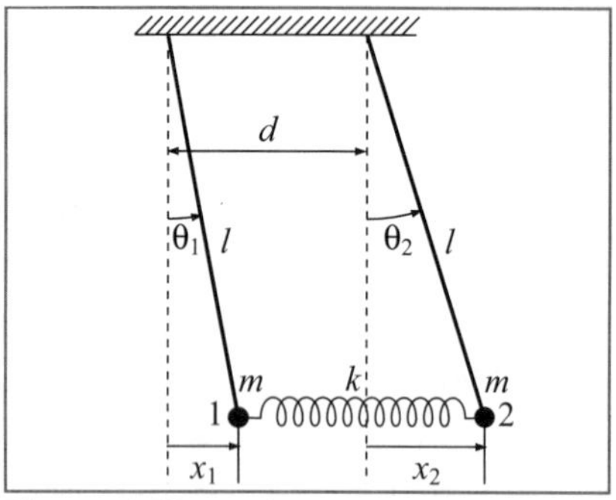

Figura 4.13 Parâmetros do sistema.

Sejam x_1 e x_2 os deslocamentos das duas partículas suspensas em relação à posição de equilíbrio (Figura 4.13), supostos suficientemente pequenos para que possamos confundir os arcos descritos com as cordas: $x_1 \approx l\theta_1$ $x_2 \approx l\theta_2$, onde θ_1 e θ_2 são os ângulos de desvio. A deformação da mola é $x_2 - x_1$ (> 0 na figura, onde a mola está esticada), o que produz uma força $k\ (x_2 - x_1)$ (para a direita) sobre a partícula 1 e uma força restauradora igual e contrária $-k\ (x_2 - x_1)$ (para a esquerda) sobre a partícula 2.

Além disso, atuam sobre as partículas 1 e 2 as forças gravitacionais [cf. (3.3.6), (3.3.8)], de componentes tangenciais

$$-mg\theta_1 \approx -mgx_1 / l = -m\omega_0^2 x_1 \quad \text{para 1}$$
$$-mg\theta_2 \approx -mgx_2 / l = -m\omega_0^2 x_2 \quad \text{para 2}$$

onde empregamos a (4.6. 1). Logo, desprezando efeitos de amortecimento, as equações de movimento para as pequenas oscilações das duas partículas são

$$\begin{cases} m\ddot{x}_1 = -m\omega_0^2 x_1 + k(x_2 - x_1) \\ m\ddot{x}_2 = -m\omega_0^2 x_2 - k(x_2 - x_1) \end{cases} \tag{4.6.2}$$

ou, dividindo por m e introduzindo

$$\boxed{K = k / m} \tag{4.6.3}$$

obtemos

$$\begin{cases} \ddot{x}_1 + \omega_0^2 x_1 = K(x_2 - x_1) \\ \ddot{x}_2 + \omega_0^2 x_2 = -K(x_2 - x_1) \end{cases} \tag{4.6.4}$$

O sistema tem dois graus de liberdade (é descrito pelas duas coordenadas x_1 e x_2). As (4.6.4) são um sistema de duas equações diferenciais lineares de 2ª ordem *acopladas*, ou seja, a equação para x_1 depende de x_2 e vice-versa. A solução geral depende de $2 \times 2 = 4$ constantes arbitrárias, de que necessitamos para o ajuste às condições iniciais: podemos especificar arbitrariamente as posições e velocidades iniciais das duas partículas.

No caso particular da (4.6.4), é muito simples conseguir equações desacopladas. Somando membro a membro as (4.6.4), obtemos

$$(\ddot{x}_1 + \ddot{x}_2) + \omega_0^2 (x_1 + x_2) = 0 \qquad \textbf{(4.6.5)}$$

e, subtraindo membro a membro, vem

$$(\ddot{x}_1 - \ddot{x}_2) + \omega_0^2 (x_1 - x_2) = 2K (x_2 - x_1) \qquad \textbf{(4.6.6)}$$

Se fizermos

$$\boxed{\begin{cases} q_1 = \dfrac{1}{2}(x_1 + x_2) \\ q_2 = \dfrac{1}{2}(x_1 - x_2) \end{cases}} \qquad \textbf{(4.6.7)}$$

as (4.6.5) e 4.6.6) ficam, respectivamente,

$$\boxed{\ddot{q}_1 + \omega_0^2 q_1 = 0} \qquad \textbf{(4.6.8)}$$

e

$$\boxed{\ddot{q}_2 + \omega_2^2 q_2 = 0} \qquad \textbf{(4.6.9)}$$

onde

$$\boxed{\omega_2 = \sqrt{\omega_0^2 + 2K}} \qquad \textbf{(4.6.10)}$$

As (4.6.8) e (4.6.9) são duas equações desacopladas de oscilações harmônicas simples, com as soluções gerais

$$\boxed{q_1(t) = A_1 \cos(\omega_0 t + \varphi_1)} \qquad \textbf{(4.6.11)}$$

$$\boxed{q_2(t) = A_2 \cos(\omega_2 t + \varphi_2)} \qquad \textbf{(4.6.12)}$$

Os valores de $x_1(t)$ e $x_2(t)$ se obtêm imediatamente das (4.6.7):

$$\boxed{\begin{aligned} x_1(t) &= q_1(t) + q_2(t) \\ x_1(t) &= q_1(t) - q_2(t) \end{aligned}} \qquad \textbf{(4.6.13)}$$

o que corresponde à solução geral das (4.6.4), dependente das quatro constantes arbitrárias A_1, φ_1, A_2, φ_2, que devem ser determinadas pelas condições iniciais.

Interpretação física

Vemos que as soluções (4.6.13) não correspondem em geral a MHS para x_1 e x_2: os deslocamentos são superposições de oscilações com frequências diferentes. Entretanto, existem duas novas coordenadas q_1 e q_2, combinações lineares de x_1 e x_2, as quais oscilam *harmonicamente*. Essas coordenadas chamam-se *coordenadas normais*. No presente caso, elas têm uma interpretação física simples: as (4.6.7) mostram que q_1 é o *deslocamento do centro de massa*, e $2q_2 = x_1 - x_2$ é o *deslocamento relativo* entre as duas partículas, correspondendo à deformação da mola. Nas coordenadas normais, o sistema se desacopla.

Para condições iniciais apropriadas (veremos logo quais são), podemos ter

$$\boxed{A_2 = 0 \ \left\{x_1(t) = q_1(t) = A_1 \cos(\omega_0 t + \varphi_1) = x_2(t)\right.} \quad \textbf{(4.6.14)}$$

ou

$$\boxed{A_1 = 0 \ \left\{x_1(t) = q_2(t) = A_2 \cos(\omega_2 t + \varphi_2) = -x_2(t)\right.} \quad \textbf{(4.6.15)}$$

Em ambos os casos, as duas partículas oscilam com a mesma frequência, e estão sempre em fase ou em oposição de fase. Cada solução com estas características chama-se um *modo normal de vibração*, e para um sistema de dois graus de liberdade temos dois modos normais de vibração.

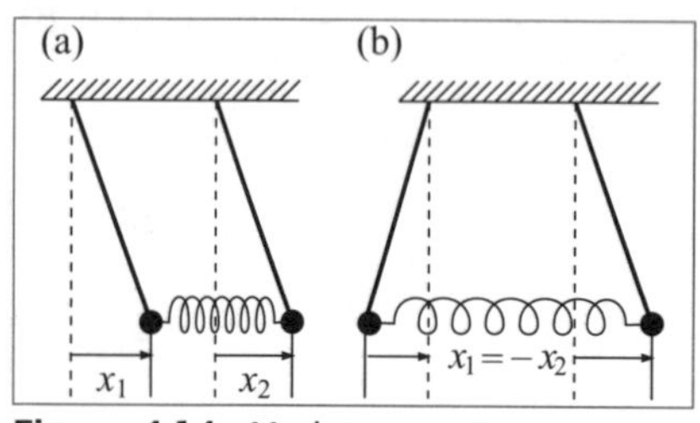

Figura 4.14 Modos normais.

No primeiro modo, que corresponde à (4.6.14), temos $x_1(t) = x_2(t)$, ou seja, os deslocamentos dos dois pêndulos são iguais, de forma que ele é chamado de *modo simétrico* (Figura 4.14(a)). Como a mola não é comprimida nem esticada, sua deformação e força restauradora se anulam: é como se ela não existisse, e por isso cada pêndulo oscila com sua frequência livre ω_0.

No segundo modo, correspondente à (4.6.15), temos sempre $x_1(t) = -x_2(t)$: os deslocamentos dos dois pêndulos são iguais e contrários, de forma que ele é chamado de *modo antissimétrico* (Figura 4.14(b)). A força restauradora da mola soma-se neste caso à força restauradora da gravidade, de modo que a frequência de oscilação é mais elevada [cf. (3.2.22)]: pela (4.6.10), é $\omega_2 > \omega_0$.

A solução geral (4.6.13) pode ser considerada como uma *superposição dos modos normais de vibração*, excitados com amplitudes e fases que dependem das condições iniciais.

Ajuste das condições iniciais

É fácil ver que as condições iniciais para o modo simétrico (4.6.14) são

$$x_{10} = x_{20}; \quad \dot{x}_{10} = \dot{x}_{20} \quad \textbf{(4.6.16)}$$

ou seja, as partículas têm o mesmo deslocamento inicial e a mesma velocidade inicial, ao passo que para o modo antissimétrico (4.6.15) são

$$x_{10} = -x_{20}; \quad \dot{x}_{10} = -\dot{x}_{20} \tag{4.6.17}$$

ou seja, os deslocamentos e velocidades iniciais são iguais e contrários. Em particular, se os dois pêndulos são soltos em repouso, oscilam no modo simétrico para deslocamentos iniciais iguais e no antissimétrico para deslocamentos iniciais opostos.

É interessante examinar a situação em que os pêndulos partem do repouso, mas somente um deles é deslocado da posição de equilíbrio:

$$x_{10} = a; \quad x_{20} = 0; \quad \dot{x}_{10} = \dot{x}_{20} = 0 \tag{4.6.18}$$

Para as coordenadas normais (4.6.7), isto corresponde às condições iniciais

$$q_{10} = q_{20} = a/2; \quad \dot{q}_{10} = \dot{q}_{20} = 0 \tag{4.6.19}$$

As (4.6.11) e (4.6.12), (3.2.24) a (3.2.27), dão então: $\varphi_1 = \varphi_2 = 0$; $A_1 = A_2 = a/2$, ou seja, substituindo nas (4.6.13),

$$\boxed{\begin{aligned} x_1(t) &= \frac{a}{2}\left[\cos(\omega_0 t) + \cos(\omega_2 t)\right] \\ x_2(t) &= \frac{a}{2}\left[\cos(\omega_0 t) - \cos(\omega_2 t)\right] \end{aligned}} \tag{4.6.20}$$

que são superposições de dois MHS de mesma amplitude e frequências diferentes.

Pelas (3.5.8) a (3.5.11),

$$\boxed{x_1(t) = a\cos\left(\frac{\Delta\omega}{2}t\right)\cos(\bar{\omega}t)} \tag{4.6.21}$$

onde

$$\begin{cases} \bar{\omega} = \dfrac{1}{2}(\omega_2 + \omega_0) \\ \Delta\omega = \omega_2 - \omega_0 = \sqrt{\omega_0^2 + 2K} - \omega_0 \end{cases} \tag{4.6.22}$$

Para $x_2(t)$ a única diferença é que o 1° cosseno, na linha seguinte à (3.5.10), troca de sinal, o que dá

$$\boxed{x_2(t) = a \text{ sen}\left(\frac{\Delta\omega}{2}t\right)\text{sen}(\bar{\omega}t)} \tag{4.6.23}$$

Consideremos, em particular, o caso de *acoplamento fraco*, em que a força restauradora da mola que une os dois pêndulos é pequena, de modo que seja [cf. (4.6.22)]

$$K \ll \omega_0^2 \quad \{\Delta\omega \ll \bar{\omega} \tag{4.6.24}$$

Temos, então, [cf. (3.5.12)] a situação típica de *batimentos*, modulados por $a\cos\left(\frac{\Delta\omega}{2}t\right)$ para x_1, e por $a\,\text{sen}\left(\frac{\Delta\omega}{2}t\right)$ para x_2, ou seja, a modulação das duas amplitudes está em quadratura (Figura 4.15): máximos de uma correspondem a zeros da outra. No instante inicial, o 1° pêndulo está no deslocamento máximo e o 2° em repouso. À medida que a amplitude de oscilação do 1° vai diminuindo, a do 2° vai crescendo, até que o 1° pêndulo para, quando o 2° oscila com amplitude máxima. A seguir, o processo se repete em sentido inverso, e assim por diante.

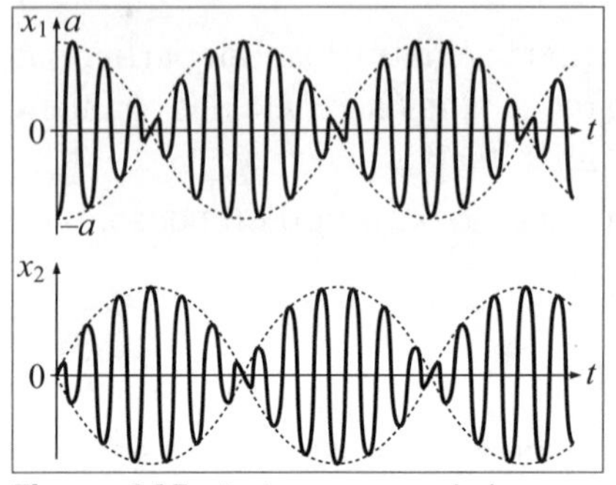

Figura 4.15 Batimentos acoplados.

Esse processo de transferência alternativa de energia entre os dois pêndulos pode ser interpretado em termos de *oscilações forçadas*. A oscilação do pêndulo 1, transferida para o pêndulo 2 através da mola, atua sobre este como uma força externa, colocando-o em oscilação forçada. Como os dois pêndulos têm a mesma frequência de oscilação livre ω_0, o processo é ressonante: em decorrência da ressonância, a amplitude de oscilação do pêndulo 2 cresce rapidamente (Figura 4.7). Como a energia total se conserva, a amplitude de oscilação do pêndulo 1 tem de ir diminuindo, o que limita o crescimento da amplitude de 2, e acaba levando aos batimentos em quadratura.

Outros exemplos de osciladores acoplados

Oscilações longitudinais:

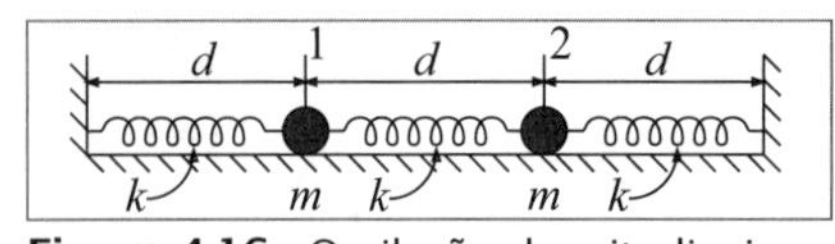

Figura 4.16 Oscilações longitudinais.

Um sistema muito semelhante ao que acabamos de estudar é o que está representado na Figura 4.16, no qual, na posição de equilíbrio, d representa o comprimento natural das molas (sem deformação).

Novamente, há dois modos normais de vibração. Num deles (modo simétrico), os deslocamentos x_1 e x_2 das duas partículas das respectivas posições de equilíbrio são iguais: $x_1 = x_2$.

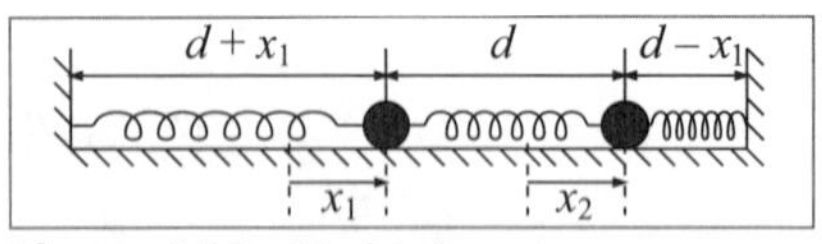

Figura 4.17 Modo simetrico.

Logo (Figura 4.17), a mola do meio não sofre deformação, e é como se não existisse acoplamento: as partículas 1 e 2 oscilam com a frequência livre ω_0, onde

$$\boxed{\omega_0^2 = k/m} \quad \textbf{(4.6.25)}$$

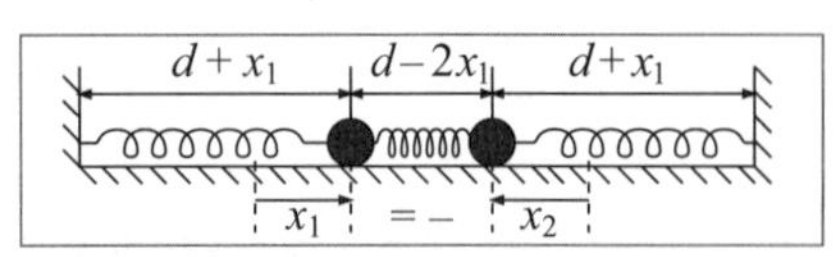

Figura 4.18 Modo antissimétrico.

e estamos tomando as três molas idênticas (mesma constante k).

No outro modo (antissimétrico), temos $x_1 = -x_2$, de modo que a mola do meio sofre uma deformação $2x_1$ (Figura 4.18), e a equação de movimento (por exemplo, para a partícula 1) fica

$$m\ddot{x}_1 = -kx_1 - 2kx_1 = -3kx_1$$

de modo que a frequência ω_2, deste modo, é dada por

$$\boxed{\omega_0^2 = 3k / m = 3\omega_0^2} \tag{4.6.26}$$

Comparando com a (4.6.10), vemos que o caso anterior se reduz a este para $K = \omega_0^2$.

Oscilações transversais

Neste caso, consideramos o mesmo sistema, mas partimos de uma posição de equilíbrio em que as três molas estão igualmente esticadas, correspondendo a um espaçamento a. Se d é o comprimento natural da mola, a magnitude da força restauradora que cada mola exerce sobre cada partícula é

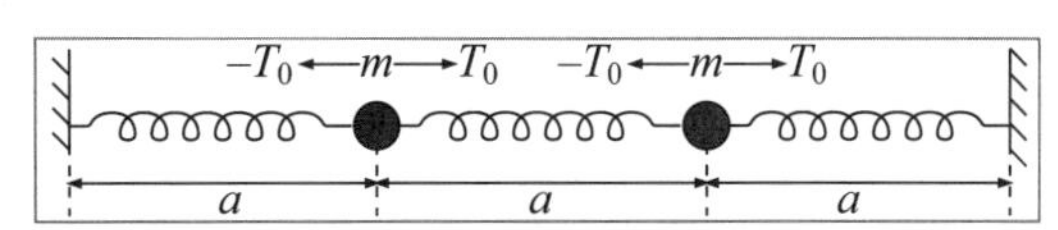

Figura 4.19 Posição de equilíbrio.

$$T_0 = k(a - d) \tag{4.6.27}$$

e cada partícula está em equilíbrio sob a ação de duas forças iguais e contrárias, T_0 e $-T_0$. Chamamos T_0 de *tensão das molas*.

Vamos considerar *pequenas oscilações transversais* do sistema, num dado plano vertical. (que tomamos como plano xy).

Supomos, portanto $|y_1| << a$, $|y_2| << a$, onde y_1 e y_2 são os deslocamentos verticais das duas partículas em relação à posição de equilíbrio (na Figura 4.20, $y_1 > 0$ e $y_2 < 0$).

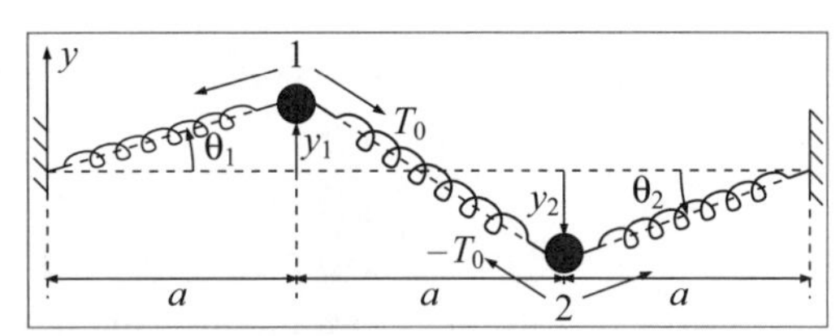

Figura 4.20 Oscilação transversal.

Nessas condições, o *comprimento* das molas sofre uma variação desprezível, de modo que a tensão continua tendo *magnitude* $\approx T_0$, mas a *direção* passa a ter uma componente vertical, e é a resultante dessas componentes verticais que atua como força restauradora sobre cada partícula. Assim, a mola da esquerda exerce sobre a partícula 1 a força restauradora vertical

$$F_1 = -T_0 \text{sen}\theta_1 \approx -T_0 \text{tg}\ \theta_1 = -T_0 y_1 / a \tag{4.6.28}$$

onde θ_1 é o ângulo entre a mola e a horizontal, que é muito pequeno por hipótese, de modo que sen $\theta_1 \approx$ tg θ_1.

Analogamente, a mola da extrema direita exerce sobre a partícula 2 a força restauradora vertical

$$F_2 \approx -T_0 \text{tg}\ \theta_2 = -T_0 y_2 / a \tag{4.6.29}$$

que é dirigida para cima, porque $y_2 < 0$, no caso da figura. A mola do meio exerce uma força restauradora F_{12} sobre a partícula 1 e $-F_{12}$ sobre a partícula 2, onde, analogamente,

$$F_{12} \approx -T_0(y_1 - y_2)/a \quad \textbf{(4.6.30)}$$

Note que, no caso da Figura 4.20, $y_1 - y_2 = y_1 + |y_2|$.

Por conseguinte, as equações de movimento são

$$\begin{cases} m\ddot{y}_1 = F_1 + F_{12} = -\dfrac{T_0}{a}\left[y_1 + (y_1 - y_2)\right] \\ m\ddot{y}_2 = F_2 - F_{12} = -\dfrac{T_0}{a}\left[y_2 - (y_1 - y_2)\right] \end{cases} \quad \textbf{(4.6.31)}$$

que são da forma (4.6.4), com $x \to y$, e

$$\boxed{\omega_0^2 = T_0 / ma = K} \quad \textbf{(4.6.32)}$$

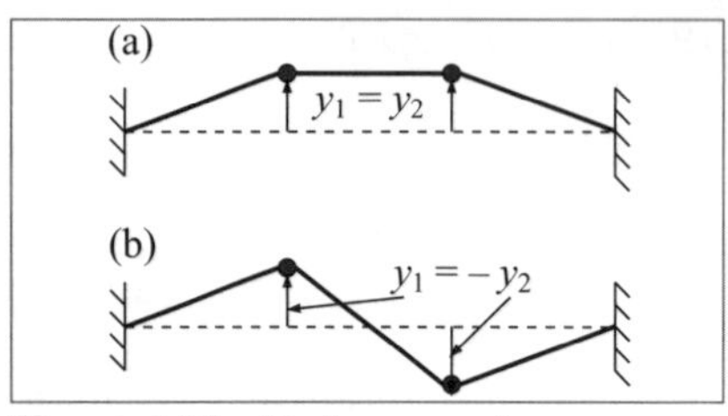

Figura 4.21 Modos normais.

Os modos normais de vibração estão representados esquematicamente (as molas não foram desenhadas) na Figura 4.21. No *modo simétrico* (Figura 4.21(a)), é $y_1 = y_2$, de modo que a mola do meio é horizontal, desacoplando as oscilações verticais, que têm a frequência livre ω_0 (pela (4.6.32), ω_0^2 é a força restauradora vertical por unidade de deslocamento e massa).

No modo antissimétrico (Figura 4.21(b)), é $y_1 = -y_2$, e as (4.6.31) mostram que a frequência é

$$\boxed{\omega_0^2 = 3T_0 / ma = 3\omega_0^2} \quad \textbf{(4.6.33)}$$

como no caso das oscilações longitudinais (4.6.26).

Estes resultados sobre modos normais podem ser generalizados às *pequenas* oscilações em torno de equilíbrio estável de um sistema com um número qualquer de partículas acopladas. *Um sistema com N graus de liberdade tem N modos normais de vibração*, cada um deles associado a uma frequência de oscilação *comum* de todas as partículas. *A solução geral é a superposição de todos os modos normais.*

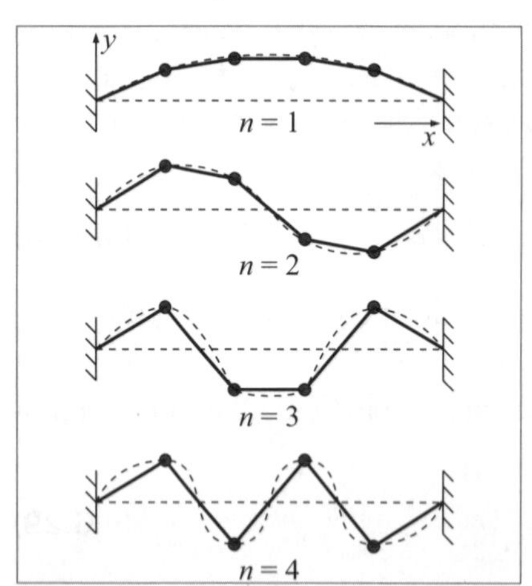

Figura 4.22 Modos transversais de 4 partículas.

Assim, para duas partículas acopladas, cada uma podendo deslocar-se em três dimensões, há seis graus de liberdade. Destes, dois correspondem aos modos longitudinais das Figuras 4.17 e 4.18 (direção x) e quatro aos modos transversais (dois na direção y, que acabamos de considerar, e dois na direção z).

A Figura 4.22 ilustra os quatro modos de vibração transversal na direção y de um sistema de quatro partículas idênticas acopladas por molas também iguais, que generalizam os modos de duas partículas considerados acima. Os modos foram numerados ($n = 1, 2, 3$ e 4) em ordem de frequência crescente. Conforme vemos pelas (4.6.28) a (4.6.30), quanto maiores os ângulos formados pelas molas com o eixo horizontal, maior a força restauradora por unidade de deslocamento e massa, o que justifica a afirmação de que os modos da Figura 4.22 estão ordenados segundo frequências crescentes.

■ PROBLEMAS

4.1 Verifique que a (4.2.17) é solução da (4.1.2) para $\omega_0 = \gamma/2$, e que a (4.3.20) satisfaz a equação diferencial (4.3.4) e as condições iniciais (4.3.17).

4.2 Um oscilador criticamente amortecido, tem um fator $Q = 10$. Partindo da posição de equilíbrio, é-lhe comunicada uma velocidade inicial de 5 m/s. Verifica-se que a energia total do oscilador diminui numa taxa, por segundo, igual a quatro vezes sua energia cinética instantânea. Calcule o deslocamento x (em m) em função do tempo t (em s).

4.3 Seja r a razão entre dois máximos consecutivos do deslocamento de um oscilador livre fracamente amortecido ($\gamma << \omega_0$). O parâmetro $\delta = |\ln r|$ se chama *decremento logarítmico*. (a) Relacione δ com a constante de amortecimento γ e com o período τ do oscilador. (b) Se n é o número de períodos necessário para que a amplitude de oscilação caia à metade do valor inicial, ache δ.

4.4 Um oscilador criticamente amortecido, partindo da posição de equilíbrio, recebe um impulso que lhe comunica uma velocidade inicial v_0. Verifica-se que ele passa por seu deslocamento máximo, igual a 3,68 m, após um segundo. (a) Qual é o valor de v_0? (b) Se o oscilador tivesse um deslocamento inicial $x_0 = 2$ m com a mesma velocidade inicial v_0, qual seria o valor de x no instante t?

4.5 Uma partícula de massa m se move na direção z no interior de um fluido, cuja resistência de atrito é da forma $-\rho\dot{z}$, ou seja, é proporcional à velocidade ($\rho > 0$). A força peso é desprezível, em confronto com a resistência de atrito durante o intervalo de tempo considerado. Dadas a posição inicial z_0 e a velocidade inicial v_0, ache $z(t)$.

4.6 Para pequenas partículas em queda livre na atmosfera, a resistência do ar é proporcional à velocidade, ou seja, orientando o eixo z verticalmente para baixo, é da forma $-\rho\dot{z}(\rho > 0)$. Considere a queda livre de tal partícula a partir de uma posição inicial z_0 e velocidade inicial v_0, levando em conta a força peso (ao contrário do Problema 4.5). Ache $z(t)$. *Sugestão*: Usando o método da Seção 4.3 (a), procure uma solução particular da equação diferencial de movimento, que é inomogênea. Para isto, leve em conta que, para tempos grandes, a partícula tende a cair com velocidade constante (por quê?), que se chama *velocidade terminal*.

4.7 Um oscilador não amortecido, de massa m e frequência própria ω_0, se move sob a ação de uma força externa $F = F_0$ sen (ωt), partindo da posição de equilíbrio com velocidade inicial nula. Ache o deslocamento $x(t)$.

4.8 Um oscilador não amortecido, de massa m e frequência própria ω_0, se move sob a ação de uma força externa $F = F_0 \exp(-\beta t)$, onde $\beta > 0$ é uma constante. Inicialmente, o oscilador se encontra em repouso, na posição de equilíbrio. Ache o deslocamento $x(t)$. Sugestão: Use o método da Seção 4.3 (a), procurando uma solução particular da equação diferencial inomogênea de comportamento análogo ao de F.

4.9 Um bloco cúbico de 10 cm de aresta e densidade 8 g/cm³ está suspenso do teto por uma mola, de constante elástica 40 N/m e comprimento relaxado de 0,5 m, e mergulhado dentro de um fluido viscoso de densidade 1,25 g/cm³. Na situação considerada, a resistência do fluido é proporcional à velocidade, com coeficiente de proporcionalidade ρ = 2 N×s/m. Inicialmente em equilíbrio, o bloco é deslocado de 1 cm para baixo e solto, a partir do repouso. Com origem no teto e eixo z vertical orientado para baixo (Figura P.1), determine a coordenada z da extremidade superior do bloco, em função do tempo.

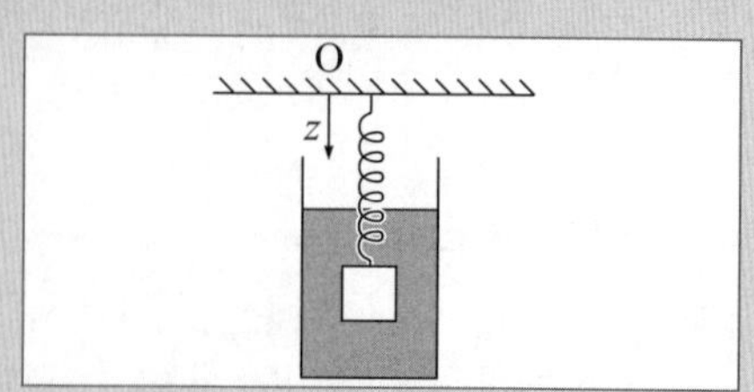

Figura P.1

4.10 Para um oscilador de massa m, frequência livre ω_0 e constante de amortecimento γ, sujeito à força externa $F = F_0 \cos(\omega t)$, calcule: (a) O valor exato de ω para o qual a amplitude de oscilação estacionária A é máxima, e o valor máximo de A; (b) O valor exato de ω para o qual a velocidade tem amplitude ωA máxima, e o valor do máximo.

4.11 Uma pessoa está segurando uma extremidade A de uma mola de massa desprezível e constante elástica 80 N/m. Na outra extremidade B, há uma massa de 0,5 kg suspensa, inicialmente em equilíbrio. No instante t = 0, a pessoa começa a sacudir a extremidade A (Figura P.2), fazendo-a oscilar harmonicamente com amplitude de 5 cm e período de 1 s. (a) Calcule o deslocamento z da massa em relação à posição de equilíbrio, para $t > 0$. (b) Calcule a força total $F(t)$ exercida sobre a extremidade A para $t > 0$.

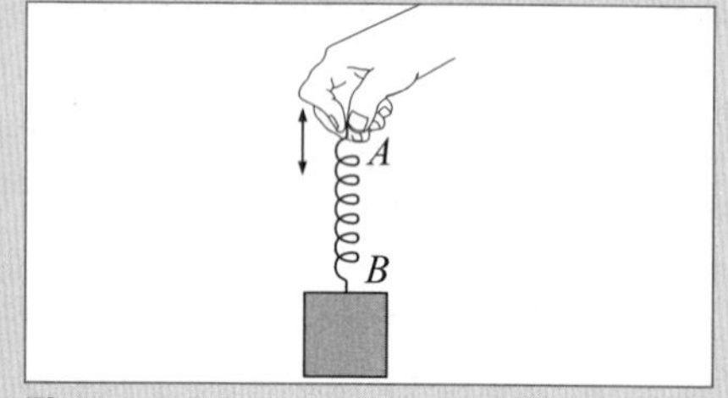

Figura P.2

4.12 Um bloco de 1 kg, ligado a uma parede vertical por uma mola, de massa desprezível e constante elástica 100 N/m, inicialmente relaxada, pode deslocar-se sobre uma superfície horizontal com coeficiente de atrito (estático e cinético) μ = 0,25. No instante t = 0, o bloco é deslocado 24,5 cm para a direita, e solto a partir do repouso. Descreva o movimento subsequente. *Observação*: Como a força de atrito tem sinal oposto ao da velocidade, é preciso tratar separadamente cada semiperíodo de oscilação.

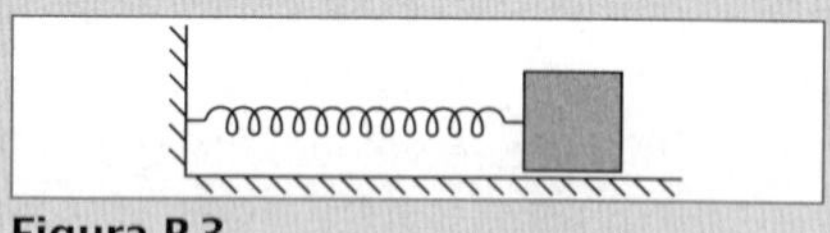
Figura P.3

4.13 Seja $x = a\cos(\omega t) + b\,\mathrm{sen}(\omega t)$ a solução estacionária para o movimento de um oscilador amortecido sob a ação da força $F = F_0 \cos(\omega t)$. Mostre que somente a componente em quadratura contribui para a potência média $\overline{P}$. Calcule $\overline{P}$.

4.14 Duas partículas de mesma massa, igual a 250 g, estão suspensas do teto por barras idênticas, de 0,5 m de comprimento e massa desprezível, e estão ligadas uma à outra por uma mola de constante elástica 25 N/m. No instante $t = 0$, a partícula 2 (Figura P.4) recebe um impulso que lhe transmite uma velocidade de 10 cm/s. Determine os deslocamentos $x_1(t)$ e $x_2(t)$ das posições de equilíbrio das duas partículas (em cm) para $t > 0$.

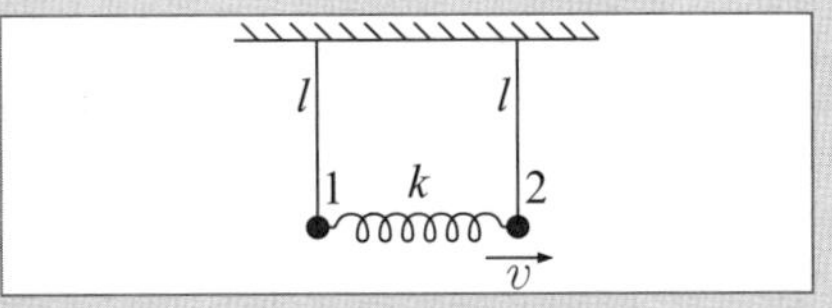

Figura P.4

4.15 Duas partículas de mesma massa m (Figura P.5) deslocam-se com atrito desprezível sobre uma superfície horizontal, presas por molas de constante elástica k a paredes verticais e ligadas uma à outra por uma mola de constante elástica K. Inicialmente, com as partículas em repouso na posição de equilíbrio, comunica-se uma velocidade v à partícula 2 por meio de um impulso. Ache os deslocamentos $x_1(t)$ e $x_2(t)$ das duas partículas das respectivas posições de equilíbrio, para $t > 0$.

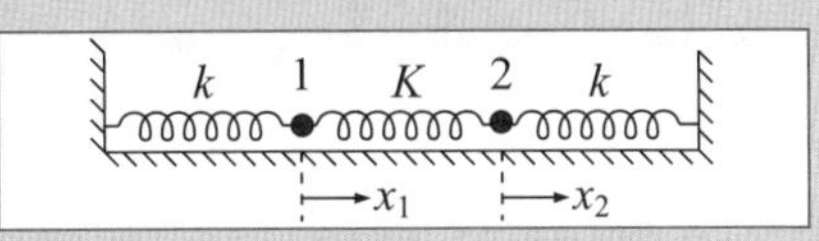

Figura P.5

4.16 Dois pêndulos idênticos, formados por partículas de massa m suspensas por barras de massa desprezível e comprimento l, estão ligados um ao outro por uma mola de massa desprezível e constante elástica k, inicialmente relaxada, com os pêndulos na posição vertical de equilíbrio (Figura P.4). Aplica-se, à partícula 2, uma força $F = F_0 \cos(\omega t)$, (a) Obtenha a solução estacionária para os deslocamentos $x_1(t)$ e $x_2(t)$ das duas partículas, (b) Trace gráficos representando o andamento das amplitudes de oscilação das duas partículas em função de ω.

4.17 Um modelo clássico para a molécula de CO_2 é constituído por duas partículas idênticas de massa M ligadas a uma partícula central de massa m por molas idênticas de constante elástica k e massa desprezível. Sejam x_1, x_2 e x_3 os deslocamentos das três partículas a partir das respectivas posições de equilíbrio (Figura P.6). (a) Escreva as equações de movimento para x_1, x_2 e x_3 e verifique que o centro de massa do sistema permanece em repouso ou em movimento retilíneo uniforme, (b) Obtenha as equações de movimento para as coordenadas relativas, $x_2 - x_1 = \xi$ e $x_3 - x_2 = \eta$. (c) A partir de (b), calcule as frequências angulares de oscilação associadas aos dois modos normais de vibração do sistema. Interprete fisicamente esses dois modos, caracterizando os tipos de oscilação das massas a eles associados, (d) Aplique este modelo à molécula de CO_2, calculando a razão entre as duas frequências de modos normais de vibração para essa molécula. Tome as massas do carbono e oxigênio como 12 e 16, respectivamente, em unidades de massa atômica.

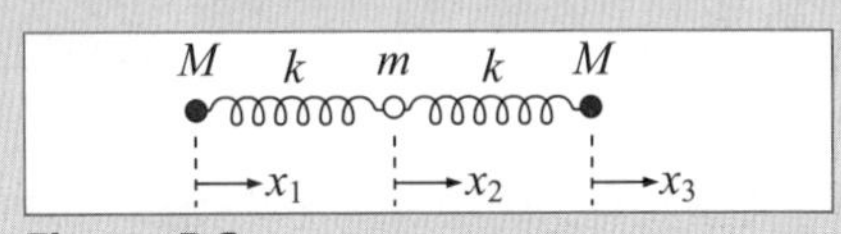

Figura P.6

4.18 Uma partícula de massa m está ligada por uma mola de constante elástica k e massa desprezível a outra partícula de mesma massa, suspensa do teto por urna mola idêntica à anterior (Figura P.7). Inicialmente o sistema está em equilíbrio. Sejam z_1 e z_2 deslocamentos, a partir das respectivas posições de equilíbrio, das partículas 1 e 2, com o eixo dos z orientado verticalmente para baixo, (a) Escreva as equações de movimento para z_1 e z_2. (b) Obtenha os modos normais de oscilação vertical do sistema. Para isto, considere uma nova coordenada q, combinação linear de z_1 e z_2: $q = \alpha z_1 + \beta z_2$. Escreva a equação de movimento para q e procure determinar os coeficientes α e β, de tal forma que essa equação para q se reduza à equação de movimento de um oscilador harmônico simples. Você obterá duas soluções, q_1 e q_2, que se chamam as *coordenadas normais* (Seção 4.6). Calcule as frequências angulares de oscilação ω_1 e ω_2, associadas aos dois modos normais do sistema.

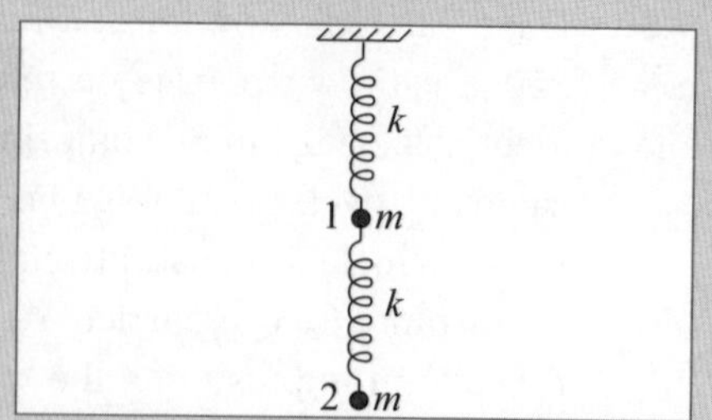

Figura P.7

5

Ondas

5.1 O CONCEITO DE ONDA

O estudo de fenômenos ondulatórios, que vamos abordar agora, está ligado a alguns dos conceitos mais importantes da física. Um dos mais fundamentais é o próprio conceito do que é uma onda.

Na experiência quotidiana, as ondas mais familiares são provavelmente as ondas na superfície da água, embora constituam um dos tipos mais complicados de onda.

Num sentido muito amplo, uma onda é *qualquer efeito (perturbação) que se transmite de um ponto a outro de um meio*. Em geral, fala-se de onda quando *a transmissão do efeito entre dois pontos distantes ocorre sem que haja transporte direto de matéria de um desses pontos ao outro*.

Assim, para uma onda na superfície da água, podemos associar o efeito, por exemplo, a uma crista, onde a elevação da água é máxima. A onda, nesse caso, transporta energia e momento: uma onda provocada por uma lancha, deslocando-se sobre a superfície tranquila de um lago, sacode um barco distante ao atingi-lo. Entretanto, não existe transporte direto de uma dada massa de água da lancha até o barco. Um pequeno objeto flutuante, como uma rolha, revela o movimento da superfície da água na passagem da onda: para cima e para baixo, para frente e para trás, mas permanecendo em média na mesma posição: é a *forma* da onda (no caso, a crista) que se propaga de um ponto a outro sobre a superfície.

Figura 5.1 A "onda mexicana".
Fonte: Adaptado de: RUSSELL, D. *Acoustics and vibration animations*.

Outro exemplo é a chamada "ola" ou "onda mexicana" (por ter-se originado na Copa do Mundo de 1986 no México). Conforme esquematizado na Figura 5.1, torcedores se levantam, erguendo os braços, e depois voltam a sentar-se, seguidos por seus vizinhos. A "ola" vai-se propagando sucessivamente ao longo da torcida, mas cada torcedor apenas se levantou e sentou, sem sair do lugar.

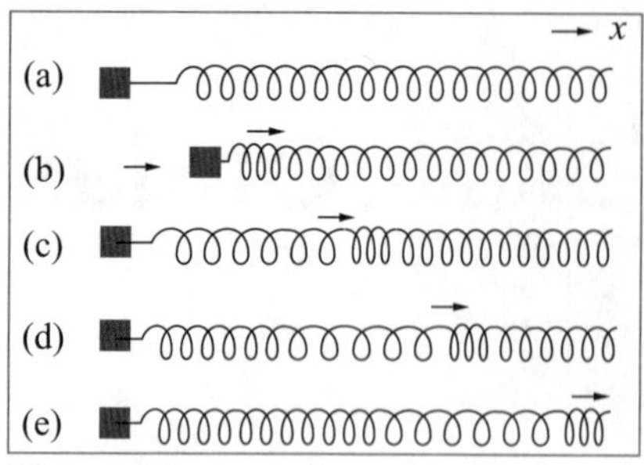

Figura 5.2 Onda longitudinal.

A Figura 5.2 ilustra a propagação de um *onda de compressão* ao longo de uma mola, que está em equilíbrio na Figura 5.2(a) e tem a extremidade subitamente comprimida em (b). Note que, logo após as espiras comprimidas há algumas "rarefeitas", ou seja, com espaçamento maior do que na posição de equilíbrio.

Assim, a onda de compressão é seguida por outra de rarefação. Se acompanharmos o movimento de uma dada espira (por exemplo, a primeira), vemos que ela se desloca para a direita e depois para a esquerda, retornando à posição de equilíbrio (movimento na direção x da Figura 5.2). O brinquedo conhecido como "Slinky" é ideal para observar esse tipo de onda.

Este é um exemplo de uma *onda longitudinal*, em que a perturbação transmitida pela onda (compressão ou rarefação) ocorre *ao longo da direção de propagação* (x) da onda. As ondas sonoras na atmosfera, que estudaremos mais adiante, são ondas longitudinais desse tipo, em que a perturbação consiste em compressões e rarefações da densidade da atmosfera.

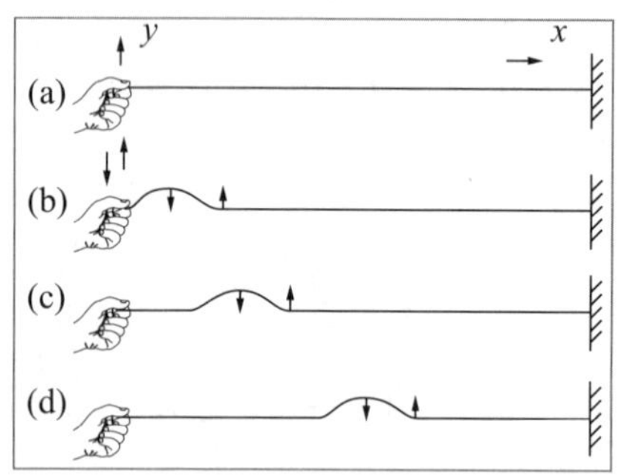

Figura 5.3 Onda transversal.

Na Figura 5.3, está representada uma corda esticada, a cuja extremidade se aplica um impulso, sacudindo-a para cima e para baixo (Figuras 5.3(a) e (b)). O pulso se propaga como uma onda ao longo da corda, na direção x (Figuras 5.3(b) a (d)). Cada ponto da corda oscila para cima e para baixo, ou seja, a perturbação é um deslocamento na direção y, *perpendicular à direção de propagação da onda*. Uma onda com esta propriedade se chama uma *onda transversal*.

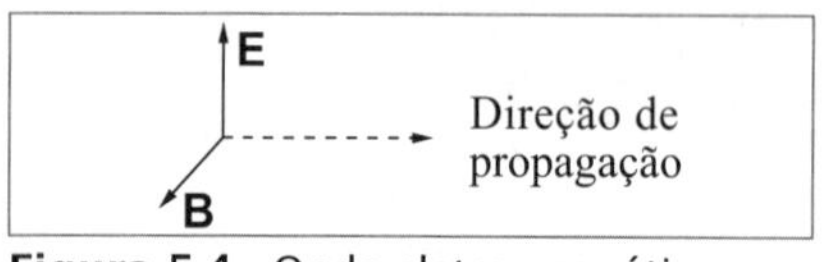

Figura 5.4 Onda eletromagnética.

Um exemplo extremamente importante de ondas transversais são as *ondas eletromagnéticas*, em que os campos elétrico **E** e magnético **B** em cada ponto oscilam mantendo-se sempre perpendiculares à direção de propagação (Figura 5.4). As ondas de luz, da mesma forma que as ondas de rádio, são ondas eletromagnéticas. O meio em que as ondas se propagam, neste caso, não precisa ser um meio material: pode ser o vácuo.

As *ondas sísmicas*, que se propagam no interior da Terra, são mais complicadas: há ondas de compressão, como as ondas sonoras num fluido, que são longitudinais; mas também há ondas associadas a tensões tangenciais (cisalhamento), que são ondas transversais, e os dois tipos de ondas se propagam com velocidades diferentes. As ondas na superfície da água não são nem longitudinais nem transversais: partículas na vizinhança da superfície descrevem trajetórias aproximadamente circulares, com componentes tanto na direção de propagação como perpendiculares a ela.

5.2 ONDAS EM UMA DIMENSÃO

Vamos iniciar o estudo das ondas abordando o caso mais simples, em que as ondas se propagam apenas ao longo de uma direção. É o caso das ondas transversais em uma corda.

(a) Ondas progressivas

O perfil da onda na corda num dado instante t é a forma da corda nesse instante, que é dada pela função $y(x, t)$. A Figura 5.5(a) apresenta o perfil $y(x, 0)$ para $t = 0$, e a Figura 5.5(b) apresenta o perfil no instante t. A perturbação é uma *onda progressiva* (ou *onda caminhante*), *que se desloca como um todo para a direita, sem mudar de forma, com velocidade* v.

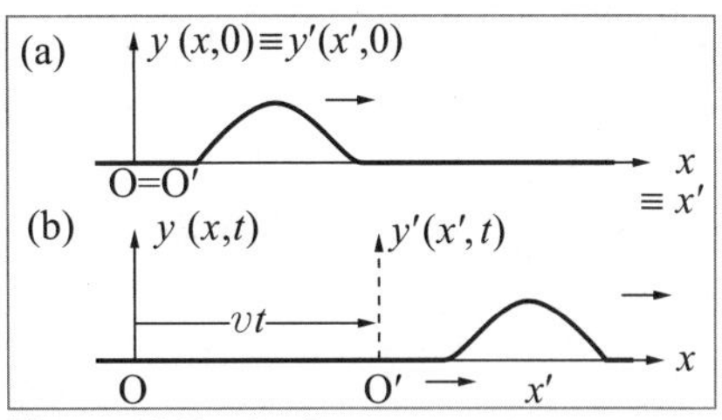

Figura 5.5 Onda progressiva para a direita.

Por conseguinte, se acompanharmos a onda em outro referencial inercial $O'x'y'$, que coincide com Oxy para $t = 0$, mas se desloca (Figura 5.5) com a velocidade v da onda ao longo de Ox, o perfil da onda não muda com o tempo nesse novo referencial, ou seja,

$$y'(x',t) = y'(x',0) = f(x') \quad \textbf{(5.2.1)}$$

é uma função somente de x'.

A relação entre os dois referenciais é dada por uma transformação de Galileu (**FB1**, Seção 13.1)

$$x' = x - vt, \quad y' = y \quad \textbf{(5.2.2)}$$

de modo que, no referencial original,

$$\boxed{y(x,t) = f(x - vt)} \quad \textbf{(5.2.3)}$$

descreve uma onda progressiva, que se propaga para a direita, com velocidade v.

É importante compreender bem o significado da (5.2.3). Ela significa que y, função das duas variáveis x e t, só depende dessas variáveis por meio de $x' = x - vt$, podendo ser uma função qualquer de x'. Por exemplo, $\cos(kx') = \cos[k(x - vt)]$ é uma função desse tipo, ao passo que $\cos(kx)\cos(kvt)$ não é.

A (5.2.3) implica que

$$y(x,t) = y(x + \Delta x, t + \Delta t) \quad \text{para} \quad \Delta x = v\Delta t \quad \textbf{(5.2.4)}$$

ou seja, o perfil da onda no instante $t + \Delta t$ é o perfil no instante t, deslocado em uma distância $\Delta x = v\Delta t$ para a direita.

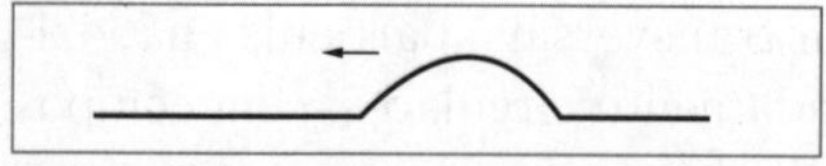

Figura 5.6 Onda progressiva para a esquerda.

Podemos igualmente descrever uma onda progressiva que se propaga para a esquerda (Figura 5.6), bastando para isso trocar $v \rightarrow -v$:

$$\boxed{y(x,t) = g(x + vt)} \qquad \textbf{(5.2.5)}$$

Nesta expressão, novamente, $g(x'')$ representa uma função arbitrária de seu argumento $x'' = x + vt$, que descreve o perfil da onda num dado instante.

Numa corda, podemos ter ondas progressivas propagando-se somente num sentido (para a direita ou para a esquerda) enquanto tais ondas não atingem as extremidades da corda. Ao atingir uma extremidade, conforme discutiremos mais adiante, uma onda progressiva num sentido é geralmente *refletida*, gerando outra onda progressiva em sentido oposto. Por conseguinte, numa corda finita, teremos em geral, simultaneamente, ondas progressivas propagando-se nos dois sentidos, para a direita e para a esquerda, ou seja,

$$\boxed{y(x,t) = f(x - vt) + g(x + vt)} \qquad \textbf{(5.2.6)}$$

Podemos considerar ondas somente num sentido, durante intervalos de tempo apreciáveis, numa corda suficientemente longa, ou para qualquer tempo no caso limite ideal de uma corda infinita.

(b) Ondas harmônicas

Um caso particular extremamente importante é o de ondas *harmônicas*, assim chamadas porque a perturbação, num dado ponto x, corresponde a uma oscilação harmônica simples. O perfil da onda é uma função senoidal:

$$f(x') = A\cos(kx' + \delta) \qquad \textbf{(5.2.7)}$$

onde x' é dado pela (5.2.2) para uma onda progressiva que se propaga para a direita:

$$y(x,t) = A\cos\left[k(x - vt) + \delta\right] \qquad \textbf{(5.2.8)}$$

Comparando com a (3.2.16), vemos que a *frequência angular* de oscilação, num dado ponto x, é

$$\boxed{\omega = kv = 2\pi\nu = 2\pi / \tau} \qquad \textbf{(5.2.9)}$$

onde ν é a *frequência* e τ é o *período temporal*. Substituindo na (5.2.8), vemos que

$$\boxed{y(x,t) = A\cos(kx - \omega t + \delta)} \qquad \textbf{(5.2.10)}$$

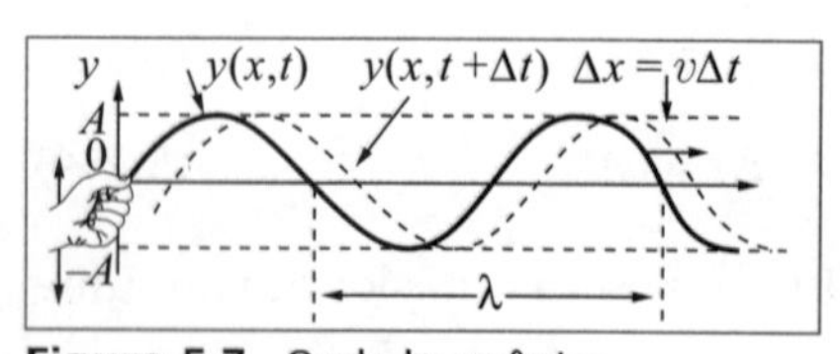

Figura 5.7 Onda harmônica.

Podemos gerar uma onda desse tipo, como mostra a Figura 5.7, fazendo oscilar a extremidade da corda com MHS. A perturbação $y(0,t)$ em função do tempo nessa extremidade está representada no gráfico, Figura 5.8. A Figura 5.7 mostra o perfil da onda nos instantes t e $t + \Delta t$, quando terá sofrido um deslocamento para a direita de $\Delta x = v\Delta t$.

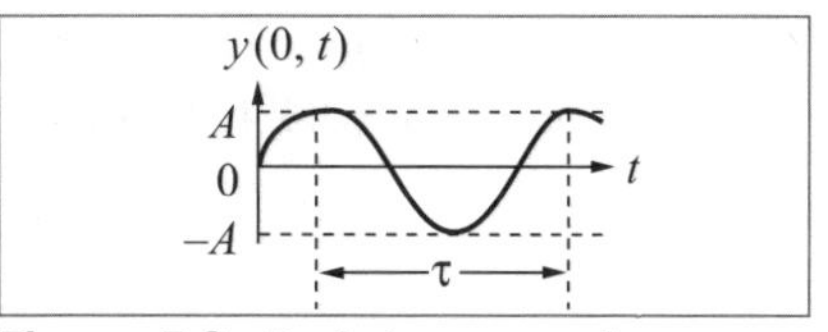

Figura 5.8 Período temporal.

Como função de x, vemos que o perfil é senoidal, ou seja, periódico, com *período espacial*

$$\boxed{\lambda = \frac{2\pi}{k}} \tag{5.2.11}$$

que se chama o *comprimento de onda* e representa, por exemplo, a distância entre duas cristas de onda (ou dois vales) sucessivos.

Substituindo a (5.2.11) na (5.2.9), obtemos

$$\boxed{\lambda = v\tau} \tag{5.2.12}$$

o que exprime o fato óbvio de que a onda se desloca de $\Delta x = \lambda$ durante um período $\Delta t = \tau$.

Da mesma forma que a *frequência* $\nu = 1/\tau$ fornece o *número de oscilações por unidade de tempo*,

$$\sigma = 1/\lambda$$

fornece o *número de comprimentos de onda por unidade de comprimento*, e se chama *número de onda*. O análogo espacial da frequência angular $\omega = 2\pi\nu$ é $k = 2\pi\sigma = 2\pi/\lambda$, que seria o número de onda angular. Entretanto, *é comum chamar k simplesmente de número de onda* (σ não é muito usado), e adotaremos essa terminologia. O argumento do cosseno na (5.2.10)

$$\boxed{\varphi(x,t) = kx - \omega t + \delta} \tag{5.2.13}$$

chama-se *fase da onda*, e δ é a *constante de fase*. Medindo a fase em rad e λ em m, o número de onda k se mede em rad/m (ou simplesmente m^{-1}) e ω em rad/s (ou s^{-1}). A *amplitude de oscilação A* na (5.2.10) se chama *amplitude da onda*.

Se acompanharmos o deslocamento com o tempo de um ponto onde a fase é constante,

$$\varphi(x,t) = \varphi_0 = \text{constante} \tag{5.2.14}$$

teremos, derivando a (5.2.14) em relação ao tempo,

$$\frac{d\varphi}{dt} = k\frac{dx}{dt} - \omega = 0 \tag{5.2.15}$$

ou seja,

$$\boxed{\frac{dx}{dt} = \frac{\omega}{k} = v = \nu\lambda} \tag{5.2.16}$$

Um ponto em que a fase é constante (correspondendo, por exemplo, a uma dada crista de onda, como $\varphi = 2\pi$), desloca-se, portanto, com a velocidade v da onda; por isto, v é chamado de *velocidade de fase*.

Podemos também escrever a expressão (5.2.10) de uma onda harmônica usando notação complexa (3.4.43), como

$$\boxed{y(x,t) = \text{Re}\left[Ae^{i(kx-\omega t+\delta)}\right]} \quad \textbf{(5.2.17)}$$

Uma onda harmônica é também conhecida como *onda monocromática*, porque, para uma onda de luz (eletromagnética), uma frequência ou um comprimento de onda determinado corresponde a uma cor pura (na decomposição espectral da luz solar por um prisma, diferentes cores estão associadas a comprimentos de onda distintos).

É importante familiarizar-se bem com essa terminologia e com todas as relações entre os parâmetros característicos de ondas harmônicas, que são de emprego muito frequente.

(c) A equação de ondas unidimensional

Consideremos a expressão geral (5.2.3) de uma onda progressiva que se propaga para a direita:

$$y(x,t) = f(x'), \quad x' = x - vt \quad \textbf{(5.2.18)}$$

Para associar uma equação de movimento com a propagação da onda, vamos calcular a aceleração num dado ponto x. A velocidade e a aceleração em x se obtêm fixando x e derivando em relação ao tempo, o que corresponde a tomar *derivadas parciais*. No caso da corda, por exemplo, a velocidade com que o ponto x se desloca verticalmente na direçao y no instante t é

$$\text{velocidade} = \frac{\partial}{\partial t} y(x,t) \quad \textbf{(5.2.19)}$$

e a aceleração é

$$\text{aceleração} = \frac{\partial^2}{\partial t^2} y(x,t) \quad \textbf{(5.2.20)}$$

Pela (5.2.18), y só depende de t por meio da variável $x' = x - vt$ (função composta), de modo que as derivadas se calculam pela *regra da cadeia*:

$$\frac{\partial y}{\partial t} = \frac{df}{dx'}\frac{\partial x'}{\partial t} = -v\frac{df}{dx'} \quad \textbf{(5.2.21)}$$

onde usamos $\partial x'/\partial t = \frac{\partial}{\partial t}(x - vt) = -v$. Analogamente,

$$\frac{\partial^2 y}{\partial t^2} = -v\frac{\partial}{\partial t}\left(\frac{df}{dx'}\right) = -v\frac{d}{dx'}\left(\frac{df}{dx'}\right)\underbrace{\frac{\partial x'}{\partial t}}_{=-v}$$

ou seja,

$$\frac{\partial^2 y}{\partial t^2} = v^2\frac{d^2 f}{dx'^2} \quad \textbf{(5.2.22)}$$

Por outro lado, como $\frac{\partial x'}{\partial x} = \frac{\partial}{\partial x}(x - vt) = \frac{\partial x}{\partial x} = 1$ temos

$$\frac{\partial y}{\partial x} = \frac{df}{dx'}\frac{\partial x'}{\partial x} = \frac{df}{dx'} \left\{ \frac{\partial^2 y}{\partial x^2} = \frac{d^2 f}{dx^2}\frac{\partial x'}{\partial x} = \frac{d^2 f}{dx'^2} \right. \tag{5.2.23}$$

Comparando as (5.2.22) e (5.2.23), vemos que $y\ (x,\ t)$ satisfaz a equação

$$\boxed{\frac{1}{v^2}\frac{\partial^2 y}{\partial t^2} - \frac{\partial^2 y}{\partial x^2} = 0} \tag{5.2.24}$$

que se chama *equação de ondas unidimensional* e é uma das equações fundamentais da física.

Se tomarmos, em lugar da (5.2.18), uma onda progressiva que se propaga para a esquerda, como a (5.2.5),

$$y(x,t) = g(x''), \quad x'' = x + vt \tag{5.2.25}$$

isto equivale a trocar $v \to -v$ e $x' \to x''$ na (5.2.21), mas as (5.2.22) e (5.2.23) permanecem válidas, com $x' \to x''$. Logo, a (5.2.25) também é solução da equação de ondas unidimensional, e é imediato que o mesmo vale para a (5.2.6).

A equação de ondas unidimensional é uma *equação a derivadas parciais linear de 2ª ordem*. Antes de discutir suas soluções de forma mais detalhada, vamos mostrar que as oscilações transversais de uma corda vibrante são realmente governadas por essa equação.

5.3 A EQUAÇÃO DAS CORDAS VIBRANTES

(a) Equação de movimento

Vamos considerar vibrações transversais de uma corda *distendida*, como as que encontramos em instrumentos musicais de cordas (violino, piano, violão, harpa etc.). As cravelhas de um violão ou violino são empregadas para distender as cordas (afinação).

Tomaremos a posição de equilíbrio horizontal da corda como direção Ox (Figura 5.9); nessa situação, a porção da corda à esquerda de um ponto qualquer dado exerce sobre a porção da direita uma força $-T$ dirigida para a esquerda, e equilibrada pela força T com que a porção da direita atua sobre a da esquerda. Isto define a *tensão* T de equilíbrio, constante ao longo da corda, que é suposta *uniforme*.

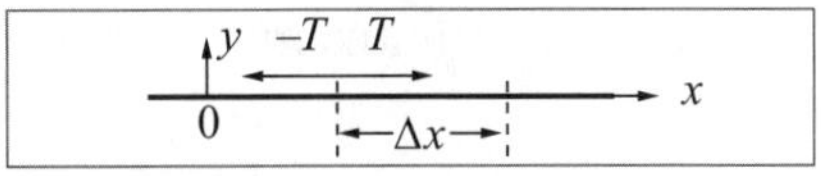

Figura 5.9 Tensão da corda.

Seja μ a densidade linear de massa da corda: um elemento de comprimento infinitésimo Δx da corda possui então a massa

$$\Delta m = \mu \Delta x \tag{5.3.1}$$

Um deslocamento transversal de um ponto da corda teria geralmente duas componentes (y e z), mas vamo-nos limitar a deslocamentos num dado plano, que podemos tomar como plano Oxy.

O deslocamento de um ponto x da corda de sua posição de equilíbrio será então $y(x, t)$. Podemos pensar na corda como um caso limite de um sistema de partículas acopladas por molas (que transmitem a tensão), análogo aos que foram considerados na Seção 4.6. Vamos nos limitar a *pequenos deslocamentos da posição de equilíbrio*, de tal forma que, como no exemplo da Figura 4.20, a variação de comprimento da corda é desprezível, e a magnitude da tensão permanece igual a T, com muito boa aproximação. Como naquele caso, as forças que atuam sobre um elemento Δx da corda serão devidas à variação de *direção* da tensão, que introduz uma componente transversal de força restauradora na direção y.

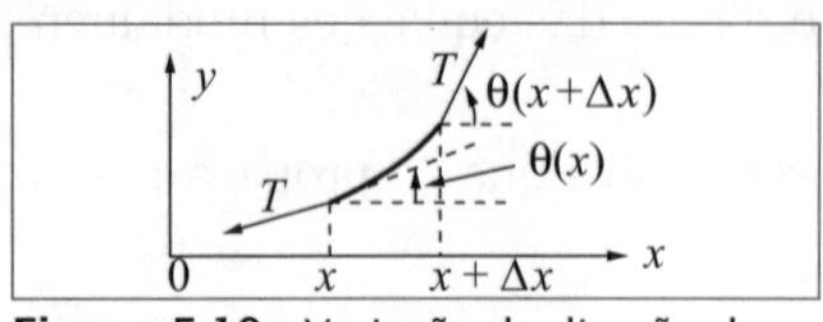

Figura 5.10 Variação de direção da tensão.

Conforme mostra a Figura 5.10, a componente y da tensão no ponto $x + \Delta x$, devida à porção da corda à direita de $x + \Delta x$, é dada por

$$T \operatorname{sen} \theta \approx T \operatorname{tg} \theta = T \frac{\partial y}{\partial x} \tag{5.3.2}$$

onde θ é o ângulo entre a tangente à corda e o eixo Ox e, como no caso da Figura 4.20, a aproximação de pequenos deslocamentos implica $\theta << 1$, de modo que sen $\theta \approx$ tg θ, que é o coeficiente angular do perfil da corda, dado por $\partial y/\partial x$.

Na (5.3.2), todas as grandezas são calculadas no ponto $x + \Delta x$ da corda. No ponto x, conforme mostra a Figura 5.10, temos uma força análoga mas de sinal contrário, devida à porção da corda à esquerda de x. Logo a força vertical resultante sobre o elemento Δx da corda é dada por

$$T \frac{\partial y}{\partial x}(x + \Delta x, t) - T \frac{\partial y}{\partial x}(x, t) = T \Delta x \left[\frac{\frac{\partial y}{\partial x}(x + \Delta x, t) - \frac{\partial y}{\partial x}(x, t)}{\Delta x} \right] \tag{5.3.3}$$

onde o 1° termo é a força (5.3.2) no ponto $x + \Delta x$ e o 2° termo é a força análoga no ponto x.

Para Δx infinitésimo, lembrando a definição de derivada parcial (**FB1**, Seção 7.4), a expressão entre colchetes na (5.3.3) pode ser substituída por $\frac{\partial^2}{\partial x^2} y(x, t)$, de modo que obtemos

$$\text{Força vertical sobre } \Delta x = T \frac{\partial^2 y}{\partial x^2}(x, t) \Delta x \tag{5.3.4}$$

Pela 2ª lei de Newton, essa força é o produto da massa de Δx, dada pela (5.3.1), pela aceleração desse elemento da corda, dada pela (5.2.20). Logo, a equação de movimento da corda é

$$\underbrace{\mu \Delta x}_{\Delta m} \quad \underbrace{\frac{\partial^2 y}{\partial t^2}(x, t)}_{\text{aceleração vertical}} = \underbrace{T \frac{\partial^2 y}{\partial x^2}(x, t) \Delta x}_{\text{força vertical sobre } \Delta x}$$

ou seja,

$$\boxed{\mu \frac{\partial^2 y}{\partial t^2} = T \frac{\partial^2 y}{\partial x^2}} \tag{5.3.5}$$

o que equivale à *equação de ondas unidimensional* (5.2.24), com

$$\boxed{v = \sqrt{\frac{T}{\mu}}} \tag{5.3.6}$$

como expressão da *velocidade de propagação*. Note que a velocidade de propagação de uma onda não depende da forma da onda: depende só das propriedades do *meio* (corda) em que ela se propaga.

A (5.3.5) é a célebre *equação das cordas vibrantes*, obtida por Euler e d'Alembert por volta de 1750. A velocidade de onda (5.3.6) é tanto maior quanto maior a tensão e menor a inércia (massa por unidade de comprimento), como seria de esperar. Para uma corda com μ = 10 g/m = 10^{-2} kg/m e T = 100 N, obtemos v = 100 m/s.

Podemos também obter a expressão da velocidade de onda por outro método, admitindo que já se conheça a possibilidade de propagação de ondas progressivas de velocidade v sobre a corda e procurando determinar v.

Suponhamos que um pulso, cuja forma podemos aproximar por um pequeno arco de círculo de raio r e abertura angular $2\Delta\theta << 1$, se propaga para a direita com velocidade v, o resto da corda permanecendo em equilíbrio, no referencial inercial S considerado.

Como vimos na Seção 5.2, se passarmos para outro referencial S', que se desloca para a direita com velocidade v em relação a S, veremos o pulso "congelado" sempre na mesma posição em S', e é a corda que "escorrega através" do pulso, deslocando-se com velocidade $-v$, para a esquerda (Figura 5.11). Como as forças não se alteram pela transformação de Galileu (**FB1**, Seção 13.1), a força resultante sobre o elemento $\Delta l = 2r\Delta\theta$ da corda continua sendo vertical (voltada para o centro O do arco de círculo na Figura) e dada por

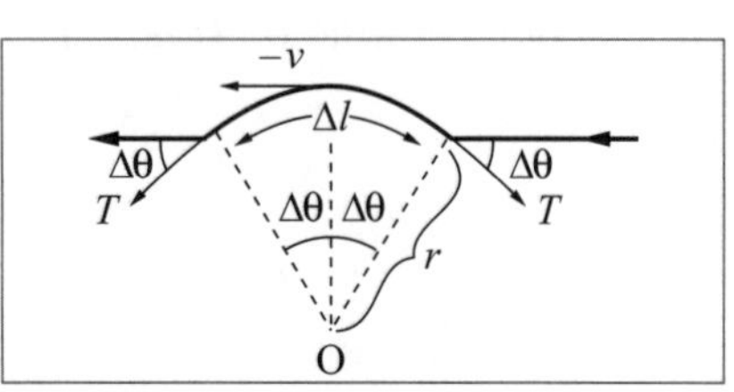

Figura 5.11 Pulso na corda.

$$T\text{sen}\,(\Delta\theta) + T\text{sen}\,(\Delta\theta) \approx 2T\Delta\theta = 2T \cdot \frac{\Delta l}{2r} \tag{5.3.7}$$

Em S', o elemento Δl descreve um movimento circular uniforme de velocidade v (Figura), de modo que tem uma aceleração centrípeta v^2/r e a 2ª lei de Newton se escreve, com a força dada pela (5.3.7),

$$T \frac{\Delta l}{r} = \Delta m \frac{v^2}{r} = \mu \Delta l \frac{v^2}{r} \tag{5.3.8}$$

o que resulta em $v^2 = T/\mu$, concordando com a (5.3.6).

(b) Solução geral

As condições iniciais para a equação de movimento da corda consistem em dar o *deslocamento inicial* $y(x,0)$ e a *velocidade inicial* [cf. (5.2.19)] $\partial y/\partial t(x,0)$ de cada um de seus pontos

$$\boxed{\begin{aligned} & y(x,0) = y_0(x) \\ & \frac{\partial y}{\partial t}(x,0) = y_1(x) \end{aligned}} \quad \text{Condições iniciais} \qquad \textbf{(5.3.9)}$$

onde $y_0(x)$ e $y_1(x)$ são duas funções que podemos escolher "arbitrariamente" (de forma compatível com a hipótese de pequenos deslocamentos). Logo, devemos esperar que *a solução geral da equação de ondas unidimensional dependa de duas funções arbitrárias.*

A (5.2.6) é solução e depende das duas funções arbitrárias f e g. Logo, deve representar a solução geral:

$$\boxed{y(x,t) = f(x - vt) + g(x + vt)} \qquad \textbf{(5.3.10)}$$

ou seja, *a solução geral da equação de ondas unidimensional é a superposição de ondas progressivas propagando-se nos dois sentidos* (para a direita e para a esquerda). Esta solução é devida a d'Alembert.

Exemplo: Suponhamos que a corda sofra um deslocamento inicial $y_0(x)$, mas seja solta em repouso, ou seja, $y_1(x) = 0$ nas (5.3.9). Substituindo a (5.3.10) nas (5.3.9), obtemos então, com o auxílio da (5.2.21),

$$y(x,0) = f(x) + g(x) = y_0(x) \qquad \textbf{(5.3.11)}$$

$$\frac{\partial y}{\partial t}(x,0) = -v\frac{d}{dx}f(x) + v\frac{d}{dx}g(x) = v\frac{d}{dx}\left[g(x) - f(x)\right] = 0 \qquad \textbf{(5.3.12)}$$

A (5.3.12) é satisfeita se tomarmos $g(x) = f(x)$ (somar uma constante não altera a solução), e a (5.3.11) resulta, então, em:

$$f(x) = g(x) = \frac{1}{2}y_0(x) \qquad \textbf{(5.3.13)}$$

e a solução (5.3.10) neste caso, fica

$$y(x,t) = \frac{1}{2}\left[y_0(x - vt) + y_0(x + vt)\right] \qquad \textbf{(5.3.14)}$$

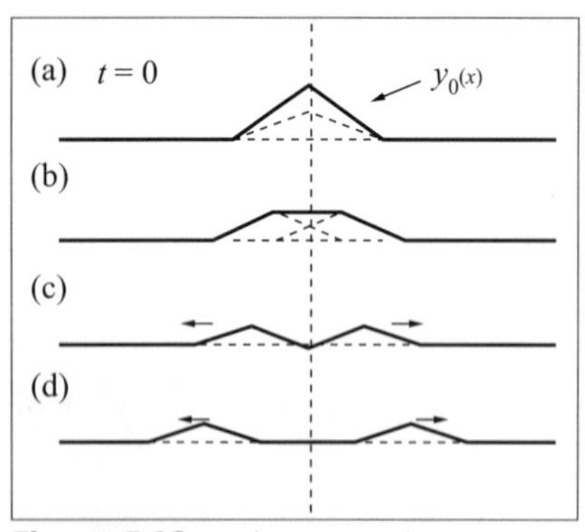

Figura 5.12 Pulso triangular.

Um exemplo específico, em que $y_0(x)$ é um pulso de forma triangular, está ilustrado nas Figuras 5.12 (a) a (d), que mostram a evolução temporal a partir de $t = 0$. O pulso inicial se decompõe em dois pulsos idênticos (cada um com a metade da amplitude), que se propagam com velocidade v em sentidos opostos, de conformidade com a (5.3.14). Esta solução permanece válida enquanto os pulsos não atingem as extremidades da corda.

(c) O princípio de superposição

Sejam $y_1(x,t)$ e $y_2(x,t)$ duas soluções quaisquer da equação de ondas unidimensional (5.2.24) e

$$\boxed{y(x,t) = ay_1(x,t) + by_2(x,t)} \quad \textbf{(5.3.15)}$$

uma combinação linear qualquer dessas soluções (a e b são constantes arbitrárias; [cf. (3.2.14)]). Como

$$\frac{\partial^2}{\partial t^2}(ay_1 + by_2) = a\frac{\partial^2 y_1}{\partial t^2} + b\frac{\partial^2 y_2}{\partial t^2}$$

$$\frac{\partial^2}{\partial x^2}(ay_1 + by_2) = a\frac{\partial^2 y_1}{\partial x^2} + b\frac{\partial^2 y_2}{\partial x^2}$$

é imediato que a (5.3.15) também é solução da (5.2.24), o que é consequência da linearidade dessa equação.

Vale, portanto, para a equação de ondas unidimensional o *princípio de superposição: qualquer combinação linear de soluções também é solução.* Esta propriedade é extremamente importante. Um exemplo imediato é a (5.2.6), que é combinação linear das (5.2.3) e (5.2.5).

A Figura 5.13 mostra outro exemplo de aplicação do princípio de superposição. Em (a), dois pulsos triangulares iguais e contrários caminham em sentidos opostos. Em (b), os dois pulsos estão superpostos e se cancelam mutuamente: o perfil da corda coincide com a posição de equilíbrio. Em (c), um pulso ultrapassou o outro após a "colisão", prosseguindo como se nada tivesse acontecido. A situação (b) é um exemplo de *interferência destrutiva* entre dois pulsos.

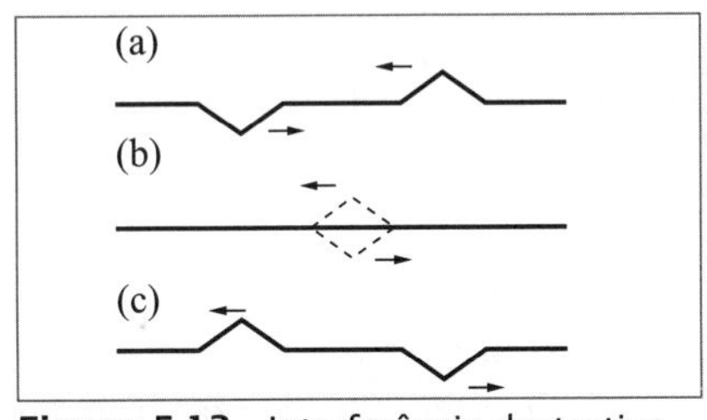

Figura 5.13 Interferência destrutiva.

Um exemplo de *interferência construtiva* se obtém invertendo o sentido de propagação dos dois pulsos na Figura 5.12(d). A propagação se dá na sequência inversa: (d) → (b) → (c) → (a). Os pulsos se interpenetram e em (a) temos interferência construtiva: o pulso resultante tem o dobro da amplitude dos pulsos componentes.

5.4 INTENSIDADE DE UMA ONDA

Conforme foi mencionado na Seção 5.1, *uma onda progressiva transporta energia.* Para gerar a onda harmônica progressiva ilustrada na Figura 5.7, é preciso realizar trabalho, para fazer oscilar a extremidade da corda com MHS. A energia correspondente é transmitida à corda e se propaga com a onda, podendo ser comunicada, por exemplo, a uma partícula colocada na outra extremidade da corda. Vamos calcular a energia transmitida pela onda, por unidade de tempo, através de um ponto x qualquer da corda.

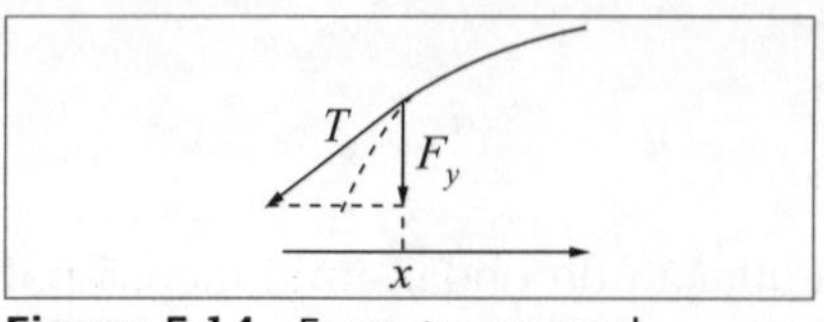

Figura 5.14 Força transversal.

Num dado instante t, a porção da corda à esquerda de x atua sobre um elemento da corda no ponto x (Figura 5.14) com uma força transversal

$$F_y = -T\frac{\partial y}{\partial x}(x,t) \quad \textbf{(5.4.1)}$$

O trabalho realizado sobre esse elemento por unidade de tempo (potência instantânea: **1**, Seção 7.6), que corresponde à energia transmitida através de x por unidade de tempo, é o produto da força pela velocidade (5.2.19), ou seja,

$$\boxed{P(x,t) = F_y\frac{\partial y}{\partial t} = -T\frac{\partial y}{\partial x}\frac{\partial y}{\partial t}} \quad \textbf{(5.4.2)}$$

Para a onda harmônica progressiva (5.2.10), $\partial y/\partial x = -kA\text{sen}\varphi$, $\partial y/\partial t = +\,\omega A\ \text{sen}\varphi$ (onde φ é dado pela (5.2.13). Logo,

$$P(x,t) = \omega kTA^2\text{sen}^2(kx - \omega t + \delta) \quad \textbf{(5.4.3)}$$

que oscila com o tempo (e com x). Em geral, não interessa o valor instantâneo, e sim a *média sobre um período*, que chamaremos de *intensidade I da onda*. Com o auxílio da (4.2.5), a (5.4.3) resulta em

$$I = \bar{P} = \omega kTA^2\underbrace{\overline{\text{sen}^2(kx - \omega t + \delta)}}_{=1/2}$$

ou seja, lembrando que $T = \mu v^2$ pela (5.3.6), e que $kv = \omega$ pela (5.2.9),

$$\boxed{I = \bar{P} = \frac{1}{2}\mu v\omega^2A^2} \quad \textbf{(5.4.4)}$$

Assim, *a intensidade da onda é proporcional ao quadrado da amplitude, à velocidade da onda e ao quadrado da frequência*. Note que o resultado se aplica a uma onda *harmônica* progressiva.

Um elemento infinitésimo dx da corda no ponto x tem uma massa $dm = \mu dx$ e uma energia cinética instantânea

$$dT = \frac{1}{2}dm\left(\frac{\partial y}{\partial t}\right)^2 = \frac{1}{2}\mu\left(\frac{\partial y}{\partial t}\right)^2 dx$$

o que corresponde a uma *densidade linear de energia cinética* (energia cinética por unidade de comprimento) instantânea

$$\frac{dT}{dx} = \frac{1}{2}\mu\left(\frac{\partial y}{\partial t}\right)^2 \quad \textbf{(5.4.5)}$$

Novamente, interessa-nos apenas o valor médio.

Como $(\partial y/\partial t)^2 = \omega^2 A^2 \operatorname{sen}^2(kx - \omega t + \delta)$, vem

$$\overline{\frac{dT}{dx}} = \frac{1}{4}\mu\omega^2 A^2 \tag{5.4.6}$$

Como o elemento dx executa um MHS na direção y, a energia potencial média é igual à energia cinética média [cf. (3.2.33)], que deve ser comparada com a (5.4.6)). Logo, a *densidade média de energia potencial* é

$$\overline{\frac{dU}{dx}} = \frac{1}{4}\mu\omega^2 A^2 \tag{5.4.7}$$

e a *densidade média de energia total da onda* é

$$\boxed{\overline{\frac{dE}{dx}} = \overline{\frac{dT}{dx}} + \overline{\frac{dU}{dx}} = \frac{1}{2}\mu\omega^2 A^2} \tag{5.4.8}$$

O valor médio da energia da onda contida num elemento Δx da corda é

$$\overline{\Delta E} = \overline{\frac{dE}{dx}}\,\Delta x \tag{5.4.9}$$

Como a onda percorre $\Delta x = v\Delta t$ durante um intervalo de tempo Δt, a potência média transportada é

$$\bar{P} = \frac{\overline{\Delta E}}{\Delta t} = \left(\overline{\frac{dE}{dx}}\right)\frac{\Delta x}{\Delta t} = v\left(\overline{\frac{dE}{dx}}\right) \tag{5.4.10}$$

que deve ser igual à (5.4.4). Efetivamente, comparando as (5.4.4) e (5.4.8), vemos que *a intensidade é igual ao produto da velocidade da onda pela densidade média de energia*. Podemos dizer também que ela representa o *fluxo médio de energia através de um ponto qualquer da corda.*

5.5 INTERFERÊNCIA DE ONDAS

Pelo princípio de superposição, uma combinação linear qualquer de ondas numa corda vibrante também é uma onda possível na corda. Consideremos, em particular, a superposição de duas ondas progressivas harmônicas de mesma frequência.

(a) Ondas no mesmo sentido

Sejam

$$\begin{cases} y_1(x,t) = A_1\cos(kx - \omega t + \delta_1) \\ y_2(x,t) = A_2\cos(kx - \omega t + \delta_2) \end{cases} \tag{5.5.1}$$

as duas ondas, que se propagam ambas para a direita. Como

$$\cos(kx - \omega t + \delta) = \cos(\omega t + \varphi)$$

onde $\varphi = -kx + \delta$, podemos utilizar as (3.5.1) a (3.5.4) para obter a onda resultante:

$$y = y_1 + y_2 = A\cos(kx - \omega t + \delta) \tag{5.5.2}$$

onde, pela (3.5.2),

$$A^2 = A_1^2 + A_2^2 + 2A_1A_2\cos\delta_{12} \tag{5.5.3}$$

com

$$\boxed{\delta_{12} = \delta_2 - \delta_1} \tag{5.5.4}$$

que é a diferença de fase entre as duas ondas.

Como a frequência é a mesma, a (5.4.4) mostra que a intensidade de cada onda é proporcional ao quadrado de sua amplitude, com a mesma constante de proporcionalidade, de modo que, chamando de I_1 e I_2 as intensidades das componentes e I a da resultante, a (5.5.3) resulta em

$$\boxed{I = I_1 + I_2 + 2\sqrt{I_1I_2}\cos\delta_{12}} \tag{5.5.5}$$

Logo, a superposição de duas ondas harmônicas progressivas que se propagam na mesma direção e sentido é outra onda do mesmo tipo, mas a intensidade da resultante é dada pela (5.5.5), e *é geralmente diferente da soma das intensidades das componentes*, dependendo da diferença de fase δ_{12} entre elas. Este fenômeno é chamado de *interferência*.

A intensidade resultante é máxima (*interferência construtiva*) para $\cos\delta_{12} = 1$, ou seja,

$$\boxed{\delta_{12} = 2m\pi\,(m = 0, \pm 1, \pm 2, \ldots) \Rightarrow I = I_{\text{máx}} = \left(\sqrt{I_1} + \sqrt{I_2}\right)^2} \tag{5.5.6}$$

e é mínima (*interferência destrutiva*) para $\cos\delta_{12} = -1$:

$$\boxed{\delta_{12} = (2m+1)\pi\;(m = 0, \pm 1, \pm 2, \ldots) \Rightarrow I = I_{\text{mín}} = \left(\sqrt{I_1} - \sqrt{I_2}\right)^2} \tag{5.5.7}$$

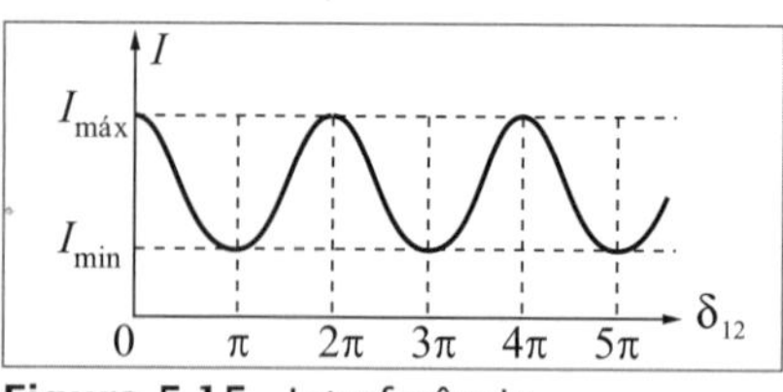

Figura 5.15 Interferência.

Para valores intermediários de δ_{12}, a intensidade resultante, conforme mostra a Figura 5.15, oscila entre os valores máximo e mínimo, como função de δ_{12}. Em particular, se $I_1 = I_2$, as (5.5.6) mostram que

$$\boxed{I_{\text{máx}} = 4I_1, \quad I_{\text{mín}} = 0 \quad (I_1 = I_2)} \tag{5.5.8}$$

ou seja, no caso de interferência destrutiva, a intensidade se anula, e para interferência construtiva ela é quatro vezes maior que as intensidades (idênticas) das componentes (a amplitude é dupla).

Fenômenos de interferência, como esses, estão entre os efeitos mais característicos da propagação de ondas.

(b) Sentidos opostos; ondas estacionárias

Consideremos agora o caso em que as ondas se propagam em sentidos opostos. Para simplificar a discussão, vamos supor que tenham a mesma amplitude e constante de fase = 0, ou seja,

$$\begin{cases} y_1(x,t) = A\cos(kx - \omega t) \\ y_2(x,t) = A\cos(kx + \omega t) \end{cases} \tag{5.5.9}$$

Temos então:

$$\boxed{y = y_1 + y_2 = A\left[\cos(kx - \omega t) + \cos(kx + \omega t)\right] = 2A\cos(kx)\cos(\omega t)} \tag{5.5.10}$$

Como a resultante é o produto de uma função de x por uma função de t, *não há propagação*: a forma da corda permanece sempre semelhante, com o deslocamento mudando apenas de amplitude e, eventualmente, de sinal.

A Figura 5.16 mostra uma série de "instantâneos" da (5.5.10) a intervalos de $\tau/8$. Para $t = \tau/4$, a corda passa pela posição de equilíbrio ($y = 0$), e depois os deslocamentos trocam de sinal, até atingir amplitude máxima para $t = \tau/2$; daí por diante, os gráficos seriam percorridos em sentido inverso (de baixo para cima, na Figura 5.16), até voltar à configuração inicial para $t = \tau$.

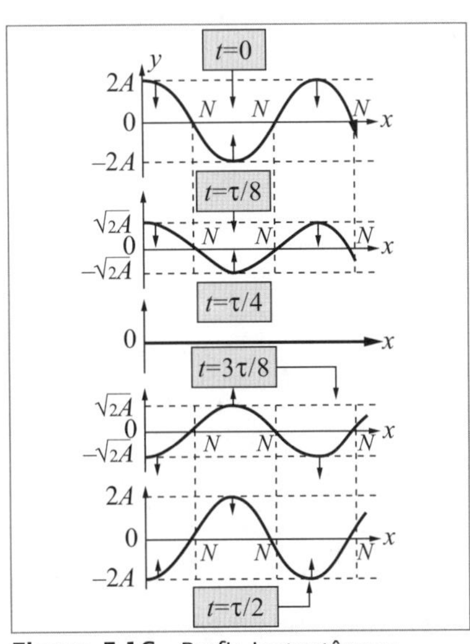

Figura 5.16 Perfis instantâneos.

Numa fotografia de tempo de exposição longo, a corda apareceria como na Figura 5.17, que também é o seu aspecto visual quando a frequência de oscilação é elevada, pela persistência das imagens na retina (veja fotos na Figura 5.24).

Os pontos marcados N nas Figuras 5.16 e 5.17 permanecem sempre em repouso, e chamam-se *nodos*. Nos pontos a meio caminho entre os nodos, que se chamam *ventres* ou *antinodos*, a amplitude de oscilação é máxima a cada instante. Os nodos subdividem a corda numa série de segmentos, que oscilam separadamente.

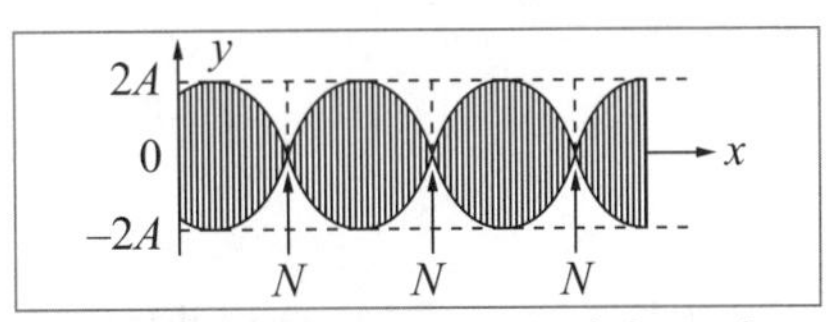

Figura 5.17 Aspecto visual de onda estacionária.

Uma onda do tipo da (5.5.10), que não se propaga, é chamada de *onda estacionária*. As ondas componentes (5.5.9), cuja interferência produz a (5.5.10), têm fluxos de energia iguais e contrários, que se cancelam na resultante, de modo que o fluxo médio de energia neste caso, se anula.

(c) Batimentos; velocidade de grupo

Suponhamos agora que as ondas se propagam no mesmo sentido e têm mesma amplitude, mas têm frequências (e, por conseguinte, números de onda) ligeiramente diferentes:

$$\begin{cases} y_1(x,t) = A\cos(k_1 x - \omega_1 t) \\ y_2(x,t) = A\cos(k_2 x - \omega_2 t) \end{cases} \tag{5.5.11}$$

onde [cf. (3.5.8) a (3.5.12)]

$$\boxed{\begin{cases} \Delta\omega = \omega_1 - \omega_2 \ll \bar{\omega} = \dfrac{1}{2}(\omega_1 + \omega_2) \\ \Delta k = k_1 - k_2 \ll \bar{k} = \dfrac{1}{2}(k_1 + k_2) \end{cases}} \tag{5.5.12}$$

supondo $\omega_1 > \omega_2$, $k_1 > k_2$. Temos, então, [cf. (3.5.10)]

$$y + y_1 + y_2 = A\left\{\cos\left[\left(\bar{k} + \frac{\Delta k}{2}\right)x - \left(\bar{\omega} + \frac{\Delta\omega}{2}\right)t\right] + \cos\left[\left(\bar{k} - \frac{\Delta k}{2}\right)x - \left(\bar{\omega} - \frac{\Delta\omega}{2}\right)t\right]\right\} \tag{5.5.13}$$

ou seja,

$$\boxed{y(x,t) = a(x,t)\cos(\bar{k}x - \bar{\omega}t)} \tag{5.5.14}$$

onde

$$\boxed{a(x,t) = 2A\cos\left(\frac{\Delta k}{2}x - \frac{\Delta\omega}{2}t\right)} \tag{5.5.15}$$

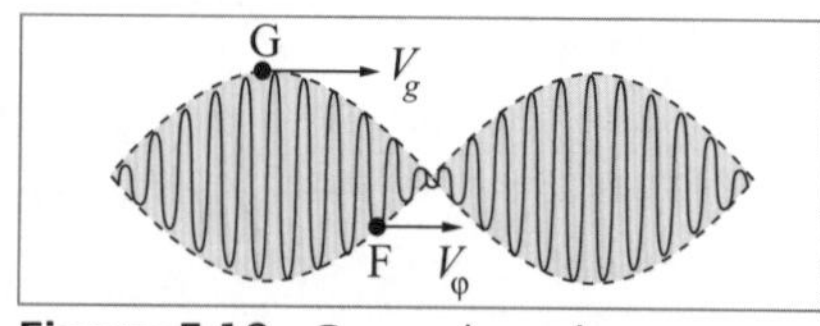

Figura 5.18 Grupo de ondas.

Como na Seção 3.5, temos um fenômeno de *batimentos*: podemos considerar a (5.5.14) como uma onda de frequência $\bar{\omega}$ elevada, cuja amplitude a é modulada por outra onda de frequência $\Delta\omega$ bem mais baixa (Figura 5.18). Esse é o exemplo mais simples de um *grupo de ondas*.

Podemos considerar a fase da (5.5.14) como sendo dada por $\varphi(x, t) = \bar{k}x - \bar{\omega}t$, de modo que, como na (5.2.16), a velocidade com que se desloca um ponto de fase constante (tal como F na Figura 5.18) é a *velocidade de fase*

$$\boxed{v_\varphi = \frac{\bar{\omega}}{\bar{k}}} \tag{5.5.16}$$

Por outro lado, a velocidade com que se desloca o grupo de ondas como um todo é a velocidade associada a um ponto da envoltória (tal como o ponto G, situado na crista na Figura 5.18), onde a amplitude a é constante. Esta velocidade se chama *velocidade de grupo*, e a (5.5.15) mostra que é dada por

$$\boxed{v_g = \frac{\Delta\omega}{\Delta k} = \frac{d\omega}{dk}} \tag{5.5.17}$$

tomando Δk suficientemente pequeno (a derivada deve ser calculada para $k = \bar{k}$) Para ondas numa corda vibrante homogênea, temos (5.3.6)

$$\frac{\omega}{k} = v = \sqrt{T / \mu} = \text{constante} \tag{5.5.18}$$

de modo que as (5.5.16) e (5.5.17) resultam em

$$v_\varphi = v_g = v \tag{5.5.19}$$

ou seja, as velocidades de fase e de grupo coincidem, e o grupo se propaga com a velocidade da onda.

Entretanto, para outros tipos de onda, sucede que a velocidade de fase v_φ varia com o comprimento de onda, ou, o que é equivalente, com o número de onda k:

$$\omega = kv_\varphi(k) \tag{5.5.20}$$

e a (5.5.17) resulta em

$$v_g = d\omega / dk = v_\varphi + kdv_\varphi / dk \neq v_\varphi \tag{5.5.21}$$

ou seja, nesse caso, *a velocidade de grupo é diferente de velocidade de fase*. Diz-se então que há *dispersão*. É o que ocorre, por exemplo, com ondas de luz num meio material: a velocidade de fase é diferente para o vermelho e para o violeta, correspondendo a índices de refração diferentes.

Quando há dispersão, as ondas individuais dentro da envoltória, na Figura 5.18, deslocam-se em relação à envoltória, mudando de amplitude gradualmente e podendo "desaparecer" para ser substituídas por outras. Este fenômeno pode ser observado facilmente para ondas na superfície da água (quando a profundidade da água é muito maior que o comprimento de onda). Neste caso, verifica-se que $v_g = \frac{1}{2} v_\varphi$, de modo que as ondinhas individuais dentro de um grupo "nascem" em sua parte posterior e se propagam dentro do grupo até a parte anterior, onde "desaparecem". Pode-se mostrar também que a velocidade de grupo é a velocidade de propagação da energia, tendo assim um significado físico mais importante que a velocidade de fase.

5.6 REFLEXÃO DE ONDAS

Consideremos um pulso que se propaga para a esquerda numa corda longa, cuja extremidade esquerda O é presa a um suporte, de modo a permanecer sempre fixa (Figura 5.19). Que acontece quando o pulso atinge a extremidade fixa?

Seja $g\ (x + vt)$ a função que descreve o pulso incidente (triangular na Figura 5.19 (a)), de modo que, antes de ser atingida a extremidade,

$$y(x,t) = g(x + vt) \tag{5.6.1}$$

A condição de que a extremidade $x = 0$ permaneça sempre fixa se exprime por

$$\boxed{y(0,t) = 0} \quad \text{para qualquer } t \tag{5.6.2}$$

Uma condição deste tipo, por ser dada no contorno ("periferia") da corda, se chama *condição de contorno*.

A solução geral da equação de ondas é dada pela (5.3.10),

$$y(x,t) = f(x - vt) + g(x + vt) \tag{5.6.3}$$

onde, pela (5.6.1), $f = 0$ antes que a extremidade seja atingida, e g é o pulso dado. Substituindo a (5.6.3) na (5.6.2), obtemos

$$y(0,t) = f(-vt) + g(vt) = 0 \Rightarrow f(-vt) = -g(vt) \quad \text{para qualquer } t$$

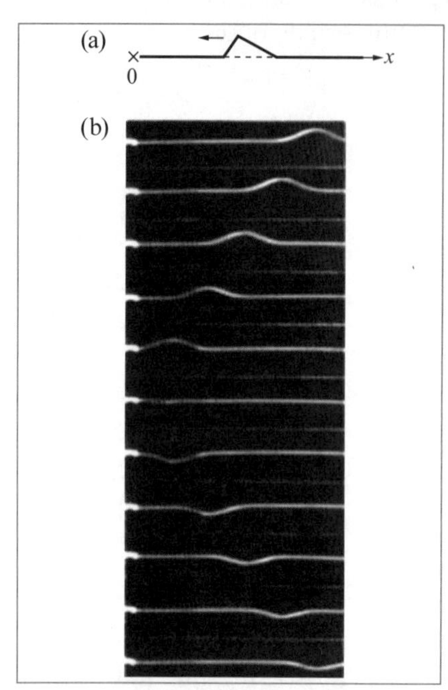

Figura 5.19 (a) Pulso triangular (corda com extremidade fixa); (b) Reflexão: realização experimental. *Fonte*: Reproduzido, com permissão, de: CROWELL, B. Vibrations and waves.

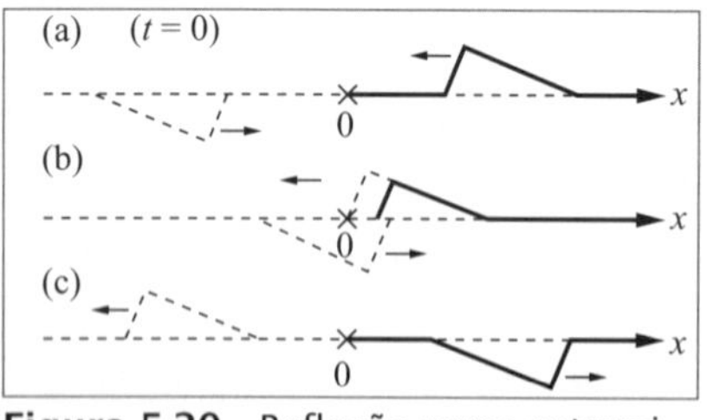

Figura 5.20 Reflexão numa extremidade fixa.

o que determina a função incógnita $f(x')$:

$$\boxed{f(x') = -g(-x')} \tag{5.6.4}$$

e, substituindo x' por $x - vt$,

$$f(x - vt) = -g(vt - x) \tag{5.6.5}$$

A (5.6.5) fornece a solução do problema:

$$\boxed{y(x,t) = g(vt + x) - g(vt - x)} \tag{5.6.6}$$

onde a função g é conhecida (pulso (5.6.1) dado). A (5.6.6) satisfaz a equação de ondas e a condição de contorno (5.6.2), como se verifica imediatamente.

O 2º termo da (5.6.6), que só aparece depois que o pulso incidente atinge a extremidade fixa, propaga-se para a direita e representa um *pulso refletido*. A Figura 5.19(b) mostra uma realização experimental.

Podemos representar graficamente a solução (5.6.6) por meio do seguinte artifício: Imaginemos um prolongamento (fictício!) da corda para $x < 0$, em linha interrompida na Figura 5.20. Para $t = 0$ (Figura 5.20(a)), temos, para $x > 0$, o pulso incidente $g(x)$ (linha cheia), e, no prolongamento fictício $x < 0$, o pulso refletido $f(x) = -g(-x)$ dado pela (5.6.4) (em linha interrompida na Figura 5.20(a)).

Depois, tratamos a corda e seu prolongamento como se fossem uma só corda ilimitada, em que o pulso incidente se propaga para a esquerda e o refletido para a direita. A (5.6.6) é a superposição dos dois pulsos para $x > 0$ (Figuras 5.20(b) e (c)). Depois de algum tempo (Figura 5.20(c)), propaga-se na corda ($x > 0$) somente o pulso refletido.

Vemos que *o pulso volta invertido após a reflexão: a reflexão numa extremidade fixa produz uma defasagem de* 180°. A razão física deste resultado é que, ao atingir a origem, o pulso iria provocar um determinado deslocamento: para permanecer fixa, a extremidade tem de reagir (*reação de suporte*) produzindo um deslocamento igual e contrário, que gera a imagem invertida (*pulso refletido*).

Extremidade livre: Também podemos considerar o que acontece quando a extremidade da corda é *livre* em lugar de ser fixa, ou seja, não atua sobre ela nenhuma força transversal. Entretanto, continua atuando a força de tensão T, que foi suposta uniforme ao longo de toda a corda, de modo que essa força tem de ser horizontal.

Pela (5.4.1), a condição de extremidade livre é, portanto,

$$\boxed{F_y(0,t) = -T\frac{\partial y}{\partial x}(0,t) = 0} \quad \text{para qualquer } t \tag{5.6.7}$$

o que significa que a tangente à corda na extremidade permanece sempre horizontal.

A Figura 5.21 mostra uma forma de realizar, na prática, esta condição: a extremidade da corda fica presa a um anel de massa desprezível, que desliza livremente (sem atrito!) sobre uma haste vertical, de modo que $F_y = 0$, embora a corda continue distendida com tensão T.

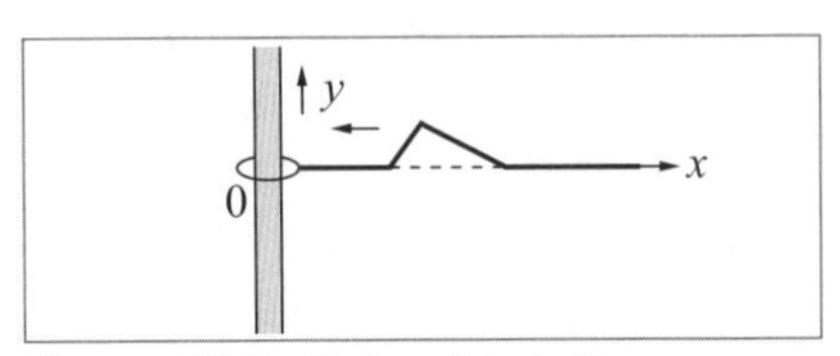

Figura 5.21 Extremidade livre.

Consideremos agora o pulso (5.6.1) incidente sobre a extremidade livre. Substituindo a solução geral (5.6.3) na condição de contorno (5. 6.7), vem

$$\frac{\partial y}{\partial x}(0,t) = f'(-vt) + g'(vt) = 0 \quad \text{para qualquer } t \tag{5.6.8}$$

onde f' indica a derivada de f em relação ao argumento. Para que a (5.6.8) seja satisfeita, basta tomar a função incógnita $f(x')$ dada por

$$\boxed{f(x') = g(-x')} \tag{5.6.9}$$

Com efeito, derivando ambos os membros em relação a x', isto resulta em

$$f'(x') = -g'(-x')$$

o que satisfaz a (5.6.8).

Substituindo por x' por $x - vt$ e levando na (5.6.3), obtemos a solução do problema:

$$\boxed{y(x,t) = g(vt + x) + g(vt - x)} \tag{5.6.10}$$

que só difere da (5.6.6) pelo sinal do 2° termo: *numa extremidade livre, um pulso é refletido sem mudança de fase.*

Podemos considerar também o que acontece quando uma onda atinge a junção entre duas cordas *diferentes*. Podemos ter, por exemplo, duas cordas de densidades

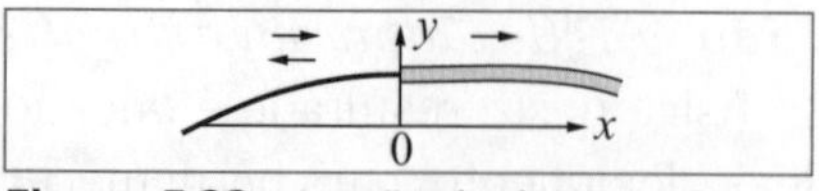

Figura 5.22 Junção de duas cordas.

diferentes, $\mu_1 \neq \mu_2$, sujeitas à mesma tensão T, que se juntam em $x = 0$ (Figura 5.22). Pela (5.3.6), as velocidades de propagação de ondas nas duas cordas serão diferentes. Se uma onda incide sobre a junção vindo da esquerda, temos, nesse caso, uma *onda refletida* na corda da esquerda, mas também uma *onda transmitida* na corda da direita. *Fenômenos deste tipo (reflexão e transmissão parciais) ocorrem sempre que uma onda encontra uma descontinuidade no meio em que se propaga.* As amplitudes das ondas refletida e transmitida para uma dada onda incidente, no exemplo apresentado aqui, podem ser obtidas a partir das condições de contorno para $x = 0$, que exprimem a continuidade do deslocamento e da força de retorno nesse ponto.

5.7 MODOS NORMAIS DE VIBRAÇÃO

Vamos considerar agora uma *corda vibrante de comprimento finito l, presa em ambas as extremidades.* Em lugar de analisar o movimento da corda em termos de ondas progressivas que se refletem nas extremidades fixas, é mais conveniente descrevê-lo em termos de ondas estacionárias, que correspondem aos *modos normais* (veremos depois a relação entre as duas descrições).

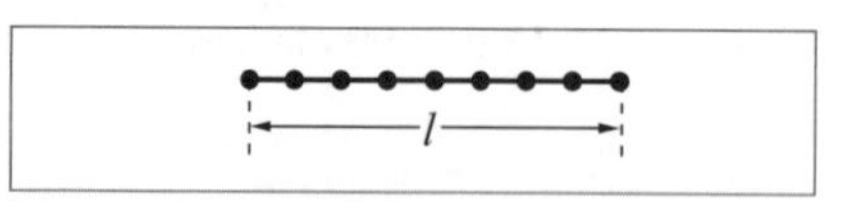

Figura 5.23 Corda como limite de osciladores acoplados.

Os modos normais de vibração da corda constituem uma generalização dos modos normais de osciladores acoplados, discutidos na Seção 4. 6. De fato, como foi mostrado por Lagrange em 1759, podemos considerar a corda como caso limite de um sistema de N osciladores acoplados (Figura 5.23), de massas $\mu l/N$ e comprimento total l, igualmente espaçados, quando $N \to \infty$. Os modos normais de vibração desse sistema tendem aos da corda, nesse limite.

A condição de que as duas extremidades da corda permaneçam fixas se exprime pelas condições de contorno

$$\boxed{y(0,t) = y(l,t) = 0} \quad \text{para qualquer } t \tag{5.7.1}$$

Como acontece para sistemas de N partículas (Seção 4.6), um modo normal se caracteriza pelo fato de que *todos os elementos da corda oscilam com a mesma frequência* ω *e mesma constante de fase* δ, ou seja, têm a mesma dependência temporal, da forma $\cos(\omega t + \delta)$. Cada ponto x oscila com amplitude $A(x)$ característica do modo, ou seja, y é o produto de uma função de x por uma função de t,

$$\boxed{y(x,t) = A(x)\cos(\omega t + \delta)} \tag{5.7.2}$$

o que corresponde a uma *onda estacionária* (Seção 5.5).

Como $y(x,t)$ deve ser solução da equação de ondas (5.2.24), obtemos, substituindo a (5.7.2),

$$\frac{1}{v^2}\frac{\partial^2 y}{\partial t^2} = -\frac{\omega^2}{v^2}A(x)\cos(\omega t + \delta) = \frac{\partial^2 y}{\partial x^2} = \frac{d^2 A}{dx^2}\cos(\omega t + \delta)$$

ou seja,

$$\boxed{\frac{d^2A}{dx^2} + k^2 A = 0, \quad k = \frac{\omega}{v}} \tag{5.7.3}$$

A solução geral da (5.7.3) é (cf. 3.2.15)

$$A(x) = a\cos(kx) + b\,\mathrm{sen}(kx) \tag{5.7.4}$$

Entretanto, para que a (5.7.2) satisfaça as condições de contorno (5.7.1), é preciso que se tenha

$$A(0) = A(l) = 0 \tag{5.7.5}$$

Pela (5.7.4), a primeira destas condições resulta em

$$A(0) = a = 0 \;\{A(x) = b\,\mathrm{sen}(kx) \tag{5.7.6}$$

e a segunda condição resulta, então, em

$$A(l) = b\,\mathrm{sen}(kl) = 0 \tag{5.7.7}$$

Como $b \neq 0$ (caso contrário, teria de ser $y = 0$), esta condição só pode ser satisfeita para valores discretos k_n da variável k, dados por

$$\boxed{k_n = \frac{n\pi}{l} \; (n = 1, 2, 3, \ldots)} \tag{5.7.8}$$

(Note que $n = 0$ também daria $y = 0$, e $n = -1, -2, \ldots$ não dão nada de novo; y apenas troca de sinal, o que pode ser absorvido pela constante de fase na (5.7.2): $\delta \to \delta + \pi$.)

Os valores correspondentes de ω [cf. (5.7.3)] são as *frequências dos modos normais de vibração*:

$$\boxed{\omega_n = k_n v = \frac{n\pi}{l} v} \tag{5.7.9}$$

Levando nas (5.7.6) e (5.7.2), obtemos finalmente as expressões dos modos normais de vibração

$$\boxed{y_n(x,t) = b_n \mathrm{sen}(k_n x)\cos(\omega_n t + \delta_n) = b_n \mathrm{sen}\left(\frac{n\pi}{l} x\right)\cos\left(\frac{n\pi}{l} vt + \delta_n\right) \quad (n = 1, 2, 3, \ldots)} \tag{5.7.10}$$

Vemos que são ondas estacionárias, análogas às que foram consideradas na Seção 5.5(b). O *comprimento de onda* λ_n associado ao modo n é

$$\boxed{\lambda_n = \frac{2\pi}{k_n} = \frac{2l}{n} \; (n = 1, 2, 3, \ldots)} \tag{5.7.11}$$

Os modos de vibração mais baixos estão ilustrados na Figura 5.24. O modo de ordem n contém precisamente n semicomprimentos de onda e tem $(n - 1)$ nodos (pontos N) além dos extremos fixos. A Figura 5.24 deve ser comparada com as Figuras 4.21 e 4.22, que podem ser consideradas como aproximações dos modos mais baixos pelos modos de um sistema de um número finito de osciladores acoplados: para dois osciladores, obtemos aproximações dos dois modos mais baixos; para quatro, temos quatro modos, que aproximam os modos com $n = 1$ até $n = 4$ da corda contínua (aproximando melhor os dois primeiros do que com dois osciladores), e assim por diante.

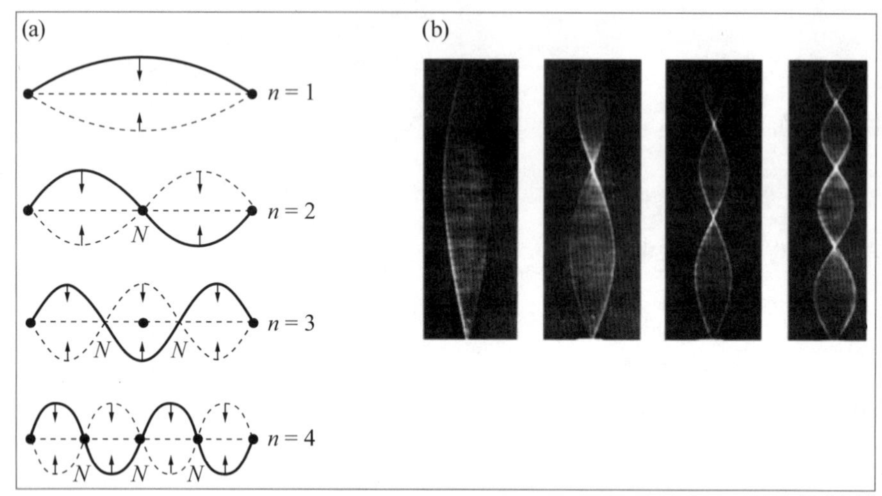

Figura 5.24 (a) Modos normais de vibração; (b) Realização experimental.
Fonte: Reproduzido, com permissão, de: CROWELL, B. Vibrations and waves.

Para N osciladores acoplados, há N modos normais de vibração transversal na direção y. A corda contínua corresponde ao limite $N \to \infty$, de forma que se obtêm infinitos modos normais (infinidade discreta: $n = 1, 2, 3,...$). A frequência ν_n do modo n é

$$\boxed{\nu_n = \frac{\omega_n}{2\pi} = n\frac{v}{2l}\left(n = 1,2,3,\ldots\right)} \qquad \textbf{(5.7.12)}$$

Por conseguinte, utilizando a (5.3.6),

$$\boxed{\begin{aligned} &\nu_n = n\nu_1 \ \left(n = 1,2,3,\ldots\right) \\ &\nu_1 = \frac{v}{2l} = \frac{1}{2l}\sqrt{T/\mu} \end{aligned}} \qquad \textbf{(5.7.13)}$$

As frequências são múltiplos inteiros da frequência ν_1 do modo mais baixo, que se chama *modo fundamental*. A frequência $\nu_n = n\nu_1$ do modo n se chama *n-ésimo harmônico* da frequência ν_1.

A expressão (5.7.13) de ν_1 engloba as *leis das cordas vibrantes*, descobertas experimentalmente por Mersenne em 1636: *A frequência fundamental é: (i) inversamente proporcional ao comprimento da corda; (ii) proporcional à raiz quadrada da tensão; (iii) inversamente proporcional à raiz quadrada da densidade linear de massa da corda.*

Esses resultados têm aplicações importantes em todos os instrumentos musicais de cordas, conforme veremos mais adiante.

O fato de que *ondas confinadas numa região limitada do espaço só podem oscilar em frequências bem definidas, que formam um conjunto discreto (embora haja infinitas frequências possíveis)* é uma característica geral, extremamente importante, do movimento ondulatório: os modos normais de vibração de uma corda presa nos extremos constituem o exemplo mais simples desse resultado.

Veremos no Capítulo 6 uma generalização desse resultado a duas dimensões, os modos normais de vibração da membrana esticada de um tambor. Um exemplo em três dimensões são as oscilações do campo eletromagnético, numa cavidade metálica (cavidade ressonante). Trata-se de uma característica geral de *ondas confinadas.* Os modos normais são também chamados de *autofunções.* Esses resultados desempenham um papel muito importante na teoria quântica (Volume 4).

5.8 MOVIMENTO GERAL DA CORDA E ANÁLISE DE FOURIER

Quando analisamos os modos normais para dois osciladores acoplados, vimos que o movimento geral do sistema, dado pela (4.6.13), é uma superposição dos modos normais, com amplitudes e fases determinadas pelas condições iniciais. Conforme foi mencionado, o mesmo vale para N osciladores acoplados: neste caso, há N modos transversais de oscilação na direção y, cada modo dependente de duas constantes arbitrárias, o que permite satisfazer as $2N$ condições iniciais.

Como vemos pela (5.7.10), cada modo normal da corda vibrante depende de duas constantes arbitrárias, b_n e δ_n. Considerando a corda contínua como limite de N osciladores acoplados para $N \to \infty$, é de se esperar que *o movimento geral de uma corda vibrante presa nos extremos seja uma superposição de todos os modos normais, ou seja, uma série infinita*

$$\boxed{y(x,t) = \sum_{n=1}^{\infty} b_n \operatorname{sen}\left(\frac{n\pi}{l}x\right)\cos\left(\frac{n\pi}{l}vt + \delta_n\right)} \qquad \textbf{(5.8.1)}$$

Pelo *princípio de superposição* (Seção 5.3), a (5.8.1), como combinação linear de soluções da equação de ondas, é solução da equação de ondas, desde que a série seja convergente. Supondo que seja lícito derivar a série termo a termo, obtemos a expressão da velocidade,

$$\frac{\partial y}{\partial t}(x,t) = -\sum_{n=1}^{\infty}\left(\frac{n\pi}{l}v\right) b_n \operatorname{sen}\left(\frac{n\pi}{l}x\right)\operatorname{sen}\left(\frac{n\pi}{l}vt + \delta_n\right) \qquad \textbf{(5.8.2)}$$

Para satisfazer as condições iniciais, cuja expressão geral é dada pela (5.3.9), é preciso ajustar as constantes b_n e δ_n (n = 1, 2, 3,...) de tal forma que seja

$$
\left.\begin{aligned}
y(x,0) &= y_0(x) = \sum_{n=1}^{\infty} c_n \operatorname{sen}\left(\frac{n\pi}{l}x\right) \\
\frac{\partial y}{\partial t}(x,0) &= y_1(x) = \sum_{n=1}^{\infty} d_n \operatorname{sen}\left(\frac{n\pi}{l}x\right)
\end{aligned}\right\} \quad (0 \le x \le l) \tag{5.8.3}
$$

onde, pelas (5.8.1) e (5.8.2),

$$
\begin{aligned}
c_n &= b_n \cos\delta_n \\
d_n &= -\frac{n\pi v}{l} b_n \operatorname{sen}\delta_n
\end{aligned} \tag{5.8.4}
$$

e o deslocamento inicial da corda $y_0(x)$ e sua velocidade inicial $y_1(x)$ são duas funções "arbitrárias" no intervalo $0 \le x \le l$.

Pelas (5.8.4), a determinação de b_n e δ_n, é equivalente à de c_n e d_n (verifique!), de modo que o problema se reduz ao de obter os coeficientes de expansão c_n e d_n, nas expansões em série (5.8.3) das funções dadas pelas condições iniciais. Como ambas estas expansões são do mesmo tipo, basta discutir uma delas, por exemplo, a de $y_0(x)$.

O resultado "físico" a que somos levados a partir do tratamento de N osciladores acoplados, quando passamos ao limite $N \to \infty$, é que deve ser possível expandir qualquer função $y_0(x)$, dada para $0 \le x \le l$, numa série do tipo (5.8.3). Diversos grandes matemáticos do século XVIII, como Euler, Bernoulli e Lagrange, não ousaram formular uma conclusão tão geral, em parte, em virtude das limitações que tinha naquela época o próprio conceito de função. A primeira formulação geral do resultado é devida a Fourier, que o enunciou em 1807. Este problema desempenhou um papel central na história da matemática.

Uma série do tipo (5.8.3) chama-se *série de Fourier* ou *série trigonométrica*. Fourier mostrou que é possível calcular explicitamente os *coeficientes de Fourier* c_n em termos da função $y(x)$ que se está expandindo. A fórmula explícita, que não poderemos demonstrar aqui, é a seguinte:

$$
c_n = \frac{2}{l}\int_0^l y_0(x) \operatorname{sen}\left(\frac{n\pi}{l}x\right) dx \quad (n = 1, 2, 3, \ldots) \tag{5.8.5}
$$

e analogamente para d_n em termos de $y_1(x)$.

É possível expandir em série de Fourier mesmo funções que têm descontinuidades, embora a convergência da série seja mais lenta e irregular num ponto de descontinuidade. A Figura 5.25 mostra um exemplo, uma função "triangular" $y = x$ (para $0 \le x \le l$) com uma descontinuidade em $x = l$, onde cai a zero (em linha cheia). Vemos também, na Figura, a aproximação de y pelo 1° termo u_1 da série de Fourier (curva 1), pelas somas $u_1 + u_2$ dos dois primeiros termos (curva 2), $u_1 + u_2 + u_3$ dos três primeiros termos (curva 3) e $u_1 + u_2 + u_3 + u_4$ dos quatro primeiros termos (curva 4).

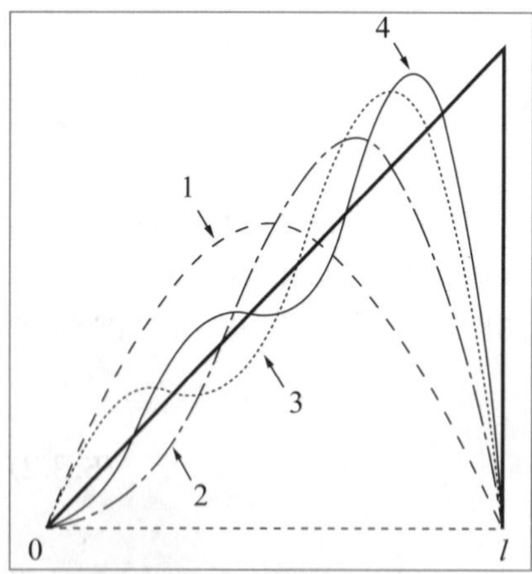

Figura 5.25 Aproximação de Fourier de uma função triangular.

A Figura 5.26 mostra os gráficos de u_1, u_2, u_3 e u_4. Quando maior o número de termos da série, melhor a aproximação, mas a convergência é mais lenta e complicada no ponto de descontinuidade.

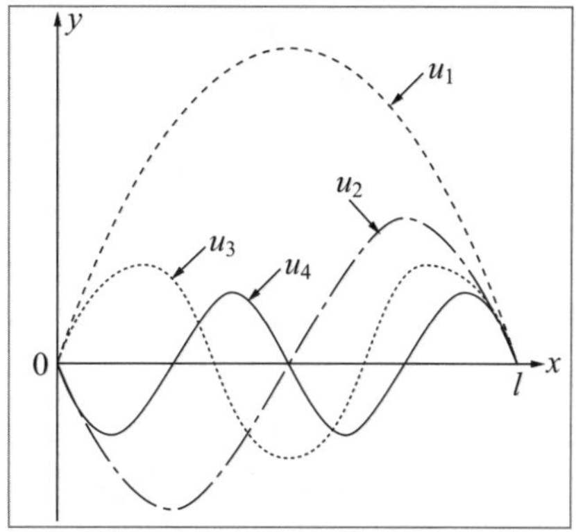

Figura 5.26 Componentes de Fourier na Figura 5.25.

Pode-se mostrar [cf. (5.4.8)] que a energia contida no modo n na (5.8.1) é proporcional a b_n^2, ou seja, ao quadrado da amplitude do modo. Além disso, a energia total de oscilação da corda no movimento geral (5.8.1) é a soma das energias distribuídas pelos diferentes modos, ou seja, cada modo oscila "na sua", sem termos de interferência. Não iremos demonstrar aqui esses resultados, que dependem de um conhecimento mais aprofundado da teoria das séries de Fourier.

As expansões em série de Fourier constituem uma das ferramentas centrais da física teórica. O problema da corda vibrante presa nos extremos é um dos exemplos mais simples de um "problema de contorno", e expansões em termos de conjuntos infinitos de modos normais são geralmente encontradas na resolução desses problemas. As generalizações ao problema da aproximação por conjuntos de autofunções, na matemática, tiveram grande importância no desenvolvimento da análise funcional.

Voltando à (5.8.1), fixemos nossa atenção agora no deslocamento de um dado ponto x_0 da corda como função do tempo, que é dado por

$$\boxed{y(x_0,t) = \sum_{n=1}^{\infty} B_n \cos(2\pi\nu_n t + \delta_n)} \tag{5.8.6}$$

onde ν_n é a frequência do modo n, dada pela (5.7.11), e

$$B_n = b_n \text{sen}\left(\frac{n\pi}{l} x_0\right) \tag{5.8.7}$$

são coeficientes constantes, uma vez fixado x_0.

A (5.8.6) também é uma expansão de Fourier na variável tempo t, que, ao contrário de x, não se restringe a um intervalo finito. Entretanto, a (5.8.6) não representa uma função arbitrária de t: representa uma *função periódica do tempo*, com período

$$\boxed{\tau_1 = \frac{1}{\nu_1} = \frac{2l}{v}} \tag{5.8.8}$$

que é o período do modo fundamental da corda (5.7.12). Com efeito, como $\nu_n = n\nu_1$, temos

$$2\pi\nu_n(t + \tau_1) = 2\pi\nu_n t + 2\pi\nu_n \tau_1 = 2\pi\nu_n t + 2\pi n$$

de forma que o período τ_1 é comum a todos os termos da (5.8.6). Os valores da (5.8.6) fora do intervalo $0 \leq t \leq \tau_1$ são, portanto, a repetição periódica dos valores assumidos nesse intervalo.

Por que motivo o movimento de um ponto qualquer da corda é periódico, com período τ_1? Podemos compreender esse resultado, analisando as ondas estacionárias que constituem um modo normal como resultantes da interferência de ondas progressivas em sentidos opostos (Seção 5.5(b)). A (5.7.10) pode ser escrita

$$\boxed{y_n(x,t) = \frac{1}{2} b_n \text{sen}\left[k_n(x - vt) - \delta_n\right] + \frac{1}{2} b_n \text{sen}\left[k_n(x + vt) + \delta_n\right]} \quad \textbf{(5.8.9)}$$

Substituindo esta expressão do modo n na (5.8.1), vemos que a solução geral é da forma (5.3.10), como deveria ser.

Suponhamos que se tenha uma dada condição inicial na corda; por exemplo, que a situação seja a do exemplo da Figura 5.12. Conforme mostra a Figura 5.12, o pulso triangular inicial decompõe-se em dois, que viajam em sentidos opostos. Quando um desses pulsos atinge uma extremidade da corda, temos uma reflexão nesse extremo fixo. Como vimos na Seção 5.6, a onda refletida é uma imagem especular invertida do pulso incidente inicial. Esta imagem se propaga em sentido inverso até atingir a outra extremidade da corda, onde será novamente refletida. A segunda reflexão inverte novamente a imagem, ou seja, *recompõe o pulso inicial propagando-se no sentido original*. Daí por diante, tudo se repete periodicamente.

Vemos, portanto, que o movimento geral da corda é periódico no tempo, e que o período temporal é igual ao tempo que uma onda progressiva leva para percorrer uma distância igual ao dobro do comprimento da corda, ou seja, é dado por $2l/v = \tau_1$ como na (5.8.8). Isto explica o resultado obtido.

Outras propriedades importantes do movimento ondulatório, incluindo a propagação de ondas em mais de uma dimensão, serão discutidas no próximo capítulo, em conexão com as ondas sonoras.

PROBLEMAS

5.1 Uma corda uniforme, de 20 m de comprimento e massa de 2 kg, está esticada sob uma tensão de 10 N. Faz-se oscilar transversalmente uma extremidade da corda, com amplitude de 3 cm e frequência de 5 oscilações por segundo. O deslocamento inicial da extremidade é de 1,5 cm para cima. (a) Ache a velocidade de propagação v e o comprimento de onda λ da onda progressiva gerada na corda; (b) Escreva, como função do tempo, o deslocamento transversal y de um ponto da corda situado à distância x da extremidade que se faz oscilar, após ser atingido pela onda e antes que ela chegue à outra extremidade; (c) Calcule a intensidade I da onda progressiva gerada.

5.2 A mesma corda descrita no Problema 5.1 está com uma extremidade amarrada num poste. A outra, inicialmente em repouso na posição de equilíbrio, é deslocada de 10 cm para cima, com velocidade uniforme, entre $t = 0$ e $t = 0,5$ s. A seguir, é deslocada para baixo, com a magnitude da velocidade reduzida à metade da anterior, entre $t = 0,5$ s e $t = 1,5$ s, quando retorna à posição de equilíbrio. (a)

Desenhe a forma da corda no instante t = 1,7s. (b) Desenhe a forma da corda no instante t = 2,6 s.

5.3 Mede-se a velocidade v de propagação de ondas transversais num fio com uma extremidade presa a uma parede; o fio é mantido esticado pelo peso de um bloco suspenso da outra extremidade por meio de uma polia. Depois (Figura P.1), mergulha-se o bloco na água até os 2/3 da altura e verifica-se que a velocidade de propagação cai para 95,5% da anterior. Qual é a densidade do bloco em relação à água?

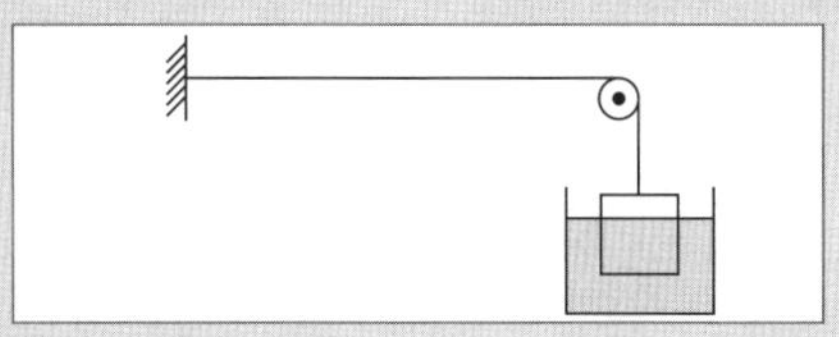

Figura P.1

5.4 (a) Mostre, diferenciando a expressão para a velocidade de propagação de ondas numa corda, que a variação percentual de velocidade $\Delta v/v$ produzida por uma variação percentual $\Delta T/T$ da tensão na corda é dada por $\Delta v/v = \frac{1}{2}\Delta T/T$. (b) Um afinador de pianos faz soar a nota lá de um diapasão, de frequência ν = 440 Hz, para compará-la com a nota lá da escala média de um piano. Com ambas soando simultaneamente, ele ouve batimentos cuja intensidade máxima se repete a intervalos de 0,5 s. Que ajuste percentual ele deve fazer na tensão da corda do piano para afiná-la?

5.5 Desprezando efeitos de tensão superficial, pode-se mostrar que ondas na superfície da água, com comprimento de onda λ muito menor que a profundidade da água, propagam-se com velocidade de fase v_φ dada por $v_\varphi = \sqrt{(g\lambda)/(2\pi)}$ onde g é a aceleração da gravidade. Mostre que a velocidade de grupo correspondente é $v_g = \frac{1}{2}v_\varphi$.

5.6 Duas ondas transversais de mesma frequência $\nu = 100\ s^{-1}$ são produzidas num fio de aço de 1 mm de diâmetro e densidade 8 g/cm^3, submetido a uma tensão T = 500 N. As ondas são dadas por

$$y_1 = A\cos\left(kx - \omega t + \frac{\pi}{6}\right),\ y_2 = 2A\text{sen}\ (\omega t - kx)$$

onde A = 2 mm. (a) Escreva a expressão da onda harmônica progressiva resultante da superposição dessas duas ondas; (b) Calcule a intensidade da resultante; (c) Se fizemos variar a diferença de fase entre as duas ondas, qual é a razão entre os valores máximo e mínimo possíveis da intensidade da resultante?

5.7 A corda mi de um violino tem uma densidade linear de 0,5 g/m e está sujeita a uma tensão de 80 N, afinada para uma frequência ν = 660 Hz. (a) Qual é o comprimento da corda? (b) Para tocar a nota lá da escala seguinte, de frequência 880 Hz, prende-se a corda com um dedo, de forma a utilizar apenas uma fração f de seu comprimento. Qual é o valor de f?

5.8 Uma corda de comprimento l está distendida, com uma extremidade presa a um suporte e a outra extremidade livre. (a) Ache as frequências ν_n dos modos normais de vibração da corda, (b) Desenhe a forma da corda associada aos três modos de vibração mais baixos (em ordem de frequência crescente). A velocidade de ondas na corda é v.

5.9 Considere novamente a corda do Problema 5.8, com um extremo fixo e outro livre e de comprimento l. No instante $t = 0$, um pequeno pulso de forma triangular está se propagando para a direita na corda. Depois de quanto tempo a corda voltará à configuração inicial?

5.10 Uma corda vibrante de comprimento l, presa em ambas as extremidades, está vibrando em seu n-ésimo modo normal, com deslocamento transversal dado pela (5.7.10). Calcule a energia total de oscilação da corda. Sugestão: Considere um instante em que a corda esteja passando pela posição de equilíbrio, de modo que sua energia total de oscilação esteja em forma puramente cinética. Calcule a densidade linear de energia cinética e integre sobre toda a corda.

5.11 Duas cordas muito longas, bem esticadas, de densidades lineares diferentes μ_1 e μ_2, estão ligadas uma à outra. Toma-se a posição de equilíbrio como eixo dos x e a origem O no ponto de junção, sendo y o deslocamento transversal da corda (Figura P.2). Uma onda harmônica progressiva, $y_i = A_1 \cos(k_1 x - \omega t)$, viajando na corda 1 ($x < 0$), incide sobre o ponto de junção, fazendo-o oscilar com frequência angular ω. Isto produz na corda 2 ($x > 0$) uma onda progressiva de mesma frequência, $y_t = A_2 \cos(k_2 x - \omega t)$ (*onda transmitida*), e dá origem, na corda 1, a uma onda que viaja em sentido contrário, $y_r = B_1 \cos(k_1 x + \omega t)$ (*onda refletida*). Dada a onda incidente y_1, de amplitude A_1, desejam-se obter a *amplitude de reflexão* $\rho = B_1/A_1$ e a *amplitude de transmissão* $\tau = A_2/A_1$. (a) Dada a tensão T da corda, calcule as velocidades de propagação v_1 e v_2 nas cordas 1 e 2, bem como os respectivos números de onda k_1 e k_2. O deslocamento total na corda 1 é $y_i + y_r$, e na corda 2 é y_t. (b) Mostre que, no ponto de junção $x = 0$, deve-se ter $y_i + y_r = y_t$. (c) Aplicando a 3ª lei de Newton ao ponto de junção $x = 0$, mostre que, nesse ponto, deve-se ter também $(\partial/\partial x)(y_i + y_r) = (\partial/\partial x)y_t$. (d) A partir de (b) e (c), calcule as amplitudes de reflexão e transmissão ρ e τ, em função das velocidades v_1 e v_2. Discuta o sinal de ρ.

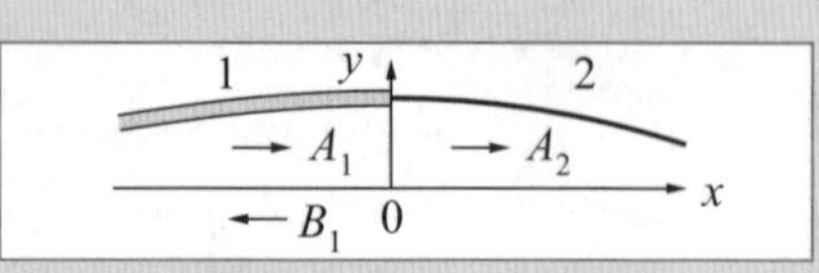

Figura P.2

5.12 No problema 5.11, a *refletividade* r da junção é definida como a razão da intensidade da onda refletida para a intensidade da onda incidente, e a *transmissividade* t como a razão da intensidade transmitida para a intensidade incidente. (a) Calcule r e t. (b) Mostre que $r + t = 1$, e interprete esse resultado.

6

Som

6.1 NATUREZA DO SOM

O fato de que corpos em vibração produzem sons é familiar na experiência quotidiana. Para que o efeito atinja nossos ouvidos, ele precisa ser transmitido através de um meio material. O som de uma campainha tocando dentro de um recipiente no qual se produz o vácuo deixa de ser ouvido, conforme foi observado por Robert Boyle em 1660.

O som se propaga em fluidos, tanto na atmosfera como em líquidos-sons continuam audíveis debaixo da água. Também se propaga em sólidos: colando o ouvido à terra, pode-se detectar um tropel de cavalos distante.

Oscilações harmônicas podem produzir sons audíveis pelo ouvido humano somente num intervalo limitado de frequência, aproximadamente entre 20 Hz e 20 KHz (um bom aparelho de som deve ser capaz de produzir uma reprodução fiel dentro dessa faixa).

O fato de que o som se propaga através de um meio material, sem que haja transporte de matéria de um ponto a outro, já é uma indicação de sua natureza ondulatória. A velocidade finita de propagação do som é evidenciada pelo intervalo de tempo decorrido entre o clarão de um relâmpago e o ruído do trovão que o acompanha. A reflexão do som também é um efeito familiar, manifestado na produção de ecos.

Efeitos caracteristicamente ondulatórios obtidos com o som incluem efeitos de interferência, tais como os batimentos, e também de difração, conforme veremos mais adiante.

Podemos inferir dessas observações que a transmissão do som através da atmosfera corresponde à propagação de ondas. Qual é a natureza dessas ondas?

Um fluido como a atmosfera não pode transmitir tensões tangenciais, de modo que as ondas sonoras na atmosfera são *ondas longitudinais*, associadas a *variações de pressão*, ou seja, a *compressões e rarefações*, como as ondas ao longo de uma mola representadas na Figura 5.2.

Em geral, conforme vamos ver, essas variações são extremamente pequenas quando comparadas com a pressão atmosférica (valor de equilíbrio).

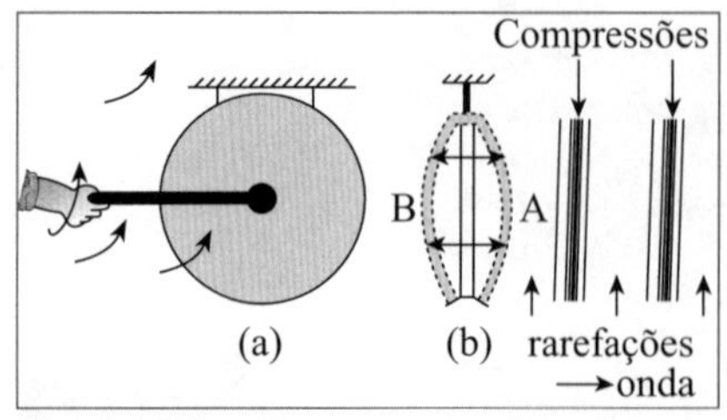

Figura 6.1 Gongo percutido.

Podemos obter uma ideia intuitiva do mecanismo de propagação de uma onda sonora considerando o que acontece quando se golpeia um gongo (Figura 6.1(a)). A Figura 6.1(b) mostra, numa vista lateral, como o gongo se deforma, vibrando entre as posições extremas A e B (as deflexões da placa estão grandemente exageradas na figura).

Quando o gongo está na posição A, ele comprime as porções adjacentes da atmosfera, e a compressão vai se transmitindo sucessivamente de cada camada às camadas adjacentes (onda de *compressão*). Quando o gongo retorna para trás, passando à posição B, cria-se uma zona de *rarefação*, e o ar da região contígua se desloca para preenchê-la, e assim sucessivamente, produzindo uma onda de *expansão*. A onda sonora resulta da propagação das camadas de condensação e de rarefação alternadas.

O deslocamento de ar provocado pelo gongo muda a densidade do ar na camada adjacente (condensação ou rarefação), o que provoca uma mudança de pressão (compressão ou descompressão). Por sua vez, a variação de pressão produz o deslocamento da camada de ar contígua, e assim por diante. O mecanismo dinâmico de propagação da onda pode, portanto, ser sintetizado no seguinte ciclo:

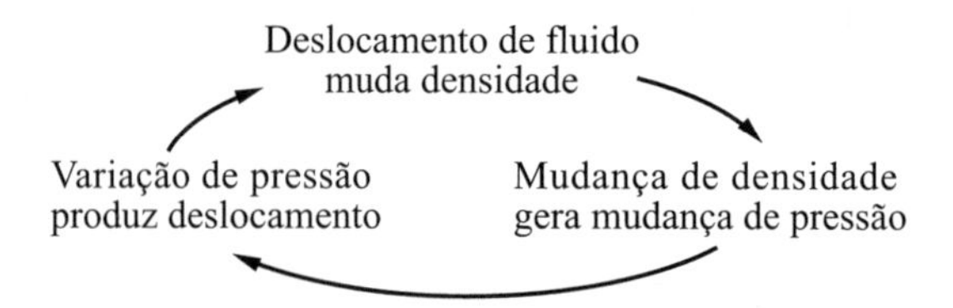

Vamos agora traduzir esta descrição qualitativa num tratamento quantitativo do processo.

6.2 ONDAS SONORAS

(a) Relação densidade - pressão

Para uma dada mudança de densidade, qual é a mudança de pressão correspondente?

Geralmente, para uma dada massa de fluido M ocupando um volume V, um *acréscimo* de pressão ($\Delta P > 0$) provoca uma *diminuição* ($\Delta V < 0$) de volume. A magnitude da variação percentual de volume correspondente é $-\Delta V/V$, e a razão (para variações infinitesimais)

$$\boxed{K = -\frac{\Delta V / V}{\Delta P}} \tag{6.2.1}$$

chama-se o *módulo de compressibilidade* do fluido. Quanto mais compressível ele for, maior a variação percentual de volume provocada por uma dada variação de pressão, e por conseguinte maior será o valor de K.

O inverso B de K se chama *módulo de elasticidade volumétrico*:

$$\boxed{B = \frac{1}{K} = -\frac{\Delta P}{\Delta V / V}} \qquad \textbf{(6.2.2)}$$

A *densidade* ρ do fluido é

$$\rho = M / V \qquad \textbf{(6.2.3)}$$

de modo que a variação de densidade correspondente é, por diferenciação,

$$\Delta\rho = -M\frac{\Delta V}{V^2} = -\rho\frac{\Delta V}{V} \qquad \textbf{(6.2.4)}$$

Assim, a (6.2.2) se escreve

$$\boxed{B = \rho\left(\frac{\Delta P}{\Delta\rho}\right)} \qquad \textbf{(6.2.5)}$$

Numa onda sonora, as *variações de pressão e densidade são extremamente pequenas em relação aos valores de equilíbrio* dessas grandezas, ou seja, a onda constitui uma *pequena perturbação*.

Se chamarmos de p_0 e ρ_0 os valores não perturbados (de equilíbrio) da pressão e da densidade, respectivamente, e de P e ρ os valores na presença da onda, temos então

$$\boxed{\begin{aligned} P &= p_0 + p \\ \rho &= \rho_0 + \delta \end{aligned}} \qquad \textbf{(6.2.6)}$$

onde

$$\boxed{|p| \ll p_0, \quad |\delta| \ll \rho_0} \qquad \textbf{(6.2.7)}$$

A variação de pressão máxima que nosso ouvido pode tolerar sem provocar sensação de dor, numa onda sonora, é inferior a um milésimo da pressão atmosférica: $|p/p_0| < 10^{-3}$. Podemos, portanto, com excelente aproximação, escrever

$$\boxed{\frac{p}{\delta} = \frac{P - p_0}{\rho - \rho_0} = \frac{\Delta P}{\Delta\rho} = \left(\frac{\partial P}{\partial\rho}\right)_0} \qquad \textbf{(6.2.8)}$$

onde o índice 0 indica que a derivada é calculada em torno dos valores de equilíbrio. A razão pela qual escrevemos uma derivada parcial é que a pressão depende não só da densidade, como também da temperatura.

A relação entre a pressão P, a densidade ρ (ou o volume V) e a temperatura T, num fluido em equilíbrio, é dada pela *equação de estado* do fluido. Para um gás ideal, por exemplo, temos a bem conhecida *lei dos gases perfeitos* (Seção 9.1) como equação de estado:

$$PV = nRT \qquad \textbf{(6.2.9)}$$

onde n é a quantidade de gás em moles e R é a constante universal dos gases, conforme veremos mais adiante (Seção 9.1). Para um processo *isotérmico* (ou seja, a temperatura constante) num gás ideal, portanto, a pressão P é diretamente proporcional à densidade ρ:

$$\boxed{P = a\rho} \quad (\text{isotérmico}) \tag{6.2.10}$$

onde a é proporcional a T, e por conseguinte é constante num processo isotérmico. Logo,

$$\left(\frac{\partial P}{\partial \rho}\right)_T = a = \frac{P}{\rho} \left\{ \boxed{\left(\frac{\partial P}{\partial \rho}\right)_{T,0} = \frac{P_0}{\rho_0}} \right. \quad (\text{isotérmico}) \tag{6.2.11}$$

onde, o índice T significa que a temperatura é mantida constante durante o processo de compressão ou expansão.

Para que a temperatura de uma dada massa de gás se mantenha constante durante um tal processo, é preciso que haja trocas de calor com o meio ambiente externo. Se tais trocas não se realizam, seja porque o gás está termicamente isolado, seja porque a compressão ou expansão é relativamente rápida e não há tempo para haver trocas de calor, a temperatura varia. Assim por exemplo, quando se enche a câmara de ar de um pneu de bicicleta, bombeando rapidamente, a temperatura dentro dele aumenta.

Num processo *adiabático*, em que não há trocas de calor, veremos mais adiante (Capítulo 9, (9.4.9)) que a relação entre P e ρ é

$$\boxed{P = b\rho^{\gamma}} \quad (\text{adiabático}) \tag{6.2.12}$$

onde b e γ são constantes. Conforme veremos, γ é a razão do calor específico do gás a pressão constante ao seu calor específico a volume constante; geralmente é $\gamma > 1$: por exemplo, para o ar, $\gamma \approx 1{,}4$. A (6.2.12) resulta, então, em

$$\left(\frac{\partial P}{\partial \rho}\right)_S = b\gamma\rho^{\gamma-1} = \gamma P/\rho \tag{6.2.13}$$

onde o índice S significa que o processo é *adiabático e reversível* [cf. (10.7.11)]. Logo, em equilíbrio,

$$\boxed{\left(\frac{\partial P}{\partial \rho}\right)_{S,0} = \gamma\frac{P_0}{\rho_0}} \quad (\text{adiabático}) \tag{6.2.14}$$

Como $\gamma > 1$, vemos, por comparação da (6.2.14) com a (6.2.11) que, para produzir uma dada elevação de densidade $\Delta\rho$, é preciso uma elevação maior de pressão ΔP no caso adiabático do que no caso isotérmico, o que se explica pelo fato de que ΔP também produz uma elevação de temperatura no primeiro caso.

Identificando $\Delta P/\Delta\rho$ com $\partial P/\partial\rho$ na (6.2.5) e comparando com as (6.2.11) e (6.2.14), obtemos os valores correspondentes do módulo de elasticidade volumétrica do gás:

$$B_T = P_0 = 1/K_T; \quad B_S = \gamma P_0 = 1/K_S \tag{6.2.15}$$

onde os índices T indicam os módulos isotérmicos e os índices S os módulos adiabáticos. Vemos que o módulo de elasticidade isotérmico de um gás é igual à pressão do gás.

(b) Relação deslocamento - densidade

Qual é a relação entre variações de densidade e deslocamento do fluido?

Para discutir mais esse elo no ciclo indicado na Seção 6.1, vamo-nos limitar a uma *onda unidimensional*, propagando-se dentro de um tubo cilíndrico cuja seção transversal tem área A. Vamos tomar o eixo Ox ao longo do eixo do tubo, que coincide com a direção de propagação da onda.

Seja $u(x, t)$ o deslocamento sofrido pelas partículas do fluido na seção transversal de coordenada x no instante t. O volume original (antes do deslocamento) do fluido compreendido entre as seções x e $x + \Delta x$ é

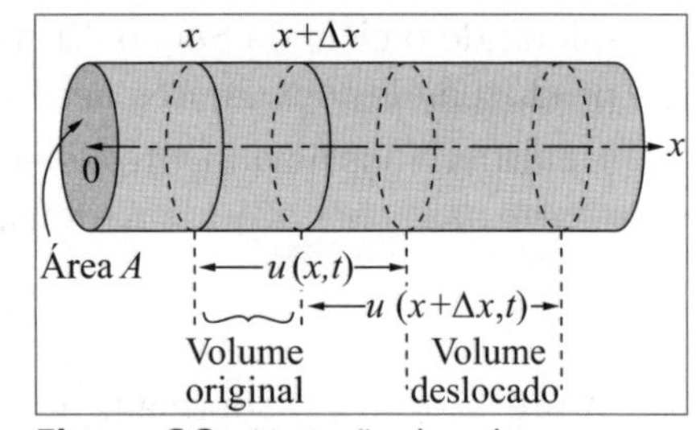

Figura 6.2 Variação de volume.

$$V = A\left[(x + \Delta x) - x\right] = A\Delta x \tag{6.2.16}$$

Após o deslocamento, o volume passa a ser (Figura 6.2), tomando Δx infinitésimo,

$$\begin{aligned} V + \Delta V &= A\left\{\left[(x + \Delta x) + u(x + \Delta x, t)\right] - \left[x + u(x,t)\right]\right\} \\ &= A\left\{\Delta x + \left[u(x + \Delta x, t) - u(x,t)\right]\right\} \\ &= A\,\Delta x\left\{1 + \underbrace{\left[\frac{u(x + \Delta x, t) - u(x,t)}{\Delta x}\right]}_{\approx \frac{\partial u}{\partial x}(x,t)}\right\} \approx A\,\Delta x\left(1 + \frac{\partial u}{\partial x}\right) \end{aligned}$$

o que resulta, então, em

$$\Delta V = A\Delta x \frac{\partial u}{\partial x}(x,t) \tag{6.2.17}$$

Dividindo membro a membro pela (6.2.16), obtemos

$$\frac{\Delta V}{V} = \frac{\partial u}{\partial x}(x,t) \tag{6.2.18}$$

Levando em conta as (6.2.4) e (6.2.6), a variação de densidade correspondente é

$$\frac{\Delta \rho}{\rho} = -\frac{\Delta V}{V} = -\frac{\partial u}{\partial x}(x,t) = \frac{\rho - \rho_0}{\rho} = \frac{\delta}{\rho} \approx \frac{\delta}{\rho_0}$$

de modo que, finalmente,

$$\boxed{\delta = \rho - \rho_0 = -\rho_0 \frac{\partial u}{\partial x}(x,t)} \tag{6.2.19}$$

é a variação de densidade associada à onda de deslocamento.

O sinal da (6.2.19) se explica de imediato: se o deslocamento cresce com x ($\partial u/\partial x \geq 0$), produz-se uma rarefação ($\delta < 0$), conforme deveria ser.

(c) Relação pressão – deslocamento

Completando o ciclo da Seção 6.1, vejamos finalmente de que forma variações de pressão produzem deslocamentos no fluido.

Consideremos novamente o elemento de volume do cilindro (Figura 6.2) compreendido entre as seções x e $x + \Delta x$, cuja massa é

$$\Delta m = \rho \Delta V \approx \rho_0 A \Delta x \tag{6.2.20}$$

A pressão $P(x, t)$ sobre a face esquerda desse elemento produz uma força

$$\Delta F_2 = P(x,t)A$$

e a face direita está sujeita a uma força

$$\Delta F_2 = -P(x + \Delta x,t)A$$

dirigida para a esquerda.

A força resultante sobre Δm é

$$\Delta F = \Delta F_1 + \Delta F_2 = \left[P(x,t) - P(x + \Delta x,t)\right]A = -\underbrace{A\Delta x}_{\Delta V} \cdot \left[\underbrace{\frac{P(x + \Delta x,t) - P(x,t)}{\Delta x}}_{\approx \partial P/\partial x}\right]$$

ou seja, como $\partial P/\partial x = \partial p/\partial x$ pela (6.2.6),

$$\boxed{\Delta F = -\Delta V \frac{\partial p}{\partial x}(x,t)} \tag{6.2.21}$$

A aceleração do elemento de volume considerado no instante t é $\partial^2 u/\partial t^2(x,t)$. Logo, pela 2ª lei de Newton, temos a equação de movimento

$$\Delta m \frac{\partial^2 u}{\partial t^2} = \rho_0 A \Delta x \frac{\partial^2 u}{\partial t^2} = \Delta F = -A \Delta x \frac{\partial p}{\partial x} \tag{6.2.22}$$

o que resulta em

$$\boxed{\rho_0 \frac{\partial^2 u}{\partial t^2} = -\frac{\partial p}{\partial x}} \tag{6.2.23}$$

que é a relação procurada. Esta equação de movimento é a versão unidimensional da (2.3.3), com $\mathbf{f} = 0$.

(d) A velocidade do som

Podemos agora obter a equação de propagação das ondas sonoras, percorrendo o ciclo da Seção 6.1.

Pela (6.2.19), um deslocamento do fluido produz uma variação de densidade

$$\delta = -\rho_0 \frac{\partial u}{\partial x}$$

Pela (6.2.8), essa variação de densidade produz uma variação de pressão

$$p = \left(\frac{\partial P}{\partial \rho}\right)_0 \delta = -\rho_0 \left(\frac{\partial P}{\partial \rho}\right)_0 \frac{\partial u}{\partial x} \tag{6.2.24}$$

Finalmente, os deslocamentos gerados por essa variação de pressão obedecem à equação de movimento (6.2.23):

$$\rho_0 \frac{\partial^2 u}{\partial t} = -\frac{\partial p}{\partial x} = \rho_0 \left(\frac{\partial P}{\partial \rho}\right)_0 \frac{\partial^2 u}{\partial x^2} \tag{6.2.25}$$

o que leva à equação de ondas

$$\boxed{\frac{1}{v^2}\frac{\partial^2 u}{\partial t^2} - \frac{\partial^2 u}{\partial x^2} = 0} \tag{6.2.26}$$

com a velocidade de propagação dada por

$$\boxed{v = \sqrt{(\partial P / \partial \rho)_0}} \tag{6.2.27}$$

Esta é, portanto, a *velocidade do som no fluido.*

Derivando em relação a x ambos os membros da (6.2.26), vemos que

$$\frac{1}{v^2}\frac{\partial^2}{\partial t^2}\left(\frac{\partial u}{\partial x}\right) - \frac{\partial^2}{\partial x^2}\left(\frac{\partial u}{\partial x}\right) = 0$$

pois a ordem das derivadas parciais pode ser invertida. Comparando com as (6.2.19) e (6.2.24), obtemos

$$\boxed{\frac{1}{v^2}\frac{\partial^2 \delta}{\partial t^2} - \frac{\partial^2 \delta}{\partial x^2} = 0 = \frac{1}{v^2}\frac{\partial^2 p}{\partial t^2} - \frac{\partial^2 p}{\partial x^2}} \tag{6.2.28}$$

de modo que *as variações de densidade e pressão também obedecem à mesma equação de onda*, ou seja, propagam-se com a velocidade do som.

Velocidade do som em gases

Como vimos na Seção 6.2(a), o valor de $(\partial P/\partial \rho)_0$ num gás depende da natureza do processo de compressão ou expansão do gás. Se esse processo for *isotérmico*, a (6.2.11) resulta, então, em

$$\boxed{\sqrt{(\partial P / \partial \rho)_{0,T}} = \sqrt{p_0 / \rho_0}} \tag{6.2.29}$$

Este resultado para a velocidade de som num gás foi obtido por Newton e publicado nos "Principia". Newton usou um modelo para a propagação do som análogo ao de oscilações numa série de molas acopladas. Note que, no tubo cilíndrico que estamos considerando, cuja seção transversal tem área A, a densidade linear de massa é $\mu = \rho_0 A$, e a força sobre a seção é $F = P_0 A$ (análogo da tensão T numa corda distendida), de modo que a (6.2.29) é igual a $\sqrt{F / \mu}$, o que deve ser comparado com a (5.3.6).

Nas condições normais de temperatura e pressão

$$\left(P_0 = 1 \text{ atm} \approx 1{,}013 \times 10^5 \text{ N/m}^2, \quad T = 0°\text{C} = 273 \text{ K}\right)$$

a densidade do ar é $\rho_0 = 1{,}293 \text{ kg/m}^3$ e a (6.2.29) resulta, então, em

$$\sqrt{p_0 / \rho_0} \approx 280 \text{ m/s} \tag{6.2.30}$$

ao passo que o valor experimental da velocidade do som no ar nessas condições é de 332 m/s, que é aproximadamente 1,186 vezes maior.

Com os dados experimentais disponíveis na época de Newton, a discrepância era de um fator $\approx 1.166 \approx 1 + \frac{1}{6}$. Para explicar a diferença, Newton fez o que frequentemente faz o (a) estudante que não encontra o valor esperado num trabalho de laboratório: "cozinhou" o resultado, inventando uma explicação inteiramente *ad hoc*, segundo a qual 1/9 do espaço seria ocupado por "partículas sólidas" (moléculas?) de ar, através das quais o som se transmitiria instantaneamente, e vapor de água presente no ar, na proporção 1:11, também não tomaria parte na propagação!

A explicação correta só foi dada por Laplace mais de um século depois, em 1816. As compressões e expansões numa onda sonora são tão rápidas que não dá tempo para que a temperatura se uniformize: não chega a haver trocas de calor, ou seja, o processo é *adiabático*. Pela (6.2.14), temos, então, substituindo na (6.2.27),

$$\boxed{v = \sqrt{\left(\partial P / \partial \rho\right)_{s,0}} = \sqrt{\gamma P_0 / \rho_0}} \tag{6.2.31}$$

Para o ar, tem-se $\gamma \approx 1{,}4$, e o valor (6.2.30), multiplicado por $\sqrt{1{,}4}$ resulta, então, em $v \approx 332$ m/s nas condições normais de temperatura e pressão, em excelente acordo com a experiência.

Para uma massa M de gás de massa molecular m, o número n de moles é $n = M/m$, de modo que a (6.2.9) se escreve

$$PV = \frac{M}{m} RT \left\{ P = \underbrace{\frac{M}{V}}_{\rho} \frac{RT}{m} \left\{ \frac{P}{\rho} = \frac{RT}{m} \right.\right. \tag{6.2.32}$$

Levando na (6.2.31),

$$\boxed{v = \sqrt{\gamma RT / m}} \tag{6.2.33}$$

Logo, a velocidade do som num gás é independente da pressão, mas cresce com a raiz quadrada da temperatura absoluta. Assim, à temperatura de 20°C (= 293 K), a velocidade do som no ar é de $\sqrt{293 / 273} \times 332 \text{ m/s} \approx 344 \text{ m/s}$.

Vemos também pela (6.2.33) que a velocidade do som é inversamente proporcional à raiz quadrada da massa molecular m do gás. À mesma temperatura, a velocidade do som no H_2 ($m \approx 2$) é aproximadamente quatro vezes maior que no O_2 ($m \approx 32$).

Velocidade do som na água

Quando submetido a uma pressão de 20 atm, o volume de um litro de água, à temperatura ambiente, decresce de aproximadamente 0,9 cm^3, o que corresponde a $-\Delta V/V \approx 0{,}09\% = 9 \times 10^{-4}$ para $\Delta P = 2 \times 10^6$ N/m^2, de modo que a (6.2.2) resulta, então, em

$$B = 2{,}2 \times 10^9 \text{ N/m}^2$$

e a densidade da água é $\rho_0 \approx 10^3$ kg/m^3. As (6.2.27) e (6.2.5) dão

$$\boxed{v = \sqrt{B/\rho_0}} \qquad \textbf{(6.2.34)}$$

de modo que, para a água, obtemos $v \approx \sqrt{2{,}2 \times 10^6}$ m/s ≈ 1.483 m/s, em excelente acordo com o resultado experimental.

Para ondas longitudinais num sólido, os valores típicos tanto de B como de ρ_0 são maiores; um valor típico de v é da ordem de 3.000 m/s.

6.3 ONDAS SONORAS HARMÔNICAS. INTENSIDADE

Uma *onda sonora harmônica progressiva* no tubo cilíndrico considerado na Figura 6.2 corresponde a uma solução da (6.2.26) da forma da (5.2.10):

$$\boxed{u(x,t) = U\cos(kx - \omega t + \delta)} \qquad \textbf{(6.3.1)}$$

O comprimento de onda é

$$\lambda = v\tau = v/\nu \qquad \textbf{(6.3.2)}$$

onde ν é a frequência, que para ondas sonoras audíveis varia entre ~ 20 Hz e ~ 20 KHz. Como a velocidade do som no ar é da ordem de 340 m/s, vemos que λ varia, para sons audíveis no ar, entre ~1,7 cm e ~ 17 m, ou seja, *o comprimento de onda das ondas sonoras é da mesma ordem que dimensões macroscópicas típicas*. Esse fato é muito importante no tratamento da propagação das ondas sonoras.

A onda de pressão correspondente à onda de deslocamento (6.3.1) resulta das (6.2.24) e (6.2.27):

$$\boxed{p(x,t) = -\rho_0 v^2 \frac{\partial u}{\partial x}(x,t) = v^2 \delta(x,t)} \qquad \textbf{(6.3.3)}$$

onde $\delta(x,t)$, dado pela (6.2.19), representa a onda de variação de densidade. Substituindo na (6.3.1), obtemos

$$\boxed{p(x,t) = \wp\,\text{sen}\,(kx - \omega t + \delta)} \qquad \textbf{(6.3.4)}$$

onde

$$\boxed{\wp = \rho_0 v^2 k U} \tag{6.3.5}$$

é a *amplitude de pressão* correspondente à *amplitude de deslocamento* U (a amplitude de cada grandeza representa o valor máximo dessa grandeza na onda).

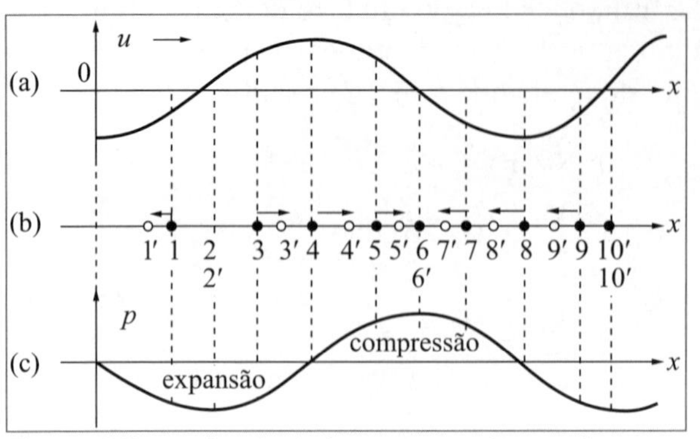

Figura 6.3 Ondas de deslocamento e de pressão.

As (6.3.1) e (6.3.4) mostram que as ondas de deslocamento e de pressão estão em quadratura (defasadas de 90° entre si). A origem deste resultado está explicada na Figura 6.3. Em (a) vemos o gráfico da onda de deslocamento. Em (b), os deslocamentos longitudinais de uma série de partículas foram indicados: a partícula da posição 1 (•) se desloca para 1′ (°), a da posição 2 permanece imóvel, e assim por diante. Vemos que as partículas entre 1 e 3 se deslocam para posições entre 1′ e 3′, correspondendo a uma expansão. As partículas entre 4 e 6 se deslocam para a direita, cada uma mais do que a seguinte (compressão), e entre 6 e 8 para a esquerda, cada uma menos do que a seguinte (também compressão). Os resultados em termos de expansões e compressões estão representados na figura (c), que mostra a defasagem de 90° entre p e u.

Intensidade

Como no caso das ondas numa corda (Seção 5.4), uma onda progressiva de som num tubo transporta energia. Para uma onda harmônica, a *intensidade* é definida como a *energia média transmitida através da seção, por unidade de tempo e área.*

Para calcular a intensidade correspondente à (6.3.1), notemos que a força exercida sobre uma camada fluida na posição x devida à passagem da onda é, segundo a (6.3.4),

$$F = p(x,t)A = \wp A \text{ sen}(kx - \omega t + \delta) \tag{6.3.6}$$

e a potência instantânea é, pela (6.3.1),

$$F\frac{\partial u}{\partial t} = \omega A \wp U \text{ sen}^2(kx - \omega t + \delta) \tag{6.3.7}$$

Calculando a potência média com o auxílio da (4.2.5) e dividindo pela área A, obtemos a intensidade I da onda:

$$I = \frac{1}{A}\overline{F\frac{\partial u}{\partial t}} = \frac{1}{2}\omega \wp U \tag{6.3.8}$$

Exprimindo $\wp$ como função de U pela (6.3.5), onde $vk = \omega$ [cf. (5.2.9)], obtemos

$$\boxed{I = \frac{1}{2}\rho_0 v\omega^2 U^2} \quad \textbf{(6.3.9)}$$

o que deve ser comparado com a (5.4.4): a *intensidade é proporcional ao quadrado do produto da frequência pela amplitude da onda de deslocamento.*

Por outro lado, as (6.3.5) e (5.2.9) também permitem exprimir I como função de $\wp$:

$$\boxed{I = \frac{1}{2}\frac{\wp^2}{\rho_0 v}} \quad \textbf{(6.3.10)}$$

Novamente, I é *proporcional ao quadrado da amplitude da onda*, mas, expressa em termos da amplitude de pressão, é independente da frequência. Logo, para medir I, é mais conveniente usar detectores de variações de pressão do que de deslocamento, porque medindo $\wp^2$ podemos comparar diretamente resultados obtidos para sons de frequências diferentes.

O *limiar de audibilidade* corresponde à intensidade do som mais fraco que pode ser ouvido. Seu valor depende da frequência; para $\nu = 10^3\ s^{-1}$ é dado por

$$I_0 \approx 10^{-12}\mathrm{W / m^2} \quad \textbf{(6.3.11)}$$

Para o ar a temperaturas ordinárias, temos $\rho_0 \approx 1{,}3$ kg/m³, $v \approx 340$ m/s e a (6.3.10) dá, para a amplitude de pressão associada a I_0, $\wp \approx 3 \times 10^{-5}$ N/m². Por outro lado, com $\omega = 2\pi \times 10^3$ Hz, a (6.3.9) dá a amplitude de deslocamento associada a I_0: é $U_0 \approx 1{,}1 \times 10^{-11}$ m $\approx 0{,}1$ Å, menor do que um diâmetro atômico! Vemos que nosso ouvido é um detector extraordinariamente sensível, capaz de detectar deslocamentos do tímpano dessa ordem de grandeza. A seleção natural deve ter favorecido as chances de sobrevivência dos mais aptos a detectar precocemente a aproximação de predadores nas florestas primitivas.

O *limiar de sensação dolorosa* corresponde à intensidade sonora máxima que nosso ouvido pode tolerar: abaixo dele, temos a sensação de som; acima, uma sensação de dor. Para $\nu = 10^3\ s^{-1}$, ele corresponde a

$$I_m \sim 1\mathrm{W / m^2} \quad \textbf{(6.3.12)}$$

Como $I_m \sim 10^{12} I_0$, as amplitudes de pressão ($\wp_m$) e de deslocamento (U_m) associadas serão $\sqrt{I_m / I_0} \sim 10^6$ vezes maiores que os valores associados à (6.3.11), ou seja, $\wp_m \sim 30$ N/m² $\sim 3 \times 10^{-4}$ atm, e $U_m \sim 1{,}1 \times 10^{-5}$ m $\sim 10^{-2}$ mm. A dependência da frequência se torna patente neste resultado, pois podemos tolerar pressões adicionais $\sim 0{,}5$ atm, ou seja, $\sim 10^3$ vezes maiores, sem sensação de dor no ouvido, quando essas pressões são *estáticas*, ou seja, de frequência 0 (quando mergulhamos alguns metros sob a água, por exemplo).

Em lugar da intensidade, costuma-se utilizar, na prática, o *nível de intensidade sonora*, que é medido numa escala logarítmica, de modo que incrementos iguais na escala correspondem a fatores iguais de aumento na intensidade. Uma das razões para isto, ilustrada pelas (6.3.11) e (6.3.12), é o grande alcance de intensidades audíveis, cobrindo muitas ordens de grandeza. Outra razão é uma "lei" empírica psicofísica, devida a Weber e Fechner, segundo a qual a "sensação" produzida por um determinado estímulo é proporcional ao logaritmo da "excitação" (a razão das aspas é que é difícil quantificar o conceito psicológico de "sensação auditiva").

A unidade de nível de intensidade é o *bel* (nome dado em homenagem a Alexander Graham Bell): dois sons diferem de 1 bel quando a intensidade de um é dez vezes maior que a do outro. Na prática, usa-se o decibel = 0,1 bel. Toma-se como *intensidade de referência* o valor da intensidade I_0 dado pela (6.3.11), que corresponde ao nível zero de intensidade (limiar de audibilidade), definindo o *nível de intensidade* α por

$$\boxed{\alpha = 10\log_{10}\left(I / I_0\right) \text{ db } (= \text{decibéis})} \quad \textbf{(6.3.13)}$$

A seguir alguns exemplos típicos de nível sonoro (ordens de grandeza):

Limiar de audibilidade	0 db
Murmúrio................................	20 db
Música suave	40 db
Conversa comum....................	65 db
Rua barulhenta	90 db
Avião próximo	100 db

Pelas (6.3.12) e (6.3.11), $I_m/I_0 = 10^{12}$, de modo que α = 120 db corresponde ao limiar de sensação dolorosa.

6.4 SONS MUSICAIS. ALTURA E TIMBRE. FONTES SONORAS

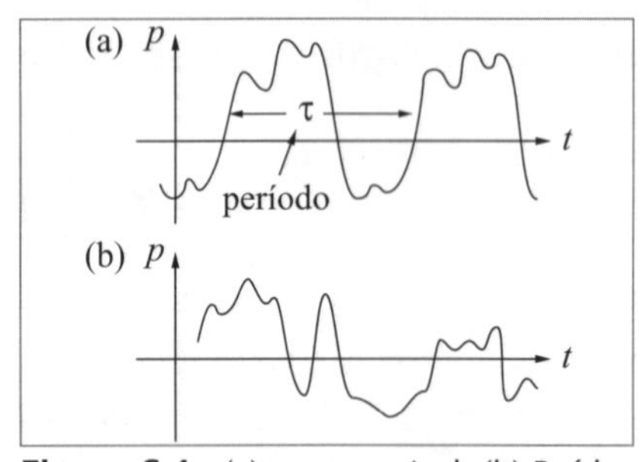

Figura 6.4 (a) som musical; (b) Ruído.

A característica que distingue um *som musical* de um *ruído* é a periodicidade.

Isto não significa que um som musical tenha de corresponder a uma onda harmônica (sinusoidal), mas tão somente que seja *periódico*, como ilustrado no gráfico da pressão × tempo na Figura 6.4(a); a Figura 6.4(b) representa um ruído (gráfico aperiódico).

As qualidades que distinguimos num som musical, pelas sensações subjetivas que provoca, são sua *intensidade, altura e timbre*. A intensidade, como vimos, está relacionada com a amplitude da onda sonora.

Altura

A *altura* de um som musical corresponde à sensação que nos permite distinguir entre sons mais graves e mais agudos. A característica física de uma onda sonora como a da Figura 6.4(a) associada com a altura é a *frequência* $\nu = 1/\tau$: quanto maior for ν, mais agudo é o som; sons mais graves correspondem a frequências mais baixas.

A relação entre altura e frequência foi comprovada experimentalmente por Hooke em 1681, apertando um cartão contra os dentes de uma roda dentada em rotação: quanto mais rápida a rotação, mais agudo era o som assim produzido. O mesmo princípio é usado nas *sirenes*, onde um disco com perfurações (Figura 6.5) gira diante de um jato de ar sob pressão, que sai através das perfurações quando elas passam em frente ao jato.

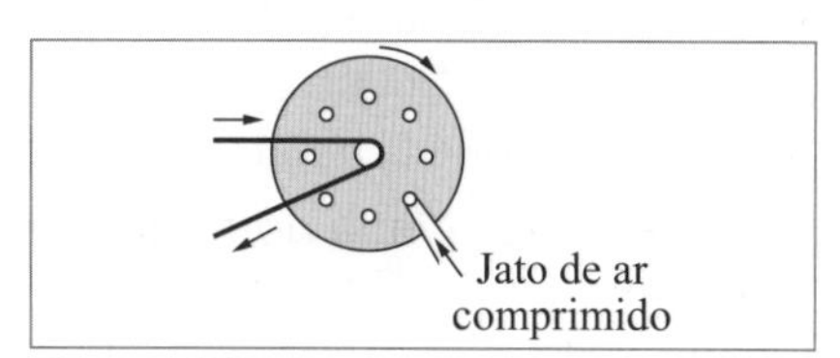

Figura 6.5 Sirene.

Notas e escalas musicais

As notas musicais correspondem a sons com certas frequências bem determinadas, obedecendo a convenções estabelecidas no decurso da história.

O *intervalo* entre duas notas musicais de frequências ν_1 e ν_2 é definido pela *razão* das frequências ν_2/ν_1. Em particular, quando $\nu_2 = 2\nu_1$, dizemos que é um *intervalo de oitava*, e os dois sons são percebidos como a "mesma" nota musical em alturas diferentes. É o caso das duas notas dó da ilustração (Figura 6.6).

Figura 6.6 Intervalo de oitava.

Pitágoras já havia descoberto, no século VI a.C., que sons musicais harmoniosos são emitidos por uma corda vibrante cujo comprimento é dividido segundo proporções simples, o que altera na mesma proporção a frequência ν_1 do tom fundamental da corda [cf. (5.7.13)]. Assim, reduzindo o comprimento à metade, o tom fundamental produzido está uma oitava acima; a proporção 2:3 dá a razão de frequências 3/2, e corresponde ao intervalo de *quinta*, que separa as notas dó e sol, e assim por diante. Esta descoberta da relação entre sons harmônicos e números inteiros pequenos levou Pitágoras a formular a ideia de que "todas as coisas são números".

A tabela abaixo dá os intervalos ν_n/ν_1 entre dó e as demais notas na escala diatônica maior "natural" e os intervalos ν_n/ν_{n-1}, entre cada duas notas consecutivas:

Nota	dó	ré	mi	fá	sol	lá	si	dó
ν_n/ν_1	1	9/8 (segunda)	5/4 (terça)	4/3 (quarta)	3/2 (quinta)	5/3 (sexta)	15/8 (sétima)	2 (oitava)
ν_n/ν_{n-1}		9/8	10/9	16/15	9/8	10/9	9/8	16/15

Um som musical emitido por uma corda vibrante, por exemplo, corresponde a um movimento periódico, e, como tal, pode ser analisado em *série de Fourier*, como vimos na Seção 5.8. Geralmente, portanto, temos, além do tom fundamental de frequência ν_1, uma superposição de *tons harmônicos*, de frequências $\nu_2 = 2\nu_1$, $\nu_3 = 3\nu_1$ etc., com amplitudes que tendem a decrescer. Se ν_1 corresponde ao *dó* de uma escala, $\nu_2 = 2\nu_1$ é o *dó* da escala seguinte (uma oitava acima), $\nu_3 = 3\nu_1$ é o *sol* da escala seguinte ($\nu_3/\nu_2 = 3/2$), $\nu_5 = 5\nu_1$ é o *mi* duas escalas acima ($\nu_5/\nu_4 = 5/4$), e assim por diante, de modo que são gerados, naturalmente, acordes com várias notas de escalas sucessivas (embora com intensidades que tendem a cair rapidamente).

Três notas como dó-mi-sol, cujas frequências guardam entre si a proporção 4:5:6, formam um *acorde perfeito maior*, que soa particularmente harmonioso. A escala natural contém três desses acordes: fá-lá-dó; dó-mi-sol; sol-si-ré (verifique as proporções usando a tabela acima!).

Por que razão esses acordes são harmoniosos? Embora seja arriscado quantificar uma sensação estética, é uma hipótese convincente que a explicação esteja relacionada com a geração de harmônicos quando uma nota é produzida. Indicando por um índice inferior a escala a que pertence uma nota, de forma que $dó_2$ está uma escala acima (oitava) de $dó_1$, vimos acima que os harmônicos de $dó_1$ são $dó_2$, sol_2, $dó_3$, mi_3, sol_3, ... Por conseguinte, quando tocamos simultaneamente $dó_1$, mi_1, sol_1, haverá muitas coincidências entre os harmônicos gerados pelas três notas, levando à *consonância*.

Por outro lado, dois sons de frequências próximas, mas não coincidentes, dão origem a *batimentos* (Seções. 3.5, 5.5), cuja rapidez aumenta quando o intervalo entre os sons aumenta, acabando por produzir uma sensação áspera e desagradável em nosso ouvido (batimentos de frequência mais elevada acabam por não ser mais perceptíveis). Sons dissonantes têm batimentos entre si e seus harmônicos, que geram essa sensação desagradável. A explicação que acabamos de dar da consonância e da dissonância é devida a Helmholtz, em seu grande tratado "Sensações de Tons" (1875).

A escala "natural" dada na tabela acima não é a escala reproduzida no teclado de um piano. A razão é que essa escala apresenta desvantagens quando se deseja (como é muito frequente na música) transpor uma melodia, repetindo-a numa altura diferente. Em virtude da desigualdade dos intervalos, se quisermos uma transposição tomando como tônica, por exemplo, o sol em lugar do dó, o análogo do ré seria $3/2 \times 9/8 = 27/16$ em lugar de $5/3$ = lá, o que daria uma nova nota lá* com uma relação de frequências $27/16 \div 5/3 = 81/80 = 9/8 \div 10/9$ para o lá. Para permitir transposições que não soassem falso partindo de qualquer nota da escala como tônica, seria preciso introduzir um grande número de notas intermediárias, o que não é praticável num instrumento de teclado fixo, como o piano.

A solução foi obtida pela introdução da *escala de igual temperamento*, adotada no século XVIII com o apoio de Johann Sebastian Bach, que escreveu para ela sua célebre obra "O cravo bem temperado". Nessa escala, a oitava é dividida em 12 intervalos iguais (semitons temperados), correspondendo cada um a $2^{1/12} = 1{,}0595$, ou seja, a uma frequência aproximadamente 6% maior. A tabela abaixo, que dá as notas da escala cromática temperada, mostra que este é um bom compromisso, pois os intervalos são bastante próximos dos da escala "natural".

Escala cromática

Nota	Dó	Dó#	Ré	Ré#	Mi	Fá	Fá#	Sol	Sol#	Lá	Lá#	Si
intervalo temperado	1,0000	1,0595	1,1225	1,1892	1,2600	1,3348	1,4142	1,4983	1,5874	1,6818	1,7818	1,8877
Intervalo natural	1,0000		1,1250 = 9/8		1,2500 = 5/4	1,3333 = 4/3		1,5000 = 3/2		1,6666 = 5/3		1,8750 = 15/8

A frequência absoluta foi fixada, por uma convenção internacional, definindo a frequência da nota lá da escala média do piano como $\nu = 440$ Hz.

Timbre

Dois sons musicais de mesma intensidade e altura ainda podem diferir por outra qualidade, que chamamos de *timbre* do som. Assim, nosso ouvido distingue claramente a diferença entre a mesma nota lá emitida por um piano, violino, flauta ou pela voz humana, por exemplo. O timbre representa uma espécie de "coloração" do som.

A explicação física das diferenças de timbre é que nosso ouvido reconhece como a mesma nota "lá" duas ondas sonoras periódicas de mesma frequência $\nu_1 = 1/\tau_1 = 440$ Hz, muito embora os perfis de onda correspondentes possam ser muito distintos, como os das Figura 6.7(a) e (b); basta que tenham o mesmo período.

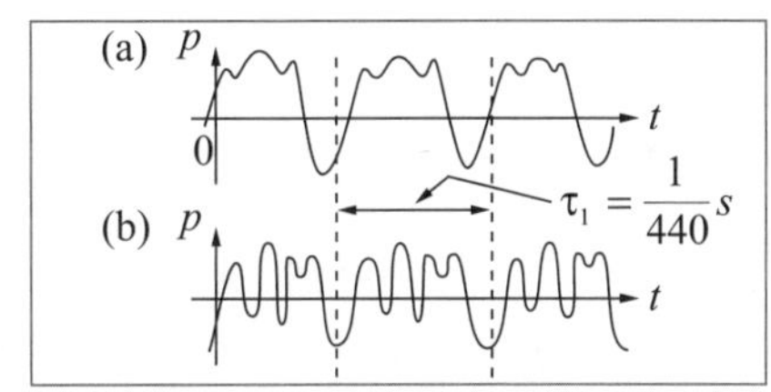

Figura 6.7 Ondas diferentes associadas à nota "lá".

Como para qualquer função periódica do tempo, podemos representar a onda associada a um som musical por uma *série de Fourier* (Seção 5. 8), que, além do *tom fundamental* de frequência ν_1 conterá, em geral, componentes de Fourier associadas a todos os tons harmônicos $\nu_n = n\nu_1$ ($n = 2, 3, ...$). *As diferentes proporções em que entram os tons harmônicos definem o timbre do som.* Por exemplo: o som da Figura 6.7(b) é bem mais rico em harmônicos de ordem elevada do que o da Figura 6.7(a), embora o tom fundamental seja o mesmo.

É interessante observar que nosso ouvido parece ser insensível às *fases* δ_n das componentes de Fourier (5.8.6): o timbre só depende das intensidades das componentes (proporcionais a B_n^2 na (5.8.6)), que podem ser representadas num *espectro acústico*, onde é dada a intensidade em função de n.

A Figura 6.8 mostra um espectro acústico típico de um *clarinete*, cujo timbre se caracteriza pelo fato de que os harmônicos de ordem par tendem a ter intensidade bem menor que os de ordem ímpar. Já o espectro da *flauta* tende a concentrar-se no tom fundamental e nos primeiros dois ou três harmônicos. O timbre de um *piano*, cujas cordas são percutidas por martelos, é diferente do de um *cravo*, cujas cordas são tangidas, ou seja, puxadas e depois soltas.

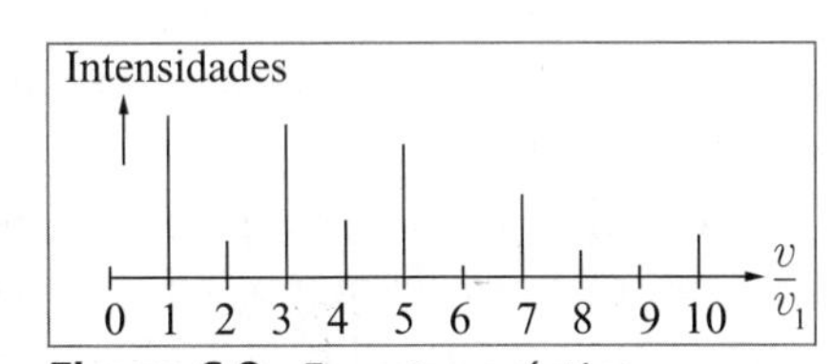

Figura 6.8 Espectro acústico.

Fontes sonoras

Já discutimos os modos normais de vibração de uma corda tensa, presa nas extremidades (Seções 5.7, 5.8), que são utilizados em todos os instrumentos musicais de cordas, como o piano, violino, violão, harpa ...

Vamos considerar agora os modos normais de vibração de uma *coluna de ar*, que constituem a base de todos os instrumentos de sopro. Para fixar as ideias, vamos tomar um tubo cilíndrico, que podemos identificar com um tubo de órgão, aberto numa extremidade, a partir da qual se produz a excitação da onda sonora (soprando ar através de foles, por exemplo), podendo ter a outra extremidade aberta ou fechada.

Colunas de ar

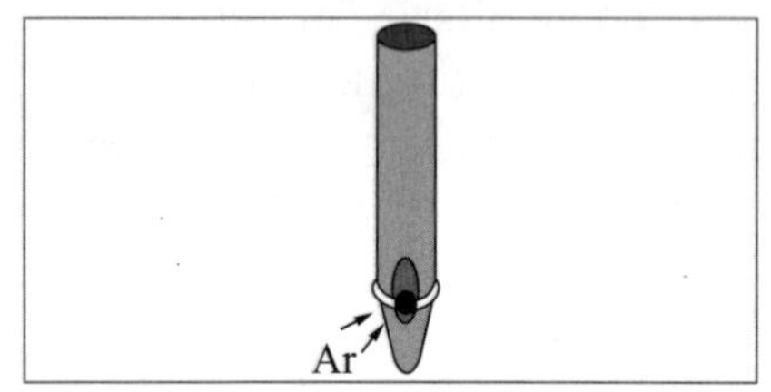

Figura 6.9 Tubo de órgão.

A entrada de ar pela abertura de um tubo de órgão (Figura 6.9) gera um *antinodo* (máximo) de deslocamento. Se a outra extremidade do tubo estiver fechada, o deslocamento se anula nessa extremidade (*nodo* de deslocamento). Como a onda de pressão está em quadratura com a onda de deslocamento (Seção 6.3), uma extremidade fechada corresponde a um antinodo de pressão.

Numa extremidade aberta, a pressão total P deve permanecer aproximadamente constante e igual à pressão atmosférica p_0, de modo que, pela (6.2.6), a variação de pressão p se anula: *uma extremidade aberta corresponde então a um nodo da onda de pressão, o que equivale a um antinodo de deslocamento.* Na verdade, a variação de pressão só se anula um pouco adiante da extremidade aberta: a coluna de ar vibrante se estende um pouco além da extremidade aberta. Para um tubo de seção circular e paredes não muito espessas, essa "correção terminal" equivale a corrigir o comprimento efetivo do tubo, acrescentando-lhe $\approx 0{,}6\,R$, onde R é o raio do tubo.

Quando uma onda sonora harmônica progressiva atinge a extremidade do tubo, a condição de contorno de que ela corresponde a um nodo de pressão p ou deslocamento u dá origem a uma *onda refletida*, com defasagem de 180° para p ou u, respectivamente, exatamente como acontece na reflexão na extremidade fixa de uma corda vibrante (Seção 5.6). Pela (6.3.3), $p = 0$ equivale a $\partial u/\partial x = 0$, o que corresponde à condição de contorno de extremidade livre (5.6.7) para a corda vibrante, ou seja, quando a onda de p se reflete com defasagem de 180°, a onda de u se reflete sem mudança de fase e vice-versa.

Como no caso da corda, a interferência entre as ondas incidente e refletida dá origem a *ondas estacionárias*, que são os *modos normais de vibração da coluna de ar* contida no tubo.

Na Figura 6.10, que deve ser comparada à 5.24 para uma corda vibrante, estão representadas graficamente as ondas de deslocamento u para os modos mais baixos de uma coluna de ar vibrante, aberta em ambas as extremidades (figuras da esquerda), mostrando que todos os harmônicos do tom fundamental ν_1 estão presentes, e para um tubo fechado numa extremidade (e aberto na outra), mostrando que só os harmônicos *ímpares* do tom fundamental ν'_1 estão presentes neste caso. As ondas estacionárias de pressão correspondentes estão em quadratura com as de u, de forma que, para o tubo aberto em ambas as extremidades, correspondem exatamente às da Figura 5.24.

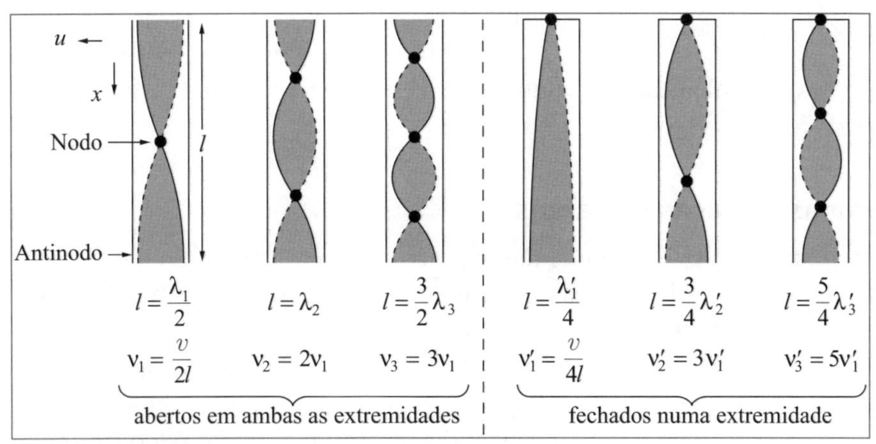

Figura 6.10 Modos normais de um tubo de órgão.

A verificação experimental destes resultados pode ser feita por meio de um experimento de ressonância, ilustrado na Figura 6.11. Um diapasão vibrante D de frequência ν conhecida excita ondas sonoras numa coluna de ar, contida num tubo cilíndrico de vidro, com água na parte inferior. Faz-se variar o comprimento l da coluna variando o nível N da água no tubo. A coluna de ar é aberta numa extremidade e fechada na outra, de modo que se produzem ressonâncias quando $l = \lambda/4$, $3\lambda/4$, $5\lambda/4$, ... (Figura 6.10), onde $\lambda = v/\nu$ e v é a velocidade do som no ar. A ressonância é detectada pelo reforço considerável produzido na intensidade sonora. Medindo l, pode-se determinar λ e, por conseguinte, v.

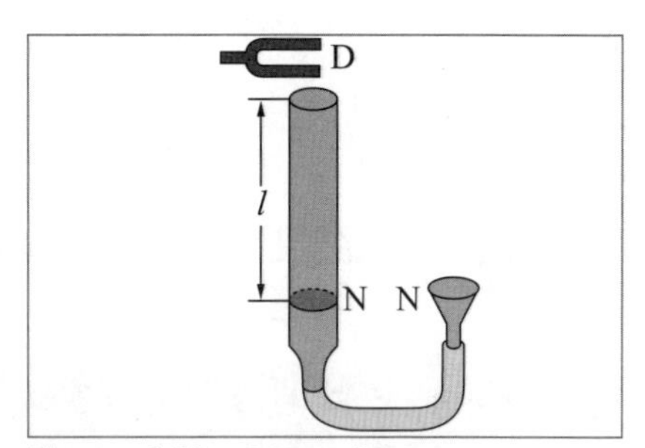

Figura 6.11 Ressonância.

Mais geralmente, o ar contido numa cavidade de forma qualquer possuirá uma série de frequências de ressonância associadas aos seus modos normais de vibração, constituindo uma cavidade acústica ressonante. O "barulho do mar" que se ouve, quando se cola o ouvido à abertura de uma concha marinha, não passa da excitação de modos ressonantes da cavidade por ligeiras correntes de ar.

O som que se origina das cordas vibrantes de um instrumento musical tal como o violino ou o piano é profundamente influenciado pela "caixa de som" do instrumento, constituída das partes de madeira. Procura-se, nesse caso, evitar a ocorrência de ressonâncias muito pronunciadas, pois o objetivo é, ao contrário, reforçar uniformemente todas as notas.

Para utilização em instrumentos musicais, é importante, como vimos ao discutir as origens da consonância e dissonância, que os modos normais de vibração tenham frequências harmônicas (múltiplas inteiras) de um tom fundamental.

As colunas de ar cilíndricas circulares, que têm essa propriedade, são utilizadas no órgão, na clarineta e na flauta.

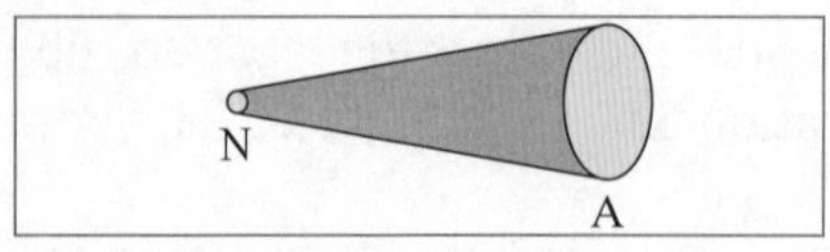

Figura 6.12 Tubo cônico.

A única outra forma simples de tubo que dá origem a harmônicos é a forma cônica. Nesse caso, numa abertura próxima do vértice do cone (Figura 6.12), teremos ainda um nodo de deslocamento, ao passo que a outra extremidade aberta é um antinodo. Tubos de forma cônica são utilizados em diversos instrumentos de sopro, tais como o oboé, o saxofone e o fagote.

Membranas e placas vibrantes

Os modos normais de vibração de membranas e de placas não são harmônicos do tom fundamental, e são utilizados em instrumentos musicais de percussão, tais como os tambores, geralmente apenas para marcar o ritmo.

Podemos colocar em evidência os modos normais de vibração de membranas e placas por um método devido a Chladni. Espalha-se areia fina sobre a membrana ou placa vibrante. A areia se acumula, formando montículos, sobre as *linhas nodais*, onde a amplitude de vibração se anula. As figuras assim formadas chamam-se *figuras de Chladni.*

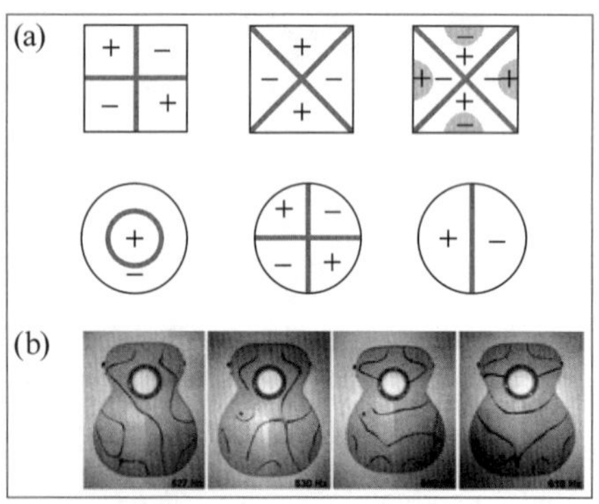

Figura 6.13 Figuras de Chladni: (a) para placas; (b) para o tampo de um violão.

Alguns exemplos para placas quadradas e circulares estão ilustrados na Figura 6.13(a). As linhas nodais separam regiões onde o deslocamento é para cima (+) e para baixo (–). Para excitar estes modos, a placa pode ser friccionada com um arco de violino, por exemplo, na posição de um antinodo, ao mesmo tempo em que se imobilizam (colocando um dedo, por exemplo) pontos onde se quer produzir um nodo, dando origem a linhas nodais. Fotos de figuras de Chladni para o tampo de um violão a diferentes frequências estão reproduzidas na Figura 6.13(b).

Ultrassons

Conforme foi mencionado na Seção 6.1, os sons audíveis correspondem a frequências compreendidas entre 20 Hz e 20 KHz. Para frequências abaixo de 20 Hz, temos *infrassons*, e acima de 20 KHz estão os *ultrassons*; as ondas correspondentes têm exatamente a mesma natureza das ondas sonoras, embora não sejam audíveis.

É possível gerar ultrassons, entre outros métodos, utilizando vibrações de um cristal de quartzo provocadas pelo *efeito piezoelétrico*: um campo elétrico, aplicado a determinados cristais (entre os quais o quartzo) provoca uma deformação mecânica. Assim, aplicando um campo elétrico alternado de alta frequência, produz-se uma vibração dessa frequência. É possível produzir ultrassons com frequências de até centenas de milhões de Hz, cujo comprimento de onda $\lambda = v/\nu$ é tão pequeno quanto comprimentos de onda da luz visível (~ 10^{-5} cm)!

Ondas ultrassônicas adquirem, em razão de seu pequeno comprimento de onda, várias propriedades da propagação da luz. A propagação retilínea permite dirigir feixes de ultrassons e, por meio da detecção do eco, localizar objetos submersos por um método análogo ao radar (sonar). Os morcegos utilizam uma espécie de sonar para orientar-se e detectar insetos.

Os ultrassons produzem efeitos mecânicos sobre o meio em que se propagam, dando origem a uma grande variedade de aplicações técnicas (detecção de defeitos, limpeza de peças, perfuração etc.). Uma das aplicações mais importantes é em medicina, na ultrassonografia para diagnósticos, em que as frequências típicas empregadas estão na faixa de 2 a 18 MHz. Ela permite visualizar de preferência tecidos moles no interior do corpo, tais como tendões, músculos e órgãos internos. Os ultrassons são parcialmente refletidos por variações de densidade. Mede-se a intensidade dos ecos e o tempo de retorno, que indica a profundidade.

6.5 ONDAS EM MAIS DIMENSÕES

Até agora, consideremos apenas ondas unidimensionais, ou seja, que se propagam somente em uma dimensão. Isto vale tanto para as ondas transversais numa corda vibrante como para as ondas sonoras longitudinais num tubo cilíndrico.

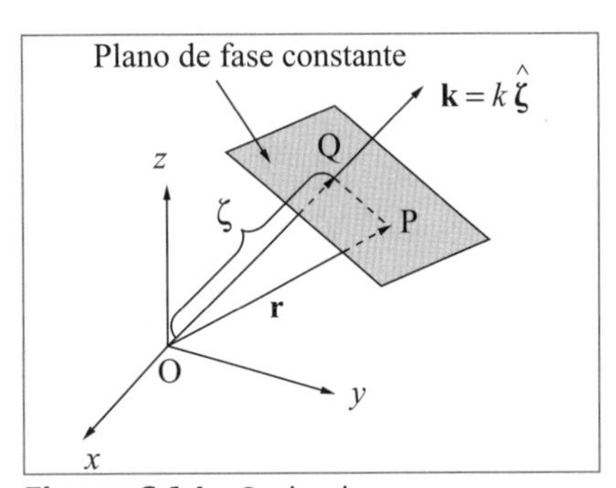

Figura 6.14 Onda plana.

Uma onda pode propagar-se numa só direção também no espaço tridimensional. Se essa direção, representada por **OQ** na Figura 6.14, for tomada como eixo $O\zeta$, definindo uma coordenada ζ ao longo dela, uma onda harmônica progressiva ao longo dessa direção, cujo vetor unitário designaremos por $\hat{\boldsymbol{\zeta}}$, será forma [cf. (6.3.1, 6.3.4)]

$$\boxed{\varphi(\mathbf{r},t) = \mathcal{A}\cos(k\zeta - \omega t + \delta)} \tag{6.5.1}$$

num ponto P com **OP** = **r** (Figura 6.14), onde $\zeta = \overline{OQ}$ é a projeção de **OP** sobre a direção ζ, ou seja,

$$\zeta = \hat{\boldsymbol{\zeta}} \cdot \mathbf{r} \tag{6.5.2}$$

A função de onda $\varphi(\mathbf{r},t)$ é uma grandeza *escalar*, que pode representar, por exemplo, a pressão numa onda sonora (em três dimensões, o deslocamento é um vetor!). Também se pode tomar φ como o *potencial de velocidades* (2.6.14), que, pela (6.2.23), está relacionado com a pressão por $\rho_0\, \partial\mathbf{v}/\partial t = -\text{grad}\, p$, com $\mathbf{v} = \text{grad}\, \varphi$, o que resulta, então, em $p = -\rho_0 \partial\varphi/\partial t$.

Substituindo a (6.5.2) na (6.5.1), vemos que ela também pode ser escrita

$$\boxed{\varphi(\mathbf{r},t) = \mathcal{A}\cos(\mathbf{k}\cdot\mathbf{r} - \omega t + \delta) = \text{Re}\left[Ae^{i(\mathbf{k}\cdot\mathbf{r} - \omega t)}\right]} \tag{6.5.3}$$

onde $A = \mathcal{A}e^{i\delta}$ é a *amplitude complexa* da onda, em notação complexa, e

$$\boxed{\mathbf{k} = k\hat{\boldsymbol{\zeta}} = \frac{\omega}{v}\hat{\boldsymbol{\zeta}}} \tag{6.5.4}$$

chama-se o *vetor de onda*. A magnitude de $\mathbf{k}$ é o *número de onda* k, e sua direção é a direção de propagação da onda.

A *fase* da onda é o argumento do cosseno nas (6.5.1) ou (6.5.3), ou seja, $\mathbf{k} \cdot \mathbf{r} - \omega t + \delta = k\zeta - \omega t + \delta$. Chama-se *superfície de onda* ou *frente de onda o lugar geométrico dos pontos de fase constante num dado instante.*

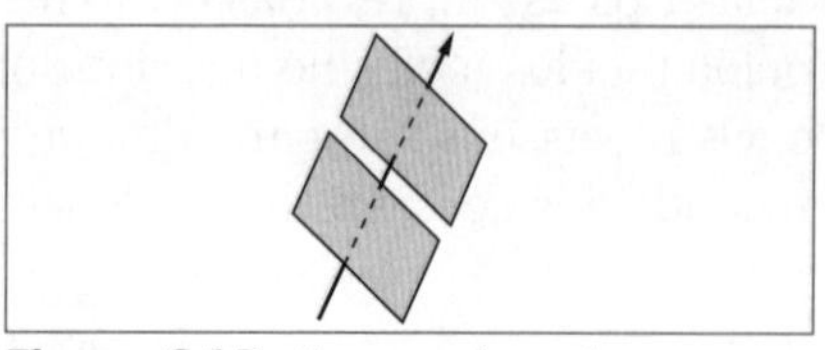

Figura 6.15 Frentes de onda.

As frentes de onda no presente caso são definidas por $\mathbf{k} \cdot \mathbf{r}$ = constante, o que equivale a ζ = constante e, pela (6.5.2), é a equação de um plano perpendicular à direção de propagação (Figura 6.15).

Como as frentes de onda são planos, a (6.5.3) é chamada de *onda plana*. A *intensidade* I da onda, proporcional a $\mathscr{A}^2 = |A|^2$ [cf. (6.3.10)], representa a *energia média por unidade de tempo que atravessa uma área unitária perpendicular à direção de propagação*, que é a mesma para todos os planos de fase constante.

Se

$$\mathbf{r} = (x, y, z); \quad \mathbf{k} = (k_x, k_y, k_z) \tag{6.5.5}$$

onde

$$\boxed{k_x^2 + k_y^2 + k_z^2 = k^2 = \frac{\omega^2}{v^2}} \tag{6.5.6}$$

a (6.5.3) se escreve

$$\varphi(\mathbf{r}, t) = \mathscr{A}\cos(k_x x + k_y y + k_z z - \omega t + \delta) \tag{6.5.7}$$

Derivando duas vezes a (6.5.7) em relação a x ou a t, obtemos respectivamente,

$$\frac{\partial^2 \varphi}{\partial x^2} = -k_x^2 \varphi$$

$$\frac{\partial^2 \varphi}{\partial t^2} = -\omega^2 \varphi$$

de modo que a (6.5.6) implica

$$\boxed{\frac{\partial^2 \varphi}{\partial x^2} + \frac{\partial^2 \varphi}{\partial y^2} + \frac{\partial^2 \varphi}{\partial z^2} = \frac{1}{v^2}\frac{\partial^2 \varphi}{\partial t^2}} \tag{6.5.8}$$

Esta é a *equação de ondas tridimensional*. Em particular, se φ só depende de uma das coordenadas, como x (ou seja, $\partial\varphi/\partial y = \partial\varphi/\partial z = 0$), ela se reduz à equação de ondas unidimensional (5.2.24).

Ondas esféricas

Qualquer fonte de ondas (por exemplo, um alto-falante, que emite ondas sonoras), a uma distância suficientemente grande (muito maior do que as dimensões da fonte), deve aparecer como uma *fonte puntiforme*. Se a velocidade de propagação da fase é a mesma em todas as direções, como acontece com a velocidade do som no ar (*meio isotrópico*), as superfícies de fase constante, a grande distância, devem ser esferas com centro na fonte.

Tomando a origem das coordenadas na posição da fonte, o fator de propagação da fase para uma onda harmônica progressiva emanada da fonte deve, portanto, ser da forma

$$\cos(kr - \omega t + \delta) \tag{6.5.9}$$

onde $r = \sqrt{x^2 + y^2 + z^2}$ é a distância à fonte. A fase da onda, que é o argumento do cosseno na (6.5.9), é constante, num dado instante, para r = constante, ou seja, *as frentes de onda são esferas concêntricas*, com centro na posição O da fonte (Figura 6.16), o que justifica o nome de *onda esférica*.

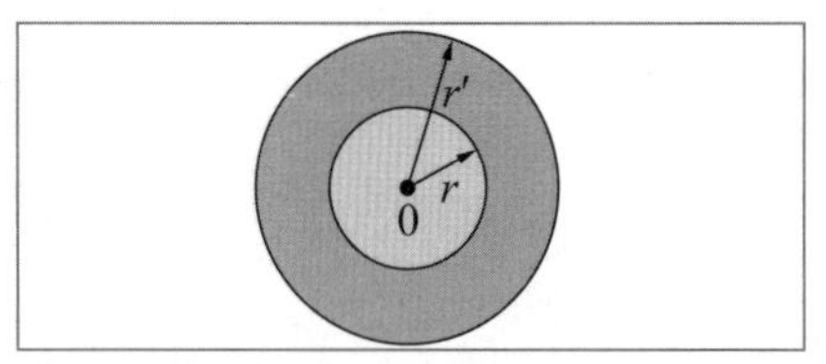

Figura 6.16 Frente de onda esférica.

Como deve variar a amplitude da onda com a distancia da fonte? A energia media por unidade de tempo emitida pela fonte deve ser constante para uma onda *harmônica*, de modo que o fluxo médio de energia por unidade de tempo que atravessa qualquer frente de onda deve ser constante, independente do raio r da frente de onda.

Por outro lado, a área total de uma frente de onda de raio r é $4\pi r^2$, ou seja, cresce com o quadrado do raio. Logo, a intensidade I (fluxo médio por unidade de tempo e de área) cai como $1/r^2$, de modo que a amplitude cai com $1/r$. A função de onda que representa uma *onda esférica harmônica progressiva* deve, portanto, ser da forma

$$\boxed{\varphi(\mathbf{r},t) = \frac{a}{r}\cos(kr - \omega t + \delta)} \tag{6.5.10}$$

onde a é uma constante e $r = |\mathbf{r}| = (x^2 + y^2 + z^2)^{1/2}$ a distância à fonte. Pode-se mostrar (faça!) que a (6.5.10) é efetivamente solução da equação de ondas tridimensional (6.5.8).

A grande distância da fonte, uma pequena porção de onda esférica, compreendida numa região R limitada (Figura 6.17), comporta-se como uma porção de onda plana; isto se aplica a uma porção de frente de onda esférica de dimensões muito maiores que o comprimento de onda, mas muito menores do que o raio de curvatura r. Assim, por exemplo, um feixe de raios solares se comporta como um feixe de luz paralela, associado a uma porção de onda plana, uma vez que a escala do laboratório é muito menor que a distância Terra-Sol.

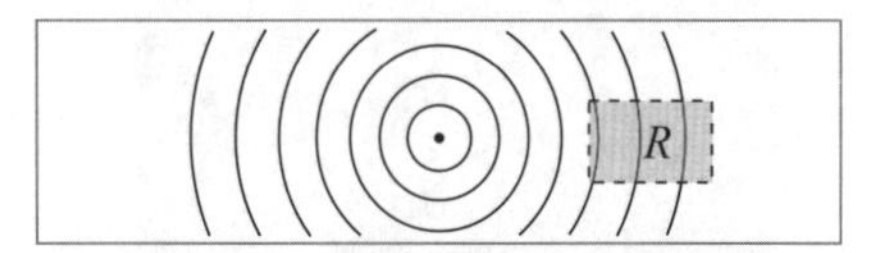

Figura 6.17 Porção de onda esférica.

Ondas bidimensionais

Ondas sobre a superfície da água podem ser tratadas como essencialmente bidimensionais. É fácil produzi-las e fazer experimentos com elas usando um *tanque de ondas*, que não passa de um tanque raso com água; iluminando-se convenientemente o tanque, as sombras das ondas na superfície podem ser projetadas sobre uma tela.

O análogo da onda plana é uma "onda linear", dada ainda pela (6.5.3), mas com $\mathbf{k} = k_x \mathbf{i} + k_y \mathbf{j}$ (tomando a superfície da água como plano xy). Pode ser produzida por uma lâmina retilínea longa vibrando na superfície da água. As frentes de onda são retas paralelas.

O análogo da onda esférica, produzido por uma fonte puntiforme (objeto de dimensões muito menores que o comprimento de onda) é uma *onda circular*. As frentes de onda são círculos concêntricos. A amplitude cai com $1/\sqrt{\rho}$, onde $\rho = \sqrt{x^2 + y^2}$ é a distância à fonte (por quê?), de modo que a função de onda é da forma

$$\boxed{\varphi(\mathbf{r},t) = \frac{a}{\sqrt{\rho}} \cos(k\rho - \omega t + \delta)} \qquad \textbf{(6.5.11)}$$

Em três dimensões, a (6.5.11) representa uma *onda cilíndrica*, cujas frentes de onda são cilindros concêntricos ρ = constante, e que seria emitida por uma *fonte linear*; situada ao longo de todo o eixo dos z.

6.6 O PRINCÍPIO DE HUYGENS

Em 1678, Huygens formulou um princípio de grande importância no estudo da propagação de ondas. Huygens tinha em vista a teoria ondulatória da luz, que expôs em seu "Tratado sobre a Luz", publicado em 1690, mas o princípio se aplica de forma geral à propagação de ondas, por exemplo, ondas sonoras. No início do século XIX, o princípio foi reformulado de forma mais precisa e completa por Fresnel, levando *ao princípio de Huygens-Fresnel*, que permite tratar quantitativamente a propagação de ondas, inclusive os efeitos de difração.

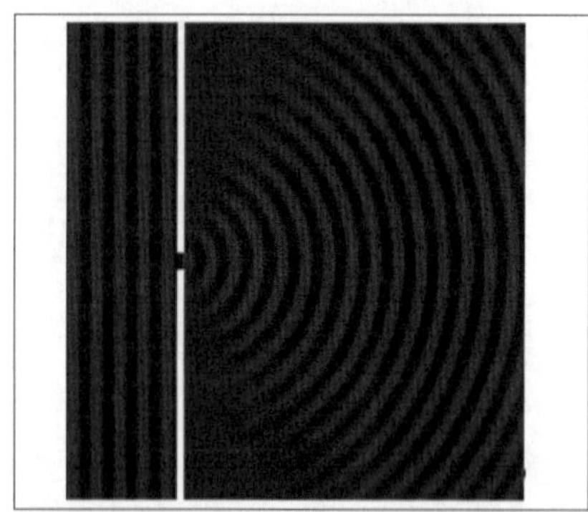

Figura 6.18 Ondas na água atravessam barreira estreita.

É um fenômeno familiar para ondas na superfície da água que um trem de ondas qualquer, atingindo uma barreira com uma pequena abertura (de dimensões muito menores que o comprimento de onda λ), gera, do outro lado da barreira (Figura 6.18), ondas circulares com centro na abertura. Logo, *a porção da frente de onda incidente não obstruída pela abertura se comporta como uma fonte puntiforme*: em três dimensões, as ondas geradas são esféricas.

Esta experiência sugere a ideia básica do princípio de Huygens, a saber: *cada ponto de uma frente de onda comporta-se como fonte puntiforme de novas ondas*, chamadas de *ondas secun-*

dárias. A outra parte do princípio diz como construir uma frente de onda ulterior a partir das ondas secundárias. A prescrição de Huygens consiste no seguinte: dada uma frente de onda inicial, consideram-se todas as ondas secundárias emanadas dos diferentes pontos dessa frente, propagando-se no meio considerado. *A frente de onda num instante posterior é a envoltória das frentes das ondas secundárias dela emanadas*. A *envoltória* de uma família de superfícies é uma superfície que *tangencia* todas elas, ou seja, todas as superfícies da família são tangentes à envoltória.

A Figura 6.19 exemplifica a envoltória de uma família de superfícies. A ideia de Huygens era que cada onda secundária isoladamente é muito fraca, mas seus efeitos se reforçam ao longo da envoltória.

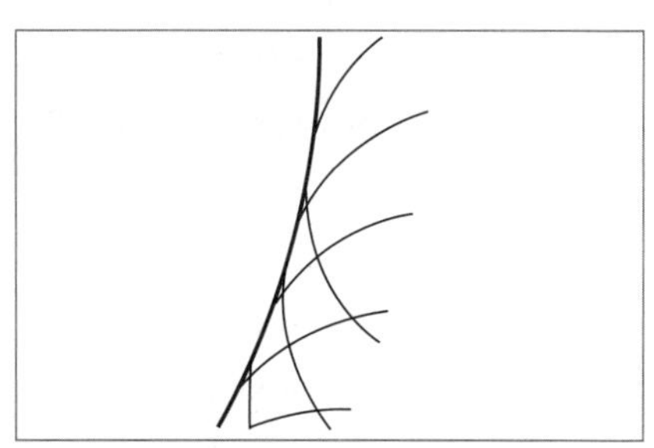

Figura 6.19 Envoltória.

A formulação dada por Huygens no "Tratado sobre a Luz" é a seguinte:

> "Deve considerar-se ainda na emanação destas ondas que cada partícula do meio em que a onda se propaga deve comunicar seu movimento não só à partícula que se encontra na linha reta de ação do ponto luminoso, mas também, necessariamente, a todas as partículas contíguas que se opõem a seu movimento. É necessário, portanto, que se forme em torno de cada partícula uma onda com centro nela própria.
>
> Assim, se DCF (Figura 6.20) é uma onda emanada do ponto luminoso A, que é seu centro; a partícula B, que é uma das compreendidas dentro da esfera DCF, terá formado sua onda particular KCL, que tocará a onda DCF em C, no mesmo instante em que a onda principal emanada do ponto A tenha chegado a DCF, e é claro que só existirá o ponto C da onda KCL que tocará a onda DCF, ou seja aquele que se encontra sobre a reta traçada por AB. Da mesma forma, as demais partículas compreendidas dentro da esfera DCF, tais como bb, dd etc., terão formado cada uma a sua onda. Mas cada uma destas ondas é infinitamente fraca em confronto com a onda DCF, para cuja formação contribuem todas as outras, pela parte da sua superfície que está mais afastada do centro A."

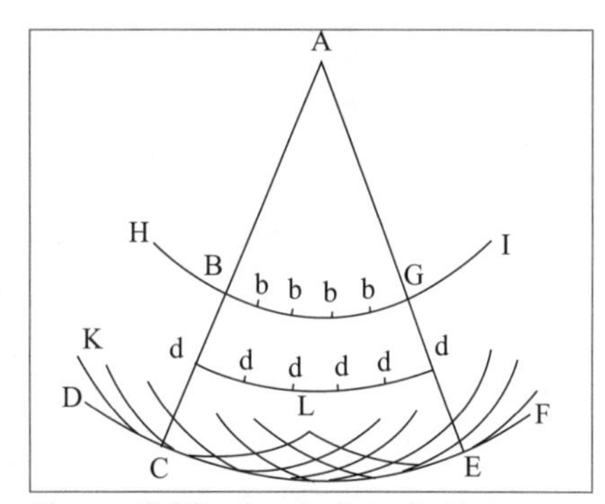

Figura 6.20 O princípio de Huygens (figura original). *Fonte*: HUYGENS, C. *Traité de la lumière*. Leiden, 1690.

Huygens mostrou assim que, a partir de uma frente de onda esférica inicial BG, a envoltória das ondas esféricas secundárias, emanadas dos diferentes pontos de BG, produz, num instante posterior, a frente de onda DCF.

A seguir, Huygens justifica, a partir de seu princípio, a propagação retilínea da luz, nos seguintes termos (Figura 6.20):

"Para chegar às propriedades da luz, notemos primeiro que cada parte da onda deve propagar-se de tal forma que seus extremos permaneçam sempre compreendidos entre as mesmas retas traçadas a partir do ponto luminoso. Assim a parte da onda BG, que tem como centro o ponto luminoso A, propaga-se no arco CE limitado pelas retas ABC e AGE, pois, mesmo que as ondas secundárias produzidas pelas partículas que compreendem a região CAE se expandam fora dela, elas não concorrem no mesmo instante para compor a onda que termina o movimento, que tem precisamente na circunferência CE sua tangente comum.

Daí se compreende a razão pela qual a luz, salvo quando seus raios são refletidos ou refratados, só se propaga em linha reta, de modo que não ilumina nenhum objeto, a não ser quando o caminho da fonte ao objeto está compreendido entre tais linhas. Pois se, por exemplo, tivermos uma abertura BG limitada por corpos opacos BH, GI, a onda de luz que sai do ponto A estará sempre limitada pelas retas AC, AE, como acaba de ser demonstrado, pois as partes das ondas secundárias que se estendem para fora do espaço ACE são fracas demais para produzir luz".

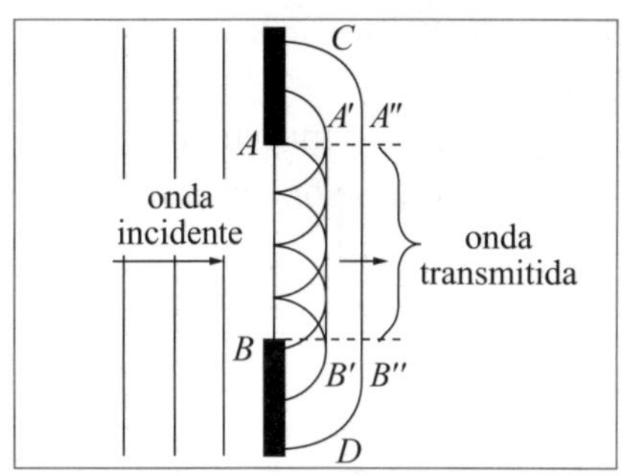

Figura 6.21 Propagação retilínea.

O argumento de Huygens, aplicado a uma onda plana que incide perpendicularmente sobre um anteparo plano opaco com uma abertura AB (Figura 6.21), diz que as frentes de onda transmitidas através da abertura serão A'B', A″ B″, limitadas por raios AA″ e BB″ paralelos à direção da onda incidente (propagação retilínea), porque a envoltória das frentes de ondas esféricas secundárias terá essa limitação. Acima de A', na região C, e abaixo de B', na região D, teríamos sombra completa, porque as ondas secundárias que atingem essas regiões não têm o reforço da envoltória e não produziriam intensidade observável.

Entretanto, este resultado não pode ser sempre verdadeiro, porque, para uma abertura de diâmetro $d << \lambda$, onde λ é o comprimento de onda, a abertura se comporta como fonte puntiforme (Figura 6.18), e as ondas transmitidas se difundem em todas as direções, sem formação de sombra alguma. Essa *penetração na região que estaria na sombra, se valesse a propagação retilínea*, constitui o fenômeno da *difração.*

O resultado discutido acima (propagação retilínea) vale no outro extremo, ou seja, para $d >> \lambda$; é neste caso que os efeitos de difração se tornam desprezíveis. De modo geral, *os efeitos de difração são tanto maiores quanto maior for* λ/d, onde d é o menor diâmetro da abertura.

Os comprimentos de onda da luz visível são $\leq 1\ \mu m = 10^{-3}$ mm, de modo que a difração da luz é usualmente um efeito extremamente pequeno, que requer montagens especiais num laboratório para ser observado. Já para o som, como vimos na Seção 6.3, tem-se 1,7 cm $\leq \lambda \leq$ 17 m, de modo que objetos na escala macroscópica produzem fortes efeitos de difração: em lugar de propagar-se em linha reta, o som contorna os obstáculos, sem produzir sombras apreciáveis. Uma conversa num quarto cuja porta está entreaberta, ainda que seja uma pequena fresta, pode ser ouvida numa peça vizinha, mesmo que não seja possível ver as pessoas que conversam.

O princípio de Huygens é incompleto em diversos aspectos. Dada uma frente de onda, as ondas esféricas secundárias dela emanadas têm duas envoltórias: uma adiante da frente de onda, no sentido da propagação, e outra para trás. Pode-se explicar a ausência de uma onda em sentido inverso introduzindo um "fator de inclinação" na amplitude das ondas esféricas secundárias: em lugar de ser a mesma em todas as direções, ela seria máxima no sentido da propagação e nula em sentido oposto.

O cálculo quantitativo dos efeitos de difração tornou-se possível quando Fresnel reformulou o princípio de Huygens, combinando-o com o "princípio das interferências", introduzido por Young no início do século XIX. No princípio de Huygens-Fresnel, comparece um fator de inclinação. A formulação deste princípio e o tratamento quantitativo dos efeitos de difração serão discutidos mais tarde, no curso de ótica ondulatória (Volume 4).

Na propagação de ondas de ultrassom, cujo comprimento de onda típico é muito menor que as dimensões macroscópicas, os efeitos de difração são pequenos. Feixes de ultrassom comportam-se, portanto, de forma análoga a feixes de luz visível, no que diz respeito a propriedades direcionais e propagação retilínea.

6.7 REFLEXÃO E REFRAÇÃO

Já vimos que, quando uma onda unidimensional encontra uma descontinuidade, separando dois meios diferentes, ela é parcialmente refletida e parcialmente transmitida. O mesmo acontece com ondas em duas ou três dimensões. Neste caso, as direções de propagação das ondas refletida e transmitida (= refratada) dependem da direção da onda incidente. O *ângulo de incidência* θ_1 (Figura 6.22) é o ângulo entre a direção de propagação da onda incidente e a direção da normal $\hat{\mathbf{n}}$ à superfície de separação dos dois meios. As *leis da reflexão e da refração*, que relacionam as direções das ondas refletida e refratada com a da onda incidente, podem ser obtidas com o auxílio do princípio de Huygens.

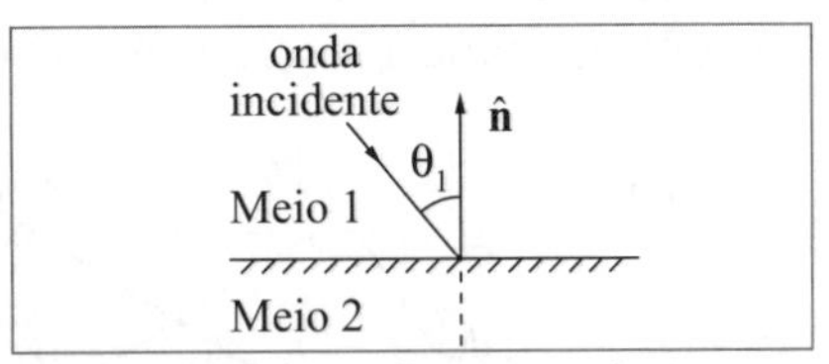

Figura 6.22 Interface entre dois meios.

A direção de propagação de uma onda plana harmônica, como a (6.5.3), é a direção do vetor de onda $\mathbf{k}$, ou seja, é normal às frentes de onda (planos de fase constante). Se chamarmos de $\mathbf{k}_1$, $\mathbf{k}'_1$ e $\mathbf{k}_2$, os vetores de onda das ondas incidente, refletida e refratada, respectivamente, a *1ª lei da reflexão e da refração* diz que as direções de $\mathbf{k}'_1$ e $\mathbf{k}_2$ estão no *plano de incidência*, definido pelas direções de $\mathbf{k}_1$ e $\hat{\mathbf{n}}$.

A Figura 6.23 mostra o *ângulo de incidência* $\theta_1 = <(\mathbf{k}_1, \hat{\mathbf{n}})$, o *ângulo de reflexão* $\theta'_1 = \angle(\mathbf{k}'_1, \hat{\mathbf{n}})$ e o *ângulo de refração* $\theta_2 = \angle(\mathbf{k}_2, \hat{\mathbf{n}})$. Note que θ_1 é também o ângulo entre a superfície de separação e uma frente de onda incidente II', e θ'_1 e θ_2 são os

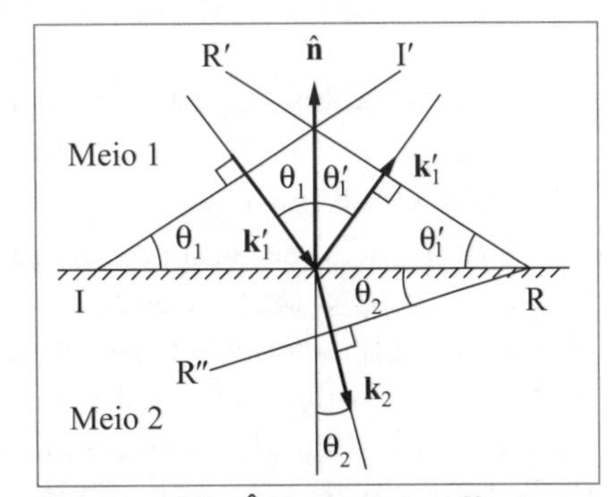

Figura 6.23 Ângulos de incidência, reflexão e refração.

ângulos entre a superfície de separação e as frentes de onda refletida RR′ e refratada RR″, respectivamente.

A *lei da reflexão* diz que

$$\boxed{\theta_1' = \theta_1} \tag{6.7.1}$$

e a *lei da refração (lei de Snell)* diz que

$$\boxed{\frac{\text{sen}\,\theta_1}{\text{sen}\,\theta_2} = n_{12}} \tag{6.7.2}$$

onde n_{12} é o *índice de refração relativo* do meio 2 em relação ao meio 1.

A Figura 6.24(a) ilustra a dedução da lei da reflexão a partir do Princípio de Huygens. Seja II′ uma frente de onda incidente. Após um tempo $t = d/v_1$, onde $d = \overline{I'R}$ é a distância de II′ à superfície de separação, a frente de onda esférica secundária emanada de I′ atinge a superfície de separação (v_1 é a velocidade de fase da onda no meio 1). Em decorrência da descontinuidade, são geradas na superfície de separação ondas secundárias, que voltam ao meio 1. Após o tempo t, a onda secundária emanada do ponto I é uma esfera de raio $d = v_1 t$, e a frente de onda refletida (envoltória) RR′ é tangente à esfera em R′. A Figura 6.24 mostra outra onda secundária gerada no ponto O, correspondente ao percurso AOB, que tangencia a envoltória em B. A Figura 6. 24(b) é a figura original de Huygens.

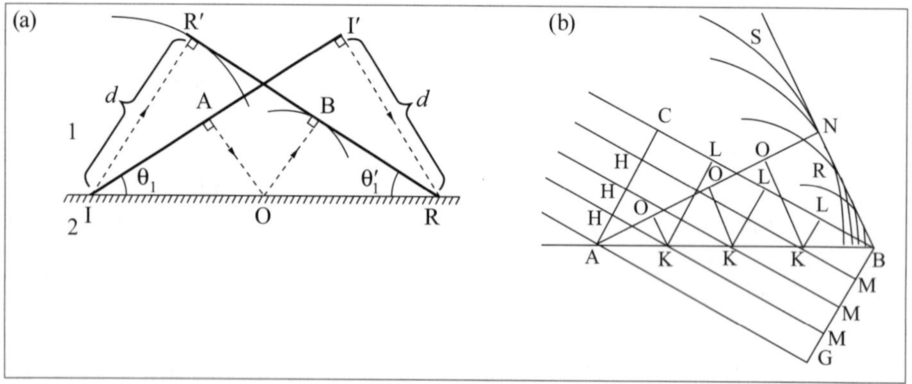

Figura 6.24 (a) Lei da reflexão de ondas; (b) Figura original de Huygens. *Fonte*: HUYGENS, C. *Traité de la lumière*. Leiden, 1690.

Os triângulos retângulos II′R e RR′I têm a hipotenusa IR comum e os catetos $\overline{I'R} = \overline{IR'} = d$ iguais, de modo que são iguais, o que resulta, então, em $\theta_1 = \theta'_1$, como queríamos demonstrar.

A explicação da lei da refração por meio do Princípio de Huygens está ilustrada na Figura 6.25(a), a partir de uma frente de onda inicial I I′. Novamente, $\overline{I'R} = d = v_1 t$ é a distância de II′ à superfície de separação. No meio 2, a velocidade de fase da onda é v_2, de forma que, quando a frente de onda secundária emanada de I′ atinge R, a frente de onda esférica secundária emanada de I terá um raio $d' = v_2 t$. A frente de onda refratada RR″ é tangente a essa esfera em R″. A figura mostra outra onda secundária gerada em O, correspondente ao percurso AOB. A Figura 6.25(b) é a figura original de Huygens.

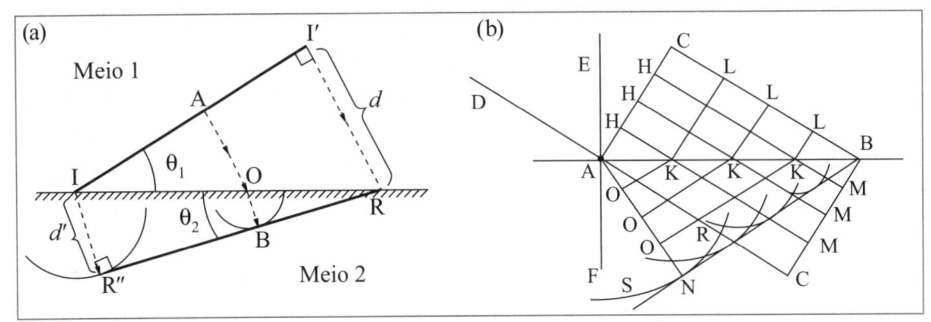

Figura 6.25 (a) Lei da refração para ondas; (b) Figura original de Huygens.
Fonte: HUYGENS, C. *Traité de la lumière*. Leiden, 1690.

Os triângulos retângulos II'R e RR"I fornecem as relações:

$$d = v_1 t = \overline{\text{IR}} \text{ sen } \theta_1; \quad d' = v_2 t = \overline{\text{IR}} \text{ sen } \theta_2$$

o que resulta em, dividindo membro a membro,

$$\boxed{\frac{\text{sen } \theta_1}{\text{sen } \theta_2} = \frac{v_1}{v_2}} \qquad \textbf{(6.7.3)}$$

que é a lei da refração (6.7.2), com

$$\boxed{n_{12} = v_1 / v_2} \qquad \textbf{(6.7.4)}$$

O índice de refração relativo é, portanto, igual à razão das velocidades de fase nos dois meios. Se $v_2 < v_1$, *o raio refratado se aproxima da normal* ($\theta_2 < \theta_1$).

Aplicação às ondas sonoras: Para que se observe reflexão ou refração regular, é preciso que a frente de onda sonora considerada possa ser assimilada a uma porção de onda plana, o que requer dimensões >> λ. Por isso, esses efeitos só podem ser observados, usualmente, numa escala de grandes proporções. A reflexão do som dá origem aos *ecos* e pode ter efeitos desejáveis ou não, como na reverberação do som numa sala da concertos.

Como vimos na (6.2.33), a velocidade do som num gás decresce quando a temperatura decresce. Num dia claro, a temperatura na atmosfera tende a decrescer quando a altitude cresce. Pela (6.7.4), a refração do som assim produzida tende a desviá-lo para cima quando se propaga num lugar descampado, diminuindo a audibilidade para grandes distâncias. Ao pôr do sol, o ar perto da superfície esfria mais rapidamente do que as camadas superiores, produzindo o efeito inverso: o som é refratado para baixo, tornando os sons distantes mais audíveis do que em condições usuais.

6.8 INTERFERÊNCIA EM MAIS DIMENSÕES

Na Seção 5.5, discutimos a interferência de ondas em uma dimensão. Em duas ou três dimensões, fenômenos de interferência dão origem a novos efeitos.

Consideremos, por exemplo, o experimento ilustrado na Figura 6.26, que, com relação à luz, foi primeiro realizado por Thomas Young, em 1802. Um anteparo opaco tem dois pequenos orifícios O_1 e O_2 (de diâmetro << λ) separados por uma distância d. Uma

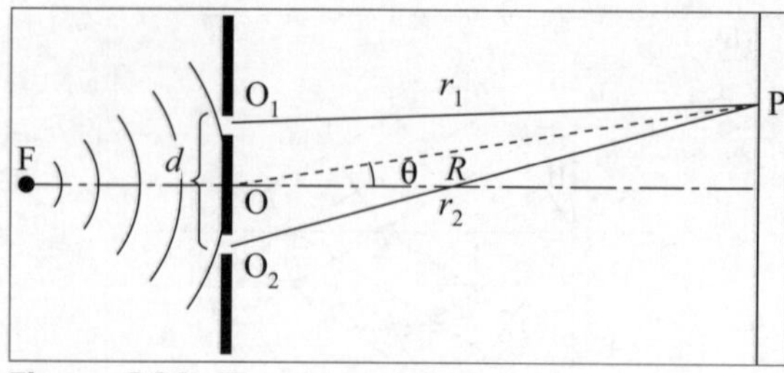

Figura 6.26 Experimento de Young.

fonte de ondas puntiforme F é colocada sobre o eixo, a grande distância do anteparo, de modo que, ao chegar a ele, os dois orifícios são atingidos pela mesma frente de onda, aproximadamente plana. Isto implica que as porções da onda incidentes sobre O_1 e O_2 têm não só a mesma amplitude, mas também *a mesma fase*, ou seja, são *coerentes*.

Pelo Princípio de Huygens (Seção 6.6), O_1 e O_2 comportam-se como fontes puntiformes das quais emanam ondas esféricas, que irão se superpor num ponto de observação P à direita do anteparo. Pela (6.5.10), a função de onda resultante em P será

$$\boxed{\varphi(P) = \varphi_1(P) + \varphi_2(P) = \frac{a}{r_1}\cos(kr_1 - \omega t) + \frac{a}{r_2}\cos(kr_2 - \omega t)} \qquad \textbf{(6.8.1)}$$

onde r_1 e r_2 são as distâncias de O_1 e O_2 a P.

Para $R = \overline{OP} >> d$, a Figura 6.27 mostra que

$$\overline{OP} \approx \overline{OA} + \overline{O_1P} \quad \text{e} \quad \overline{O_2P} \approx \overline{OP} + \overline{O_2B}$$

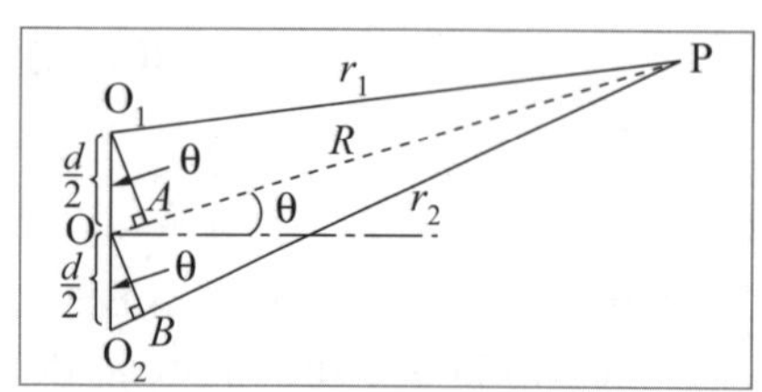

Figura 6.27 Diferença de caminho.

o que equivale a

$$\left.\begin{aligned} r_1 &\approx R - \frac{d}{2}\,\text{sen}\,\theta \\ r_2 &\approx R + \frac{d}{2}\,\text{sen}\,\theta \end{aligned}\right\} \qquad \textbf{(6.8.2)}$$

ou seja,

$$R \approx \frac{1}{2}(r_1 + r_2) \ggg d\,\text{sen}\,\theta = r_2 - r_1 \qquad \textbf{(6.8.3)}$$

Podemos estão aproximar $r_1 \approx r_2 \approx R$ nos denominadores da (6.8.1), e usar

$$\left.\begin{aligned} r_1 &= R - \frac{1}{2}(r_2 - r_1) \\ r_2 &= R + \frac{1}{2}(r_2 - r_1) \end{aligned}\right\} \qquad \textbf{(6.8.4)}$$

bem como a identidade cos $(a - b)$ + cos $(a + b)$ = 2 cos a cos b, obtendo

$$\boxed{\varphi(P) \approx 2a\cos\left[\frac{k}{2}(r_2 - r_1)\right]\frac{\cos(kR - \omega t)}{R}} \qquad \textbf{(6.8.5)}$$

Note que podemos aproximar $r_1 \approx r_2 \approx R$ nas *amplitudes* na (6.8.1), desprezando as correções $\pm\frac{1}{2}$ $(r_2 - r_1)$ na (6.8.4), mas não nas *fases* das duas ondas, porque a diferença de caminho $r_2 - r_1$ aparece multiplicada por $k = 2\pi/\lambda$ na *diferença de fase*

$$\delta = k(r_2 - r_1) = 2\pi \frac{(r_2 - r_1)}{\lambda} \quad \textbf{(6.8.6)}$$

e $|r_1 - r_2|$ pode ser >> λ.

Se chamarmos de

$$I_0(P) \approx a^2 / R^2 \quad \textbf{(6.8.7)}$$

a intensidade em P devida a um só dos dois orifícios (com o outro tampado), a (6.8.5) resulta, então, em

$$I(P) / I_0(P) = 4\cos^2 \frac{\delta}{2} \quad \textbf{(6.8.8)}$$

O 2º membro exprime o resultado da *interferência* entre as ondas de mesma amplitude, emanadas dos dois orifícios. De fato, o resultado coincide com a (5.5.5), na qual $I_1 = I_2 = I_0$ e $\delta_{12} = \delta$ (verifique!).

Temos *interferência construtiva*, com $I = 4I_0$, para

$$\delta = 2n\pi \quad \{r_2 - r_1 = n\lambda \quad (n = 0, \pm 1, \pm 2, \ldots) \quad \textbf{(6.8.9)}$$

o que vale, em particular, ao longo do eixo. Temos *interferência destrutiva*, com $I = 0$ (intensidade resultante nula), para

$$\delta = (2n+1)\pi \quad \{r_2 - r_1 = \left(n + \frac{1}{2}\right)\lambda \quad (n = 0, \pm 1, \pm 2, \ldots) \quad \textbf{(6.8.10)}$$

ou seja, *a interferência é construtiva ou destrutiva conforme a diferença de caminho seja de um número inteiro ou semi-inteiro de comprimentos de onda.*

No plano perpendicular ao anteparo que passa pelos orifícios, as (6.8.9) e (6.8.10) definem uma série de *hipérboles* com focos nas posições dos orifícios O_1 e O_2 (Figura 6.28(a)); a hipérbole é o lugar geométrico dos pontos cuja diferença das distâncias a dois pontos fixos (O_1 e O_2) é constante. As hipérboles (6.8.10) são *linhas nodais* N (em linha interrompida na figura), intersecções de cristas (linha fina na figura) e vales (linha interrompida fina na figura) de ondas esféricas emanadas de O_1 e O_2.

As hipérboles (6.8.9) são *linhas antinodais* A (em linha cheia na Figura 6.28(a)), intersecções de cristas com cristas ou vales com vales.

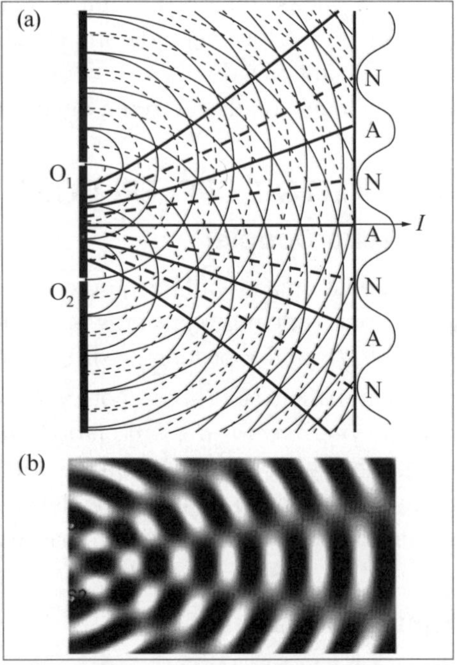

Figura 6.28 (a) Linhas nodais e antinodais; (b) Interferência num tanque de ondas.

Os mesmos resultados se aplicam a ondas bidimensionais na superfície da água, por exemplo, onde a figura de interferência resul-

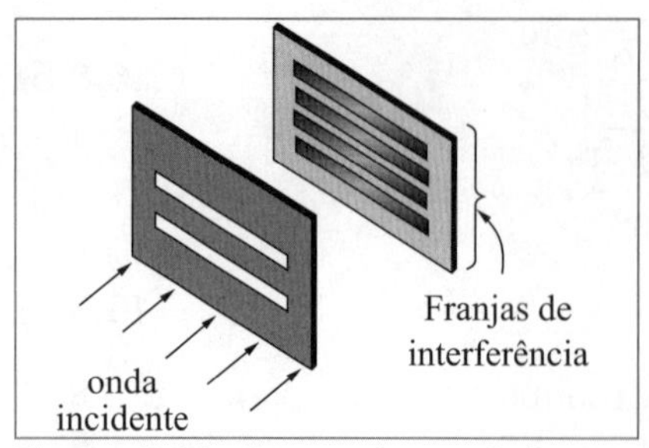

Figura 6.29 Franjas de interferência.

tante pode ser visualizada com o auxílio de um tanque de ondas (Figura 6.28(b)). Basta substituir as ondas esféricas na (6.8.1) por ondas circulares do tipo (6.5.11); os demais resultados se estendem imediatamente.

Em três dimensões, os resultados bidimensionais descrevem os efeitos de interferência produzidos por um par de fendas estreitas sobre as quais incide uma onda plana; no caso da luz, esse foi o arranjo experimental usado por Young (Figura 6.29). No anteparo de observação, aparece uma série de franjas de interferência, correspondentes à distribuição de intensidade I representada na Figura 6.28(a).

Levando em conta a (6.8.3), também podemos escrever as condições (6.8.9) e (6.8.10) de interferência construtiva e destrutiva como

$$d \operatorname{sen} \theta = \begin{cases} n\lambda & \text{(construtiva)} \\ \left(n + \frac{1}{2}\right)\lambda & \text{(destrutiva)} \end{cases} \quad (n = 0, \pm 1, \ldots) \tag{6.8.11}$$

que define um conjunto de direções θ_n associadas aos máximos e mínimos de interferência de ordem n.

Com ondas sonoras, os efeitos de interferência mais comumente observados são os batimentos e a formação de ondas estacionárias, mas efeitos tridimensionais análogos aos que acabamos de discutir ocorrem, por exemplo, em salas de concerto, criando zonas de silêncio ou de reforço indesejáveis.

6.9 EFEITO DOPPLER. CONE DE MACH

(a) Efeito Doppler

A sirene de uma ambulância ou o apito de um trem soam mais agudos quando estão se aproximando de nós, mais graves quando estão se afastando. Trata-se de manifestações do *efeito Doppler*, proposto por Christian Doppler em 1842.

Como o som se propaga com velocidade v em relação a um referencial bem definido, que é o *referencial de repouso da atmosfera*, é preciso distinguir o caso em que o observador está em movimento e a fonte parada (nesse referencial) do caso em que a fonte está em movimento. Consideraremos inicialmente apenas movimentos com velocidades *subsônicas*, ou seja, inferiores à velocidade v do som.

Fonte em repouso

Vamos chamar de u a *magnitude da velocidade do observador*, de modo que $u > 0$. A fonte sonora será tratada como puntiforme e supomos primeiro que está em repouso na atmosfera, emitindo som de frequência $\nu_0 = 1/T_0 = v/\lambda_0$, onde T_0 é o período e λ_0 o comprimento de onda correspondente. A frequência ν_0 *emitida* é o número de cristas de onda produzidas pela fonte por unidade de tempo. A frequência ν *observada* (ouvida pelo observador) é o número de cristas de onda que passam pelo observador por unidade de tempo.

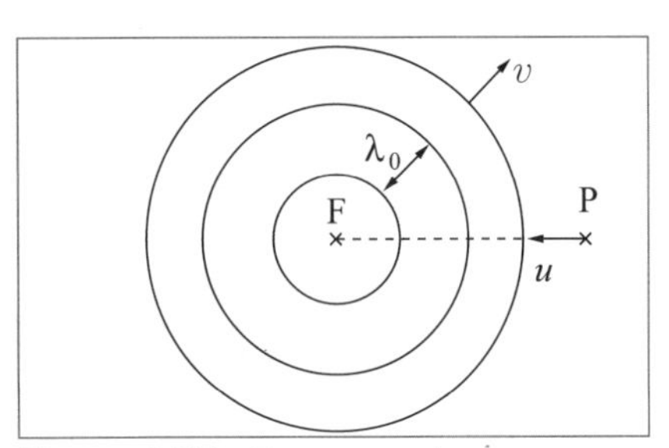

Figura 6.30 Fonte em repouso.

O espaçamento entre as cristas de onda esféricas emitidas é λ_0. Se o observador P se move *em direção* à fonte F com velocidade u, ele percorre uma distância u por unidade de tempo e encontra (Figura 6.30) u/λ_0 cristas de onda *adicionais*, além das v/λ_0 que teriam passado por ele se estivesse em repouso. Logo, a frequência ν *observada* é

$$\nu = \underbrace{\frac{v}{\lambda_0}}_{\nu_0} + \frac{u}{\lambda_0} = \nu_0\left(1 + \frac{u}{v}\right) \tag{6.9.1}$$

que é mais *aguda* do que ν_0. Se o observador se *afasta* da fonte com velocidade u, ele deixa de ser atingido por u/λ_0 cristas de onda por unidade de tempo, e a frequência observada é mais *grave*:

$$\nu = \frac{v}{\lambda_0} - \frac{u}{\lambda_0} = \nu_0\left(1 - \frac{u}{v}\right) \tag{6.9.2}$$

Logo, o efeito Doppler neste caso é dado por

$$\begin{pmatrix}\text{FONTE}\\\text{PARADA}\end{pmatrix} \boxed{\nu = \nu_0\left(1 \pm \frac{u}{v}\right)} \begin{array}{l} +\,\text{para aproximação}\\ -\,\text{para afastamento}\end{array} \tag{6.9.3}$$

Fonte em movimento

Suponhamos agora que *o observador está em repouso* na atmosfera, mas a fonte sonora se aproxima ou se afasta dele com velocidade de magnitude V.

Consideremos uma série 0, 1, 2, 3,... de cristas de onda consecutivas emitidas pela fonte ao passar respectivamente pelas posições F_0, F_1 F_2, F_3,... (Figura 6.31), a intervalos de tempo de *um período* T_0 entre cada duas cristas consecutivas. Durante esse intervalo, a fonte se deslocou de VT_0, de modo que, para um observador P do qual a fonte se aproxima (Figura), o intervalo λ entre as cristas (comprimento de onda) é

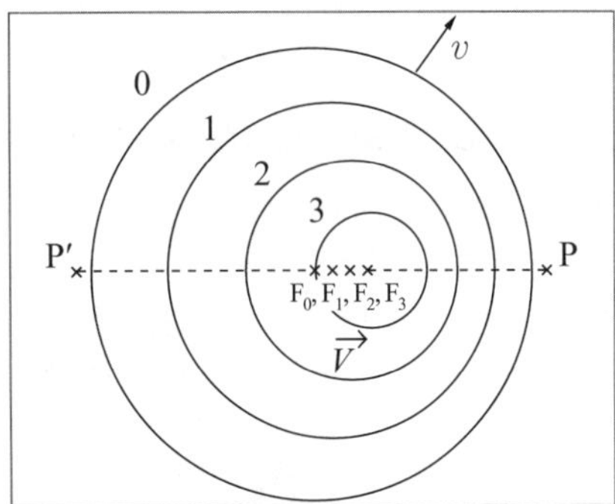

Figura 6.31 Fonte em movimento.

$$\lambda = \underbrace{vT_0}_{\lambda_0} - VT_0 = \lambda_0\left(1 - \frac{V}{v}\right) \tag{6.9.4}$$

ou seja, é *menor* que λ_0. Para um observador P′ do qual a fonte se *afasta* (Figura), o comprimento de onda λ' é

$$\lambda' = vT_0 + VT_0 = \lambda_0\left(1 + \frac{V}{v}\right) \tag{6.9.5}$$

Como as cristas continuam se propagando no meio com velocidade v, o número delas que atinge o observador P (P′) por unidade de tempo é v/λ (v/λ'). Como $v/\lambda_0 = \nu_0$, a frequência ν observada é então, pelas (6.9.4), (6.9.5)

$$\begin{pmatrix}\text{OBSERVADOR}\\ \text{PARADO}\end{pmatrix} \boxed{\nu = \frac{\nu_0}{1 \mp \dfrac{V}{v}}} \quad \begin{matrix}-\text{ para aproximação}\\ +\text{ para afastamento}\end{matrix} \tag{6.9.6}$$

que é a fórmula do efeito Doppler para uma *fonte móvel e um observador em repouso*. Como no caso da (6.9.3), o som ouvido é *mais agudo para aproximação, mais grave para afastamento.*

Se a fonte se move com velocidade muito menor que a velocidade do som, ou seja, se $\varepsilon = V/v \ll 1$, podemos usar a fórmula

$$\frac{1}{1-\varepsilon} = 1 + \varepsilon + \frac{\varepsilon^2}{1-\varepsilon} \approx 1 + \varepsilon, \quad \varepsilon \ll 1 \tag{6.9.7}$$

desprezando correções da ordem de ε^2 $(\ll \varepsilon)$, e a (6.9.6) fica

$$\nu = \nu_0\left(1 \pm \frac{V}{v}\right) \quad (V \ll v) \tag{6.9.8}$$

que poderíamos identificar com a (6.9.3), em termos de *velocidade relativa de aproximação (ou de afastamento) entre fonte e observador*, que é u, num caso, e V, no outro. Entretanto, a diferença entre as (6.9.3) e (6.9.6), no caso geral, mostra que o efeito Doppler para ondas sonoras não depende só da velocidade relativa.

Isto se prende ao fato de que a atmosfera define um *referencial privilegiado* para a propagação de ondas sonoras, conforme já foi mencionado.

Fonte e observador em movimento

Neste caso, superpõem-se os dois efeitos discutidos acima. O movimento da fonte altera o comprimento de onda para λ_0 $(1 \pm V/v)$, e o movimento do observador multiplica por um fator $(1 \pm u/v)$ o número de cristas de onda por ele encontrados, de modo que o efeito Doppler combinado é dado por

$$\begin{pmatrix}\text{FONTE}\\ \text{E OBSERVADOR}\\ \text{MOVEIS}\end{pmatrix} \boxed{\nu = \nu_0\left(\frac{1 \pm \dfrac{u}{v}}{1 \mp \dfrac{V}{v}}\right)} \quad \begin{matrix}\text{Sinais superiores (inferiores)}\\ \text{para aproximação (afastamento)}\end{matrix} \tag{6.9.9}$$

Movimento numa direção qualquer

Em todos os casos tratados, foi suposto que a direção de movimento da fonte passa pelo observador, ou vice-versa. Suponhamos agora que a fonte se move numa direção que faz, num dado instante, um ângulo θ com a direção que liga a fonte ao ponto de observação P (Figura 6.32), e que a distância da fonte ao ponto de observação, $r_0 = \overline{F_0P}$, seja suficientemente grande para que as porções de cristas de onda que atingem P possam ser identificadas com frentes de onda planas (Figura 6.17). Essas frentes de onda são perpendiculares à direção $\mathbf{F_0P}$, cujo vetor unitário designaremos por $\hat{\mathbf{r}}$.

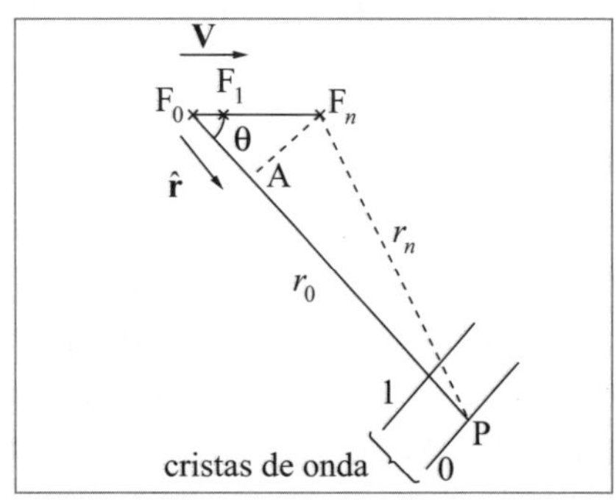

Figura 6.32 Direção qualquer de movimento.

Podemos decompor $\mathbf{V}$ numa *componente radial*

$$\mathbf{V}_r = (\mathbf{V} \cdot \hat{\mathbf{r}})\hat{\mathbf{r}} = V \cos\theta\, \hat{\mathbf{r}} \tag{6.9.10}$$

e numa componente $\mathbf{V}_\parallel$, paralela às frentes de onda que atingem P. Como um deslocamento da fonte paralelamente a essas frentes não afeta em nada o seu espaçamento, a componente $\mathbf{V}_\parallel$ não contribui para o efeito Doppler. Por outro lado, $\mathbf{V}_r$ aponta na direção do observador, de modo que podemos aplicar a (6.9.6) para *aproximação*, substituindo V por $V_r = V\cos\theta$,

$$\boxed{\nu = \frac{\nu_0}{1 - \dfrac{V\cos\theta}{v}}} \tag{6.9.11}$$

que é a *expressão geral do efeito Doppler para uma fonte em movimento numa direção qualquer*. Para $\theta = 0$, obtemos como caso particular a (6.9.6) para aproximação; tomando $\theta = \pi$ obtemos o caso do afastamento.

Um tratamento análogo se aplica ao movimento do observador numa direção qualquer.

(b) Cone de Mach

Suponhamos agora que a fonte se mova com *velocidade supersônica* $V > v$ (o que havíamos excluído antes). A Figura 6.33 mostra o que acontece quando repetimos neste caso a construção feita na Figura 6.30. Em lugar de permanecer dentro das frentes de onda por elas geradas, como naquele caso, a fonte vai passando à frente delas.

Após um tempo t, a frente de onda esférica gerada em F_0 tem um raio $\overline{F_0P} = vt$, enquanto a fonte já se deslocou até F, com $\overline{F_0F} = Vt$ (Figura 6.32). Todas as ondas geradas pela fonte entre F_0 e F ficam

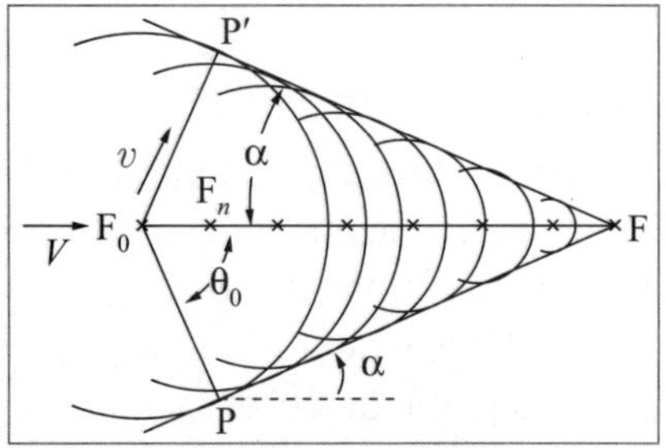

Figura 6.33 Cone de Mach.

contidas dentro de um cone com vértice em F e eixo F_0F, cujas geratrizes são as envoltórias das frentes de onda e cujo ângulo de abertura α é dado por (Figura 6.33)

$$\boxed{\text{sen}\,\alpha = \frac{v}{V}} \tag{6.9.12}$$

Esse cone se chama o *cone de Mach*; α é o *ângulo de Mach*, e a condição para *deslocamento supersônico* é que o *número de Mach* V/v seja > 1.

Consideremos as frentes de onda emitidas num pequeno entorno da posição F_0, detectadas no ponto de observação P (Figura 6.32). Se subdividirmos esse entorno F_0F_n em n intervalos iguais, correspondentes a intervalos de tempo iguais Δt, a frente emitida de F_0 em $t = 0$ chega a P no instante $t_0 = r_0/v$, ao passo que a frente emitida de F_n em $t = n\Delta t$ chega a P no instante

$$t_n = n\Delta t + \frac{r_n}{v} \tag{6.9.13}$$

onde, pela Figura 6.33,

$$r_n \approx r_0 - \overline{F_0A} = r_0 - \underbrace{\overline{F_0F_n}}_{V\cdot n\Delta t}\cos\theta$$

de modo que, na (6.9.13),

$$t_n = n\Delta t + \underbrace{\frac{r_0}{v}}_{t_0} - n\Delta t\frac{V}{v}\cos\theta$$

ou seja

$$\boxed{t_n - t_0 = n\Delta t\left(1 - \frac{V}{v}\cos\theta_0\right)} \tag{6.9.14}$$

No caso subsônico $V < v$, a (6.9.14) mostra que as frentes de onda chegam ao ponto de observação P na mesma ordem temporal de sucessão em que são emitidas, mas isto não é necessariamente válido para $V > v$. Em particular, nesse caso *supersônico*, existe um ângulo θ_0 para o qual *todas as frentes de onda chegam a* P *no mesmo instante* t_0: pela (6.9.14), θ_0 é dado por

$$\boxed{\cos\theta_0 = \frac{v}{V} = \text{sen}\,\alpha \quad \left\{\ \theta_0 = \frac{\pi}{2} - \alpha\right.} \tag{6.9.15}$$

onde usamos a (6.9.12).

Nessa direção, perpendicular à superfície do cone de Mach, a acumulação das frentes de onda que chegam simultaneamente a P produz uma *onda de choque*. Esse é um efeito bem conhecido no caso de um avião que atinge velocidade supersônica; na Figura 6.33, F_0F representaria a trajetória do avião e F_0P o percurso da onda de choque que atinge o ponto de observação P. A velocidade Mach 1 ($V = v$), na atmosfera a 15 °C, é de $\approx 341 \times 3.600$ m/h ≈ 1.225 km/h.

O análogo bidimensional do cone de Mach, nas ondas sobre a superfície da água, é a *esteira* deixada por um barco de velocidade maior que a dessas ondas. A Figura 6.34 é uma foto do cone de Mach visualizado num tanque de ondas.

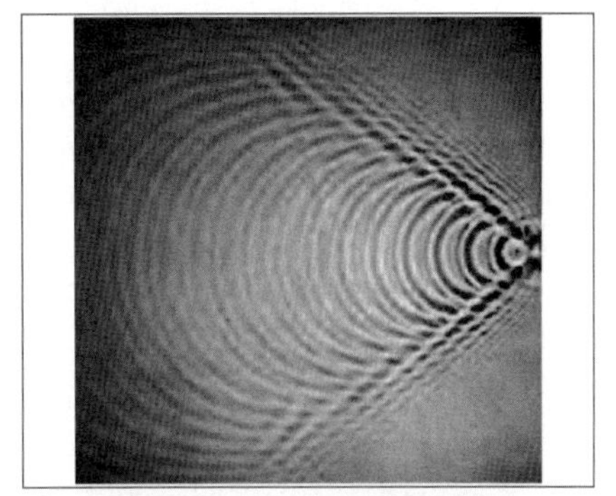

Figura 6.34 Visualização do cone de Mach num tanque de ondas.

■ PROBLEMAS

6.1 Uma experiência de demonstração divertida consiste em mudar a tonalidade da voz enchendo a boca com gás hélio: uma voz grave transforma-se em aguda (**mas cuidado: não procure fazer isso por sua conta! — inalar hélio é perigoso, podendo levar à sufocação**). Para explicar o efeito, admita que os comprimentos de onda associados à voz são determinados pelas dimensões das cordas vocais, laringe e boca, estas funcionando como cavidades ressonantes, de modo que a variação de tonalidade seria devida unicamente à variação da velocidade do som (embora isto não seja bem correto), (a) Calcule a velocidade do som no hélio a 20 °C. É um gás monoatômico, de massa atômica = 4 g/mol, com $\gamma \sim 1,66$. A constante universal dos gases R vale 8,314 J/mol K. (b) Explique o efeito, calculando a razão entre as frequências do som no hélio e no ar para o mesmo comprimento de onda.

Figura P.1

6.2 O alto-falante de um aparelho de som emite 1 W de potência sonora na frequência $\nu = 100$ Hz. Admitindo que o som se distribui uniformemente em todas as direções, determine, num ponto situado a 2 m de distância do alto-falante: (a) o nível sonoro em db; (b) a amplitude de pressão; (c) a amplitude de deslocamento. Tome a densidade do ar como 1,3 kg/m^3 e a velocidade do som como 340 m/s. (d) A que distância do alto-falante o nível sonoro estará 10 db abaixo do calculado em (a)?

6.3 Que comprimento deve ter um tubo de órgão aberto num extremo e fechado no outro para produzir, como tom fundamental, a nota dó da escala média, $\nu = 262$ Hz, a 15 °C, quando a velocidade do som no ar é de 341 m/s? Qual é a variação de frequência $\Delta\nu$ quando a temperatura sobe para 25 °C?

6.4 No experimento da Figura 6.11, o diapasão emite a nota lá de 440 Hz. À medida que o nível da água no tubo vai baixando, a 1ª ressonância aparece quando a altura da coluna de ar é de 17,5 cm e a 2ª quando é de 55,5 cm. (a) Qual é o comprimento de onda? (b) Qual é o valor da correção terminal (Seção 6.4)? (c) Estime o diâmetro do tubo. (d) Qual é a velocidade do som no tubo?

6.5 O *tubo de Kundt*, que costumava ser empregado para medir a velocidade do som em gases, é um tubo de vidro que contém o gás, fechado numa extremidade por uma tampa M que se faz vibrar com uma frequência ν conhecida (por exemplo, acoplando-a a um alto-falante) e na outra por um pistão, P que se faz deslizar, variando o comprimento do tubo. O tubo contém um pó fino (serragem, por exemplo). Ajusta-se o comprimento do tubo com o auxílio do pistão, até que ele entre em ressonância com a frequência ν, o que se nota pelo reforço da intensidade sonora emitida.

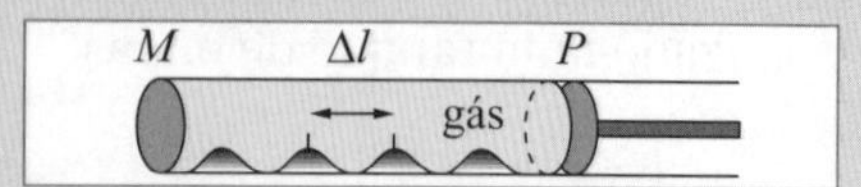

Figura P.2

Observa-se então que o pó fica acumulado em montículos igualmente espaçados, de espaçamento Δl (Figura P.2), que se pode medir. (a) A que correspondem as posições dos topos dos montículos? (b) Qual é a relação entre Δl, ν e a velocidade do som no gás? (c) Com o tubo cheio de CO_2, a 20 °C e ν = 880 Hz, o espaçamento médio medido é de 15,2 cm. Qual é a velocidade do som no CO_2 a 20 °C?

6.6 (a) Mostre que, para uma onda sonora harmônica de frequência angular ω, em três dimensões, num fluido cuja densidade de equilíbrio é ρ_0, o deslocamento $\mathbf{u}$ (que neste caso, é um vetor!) está relacionado com a pressão p por: grad $p = \rho_0\, \omega^2\, \mathbf{u}$. (b) Considere uma onda sonora harmônica que se propaga no semiespaço $x > 0$, com $p = p(x, y, z, t)$, e suponha que o plano $x = 0$ é uma parede fixa, rígida. Mostre, utilizando o resultado da parte (a), que p tem de satisfazer a condição de contorno $\partial p/\partial x = 0$ para $x = 0$, qualquer que seja t. Em particular, isto vale na extremidade fechada de um tubo de órgão (Seção 6.4).

6.7 Uma onda sonora plana monocromática de pressão dada por [cf. (6.5.7)]

$$p_i = \wp \cos\left(-k_x x + k_y y - \omega t\right)$$

onde $k^2 = k_x^2 + k_y^2 = \omega^2/v^2$ (v = velocidade do som), incide com ângulo de incidência θ_1 sobre o plano $x = 0$, ocupado por uma parede rígida (Figura P.3), dando origem à onda refletida de pressão dada por

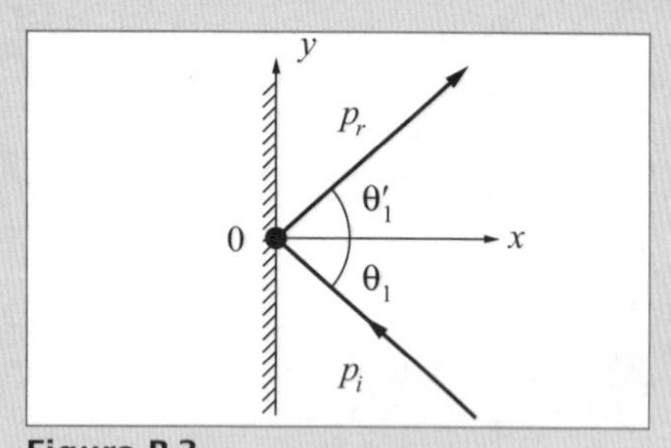

Figura P.3

$$p_r = \wp' \cos\left(k_x x + k_y y - \omega t\right)$$

associada ao ângulo de reflexão θ_1' (Figura). (a) Verifique que $k_x = k \cos \theta_1$, $k_y = k$ sen θ_1. (b) Aplique a condição de contorno do problema 6.6 à onda total $p = p_i + p_r$, determine $\wp'$ em função de $\wp$, usando (b), e interprete o resultado. Mostre que, no caso particular em que $k_y = 0$, ele se reduz ao que foi encontrado na Seção 6.4 para a reflexão na extremidade fechada de um tubo de órgão.

6.8 Uma lente esférica plano-convexa delgada é formada por um meio no qual o som se propaga com velocidade v_2, limitado por uma face plana e outra esférica de raio de curvatura R; o raio $h = \overline{I'A}$ da face plana (Figura P.4) é suposto $<< R$. No meio externo à lente, o som se propaga com velocidade v_1, com $v_2 = v_1/n$, onde n é o índice de refração relativo. Supomos $n > 1$. Nessas condições, uma onda plana incidente perpendicularmente sobre a face plana é focalizada pela lente em seu foco F. A distância $f = \overline{OF}$ do foco à face curva se chama *distância focal* (Figura), e $\overline{AO} = e$ é a espessura da lente, (a) Mostre que, para $h << R$, tem-se $e = h^2/(2R)$.

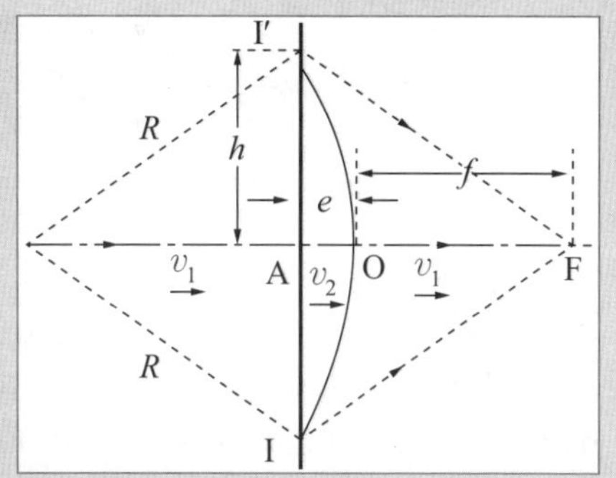

Figura P.4

Para isso, você poderá utilizar a aproximação: $\sqrt{1 \pm \varepsilon} \approx 1 \pm \frac{1}{2}\varepsilon$, válida para $|\varepsilon| << 1$.
(b) Com o auxílio do Princípio de Huygens, mostre que $f = R/(n - 1)$. *Sugestão*: Partindo da frente de onda plana incidente II' (Figura), iguale o tempo que as frentes de onda secundárias levam para convergir no foco passando pela periferia da lente (caminhos $\overline{I'F}$, $\overline{IF}$) e pelo centro (caminho $\overline{AO} + \overline{OF}$) e use o resultado da parte (a).

6.9 Duas fontes sonoras A e B oscilam em fase com a frequência de 20 kHz, no ar, emitindo ondas esféricas; a distância $\overline{AB} = 3d$ é de 10,2 m. Considere o plano perpendicular a $\overline{AB}$ que passa pelo terço O do segmento $\overline{AB} : \overline{AO} = d = \frac{1}{2}\overline{OB}$ (Figura P.5). Ache as distâncias x do ponto O associadas aos dois primeiros mínimos e aos dois primeiros máximos de interferência sobre esse plano.

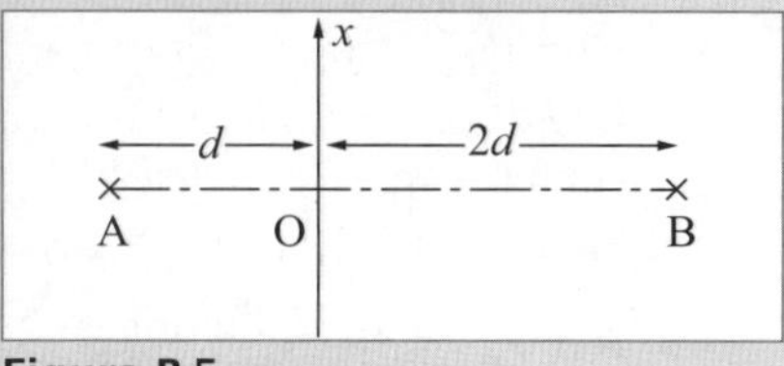

Figura P.5

Você poderá utilizar a aproximação: $\sqrt{1+\varepsilon} \approx 1 + \frac{1}{2}\varepsilon\left(|\varepsilon| \ll 1\right)$; a velocidade do som no ar é de 340 m/s. Se as ondas emitidas por A e B têm a mesma amplitude, qual é a razão da intensidade dos máximos à dos mínimos?

6.10 Uma onda sonora plana harmônica de comprimento de onda λ incide perpendicularmente sobre um anteparo opaco com três fendas igualmente espaçadas, de espaçamento $d >> \lambda$. Para pontos de observação P situados a distâncias $R >> d$, determine as direções de observação θ (Figura P.6) em que aparecem mínimos de interferência, generalizando a (6.8.11) de duas para três fendas. Qual é a intensidade nos

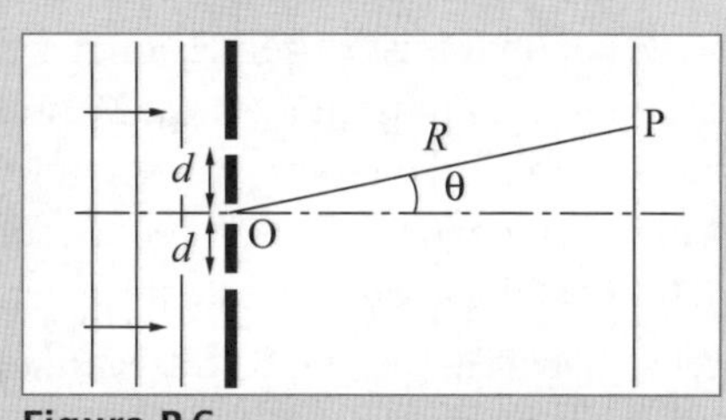

Figura P.6

mínimos? *Sugestão*: Você terá de calcular a resultante de três oscilações com defasagens consecutivas δ iguais. Use a notação complexa e a fórmula (demonstre-a!)

$$\left|1+e^{i\delta}+e^{2i\delta}\right|^2=\left|\frac{e^{3i\delta}-1}{e^{i\delta}-1}\right|^2=\frac{\text{sen}^2\left(\frac{3}{2}\delta\right)}{\text{sen}^2\left(\frac{\delta}{2}\right)}$$

O mesmo método se aplica a um número qualquer de fendas igualmente espaçadas.

6.11 Uma ambulância, em velocidade constante e com sua sirene sempre ligada, passa ao lado de um observador parado. A tonalidade da sirene percebida pelo observador varia de um semitom da escala cromática (Seção 6.4) entre quando ela está se aproximando, vindo de longe, e quando se afasta, já distante. A velocidade do som no ar é de 340 m/s. Calcule a velocidade da ambulância (em km/h).

Figura P.7

6.12 Dois trens viajam em sentidos opostos, sobre trilhos, com velocidades de mesma magnitude. Um deles vem apitando. A frequência do apito percebida por um passageiro do outro trem varia entre os valores de 348 Hz, quando estão se aproximando, e 259 Hz, quando estão se afastando. A velocidade do som no ar é de 340 m/s. (a) Qual é a velocidade dos trens (em km/h)? (b) Qual é a frequência do apito?

Figura P.8

6.13 Numa estrada de montanha, ao aproximar-se de um paredão vertical que a estrada irá contornar, um motorista vem buzinando. O eco vindo do paredão interfere com o som da buzina, produzindo cinco batimentos por segundo. Sabendo-se que a frequência da buzina é de 200 Hz e a velocidade do som no ar é de 340 m/s, qual é a velocidade do carro (em km/h)?

6.14 Uma fonte sonora fixa emite som de frequência ν_0. O som é refletido por um objeto que se aproxima da fonte com velocidade u. O eco refletido volta para a fonte, onde interfere com as ondas que estão sendo emitidas, dando origem a batimentos, com frequência $\Delta\nu$. Mostre que é possível determinar a magnitude $|u|$ da velocidade da fonte móvel em função de $\Delta\nu$, ν_0 e da velocidade do som v. O mesmo princípio é utilizado (com ondas eletromagnéticas em lugar de ondas sonoras) na detecção do excesso de velocidade nas estradas, com auxílio do radar.

6.15 Dois carros (1 e 2) trafegam em sentidos opostos numa estrada, com velocidades de magnitudes v_1 e v_2. O carro 1 trafega contra o vento, que tem velocidade V. Ao avistar o carro 2 o motorista do carro 1 pressiona sua buzina, de frequência ν_0. A velocidade do som no ar parado é v. Qual é a frequência ν do som da buzina percebida pelo motorista do carro 2? Com que frequência ν' ela é ouvida pelo motorista de um carro 3, que trafega no mesmo sentido que o carro 1 e com a mesma velocidade?

6.16 Complete a teoria do efeito Doppler para movimento numa direção qualquer (Seção 6.9) calculando a frequência ν percebida por um observador quando a fonte, de frequência ν_0, está em repouso na atmosfera e o observador se move ao longo de uma direção P_0P, com velocidade de magnitude u. No instante considerado, a direção PF que liga o observador à fonte (Figura P.9) faz um ângulo θ com a direção do movimento. Verifique que se recai nos resultados obtidos no texto para $\theta = 0$ e $\theta = \pi$.

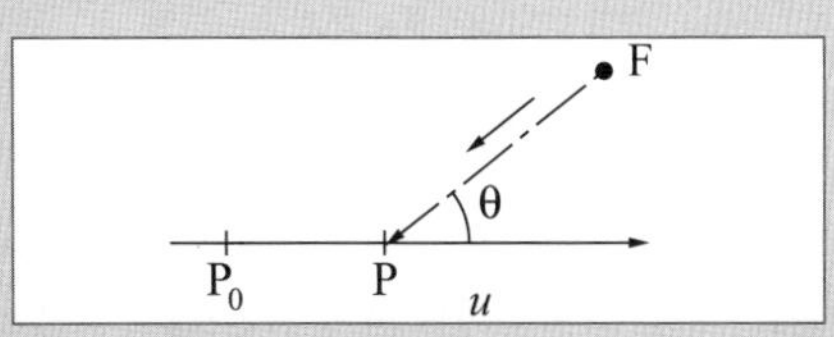

Figura P.9

6.17 Mostre que se pode obter o efeito Doppler a partir da transformação de Galileu (**FB1**, Seção 13.1). (a) Considere, primeiro, uma onda sonora harmônica em uma dimensão, para uma fonte sonora em repouso no meio, de frequência ν_0. Escreva a expressão da onda num ponto x no instante t, no referencial S do meio. Considere, agora, um observador que se desloca com velocidade u em relação a S, na direção θ. Relacione x com a coordenada x' do observador, no referencial S' que se desloca com ele. Substitua na expressão da onda e interprete o resultado, (b) Considere, agora, o caso em que o observador se move com velocidade u numa direção qualquer. Generalize o resultado de (a), usando a transformação de Galileu geral, e mostre que se obtém a mesma expressão para o efeito Doppler encontrada no Problema 6.16. Parta da expressão geral (6.5.3) para uma onda plana.

6.18 Um avião a jato supersônico está voando a Mach 2 (o dobro da velocidade do som). (a) Qual é o ângulo de abertura do cone de Mach? (b) Cerca de 2,5 s depois de o avião ter passado diretamente acima de uma casa, a onda de choque causada pela sua passagem atinge a casa, provocando um estrondo sônico. A velocidade do som no ar é de 340 m/s. Qual é a altitude do avião em relação à casa?

7

Temperatura

7.1 INTRODUÇÃO

Vamos iniciar o estudo de uma nova área da física, a termodinâmica, que lida com fenômenos associados aos conceitos de *temperatura e calor.* A natureza da termodinâmica é muito diferente da mecânica, que estudamos até aqui, e também de áreas que ainda não tratamos, como o eletromagnetismo.

As interações fundamentais encontradas nessas áreas, como a gravitação e a interação eletromagnética, não estão associadas a nenhuma distinção básica entre passado e futuro. Se filmarmos uma sucessão de eventos governados apenas por essas interações, e projetarmos o filme em sentido inverso, a sucessão invertida continuará sendo compatível com elas.

Isso deixa de valer na termodinâmica. Ela introduziu na física, pela primeira vez, a assimetria temporal de ocorrência dos fenômenos, o conceito de *irreversibilidade.*

As leis da mecânica aplicam-se, em princípio, tanto a objetos macroscópicos como aos microscópicos, embora sofram modificações profundas na escala atômica e subatômica (mecânica quântica). Um gás contido num recipiente de dimensões macroscópicas é formado de um número N gigantesco (tipicamente $N \sim 10^{24}$) de partículas (moléculas ou átomos). Se tratarmos cada uma como um ponto material, desprezando sua estrutura interna, teremos um sistema mecânico de $3N$ graus de liberdade (**FB1**, Seção 11.1).

A *descrição microscópica* desse sistema como um *sistema mecânico* envolveria equações de movimento para todos esses graus de liberdade. É inconcebível que conseguíssemos resolver todas essas equações, mas, mesmo se conhecêssemos a solução, não saberíamos o que fazer com ela, nem como interpretá-la. As partículas do gás se movem de forma extremamente complicada e desordenada, colidindo constantemente umas com as outras e com as paredes do recipiente, variando apreciavelmente numa escala de distâncias $\sim 10^{-8}$ cm e de tempos $\sim 10^{-13}$ s.

A *descrição macroscópica* do gás como um *sistema termodinâmico* envolve somente um número muito pequeno de parâmetros: caso se trate de uma substância pura (hidrogênio, por exemplo), apenas três *variáveis macroscópicas:* a *pressão* P, o *volume*

V e a *temperatura* T. Variáveis como a pressão e a temperatura representam *valores médios* de grandezas microscópicas. A pressão, por exemplo, está relacionada com o valor médio da transferência de momento nas colisões das partículas com as paredes, como no caso da pressão exercida por um jato de areia (**FB1**, Seção 9.4). A temperatura, conforme veremos adiante, está relacionada com a *energia cinética média das partículas.*

A descrição termodinâmica é sempre, portanto, uma descrição *macroscópica*, que só se aplica a sistemas com um número suficientemente grande de partículas. Não faz sentido perguntar qual é a temperatura de um sistema de dois ou três átomos isolados!

O *estado termodinâmico* de um gás, descrito por (P, V, T), só fornece, portanto, algumas informações médias sobre seu estado dinâmico como sistema microscópico de $3N$ graus de liberdade, e é compatível com um número descomunal de estados dinâmicos diferentes, atravessados pelo sistema em sua evolução dinâmica.

Vemos, assim, que a descrição termodinâmica é uma descrição *estatística*, regida por leis de mesma natureza que aquelas empregadas por uma companhia de seguros. A validade dessas leis resulta precisamente do fato de que se aplicam a sistemas formados por um *grande número de elementos.*

Historicamente, as leis da termodinâmica foram obtidas como leis empíricas, de natureza fenomenológica. A motivação resultou em grande parte da necessidade de compreender o funcionamento de máquinas térmicas, como máquinas a vapor. A partir da formulação da *teoria cinética dos gases*, precursora da teoria atômica da matéria, procurou-se uma explicação microscópica das leis da termodinâmica. Este processo culminou com o aparecimento da *mecânica estatística* e da *termodinâmica estatística.*

Inicialmente, vamos partir da formulação empírica das leis, sem nos preocuparmos com sua explicação microscópica. A seguir, discutiremos a explicação fornecida pela teoria cinética dos gases, bem como noções de mecânica estatística.

Partindo de um pequeno número de leis básicas, a termodinâmica leva a muitas consequências importantes, de grande generalidade. Uma vez obtida a explicação microscópica das leis básicas, não é preciso procurá-la para cada uma das consequências.

A 1ª lei da termodinâmica não passa da extensão do *princípio de conservação da energia*, levando em conta o *calor* como forma de energia. Quando o movimento de um pêndulo se amortece pela resistência do ar, a energia mecânica dissipada por essa força de atrito é transmitida ao movimento desordenado das moléculas de ar: o calor corresponde a essa forma *desordenada* de energia (**FB1**, Seção 7.6).

Com a 2ª lei da termodinâmica, aparece pela primeira vez na física a "seta do tempo", ou seja, o fato de que existe uma direção espontânea de ocorrência dos fenômenos, que é geralmente irreversível. A origem da conexão entre a 2ª a lei e a irreversibilidade é um dos problemas mais profundos da física.

7.2 EQUILÍBRIO TÉRMICO E A LEI ZERO DA TERMODINÂMICA

Um *sistema termodinâmico* consiste numa certa quantidade de matéria geralmente contida dentro de um *recipiente.* As paredes do recipiente podem ser fixas ou móveis (através de um pistão, por exemplo).

A natureza das paredes afeta de forma fundamental a interação entre o sistema e o *meio externo* que o cerca. Se colocarmos água dentro de um recipiente de paredes metálicas, como uma panela, e depois o levarmos ao fogo ou colocarmos numa geladeira, o estado da água é alterado pela interação com esses diversos ambientes, inclusive com a atmosfera.

Se, em vez disso, colocarmos a água numa garrafa térmica fechada, que é um recipiente de paredes duplas, entre as quais se faz o vácuo (para impedir a condução de calor) e metalizadas (para evitar transferência de calor por radiação), podemo-nos aproximar da situação limite ideal do *isolamento térmico perfeito*, em que *o estado do sistema contido no recipiente não é afetado pelo ambiente externo* em que é colocado. Uma parede ideal com essa propriedade é denominada *parede adiabática*. Além da parede de uma garrafa térmica, pode ser também aproximada por uma parede espessa de madeira ou asbesto. Uma parede não adiabática é denominada *diatérmica* (o que significa "transparente ao calor"): um exemplo é uma parede metálica delgada.

Quando dois sistemas estão separados por uma parede diatérmica, diz-se que estão em *contato térmico*. Um sistema contido num recipiente de paredes adiabáticas é denominada *sistema isolado*. É um fato experimental que um *sistema isolado sempre tende a um estado em que nenhuma das variáveis macroscópicas que o caracterizam muda mais com o tempo*. Quando ele atinge esse estado, diz-se que está em *equilíbrio térmico*.

O tempo necessário para que um sistema atinja o equilíbrio térmico pode ser extremamente grande. O fato de que variáveis *macroscópicas* características do sistema permaneçam constantes no equilíbrio não significa que as condições sejam estáticas do ponto de vista microscópico. Assim, num gás em equilíbrio térmico, as moléculas encontram-se constantemente em movimento desordenado (agitação térmica): à medida que nos aproximamos da escala microscópica, encontramos *flutuações* das grandezas macroscópicas em torno de seus valores médios. A *termodinâmica clássica trata de sistemas em equilíbrio térmico*. Desenvolvimentos recentes da termodinâmica estão relacionados com sua extensão a sistemas fora do equilíbrio.

O conceito de temperatura está associado a uma propriedade comum de sistemas em equilíbrio térmico. A sensação subjetiva de temperatura não fornece um método confiável de aferição. Assim, num dia frio, ao tocarmos num objeto metálico, temos a sensação de que está a temperatura mais baixa do que a de um objeto de madeira, embora ambos se encontrem à mesma temperatura: a razão é que, por condução, o objeto metálico remove mais rapidamente calor da ponta de nossos dedos. Para definir de forma objetiva o conceito de temperatura, temos de examinar com mais detalhes as propriedades do equilíbrio térmico.

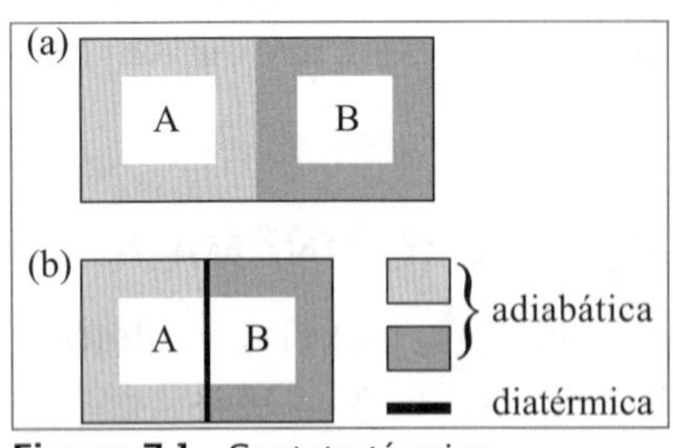

Figura 7.1 Contato térmico.

Consideremos dois sistemas isolados A e B. Cada um deles, independentemente, atinge equilíbrio térmico; se estão separados por paredes adiabáticas (Figura 7.1(a)), o estado termodinâmico de equilíbrio de um deles não é afetado pelo outro. Se agora substituirmos as paredes de separação adiabáticas por uma parede de separação diatérmica (Figura 7.1(b)), colocando A e B em contato térmico, o sistema evoluirá em geral para um novo estado de equilíbrio térmico diferente, ou seja, as variáveis macroscópicas tanto de A quanto de B mudarão com o tempo, até que o sistema formado por A e B em contato térmico atinja equilíbrio térmico. Diz-se neste caso que A *está em equilíbrio térmico com* B.

Suponhamos agora que A e B estão ambos em equilíbrio térmico com C, mas separados um do outro por uma parede adiabática (Figura 7.2(a)). Que acontece se a substituirmos por uma parede diatérmica? (Figura 7.2 (b)). É um *fato experimental* que, nessa situação, A e B também já estarão em equilíbrio térmico entre si. Este fato é chamado muitas vezes de *lei zero da termodinâmica: Dois sistemas em equilíbrio térmico com um terceiro estão em equilíbrio térmico entre si.* Para mostrar que esse fato não decorre de nenhuma necessidade lógica, basta notar que um eletrodo de cobre em equilíbrio elétrico com uma solução diluída de ácido sulfúrico, e um eletrodo de zinco em equilíbrio elétrico com a mesma solução, *não* estão em equilíbrio *elétrico* entre si. Se os colocarmos em contato elétrico por meio de um fio de cobre, passará uma corrente elétrica de um eletrodo para o outro (pilha voltaica).

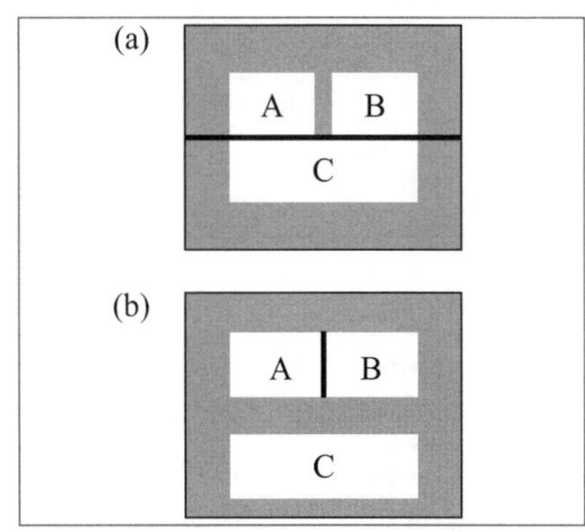

Figura 7.2 Lei zero da termodinâmica.

A noção intuitiva de temperatura leva à ideia de que *dois sistemas em equilíbrio térmico entre si têm a mesma temperatura*. Graças à lei zero da termodinâmica, podemos medir temperaturas com o auxílio de um termômetro. Para saber se dois sistemas A e B têm a mesma temperatura, não é necessário colocá-los em contato térmico: basta verificar se ambos estão em equilíbrio térmico com um terceiro corpo C, que é o "termômetro": a lei zero garante então que A e B também estão em equilíbrio térmico um com o outro.

7.3 TEMPERATURA

Um sistema termodinâmico especialmente simples é um *fluido* (líquido ou gás), *homogêneo*, contido num recipiente de volume V. A forma do recipiente é irrelevante, uma vez que ele é totalmente ocupado pelo fluido. Em equilíbrio térmico, podemos aplicar as leis da estática dos fluidos (Seção 1.2) e definir a *pressão* P do fluido, exercida por ele sobre as paredes do recipiente e que é a mesma em qualquer ponto do fluido (desprezando efeitos gravitacionais).

Consideremos agora um *sistema padrão* C ("termômetro") constituído por um fluido ("substância termométrica") num recipiente. É um fato experimental que o *estado de um fluido em equilíbrio térmico fica inteiramente caracterizado por sua pressão e volume*, ou seja, para o fluido C, pelo par (P_C, V_C). Se alterarmos uma dessas variáveis, a outra também muda para outro valor bem definido quando o sistema atinge novamente o equilíbrio térmico. Cada par irá corresponder a uma dada situação de equilíbrio térmico, ou seja, uma dada temperatura.

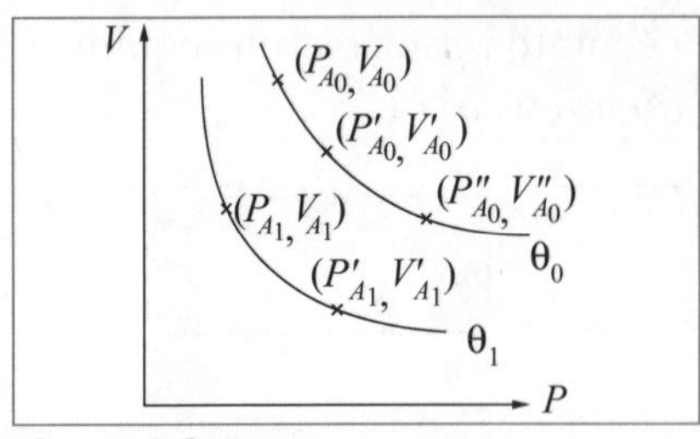

Figura 7.3 Isotermas.

Seja (P_{C0},V_{C0}) um dado estado do sistema C, e consideremos outro sistema fluido A, caracterizado pelo par (P_A,V_A). Verifica-se experimentalmente que há toda uma série de estados diferentes (P_{A0},V_{A0}), (P'_{A0},V'_{A0}) (P''_{A0},V''_{A0}), ... do sistema A que estão todos em equilíbrio térmico com (P_{C0}, V_{C0}), e que geralmente podem ser representados por uma *curva contínua* numa dada região do plano (P,V), que é chamada *isoterma do sistema* A (Figura 7.3). Pela lei zero da termodinâmica, se escolhermos outro sistema padrão C', em equilíbrio térmico com C no estado (P_{C0}, V_{C0}), a isoterma não se altera: ela só depende da natureza do sistema A. Para outro estado (P_{C1}, V_{C1}) de C, acha-se (Figura) outra isoterma (P_{A1}, V_{A1}),(P'_{A1}, V'_{A1}),... do sistema A.

Podemos agora distinguir as diferentes isotermas do sistema A por diferentes números θ_0, θ_1,..., um para cada isoterma, escolhidos de forma *arbitrária*, mas assumindo um valor constante sobre cada isoterma. A grandeza θ é chamada, então, de *temperatura empírica*, e uma isoterma do sistema A é o conjunto dos estados (P_A,V_A) que têm a mesma temperatura θ.

A família de isotermas do sistema A pode ser descrita por uma equação da forma

$$f(P_A,V_A)=0 \tag{7.3.1}$$

que se chama *equação de estado* do sistema A (cf. Seção 6.2). Uma vez estabelecida uma escala de temperatura empírica, a lei zero da termodinâmica não deixa mais nenhuma arbitrariedade na definição da temperatura para outros sistemas: uma isoterma de outro sistema B, associada a estados que estão em equilíbrio térmico com (P_{C0},V_{C0}), tem de corresponder à temperatura θ_0, e assim por diante.

Com a temperatura empírica assim definida, os conceitos de *sistemas em equilíbrio térmico entre si* e *sistemas à mesma temperatura* são equivalentes.

Termômetros

O termômetro mais familiar na prática é o termômetro de mercúrio (Figura 7.4), que consiste num tubo capilar de vidro fechado e evacuado, com um bulbo numa extremidade, contendo mercúrio, que é a *substância termométrica.* O volume V do mercúrio é medido por meio do comprimento l da coluna líquida.

Na realidade, este comprimento não reflete apenas a dilatação ou contração do mercúrio, mas a diferença entre ela e a dilatação ou contração correspondente do tubo de vidro que contém o mercúrio. Entretanto, a variação de volume do mercúrio é geralmente bem maior do que a do recipiente.

A definição da *escala Celsius* de temperatura empírica foi associada com a escolha de dois *pontos fixos* correspondentes a temperaturas bem definidas, uma delas sendo a do gelo em fusão e a outra a da água em ebulição. Mais precisamente, o *ponto de gelo* corresponde à temperatura de equilíbrio térmico de gelo e água saturada de ar, à pressão de 1 atmosfera, e o *ponto de vapor* é a temperatura de equilíbrio de vapor de água e água pura, à pressão de 1 atmosfera.

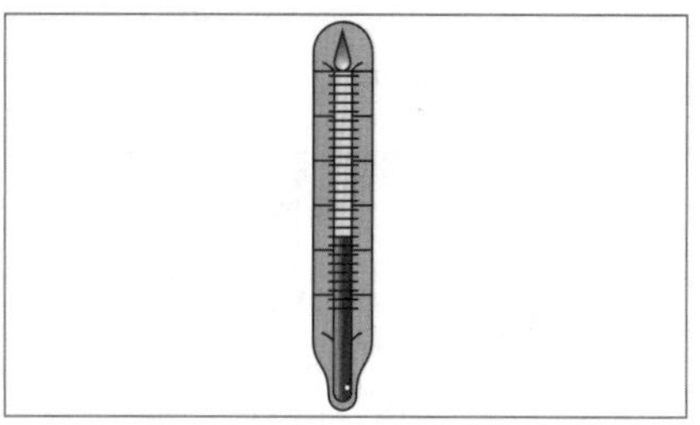

Figura 7.4 Termômetro de mercúrio.

Na escala Celsius, assinalamos arbitrariamente as temperaturas:

Ponto de vapor: $\theta = 100$ °C,

Ponto de gelo: $\theta = 0$ °C.

Para calibrar o termômetro de mercúrio nesta escala, *convencionamos* a seguir que θ e o comprimento l da coluna guardam entre si uma relação *linear*. Assim, se l_{100} e l_0 são os comprimentos no ponto de vapor e no ponto de gelo, respectivamente, e l é o comprimento quando em equilíbrio térmico com o sistema cuja temperatura queremos medir, assinalamos a θ o valor

$$\theta = \frac{l - l_0}{l_{100} - l_0} (°\text{C}) \qquad \textbf{(7.3.2)}$$

Isto equivale a dividir a escala entre l_0 e l_{100} em 100 partes iguais, cada subdivisão correspondendo a 1 °C, ou seja, equivale a *definir* a dilatação da coluna de mercúrio como sendo *linear com* θ.

Outro termômetro usual é o termômetro de álcool, em que se utiliza como substância termométrica o álcool em vez do mercúrio. A calibração da escala de temperatura empírica correspondente é feita de forma análoga à que acabamos de descrever. Não há nenhuma razão para esperar que as leituras de um termômetro de mercúrio e de um de álcool coincidam, e de fato elas apresentam discrepâncias da ordem até de alguns décimos de °C. Isto significa simplesmente que cada um dos dois líquidos não se dilata de maneira bem uniforme na escala em que *convencionamos* uniformidade de dilatação para o outro. Nenhum dos dois pode ser considerado "melhor" que o outro, uma vez que se trata de pura convenção.

Podemos perguntar se é possível encontrar uma escala *absoluta* de temperatura, que não esteja associada a propriedades específicas de uma particular substância. Um passo importante nessa direção consiste em tomar como substância termométrica um gás. A experiência mostra que os resultados assim obtidos exprimem propriedades universais dos gases, e veremos mais tarde que a escala assim definida corresponde realmente a uma escala absoluta.

7.4 O TERMÔMETRO DE GÁS A VOLUME CONSTANTE

Usando como substância termométrica um gás, poderíamos tomar como propriedade termométrica o volume a pressão constante ou a pressão a volume constante; esta última alternativa é mais simples e é adotada na prática.

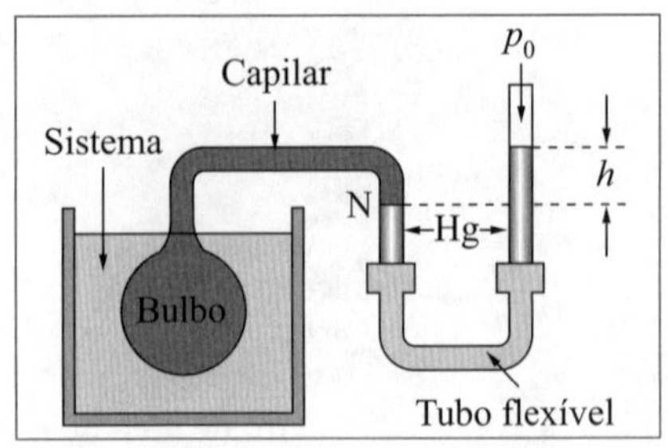

Figura 7.5 Termômetro de gás a volume constante.

O termômetro de gás a volume constante está esquematizado na Figura 7.5. O gás, geralmente hidrogênio, enche um bulbo e um tubo capilar ligado a um manômetro de mercúrio de tubo aberto (Seção 1.5). O tubo flexível permite suspender ou abaixar o nível de mercúrio no ramo da direita de tal forma que o nível do ramo da esquerda permaneça numa marca fixa N (Figura), definindo um volume V constante ocupado pelo gás.

O bulbo é colocado em contato térmico com o sistema cuja temperatura se quer medir, e a seguir é medida a pressão P do gás, dada por [cf. (1. 5.1)]

$$P = p_0 + \rho g h \tag{7.4.1}$$

onde p_0 é a pressão atmosférica, suposta conhecida, ρ é a densidade do mercúrio, e h é o desnível entre o mercúrio contido no ramo da direita e no da esquerda.

Sejam P_{0v} e P_{0g} os valores de P no ponto de vapor e no ponto de gelo, respectivamente, quando M_0 é a massa de gás que ocupa o volume V. Suponhamos que se repitam as medidas reduzindo a massa de gás para $M_1 < M_0$ (o volume V sempre permanece constante). As pressões medidas nos pontos de vapor e de gelo serão agora $P_{1v} < P_{0v}$ e $P_{1g} < P_{0g}$. Para uma massa de gás $M_2 < M_1$, *os* valores caem para $P_{2v} < P_{1v}$ e $P_{2g} < P_{1g}$.

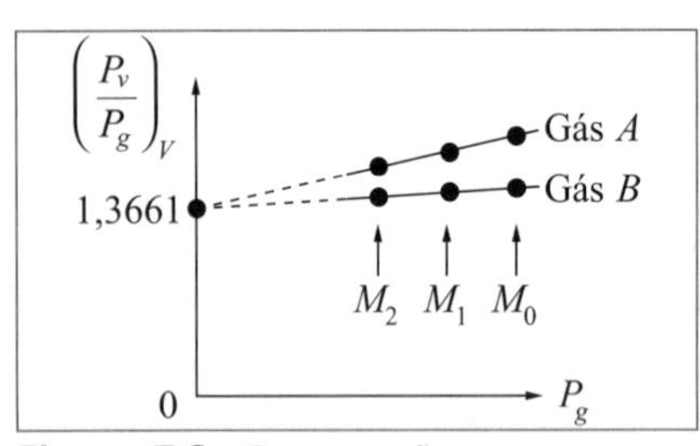

Figura 7.6 Comparação com gases diferentes.

Traçando um gráfico da razão $(P_v/P_g)_V$ (onde o índice V significa que o volume V de gás é mantido constante) como função da massa M de gás, ou, o que vem a dar na mesma, em função da pressão P_g, verifica-se experimentalmente que, à medida que P_g vai baixando, os pontos experimentais tendem a cair sobre uma reta (Figura 7.6). Para gases diferentes, as retas são diferentes, mas, se as *extrapolarmos ao limite* $P_g \to 0$ (o que equivale a $M \to 0$ e não pode obviamente ser atingido), o resultado experimental é que *todas as retas interceptam o eixo das ordenadas no mesmo ponto* (Figura 7.6), correspondente ao valor $(P_v/P_g)_V \approx 1{,}3661$. Logo,

$$\boxed{\lim_{P_g \to 0}\left(\frac{P_v}{P_g}\right) \equiv \frac{T_v}{T_g} \approx 1{,}3661} \tag{7.4.2}$$

Este limite *define* a *razão* T_v/T_g das *temperaturas absolutas* T_v e T_g correspondentes ao ponto de vapor e ao ponto de gelo, respectivamente. Para completar a definição da escala de temperatura absoluta, também chamada de *escala Kelvin*, impomos a condição de que a diferença $T_v - T_g$, como na escala Celsius, corresponde a 100 graus também na escala Kelvin:

$$\boxed{T_v - T_g \approx 100\text{ K}} \quad \textbf{(7.4.3)}$$

(note que não se emprega a notação °K, mas simplesmente K).

As (7.4.2) e (7.4.3) podem agora ser resolvidas para dar T_v *e* T_g na escala Kelvin:

$$T_v - T_g = (1{,}3661 - 1)T_g = 0{,}3661\ T_g = 100 \Rightarrow \boxed{T_g \approx 100 / 0{,}3661 \approx 273{,}15\text{ K}} \quad \textbf{(7.4.4)}$$

o que resulta em $T_v \approx 373{,}15$ K.

Para medir uma temperatura na escala Kelvin com o auxílio do termômetro de gás a volume constante, medimos a pressão P correspondente, extrapolada para o limite $P_g \to 0$, como no caso da (7.4.2). A *temperatura absoluta* T correspondente é dada então por

$$\boxed{\frac{T}{T_g} = \lim_{P_g \to 0}\left(\frac{P}{P_g}\right)_v} \quad \textbf{(7.4.5)}$$

o que, com T_g dado pela (7.4.4), determina T.

A escala que acabamos de definir também é chamada *escala de gás ideal*, porque se baseia no fato empírico de que todos os gases tendem a se comportar da mesma forma quando muito rarefeitos (limite em que $P_g \to 0$). Esse comportamento universal é por definição o de um *gás ideal*.

Como o intervalo de 1 grau é por definição o mesmo nas escalas Kelvin e Celsius (7.4.3), a relação entre as duas escalas é dada por

$$\theta_{(°\text{C})} = T - T_g = T - 273{,}15 \quad \textbf{(7.4.6)}$$

A temperatura mais baixa que se pode medir com um termômetro de gás é da ordem de 1 K; o gás usado para isso é hélio a baixa pressão, uma vez que ainda pode ser mantido gasoso a essa temperatura. Temperaturas abaixo desse valor não podem ser medidas por um termômetro de gás.

Veremos na Seção 10.5 que é possível definir uma *escala termodinâmica absoluta* de temperaturas, de forma independente das propriedades específicas de qualquer substância, ou mesmo de categorias de substâncias, tais como os gases. Essa escala, conforme veremos, leva a resultados coincidentes com os da escala de gás ideal.

Ponto fixo padrão: A definição (7.4.5) só depende de um único ponto fixo padrão, que é o valor de T_g. Em vez do ponto de gelo, é adotado atualmente como ponto fixo padrão o *ponto triplo* da água, em que vapor de água coexiste em equilíbrio com água líquida e gelo. Isto ocorre para uma pressão e temperatura bem definidas: $(P_{tr})_{H2O}$ = 4,58 mm/Hg e $(\theta_{tr})_{H2O}$ = 0,01 °C. Resolveu-se então fixar o valor

$$T_{tr} = 273{,}16\text{ K}$$

para a temperatura do ponto triplo.

Com a utilização do ponto triplo em vez do ponto de gelo, a *escala termométrica de gás ideal* passa a ser definida, em vez da (7.4.5), por

$$\boxed{T = 273{,}16\ \text{K} \lim_{P_{tr} \to 0} \left(\frac{P}{P_{tr}} \right)_v} \tag{7.4.7}$$

onde P_{tr} é a pressão exercida pelo volume de gás considerado quando em equilíbrio térmico com água no ponto triplo, e P a pressão que exerce quando em equilíbrio térmico à temperatura que se deseja medir. Como é necessário efetuar uma série de medições para permitir a extrapolação ao limite $P_{tr} \to 0$, a determinação precisa de uma temperatura na escala de gás ideal é um processo extremamente laborioso, empregado quando se desejam obter valores padrão, que irão figurar em tabelas de constantes físicas.

Para fins práticos, foi adotada a *Escala Termométrica Prática Internacional*, baseada numa série de pontos fixos a serem utilizados para calibração, juntamente com recomendações sobre o tipo de termômetro que deve ser empregado em cada região de temperaturas entre dois pontos fixos e sua calibração.

Além dos pontos de gelo (0,00 °C) e de vapor (100,00 °C), são empregados os seguintes pontos fixos (todos à pressão de 1 atm): pontos de ebulição do oxigênio (–182,97 °C) e do enxofre (444,60 °C) e pontos de fusão da prata (960,80 °C) e do ouro (1.063,00 °C).

Um exemplo de termômetro cujo uso é recomendado em conjunção com essa escala em determinada faixa de temperaturas é o *termômetro de resistência de platina*, em que a propriedade termométrica medida é a resistência elétrica de um fio de platina em condições bem determinadas. O termômetro é calibrado com o auxílio dos pontos fixos mencionados aqui.

7.5 DILATAÇÃO TÉRMICA

A ascensão da coluna de mercúrio num termômetro exemplifica o fenômeno da *dilatação térmica*, a alteração de tamanho de um corpo produzida por uma variação de temperatura.

A dilatação corresponde a um aumento do espaçamento médio da estrutura microscópica. Assim, num corpo sólido, se dois de seus pontos estão inicialmente à distância l_0, a variação Δl dessa distância é proporcional a l_0. Para uma variação de temperatura ΔT suficientemente pequena, é também proporcional a ΔT. Logo,

$$\boxed{\Delta l = \alpha l_0 \Delta T} \tag{7.5.1}$$

onde a constante de proporcionalidade α representa o *coeficiente de dilatação linear*.

Vemos que $\alpha = (\Delta l/l_0)/\Delta T$ representa a *variação percentual* de comprimento $(\Delta l/l_0)$ por unidade de variação de temperatura. Embora α varie em geral com a temperatura, podemos, para fins práticos, desprezar essa variação (enquanto não nos aproximamos demasiado do *ponto de fusão* do sólido). Assim, se l_T é o comprimento à temperatura T e l_0 o comprimento à temperatura T_0, a (7.5.1) resulta em

$$l_T = l_0 \left[1 + \alpha (T - T_0) \right] \tag{7.5.2}$$

Para sólidos anisotrópicos, ou seja, aqueles cuja propriedades variam com a direção, como acontece com cristais, o coeficiente de dilatação linear assume valores diferentes em direções diferentes. Para um corpo isotrópico, α é independente da direção.

Valores típicos de α em sólidos são da ordem de 10^{-5} por °C, ou seja, 0,01 mm por metro por °C. Assim, por exemplo, em $(°C)^{-1}$, temos os seguintes valores de α: aço: $1,1 \times 10^{-5}$; alumínio: $2,3 \times 10^{-5}$; cobre: $1,7 \times 10^{-5}$; vidro: 4 a 9×10^{-6}. A (7.5.2) se aplica, por exemplo, ao comprimento de uma barra delgada do material.

Se tivermos uma lâmina delgada de um sólido isotrópico de lados l_1 e l_2, a variação percentual de sua área A devida a uma variação de temperatura T será

$$\frac{\Delta A}{A} = \frac{\Delta(l_1 l_2)}{l_1 l_2} \cong \frac{l_1 \Delta l_2 + l_2 \Delta l_1}{l_1 l_2} = \underbrace{\frac{\Delta l_1}{l_1}}_{\alpha \Delta T} + \underbrace{\frac{\Delta l_2}{l_2}}_{\alpha \Delta T} \therefore \boxed{\Delta A / A = 2\alpha \Delta T} \quad \textbf{(7.5.3)}$$

o que significa que o *coeficiente de dilatação superficial* é 2α (dado o valor extremamente pequeno de α, desprezamos no cálculo acima um termo, $\Delta l_1 \, \Delta l_2$, da ordem de α^2). A (7.5.3) se aplica também à variação da área de um orifício numa placa de material isotrópico, devida à dilatação térmica.

Analogamente, a variação de volume de um paralelepípedo de arestas l_1, l_2 e l_3 será

$$\frac{\Delta V}{V} = \frac{\Delta(l_1 l_2 l_3)}{l_1 l_2 l_3} \cong \frac{\Delta l_1}{l_1} + \frac{\Delta l_2}{l_2} + \frac{\Delta l_3}{l_3}$$

o que resulta em

$$\boxed{\Delta V / V = 3\alpha \Delta T} \quad \textbf{(7.5.4)}$$

desprezando termos de ordem α^2 e α^3. Logo, o *coeficiente de dilatação volumétrica é* 3α, o que se aplica também ao volume de uma cavidade, num corpo cujo coeficiente de dilatação linear é α.

Para um *líquido*, que toma a forma do recipiente que o contém, só interessa o *coeficiente de dilatação volumétrica* β, definido por

$$\boxed{\Delta V / V = \beta \Delta T} \quad \textbf{(7.5.5)}$$

Valores típicos de β para líquidos são bem maiores que para sólidos: tipicamente, da ordem de 10^{-3} por °C. Para o mercúrio, $\beta \approx 1,8 \times 10^{-4}$/°C.

Se tivermos então um termômetro de mercúrio, em que este enche completamente o bulbo de vidro à temperatura 0 °C, o volume do bulbo à temperatura θ será $V_0\,(1 + 3\alpha\theta)$, e o volume do mercúrio será $V_0(1 + \beta\theta)$, de modo que o volume de mercúrio expelido do bulbo e que irá subir pelo tubo capilar é

$$V_0(\beta - 3\alpha)\theta$$

Diz-se que $\beta - 3\alpha$ é o *coeficiente de dilatação aparente* do líquido (no caso, o mercúrio).

Em geral, β é > 0, mas há uma anomalia no caso da água, para a qual β se torna *negativo* entre 0 °C e 4 °C. Assim, a densidade máxima da água é atingida a 4 °C (Figura 7.7), e ela se *expande*, em vez de se contrair, quando a temperatura diminui, na região abaixo de 4 °C, até se congelar. Essa expansão pode fazer estourar um cano cheio

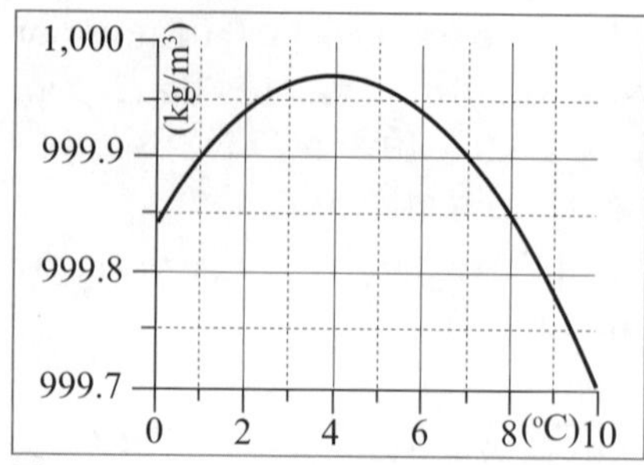

Figura 7.7 Densidade da água entre 0 °C e 10 °C.

de água, quando a mesma se congela. É também por essa razão que a superfície de um lago se congela, sem que isto ocorra com a água a maior profundidade. Esta permanece a temperatura mais elevada, com densidade maior, de forma que o gelo flutua sobre ela, permitindo assim que os peixes sobrevivam durante o inverno, debaixo da camada superficial de gelo.

A explicação microscópica do coeficiente de dilatação anômalo da água na vizinhança de seu ponto de fusão não é simples. A água é um líquido muito peculiar, em virtude de propriedades específicas da *ligação de hidrogênio*, encontrada em suas moléculas.

PROBLEMAS

7.1 Uma esfera oca de alumínio tem um raio interno de 10 cm e raio externo de 12 cm a 15 °C. O coeficiente de dilatação linear do alumínio é $2{,}3 \times 10^{-5}$/°C. De quantos cm^3 varia o volume da cavidade interna quando a temperatura sobe para 40 °C? O volume da cavidade aumenta ou diminui?

7.2 Uma barra retilínea é formada por uma parte de latão soldada em outra de aço. A 20°C, o comprimento total da barra é de 30 cm, dos quais 20 cm de latão e 10 cm de aço. Os coeficientes de dilatação linear são $1{,}9 \times 10^{-5}$/°C para o latão e $1{,}1 \times 10^{-5}$/°C para o aço. Qual é o coeficiente de dilatação linear da barra?

7.3 Uma *tira bimetálica*, usada para controlar termostatos, é constituída de uma lâmina estreita de latão, de 2 mm de espessura, presa lado a lado com uma lâmina de aço, da mesma espessura d = 2 mm, por uma série de rebites. A 15°C, as duas lâminas têm o mesmo comprimento, igual a 15 cm, e a tira está reta. A extremidade A da tira é fixa; a outra extremidade B pode mover-se, controlando o termostato. A uma temperatura de 40 °C, a tira se encurvou, adquirindo um raio de curvatura R, e a extremidade B se deslocou de uma distância vertical y (Figura P.1). Calcule R e y, sabendo que o coeficiente de dilatação linear do latão é $1{,}9 \times 10^{-5}$/°C e o do aço é $1{,}1 \times 10^{-5}$/°C.

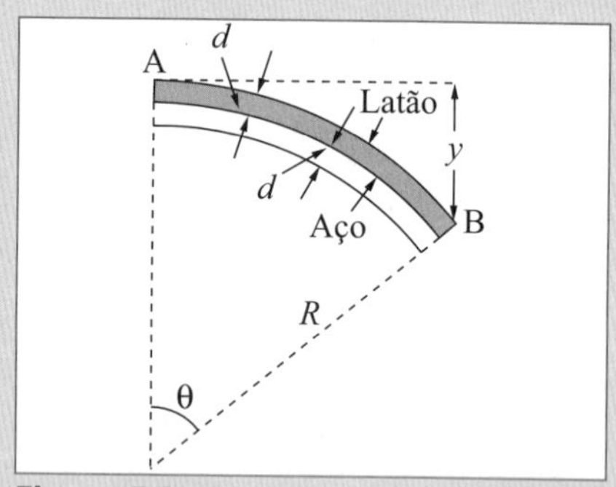

Figura P.1

7.4 Num relógio de pêndulo, o pêndulo é uma barra metálica, projetada para que seu período de oscilação seja igual a1s. Verifica-se que, no inverno, quando a temperatura média é de 10 °C, o relógio adianta, em média 55 s por semana; no verão, quando a temperatura média é de 30 °C, o relógio atrasa, em média 1 minuto por semana, (a) Calcule o coeficiente de dilatação linear do metal do pêndulo, (b) A que temperatura o relógio funcionaria com precisão?

7.5 A Figura P.2 ilustra um esquema possível de construção de um pêndulo cujo comprimento l não seja afetado pela dilatação térmica. As três barras verticais claras na figura, de mesmo comprimento l_1, são de aço, cujo coeficiente de dilatação linear é $1{,}1 \times 10^{-5}/°C$. As duas barras verticais escuras na figura, de mesmo comprimento l_2, são de alumínio, cujo coeficiente de dilatação linear é $2{,}3 \times 10^{-5}/°C$. Determine l_t e l_2 de forma a manter $l = 0{,}5$ m.

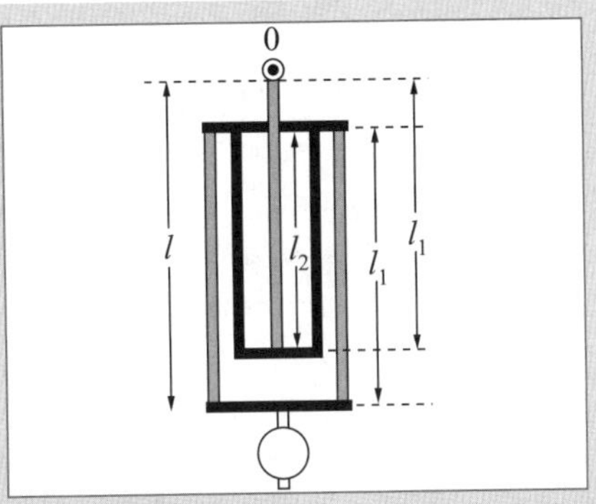

Figura P.2

7.6 (a) Um líquido tem coeficiente de dilatação volumétrica β. Calcule a razão ρ/ρ_0 entre a densidade do líquido à temperatura T e sua densidade ρ_0 à temperatura T_0. (b) No *método de Dulong e Petit* para determinar β, o líquido é colocado num tubo em U, com um dos ramos imerso em gelo fundente (temperatura T_0) e o outro (Figura P.3) em óleo aquecido à temperatura T. O nível atingido pelo líquido nos dois ramos é, respectivamente, medido pelas alturas h_0 e h. Mostre que a experiência permite determinar β (em vez do coeficiente de dilatação aparente do líquido), e que o resultado independe de o tubo em U ter seção uniforme. (c) Numa experiência com acetona, utilizando este método, T_0 é 0 °C, T é 20 °C, h_0 = 1 m e h = 1,03 m, calcule o coeficiente de dilatação volumétrica da acetona.

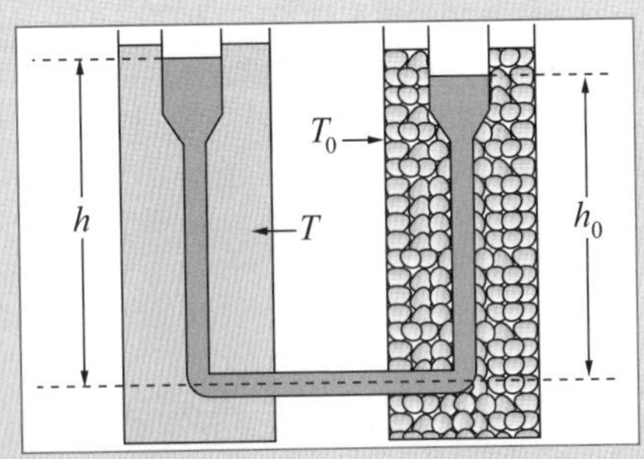

Figura P.3

7.7 Um tubo cilíndrico delgado de seção uniforme, feito de um material de coeficiente de dilatação linear α, contém um líquido de coeficiente de dilatação volumétrica β. À temperatura T_0, a altura da coluna líquida é h_0. (a) Qual é a variação Δh de altura da coluna quando a temperatura sobe de 1°C? (b) Se o tubo é de vidro ($\alpha = 9 \times 10^{-6}/°C$) e o líquido é mercúrio ($\beta = 1{,}8 \times 10^{-4}/°C$), mostre que este sistema não constitui um bom termômetro, do ponto de vista prático, calculando Δh para h_0 = 10 cm.

7.8 Para construir um termômetro de leitura fácil, do ponto de vista prático (Problema 7.7), acopla-se um tubo capilar de vidro a um reservatório numa extremidade do tubo. Suponha que, à temperatura T_0, o mercúrio está todo contido no reservatório, de volume V_0, e o diâmetro do capilar é d_0. (a) Calcule a altura h do mercúrio no capilar a uma temperatura $T > T_0$ (Figura P.4). (b) Para um volume do reservatório $V_0 = 0{,}2$ cm³, calcule qual deve ser o diâmetro do capilar em mm para que

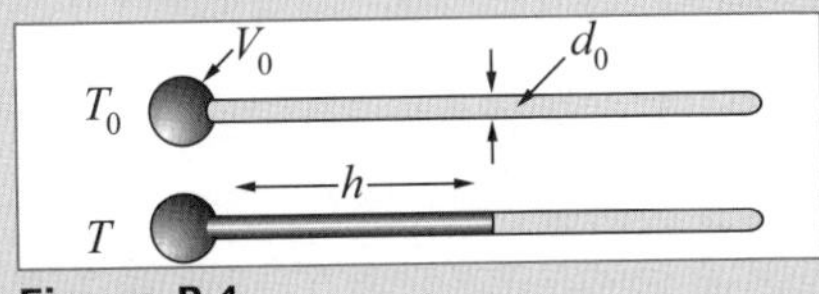

Figura P.4

a coluna de mercúrio suba de 1 cm quando a temperatura aumenta de 1 °C. Tome $\alpha = 9 \times 10^{-6}$/°C para o vidro e $\beta = 1{,}8 \times 10^{-4}$/°C para o mercúrio.

7.9 Um reservatório cilíndrico de aço contém mercúrio, sobre o qual flutua um bloco cilíndrico de latão. À temperatura de 20°C, o nível do mercúrio no reservatório está a uma altura $h_0 = 0{,}5$ m em relação ao fundo e a altura a_0 do cilindro de latão é de 0,3 m. A essa temperatura, a densidade do latão é de 8,60 g/cm³ e a densidade do mercúrio é de 13,55 g/cm³, (a) Ache a que altura H_0 está o topo do bloco de latão em relação ao fundo do reservatório a 20 °C (Figura P.5). (b) O coeficiente de dilatação linear do aço é $1{,}1 \times 10^{-5}$/°C; o do latão é $1{,}9 \times 10^{-5}$/°C, e o coeficiente de dilatação volumétrica do mercúrio é $1{,}8 \times 10^{-4}$/°C. Calcule a variação δH da altura H_0 (em mm) quando a temperatura sobe para 80 °C.

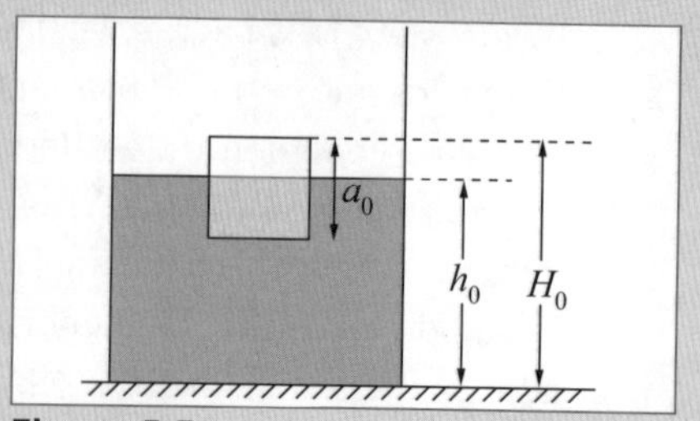

Figura P.5

8

Calor. Primeira lei da termodinâmica

8.1 A NATUREZA DO CALOR

No final do século XVIII, existiam duas hipóteses alternativas sobre a natureza do calor. A hipótese mais aceita considerava o calor como uma substância fluida indestrutível que "preencheria os poros" dos corpos e se escoaria de um corpo mais quente a um mais frio. Lavoisier chamou essa substância hipotética de "calórico". A implicação era que o calor pode ser transferido de um corpo a outro, mas a quantidade total de "calórico" se conservaria, ou seja, existiria uma lei de conservação do calor.

A hipótese rival, endossada entre outros por Francis Bacon e Robert Hooke, foi assim expressa por Newton em 1704: "O calor consiste num minúsculo movimento de vibração das partículas dos corpos". Ideias deste gênero podem ter sido sugeridas pela geração de calor por atrito, exemplificada pelo "método dos escoteiros" para acender uma fogueira, ou pelo aquecimento do ferro martelado numa bigorna. A teoria do calórico explicava estes efeitos dizendo que o atrito, ou o martelo do ferreiro, "espremem" o calórico para fora do material, como água absorvida numa esponja.

Um dos primeiros a apontar dificuldades com a teoria do calórico foi Benjamin Thomson, um aventureiro e inventor que se tornou Conde de Rumford, na Bavária (casou-se com a viúva de Lavoisier). Uma das dificuldades era que experimentos bastante precisos, feitos por Rumford, não detectavam qualquer variação do peso de um corpo, acompanhando a absorção ou eliminação de grandes quantidades de calor. Entretanto, o calórico poderia ser um fluido imponderável, a exemplo do que se acreditava valer para a eletricidade.

A principal dificuldade, porém, estava na "lei de conservação do calórico", pois a quantidade de calórico que podia ser "espremida para fora" de um corpo por atrito era ilimitada. Com efeito, em 1798, Rumford escreveu:

> "Foi por acaso que me vi levado a realizar os experimentos que vou relatar agora... Estando ocupado, ultimamente, em supervisionar a perfuração de canhões nas oficinas do arsenal militar de Munique, chamou-me a atenção o elevado grau de aqueci-

> mento de um canhão de bronze, atingido em tempos muito curtos, durante o processo de perfuração; bem como a temperatura ainda mais alta (acima do ponto de ebulição da água, conforme verifiquei) das aparas metálicas removidas pela perfuração.
>
> Meditando sobre os resultados dessas experiências, somos naturalmente levados à grande questão que tem sido objeto de tantas especulações filosóficas, ou seja:
>
> Que é o calor? Existe um fluido ígneo? Existe alguma coisa que possamos chamar de calórico?
>
> Vimos que uma quantidade muito grande de calor pode ser produzida pelo atrito de duas superfícies metálicas, e emitida num fluxo constante em todas as direções, sem interrupção, e sem qualquer sinal de diminuição ou exaustão...
>
> ... a fonte de calor gerado por atrito nessas experiências parece ser inesgotável. É desnecessário acrescentar que algo que qualquer corpo ou sistema de corpos isolado pode continuar fornecendo sem limites, não pode ser uma substância material, e me parece extremamente difícil, senão impossível, conceber qualquer coisa capaz de ser produzida ou transmitida da forma como o calor o era nessas experiências, exceto o MOVIMENTO."

Rumford foi assim levado a endossar a teoria alternativa de que "... o calor não passa de um movimento vibratório que tem lugar entre as partículas do corpo".

A máquina a vapor de James Watt, desenvolvida na segunda metade do século XVIII, era uma demonstração prática de que o calor leva à capacidade de produzir trabalho. Entretanto, a conexão direta entre calor e energia só foi estabelecida no século XIX.

Um dos primeiros a discutir essa conexão foi o médico alemão Julius Robert Mayer. Aparentemente, ele foi levado, a refletir sobre o problema quando, como médico de bordo durante uma viagem aos trópicos, observou, sangrando pacientes, que o sangue venoso parecia ser mais vermelho nessas regiões quentes do que nos climas frios da Europa, o que o levou a especular que o corpo não precisa gerar tanto calor pela queima de alimentos (visão do metabolismo devida a Lavoisier). Assim, em 1842, Mayer chegou ao primeiro enunciado geral do Princípio de Conservação da Energia:

> "As energias são entidades conversíveis, mas indestrutíveis ... Em inúmeros casos, vemos que um movimento cessa sem ter produzido quer outro movimento" (energia cinética) "quer o levantamento de um peso" (energia potencial), "mas a energia, uma vez que existe, não pode ser aniquilada; pode somente mudar de forma, e daí surge a questão: Que outras formas pode ela assumir? Somente a experiência pode levar-nos a uma conclusão".

A experiência mostra que o trabalho pode (por exemplo por meio do atrito) ser convertido em calor. Logo, diz Mayer, "Se energia cinética e potencial são equivalentes a calor, é natural que calor seja equivalente a energia cinética e potencial". Ou seja, *o calor é uma forma de energia.*

Mayer enunciou então um problema crucial: "Quão grande é a quantidade de calor que corresponde a uma dada quantidade de energia cinética ou potencial?" Ou seja, qual é a "taxa de conversão" entre energia mecânica (medida em joules) e calor (medido em "calorias", conforme veremos mais adiante)? Este é o problema da determinação do *equivalente mecânico da caloria.*

Com extraordinária sagacidade, Mayer conseguiu inferir a resposta partindo de um dado experimental já conhecido na época: a diferença entre o calor específico de um gás a pressão constante e seu calor específico a volume constante, que discutiremos mais tarde. Usando os resultados então conhecidos (cuja incerteza experimental era grande), Mayer deduziu um valor do equivalente mecânico da caloria cuja diferença com relação ao valor correto é da ordem de 10%. Entretanto, seu trabalho foi considerado muito especulativo e foi ignorado durante as duas décadas seguintes.

As experiências básicas para a obtenção do equivalente mecânico da caloria foram realizadas durante um período de quase 30 anos pelo cervejeiro e cientista amador inglês James Prescott Joule. Seus primeiros resultados, anunciados em 1843, eram ainda muito imprecisos, mas em 1868 ele chegou finalmente a resultados de grande precisão.

Quando Joule apresentou um dos primeiros resultados confiáveis, numa reunião realizada em Oxford em 1847, só despertou o interesse de um jovem da audiência: William Thomson, o futuro Lord Kelvin. Três dias depois, Joule se casou. Duas semanas mais tarde, Thomson, em Chamonix, encontrou Joule, munido de um imenso termômetro, subindo ao topo de uma cachoeira. Mesmo em lua de mel, queria verificar a diferença de temperatura que deveria existir, conforme seus cálculos, entre a água no topo e na base da cachoeira (para as cataratas de Niagara, ele estimou essa diferença em – 0,2 °C)!

A formulação mais geral do Princípio de Conservação da Energia foi apresentada pelo físico matemático e fisiologista Hermann von Helmholtz numa reunião da Sociedade de Física de Berlim, em 23 de julho de 1847. Helmholtz mostrou que esse Princípio se aplicava a todos os fenômenos então conhecidos — mecânicos, térmicos, elétricos, magnéticos; também na físico-química, na astronomia e na biologia (no metabolismo dos seres vivos).

Em seu livro "Sobre a conservação da energia" (Helmholtz ainda usava a palavra "força" em lugar de "energia"; a energia cinética era chamada de "força viva"), ele diz:

> "... chegamos à conclusão de que a natureza como um todo possui um estoque de energia que não pode de forma alguma ser aumentado ou reduzido; e que, por conseguinte, a quantidade de energia na natureza é tão eterna e inalterável como a quantidade de matéria. Expressa desta forma, chamei esta lei geral de *Princípio de Conservação da Energia*."

Por volta de 1860, o Princípio de Conservação da Energia, que corresponde, conforme veremos, à 1ª lei da termodinâmica, já havia sido reconhecido como um princípio fundamental, aplicável a todos os fenômenos conhecidos.

8.2 CALOR TRANSFERIDO

Para levar à fervura dois litros de leite, leva-se o dobro do tempo que é necessário para um litro, colocado na mesma panela e levado à mesma chama. A variação de temperatura é a mesma nos dois casos (da temperatura ambiente ao ponto de ebulição), mas a transferência de calor é dupla para dois litros. Costuma-se empregar o termo "quantidade de calor" em lugar de "transferência de calor", mas é importante lembrar que, ao contrário do que pretendia o modelo do calórico, o calor não é uma substância como um fluido, cujo volume total pode ser medido.

Como o calor é uma forma de energia, pode ser medido em unidades de energia, como o joule. Entretanto, historicamente, foi adotada uma unidade independente de quantidade de energia térmica (calor), a *caloria*, cujo uso persiste até hoje.

A caloria é definida atualmente como a quantidade de calor necessária para elevar de 14,5 °C a 15,5 °C, à pressão de 1 atm, a temperatura de 1 g de água. Para que 1 kg de água sofra essa mesma elevação de temperatura, é necessário fornecer-lhe 10^3 cal (calorias) = 1 kcal (quilocaloria), pois a quantidade de calor necessária, se os demais fatores permanecem os mesmos, é proporcional à massa da substância. A "caloria" empregada na nutrição corresponde na verdade a 1 kcal.

A quantidade de calor necessária para elevar de 1 °C a temperatura de 1 g de uma dada substância recebe o nome de *calor específico c* dessa substância; c é medido em cal /g.°C. Pela definição de caloria, o calor específico da água entre 14,5 °C e 15,5 °C é c = 1 cal/g.°C.

O calor específico varia geralmente com a temperatura; assim, no intervalo entre 0 °C e 1 °C, o calor específico da água é 1,008 cal/g.°C; na prática, neste caso, podemos desprezar tal variação.

Para que o calor específico esteja bem definido, é preciso especificar ainda em que condições ocorre a variação de temperatura: se a pressão é mantida constante, obtém-se um valor diferente daquele que se obtém quando é mantido constante o volume da substância. O *calor específico a pressão constante*, c_p e o *calor específico a volume constante*, c_v, são chamados de "calores específicos principais".

Para líquidos e sólidos, a diferença entre c_p e c_v é pequena; geralmente, o calor específico é medido à pressão atmosférica, ou seja, trata-se de c_p. Para gases, c_p e c_v são bastante diferentes. Discutiremos, mais adiante, a razão dessa diferença.

Alguns exemplos de valores de c_p (p = 1 atm; temperatura ambiente; valores em cal/g.°C): Al – 0,22; Cu – 0,092; Au – 0,032; Ag – 0,056; Pb – 0,031; Hg – 0,033. Note que em sua maioria, esses calores específicos são bem menores que o da água.

Capacidade térmica

Se tivermos m gramas de uma substância pura de calor específico c, a quantidade de calor ΔQ necessária para elevar sua temperatura de ΔT é

$$\Delta Q = mc\Delta T = C\Delta T \tag{8.2.1}$$

onde $C = mc$ é denominado de *capacidade térmica* da amostra considerada (mede-se em cal /°C).

A capacidade térmica de um sistema formado de m_1 gramas de uma substância de calor específico c_1, m_2 de calor específico c_2 etc. é

$$C = m_1 c_1 + m_2 c_2 + \ldots \tag{8.2.2}$$

Se o intervalo de temperatura entre a temperatura inicial T_i e a temperatura final T_f é suficientemente grande para que seja preciso levar em conta a variação do calor específico com a temperatura, $c = c\,(T)$, a (8.2.1) é substituída por

$$\Delta Q = m \int_{T_i}^{T_f} c(T)dT \equiv m\bar{c}\left(T_f - T_i\right) \quad \textbf{(8.2.3)}$$

onde $\bar{c}$ é, por definição, o *calor específico médio* entre as temperaturas T_i e T_f.

Suponhamos que uma amostra A de massa m_A de uma substância de calor específico c_A, aquecida a uma temperatura T_A, é mergulhada dentro de uma massa m de água, de calor específico c, contida num recipiente de paredes adiabáticas e de capacidade térmica C. A água e o recipiente estão inicialmente à temperatura $T_i < T_A$. Após estabelecer-se o equilíbrio térmico, o sistema atinge a temperatura T_f, medida pelo termômetro T (Figura 8.1).

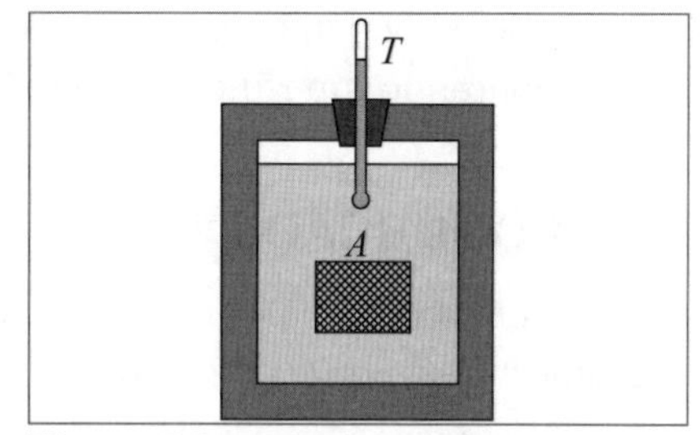

Figura 8.1 Calorímetro de misturas.

Como as paredes adiabáticas não permitem trocas de calor com o exterior (Seção 7.2), a quantidade de calor $\Delta Q = m_A\, c_A\, (T_A - T_f)$ perdida pela amostra é inteiramente cedida à água $[mc\,(T_f - T_i)]$ e ao recipiente $[C\,(T_f - T_i)]$, ou seja,

$$m_A c_A\left(T_A - T_f\right) = \left(mc + C\right)\left(T_f - T_i\right) \quad \textbf{(8.2.4)}$$

Conhecendo-se todos os demais termos que nela comparecem, a (8.2.4) permite determinar o calor específico c_A da amostra (mais precisamente, o calor específico médio no intervalo entre T_f e T_A). Este é o princípio do *calorímetro de misturas.*

Capacidade térmica molar

O calor específico de uma substância é a capacidade térmica de uma massa de 1 g dessa substância. Do ponto de vista da estrutura microscópica, é interessante definir a *capacidade térmica molar*, que é a capacidade térmica de 1 *mol* da substância. Lembrando que 1 mol (molécula-grama) é uma massa em gramas igual à massa molecular, vemos que a capacidade térmica molar de uma substância obtém-se multiplicando o seu calor específico pela sua massa molecular (ou massa atômica, para substâncias monoatômicas).

Efetuando esse cálculo para os sólidos cujos calores específicos foram citados nos exemplos apresentados aqui, obtêm-se resultados (verifique!) próximos de 6 cal/mol.°C. Este fato foi primeiro observado por Dulong e Petit. A *lei de Dulong* e *Petit* diz que *a capacidade térmica molar (a volume constante) de todos os sólidos, a temperatura suficientemente elevada, aproxima-se de* 6 cal/mol.°C. "Suficientemente elevada", significa uma temperatura $\gg T_D$, onde T_D é uma temperatura característica de cada substância, chamada *temperatura de Debye.* A explicação destes resultados foi fornecida pela teoria quântica.

Reservatório térmico

Segundo a (8.2.1), um sistema de capacidade térmica C sofre uma variação de temperatura $\Delta T = \Delta Q/C$ pela transferência de uma quantidade de calor ΔQ.

Como C é proporcional à massa, podemos tornar ΔT arbitrariamente pequeno aumentando suficientemente a massa. Como caso limite ideal, o sistema permite uma transferência de calor ΔQ sem que sua temperatura se altere apreciavelmente. Um tal sistema recebe o nome de *reservatório térmico.*

A atmosfera e o oceano são bons exemplos de reservatórios térmicos. Para muitos fins práticos, podemos tratar como reservatório qualquer recipiente de tamanho adequado contendo um fluido em equilíbrio térmico.

8.3 CONDUÇÃO DE CALOR

A transferência de calor de um ponto a outro de um meio se dá por meio de três processos diferentes: *convecção*, *radiação* e *condução.*

A *convecção* ocorre tipicamente num fluido, e se caracteriza pelo fato de que *o calor é transferido pelo movimento do próprio fluido*, que constitui uma *corrente de convecção.* Um fluido aquecido localmente em geral diminui de densidade e por conseguinte tende a subir sob o efeito gravitacional, sendo substituído por fluido mais frio, o que gera naturalmente *correntes de convecção*, mas elas também podem ser produzidas artificialmente, com o auxílio de bombas ou ventiladores. A circulação atmosférica, as correntes marinhas, a distribuição de água quente num sistema de aquecimento central são exemplos de correntes de convecção.

A *radiação* transfere calor de um ponto a outro por meio de *radiação eletromagnética*, que, como a luz visível, propaga-se mesmo através do vácuo. A *radiação térmica* é emitida por qualquer corpo aquecido, e, ao ser absorvida por outro corpo, pode aquecê-lo, convertendo-se em calor. A radiação solar, seja sob a forma de luz visível, seja de radiação infravermelha ou de outras regiões do espectro, é uma forma de radiação térmica emitida por uma fonte (o Sol) a temperatura muito elevada. O aquecimento solar é uma forma de aproveitamento de radiação solar para produção de calor.

A *condução de calor*, que vamos discutir agora de forma mais detalhada, só pode ocorrer através de um meio material, mas, ao contrário da convecção, sem que haja movimento do próprio meio; ocorre tanto em fluidos como em sólidos, sob o efeito de diferenças de temperatura, via a estrutura *microscópica* do meio. Quando colocamos sobre uma chama uma panela com água, o calor se transmite da chama à água através da parede metálica da panela, por condução.

Todas as leis básicas da condução de calor podem ser ilustradas nesse exemplo familiar: (a) O calor flui sempre de um ponto 1, a temperatura mais alta, para um ponto 2, a temperatura mais baixa. A quantidade de calor ΔQ transportada durante um intervalo de tempo Δt é: (b) Proporcional à diferença de temperatura $\Delta T = T_2 - T_1$; a água ferve mais depressa se a temperatura da chama é mais alta; (c) Inversamente proporcional à espessura Δx da chapa metálica: quanto mais espesso o fundo da panela, mais tempo leva para ferver a água. Combinando (b) e (c), vemos que ΔQ é proporcional a $\Delta T/\Delta x$, que é chamado de *gradiente de temperatura*; (d) Proporcional à área A através da qual o calor está fluindo (no exemplo considerado, a área do fundo da panela); (e) Proporcional ao intervalo de tempo Δt.

Juntando esses resultados, vemos que ΔQ é proporcional a $A\ \Delta t\ (\Delta T/\Delta x)$, ou seja, para a condução de calor através de uma espessura infinitésima dx de um meio durante um tempo dt,

$$\boxed{\frac{dQ}{dt} = -kA\frac{dT}{dx}} \qquad \textbf{(8.3.1)}$$

onde k é uma constante de proporcionalidade característica do meio condutor, denominada *condutividade térmica do material* ($k > 0$). O sinal (–) na (8.3.1) exprime o fato de que *o calor flui de temperaturas mais altas para temperaturas mais baixas*: assim, se o gradiente de temperatura dT/dx é negativo, a *corrente térmica* dQ/dt é positiva.

Podemos comparar a *lei de Fourier* (8.3.1) com a *lei de Ohm* para a condução de eletricidade (corrente elétrica). Para um condutor de comprimento l e área de seção A, a resistência elétrica R é dada por $R = l/(\sigma A)$, onde σ é a *condutividade elétrica*. Para uma diferença de potencial V, a intensidade da corrente elétrica $i = dq/dt$ (dq = carga elétrica transportada durante o intervalo de tempo dt) é

$$i = \frac{dq}{dt} = \frac{V}{R} = \sigma A\frac{V}{l} \qquad \textbf{(8.3.2)}$$

que é inteiramente análoga à (8.3.1): V/l representa o gradiente de potencial elétrico.

Quanto maior a condutividade térmica k, melhor condutora de calor é a substância, ou seja, maior a corrente térmica por unidade de área, para um dado gradiente de temperatura. Se medirmos dQ/dt em kcal/s, A em m^2 e dT/dx em °C/m, as unidades de k são kcal/(s.m.°C) e valores típicos para alguns materiais são:

Material	Cobre	Água	Madeira	Vidro	Flanela	Ar
k [kcal/(s.m.°C)]	$9{,}2 \times 10^{-2}$	$1{,}3 \times 10^{-4}$	2×10^{-5}	2×10^{-4}	2×10^{-5}	$5{,}7 \times 10^{-6}$

Os metais, que conduzem bem a eletricidade, também são bons condutores de calor, o que não é coincidência: segundo a *lei de Wiedemann e Franz, a condutividade térmica de um metal é proporcional a sua condutividade elétrica.*

Vidro e madeira são maus condutores de calor. Tomamos um líquido quente num recipiente de cerâmica, não num copo de metal. Um objeto metálico tocado num dia frio é mais frio que um de madeira, porque a madeira isola o calor da mão no ponto de contato, ao passo que o metal o conduz e difunde.

Líquidos, como a água, são geralmente maus condutores de calor, embora possam transmiti-lo por convecção. Os melhores isolantes térmicos são os gases, como o ar.

Embora o tecido de roupas e cobertores isole termicamente, o que mantém melhor o calor do corpo são as camadas de ar que ficam presas entre camadas de tecido, dificultando também as perdas por convecção.

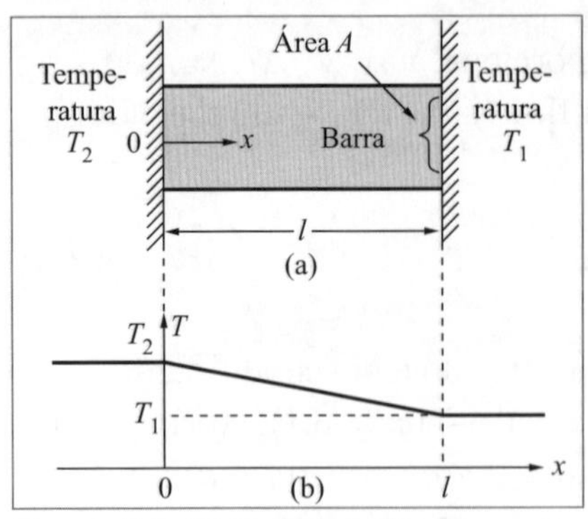

Figura 8.2 Barra homogênea.

Exemplo: Consideremos uma barra homogênea de seção A e comprimento l de um material de condutividade térmica k, cujas extremidades são mantidas em contato com reservatórios térmicos de temperaturas T_2 e T_1 (Figura 8.2(a)); supomos a superfície lateral da barra termicamente isolada.

Em *regime estacionário*, ou seja, quando a temperatura ao longo da barra se torna independente do tempo (T só depende de x), a corrente térmica dQ/dt na (8.3.1) não pode depender de x: o fluxo de calor por unidade de tempo tem de ser o mesmo através de qualquer seção da barra. Com efeito, se assim não fosse, haveria acumulação (ou rarefação) de calor em determinados pontos, cuja temperatura teria de aumentar (ou diminuir) com o tempo, contrariamente à hipótese da estacionariedade. Logo, na (8.3.1), dT/dx = constante, o que resulta em

$$\frac{dT}{dx} = \frac{T_2 - T_1}{l} \quad \textbf{(8.3.3)}$$

$$\frac{dQ}{dt} = kA\frac{(T_2 - T_1)}{l} \quad \textbf{(8.3.4)}$$

Com o auxílio de um sistema deste tipo, podemos medir a condutividade térmica k do material da barra. Vemos que a temperatura varia linearmente ao longo da barra (Figura 8.2(b)).

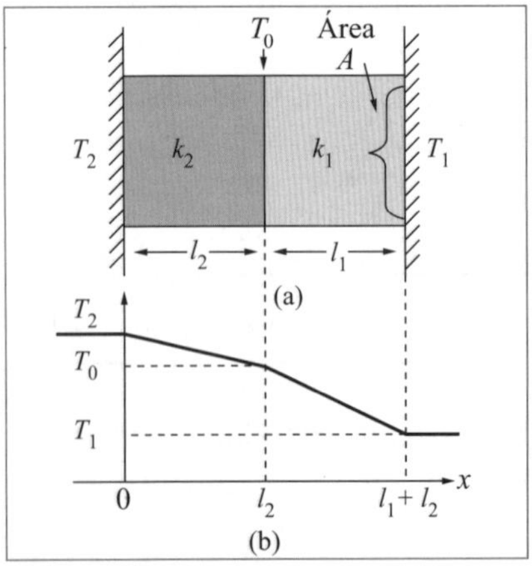

Figura 8.3 Barra composta.

Se substituirmos a barra homogênea por outra, composta de uma parte de comprimento l_2 e condutividade térmica k_2 e outra de comprimento l_1 e condutividade k_1 (com a mesma seção A), a junção entre as duas estará a uma temperatura intermediária T_0 (Figura 8.3(a)), e teremos, em regime estacionário,

$$\frac{dQ}{dt} = k_2 A\frac{(T_2 - T_0)}{l_2} = k_1 A\frac{(T_0 - T_1)}{l_1} \quad \textbf{(8.3.5)}$$

Eliminando T_0, obtemos,

$$\frac{dQ}{dt} = \frac{A(T_2 - T_1)}{\dfrac{l_1}{k_1} + \dfrac{l_2}{k_2}} \quad \textbf{(8.3.6)}$$

A distribuição de temperatura correspondente está ilustrada na Figura 8.3(b).

8.4 O EQUIVALENTE MECÂNICO DA CALORIA

Na Seção 8.2, definimos a unidade de quantidade de calor (caloria) em termos da variação de temperatura que produz, numa dada massa de água. A identificação do calor como uma forma de energia levou, como vimos na Seção 8.1, ao problema da determinação da "taxa de câmbio" entre a caloria e a unidade mecânica de energia (1 J, no sistema MKS).

Vimos também que os experimentos básicos para a determinação desse *equivalente mecânico da caloria* foram realizadas por Joule. O tipo de aparelho que empregou em seus experimentos mais conhecidos está representado nas Figuras 8.4(a) e (b).

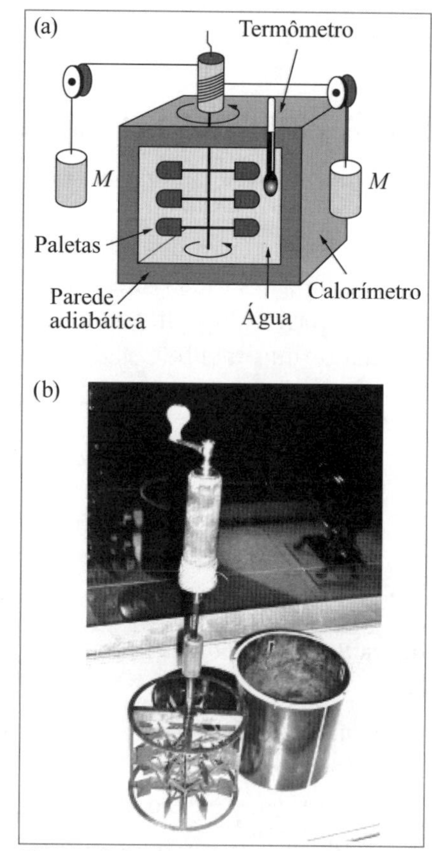

Figura 8.4 (a) Experimento de Joule (b) O aparelho original.

Num calorímetro (recipiente de paredes adiabáticas, ou seja, termicamente isolado) cheio de água, é inserido um conjunto de paletas presas a um eixo. Este é colocado em rotação pela queda de um par de pesos (massas M, por meio de um sistema de polias. O atrito das paletas aquece a água, cuja variação de temperatura, determinada por um termômetro, corresponde a certo número de calorias. O trabalho mecânico equivalente é medido pela altura de queda dos pesos.

Joule repetiu a experiência inúmeras vezes, introduzindo variantes no método: mudou a natureza do fluido aquecido e do material das paletas, bem como do processo de aquecimento. Assim, em lugar das paletas, empregou o efeito Joule, o aquecimento de um fio (resistência) provocado pela passagem de uma corrente elétrica. A energia mecânica equivalente, neste caso, corresponde ao trabalho realizado para alimentar o gerador de corrente. Os valores que obteve concordavam entre si dentro de ~5%, e seu melhor valor difere do que é atualmente aceito por menos de 1%, o que representa um resultado notável para sua época.

Em 1879, Rowland fez uma determinação extremamente cuidadosa, e estimou o erro do seu resultado em menos de duas partes por 1.000; de fato, concorda com o valor atual dentro de uma parte em 2.000. 0 valor atualmente aceito é

$$\boxed{1 \text{ cal} = 4{,}186 \text{ J}} \tag{8.4.1}$$

Exemplo: Uma resistência de 68 Ω é imersa em 1l de água. Quando se faz passar uma corrente de 1A, a temperatura da água sobe 1 °C por minuto. Qual o valor correspondente do equivalente mecânico da caloria dado por essa experiência?

A potência P dissipada em calor pelo efeito Joule é dada pela expressão bem conhecida

$$P = Ri^2 \tag{8.4.2}$$

onde R é a resistência e i a intensidade da corrente. No caso, $P = 68 \times 1W = 68$ J/s, e a energia fornecida por minuto é 68×60 J = 4.080 J. O calor necessário para elevar em 1 °C a temperatura de 1 l de água é 1 kcal, que equivale, portanto, a 4.080 J, de modo que esta experiência daria 1 cal ≈ 4,08 J.

8.5 A PRIMEIRA LEI DA TERMODINÂMICA

Em experimentos como o de Joule, a água contida no calorímetro pode ser levada de uma temperatura inicial T_i, a uma temperatura final T_f, sempre em condições de isolamento térmico (paredes adiabáticas: Figura 8.4(a)), pela realização de trabalho mecânico, de muitas formas diferentes, como vimos (paletas acionadas pela queda de pesos, trabalho fornecido a um gerador de corrente elétrica etc.). Trabalho realizado sobre um sistema termicamente isolado recebe o nome de *trabalho adiabático*.

Suponhamos que o fluido contido no calorímetro é um gás, em lugar de água. A Figura 8.5 ilustra outro método de realizar trabalho adiabático sobre o sistema, neste caso: variando o seu volume, por meio de uma *compressão adiabática*. Sabemos que isto também aquece o gás (quando bombeamos ar rapidamente para encher um pneu de bicicleta, o que constitui um processo aproximadamente adiabático, ele se aquece).

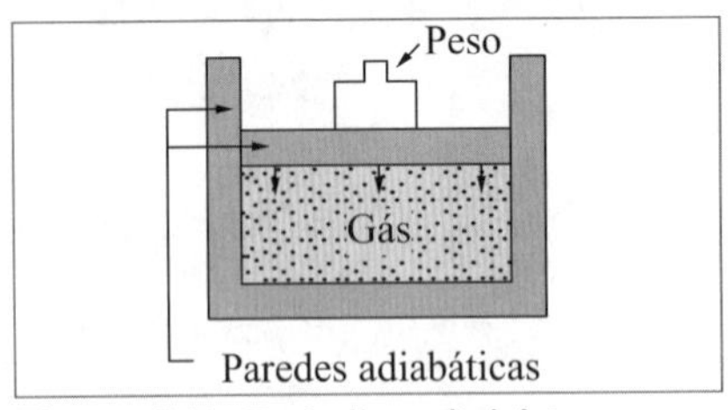

Figura 8.5 Trabalho adiabático.

Como vimos (Seção 7.3), o estado de um fluido homogêneo em equilíbrio térmico fica inteiramente determinado por um par de variáveis, que podem ser a pressão P e o volume V (neste caso, a temperatura T fica determinada), mas também podem ser (P, T) ou (V, T).

Nas experiências de Joule, o volume V de fluido era mantido constante, de modo que o estado do fluido ficava determinado pela sua temperatura T. Passar de T_i a T_f equivale, nestas condições, a passar de um estado inicial i a um estado final f por meio da realização de trabalho adiabático. Joule mostrou que, fazendo isso de várias maneiras diferentes, o trabalho adiabático necessário para passar do mesmo estado inicial i ao mesmo estado final f era sempre o mesmo, o que lhe permitiu determinar o equivalente mecânico do número de calorias associado à passagem $T_i \rightarrow T_f$.

No exemplo da Figura 8.5, de um gás contido num recipiente termicamente isolado com uma parede móvel (pistão), podemos representar graficamente num diagrama (P, V) a passagem de um estado inicial (P_i, V_i) a um estado final (P_f, V_f) através de processos diferentes.

Partindo do ponto inicial i de coordenadas (P_i, V_i) (Figura 8.6), podemos, por exemplo, comprimir adiabaticamente o gás até o volume final V_f (ponto a do gráfico) e depois levá-lo até o ponto final f de coordenadas (P_f, V_f) fornecendo trabalho adiabático a volume V_f constante, por meio, por exemplo, de uma resistência e um gerador de corrente elétrica, como nas experiências de Joule.

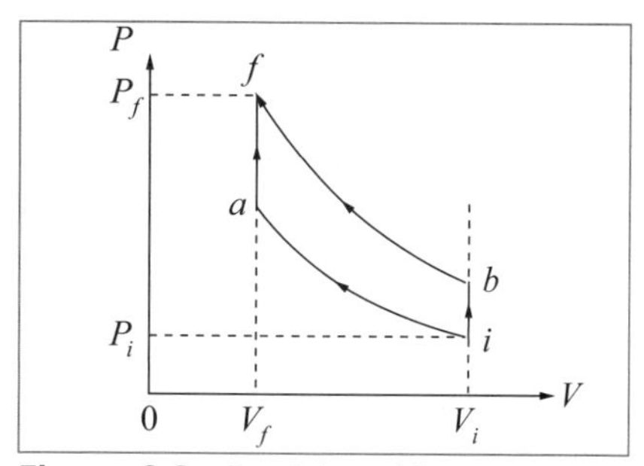

Figura 8.6 Caminhos diferentes.

Alternativamente, podemos começar a volume V_i constante, usando esse processo para levar o sistema ao ponto b do gráfico da Figura 8.6, e depois, por compressão adiabática, levá-lo de b até f. Ilustramos assim dois caminhos alternativos, (iaf) e (ibf), para levar o sistema, mantendo-o sempre termicamente isolado, de i até f.

Generalizando as experiências de Joule, podemos dizer que o trabalho adiabático total para passar de i a f seria o mesmo por meio de qualquer desses dois caminhos. Esta é uma forma de enunciar a 1ª lei da termodinâmica:

O trabalho realizado para levar um sistema termicamente isolado de um dado estado inicial a um dado estado final é independente do caminho.

Isto significa que o trabalho *adiabático* para passar de i a f é o mesmo, quaisquer que sejam os estados intermediários pelos quais o sistema passa, e qualquer que seja a forma de realizar esse trabalho. Logo, esse trabalho só pode depender dos estados inicial e final.

Vimos na mecânica (**FB1**, Seção 7.3) que, quando o trabalho independe do caminho, como, por exemplo, num campo gravitacional, podemos concluir a existência de uma *função energia potencial* do sistema mecânico, dependente apenas da configuração desse sistema, cuja variação entre as configurações inicial e final corresponde ao trabalho realizado.

Analogamente, decorre do enunciado acima da 1ª lei da termodinâmica que *existe uma* **função do estado** *de um sistema termodinâmico, que chamaremos de sua* **energia interna** U, *cuja variação* $U_f - U_i$, *entre o estado inicial i e o estado final f é igual ao trabalho adiabático necessário para levar o sistema de i até f:*

$$\boxed{\Delta U = U_f - U_i = -W_{i \to f} \quad (\text{adiabático})} \qquad \textbf{(8.5.1)}$$

O sinal (–) resulta da seguinte convenção, que adotaremos sempre daqui por diante:

CONVENÇÃO sobre W:
W representa sempre o trabalho **realizado POR** *um sistema.*

Assim, a energia interna de um sistema aumenta, ($\Delta U > 0$) quando se realiza trabalho SOBRE esse sistema ($W_{i \to f} < 0$).

Note-se que, como no caso da mecânica, somente são definidas pela (8.5.1) as *variações de energia interna*, ficando indefinida a escolha do nível zero.

A (8.5.1) também é equivalente a

$$\boxed{\Delta U = U_f - U_i = +W_{f \to i\,(\text{adiabático})}} \qquad \textbf{(8.5.2)}$$

o que corresponde ao processo adiabático inverso, em que se passa de f para i, e podemos igualmente bem definir a variação de energia interna pela (8.5.2), em lugar da (8.5.1). Esta observação está longe de ser trivial, porque, conforme veremos mais tarde, *os processos naturais geralmente não são reversíveis*. Dos dois processos: $i \rightarrow f$ ou $f \rightarrow i$, pode ser que *só um seja exequível*, e por isto é importante que ΔU seja definido quer pela (8.5.1), quer pela (8.5.2).

Dizer que a energia interna U de um sistema termodinâmico é uma *função de estado* significa, que U deve ficar completamente definida (a menos de uma constante aditiva arbitrária U_0, ligada à escolha do nível zero) quando especificamos o estado do sistema. Para um fluido homogêneo, por exemplo, um estado de equilíbrio é especificado por qualquer par das variáveis (P,V,T). Logo, neste caso, podemos considerar U como função de qualquer desses pares:

$$\boxed{U = U(P,V); \quad U = U(P,T); \quad U(V,T)} \qquad \textbf{(8.5.3)}$$

Calor

Em lugar de levar um sistema de um estado i a um estado f por um processo adiabático, associado à realização de trabalho, podemos levá-lo do mesmo estado inicial ao mesmo estado final por processos não adiabáticos, ou seja, sem mantê-lo em isolamento térmico. Neste caso, o recipiente que encerra o sistema deverá ter, pelo menos, uma *parede diatérmica*, permitindo a passagem de calor (Seção 7.2).

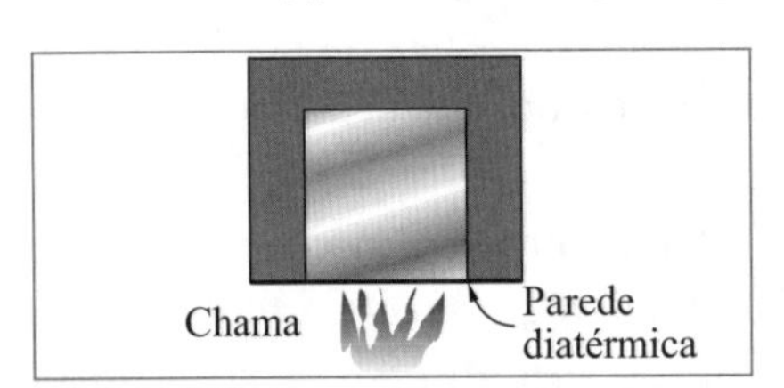

Figura 8.7 Fornecimento de calor.

Assim, por exemplo, no experimento de Joule, em lugar de aquecer a água de T_i para T_f, fornecendo trabalho mecânico, podemos fazê-lo sem que qualquer trabalho mecânico esteja envolvido ($W_{i \rightarrow f} = 0$): basta que o sistema tenha uma parede diatérmica, *colocada sobre a chama de um bico de Bunsen, por exemplo* (Figura 8.7).

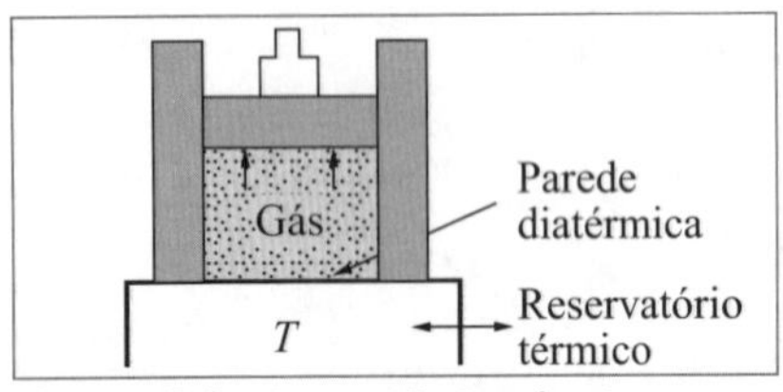

Figura 8.8 Expansão isotérmica.

Analogamente, em lugar de expandir ou comprimir um gás *adiabaticamente* (Figura 8.5), podemos fazê-lo *isotermicamente*, ou seja, mantendo-o a temperatura constante, colocando-o em contato, através de uma parede diatérmica, com um reservatório térmico (Seção 8.2) à temperatura T (Figura 8.8). Neste caso, o movimento do pistão na expansão ou compressão estará associado a um trabalho $W_{i \rightarrow f}$, mas ele não será mais igual ao que se teria no caso adiabático.

Como a energia interna do sistema é uma função de estado, e os estados i (inicial) e f (final) são sempre os mesmos, a variação de energia interna correspondente, $\Delta U = U_f - U_i$, é sempre a mesma, mas a (8.5.1) deixa de valer quando o trabalho $W_{i \rightarrow f}$ não é adiabático. *A 1ª lei da termodinâmica, que equivale ao princípio de conservação da energia, identifica a contribuição a ΔU que não é devida a trabalho fornecido ao sistema com uma nova forma de energia, o* **calor Q transferido ao sistema**:

$$\boxed{\Delta U = U_f - U_i = Q - W_{i\to f}} \tag{8.5.4}$$

Na (8.5.4), que é a definição termodinâmica de Q, o calor já é medido em unidades de energia. O sinal de Q resulta da convenção que será sempre adotada:

CONVENÇÃO sobre Q:

Q representa sempre o calor **fornecido A** *um sistema.*

Assim, a energia interna de um sistema aumenta ($\Delta U > 0$) quando lhe fornecemos calor ($Q > 0$) ou realizamos trabalho sobre ele ($W_{i\to f} < 0$). As convenções de sinal sobre Q e W se originam historicamente da aplicação da termodinâmica às máquinas térmicas, para as quais é conveniente contar positivamente o calor FORNECIDO À máquina e o trabalho REALIZADO POR ela.

A (8.5.1) é um caso particular da (8.5.4): vemos que *um processo é adiabático se* $Q = 0$. Isto ocorre quando o sistema é isolado termicamente, mas também pode ocorrer se o processo é realizado tão rapidamente que não há tempo para uma transferência de calor apreciável para dentro ou para fora do sistema. Já vimos um exemplo em que isto acontece: as compressões ou rarefações do ar numa onda sonora (Seção 6.2).

A Figura 8.7 ilustra um exemplo onde $W_{i\to f} = 0$, e a variação de energia interna se deve somente à transferência de calor. A compressão ou expansão isotérmica de um gás (Figura 8.8) fornece um exemplo onde $Q \neq 0$ e $W_{i\to f} \neq 0$ ao mesmo tempo.

A (8.5.4) é a formulação geral da 1ª lei da termodinâmica. Podemos enunciá-la sucintamente dizendo: **a energia se conserva quando levamos em conta o calor**. Neste sentido, as forças "não conservativas" ou "dissipativas" encontradas na mecânica (**FB1**, Seção 5.2), como a força de atrito, também *conservam a energia total*, nela incluindo o calor.

Vemos que *o calor Q representa a energia transferida entre o sistema e sua vizinhança através de uma parede diatérmica, em virtude de diferenças de temperatura, descontando-se a eventual transferência de trabalho.*

Não é óbvio, a priori, que esta definição termodinâmica de Q coincida com a definição calorimétrica de Q, dada na Seção 8.2, na qual Q é medido, tipicamente, pelo processo ilustrado na Figura 8.1: um corpo A é colocado em contato térmico com um corpo B (massa de água) dentro de um recipiente isolado adiabaticamente (calorímetro). Nestas condições, nenhum trabalho é realizado, de modo que a (8.5.4) resulta em

$$\Delta U_A = Q_A, \quad \Delta U_B = Q_B \tag{8.5.5}$$

Para o sistema total, como o calorímetro tem paredes adiabáticas ($Q = 0$) e $W_{i\to f} = 0$, vem

$$\Delta U = \Delta U_A + \Delta U_B = 0 \ \{ \ Q_B = -Q_A \tag{8.5.6}$$

Logo, o calor cedido por A é transferido para B (água), ocasionando uma variação de temperatura, que é a base da definição calorimétrica. Vemos assim que as duas definições coincidem.

A subdivisão entre calor e trabalho depende do que decidimos incluir como fazendo parte do sistema ou de sua vizinhança. Assim, se aquecemos água por meio de uma resistência elétrica, e fornecemos trabalho para alimentar o gerador de corrente, há transferência de trabalho quando o gerador é incluído no sistema, mas, se considerarmos apenas a água como o sistema, só há transferência de calor (devida à diferença de temperatura entre a resistência e a água).

8.6 PROCESSOS REVERSÍVEIS

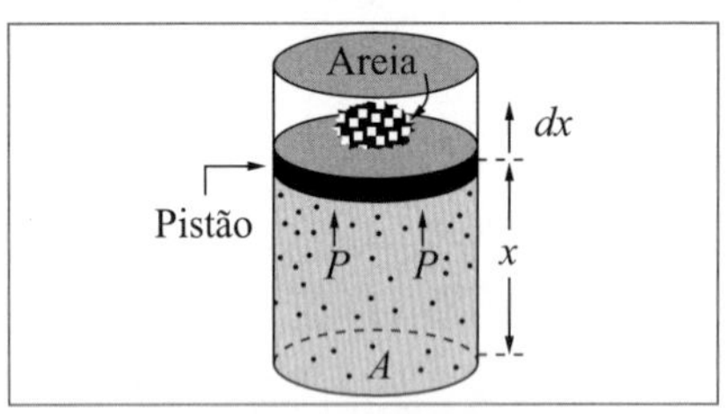

Figura 8.9 Expansão reversível.

Consideremos um fluido (por exemplo, um gás) em equilíbrio térmico, ocupando um recipiente cilíndrico de área da base A e altura x (Figura 8.9), sobre o qual exerce uma pressão P; o volume do recipiente é $V = Ax$. A base superior é móvel (pistão), e o gás exerce sobre ela uma força $F = PA$, equilibrada por um peso equivalente, representado na Figura 8.9 por um monte de areia colocado sobre o pistão. Supomos que o atrito entre o pistão e as paredes é desprezível.

Vamos imaginar que o gás sofre uma expansão infinitésima, correspondente a um deslocamento infinitésimo dx do pistão: podemos concebê-lo como resultante da remoção de um só grão de areia do monte. O trabalho realizado pelo fluido nessa expansão é

$$\boxed{d'W = Fdx = PAdx = PdV} \qquad \textbf{(8.6.1)}$$

onde $dV = Adx$ é a variação de volume do fluido. A razão pela qual usamos a notação $d'W$ em lugar de dW é que, embora se trate de um trabalho infinitésimo, não representa a diferencial exata de uma função W, conforme será explicado mais adiante.

Se repetirmos este procedimento, levando gradativamente a uma expansão finita, o processo se diz *reversível*, desde que as seguintes condições estejam satisfeitas:

(i) *O processo se realiza muito lentamente*,

(ii) *O atrito é desprezível*.

(i) Esta condição é indispensável para que o fluido passe por uma *sucessão de estados de equilíbrio térmico*, em cada um dos quais P e V são bem definidos. Para ver por que isto é necessário, é interessante considerar um contraexemplo: a *expansão livre de um gás*. Dois recipientes, um contendo gás e outro em que se fez vácuo, estão ligados por uma tubulação em que há uma válvula V, inicialmente fechada (Figura 8.10). Num dado instante, abre-se a válvula. O gás se expande rapidamente até preencher os dois recipientes. Depois que voltou a atingir o equilíbrio térmico, terá havido uma variação de volume e uma variação de pressão, mas o trabalho externo realizado pelo gás na expansão livre é nulo, de modo que a (8.6.1) não pode ser aplicada.

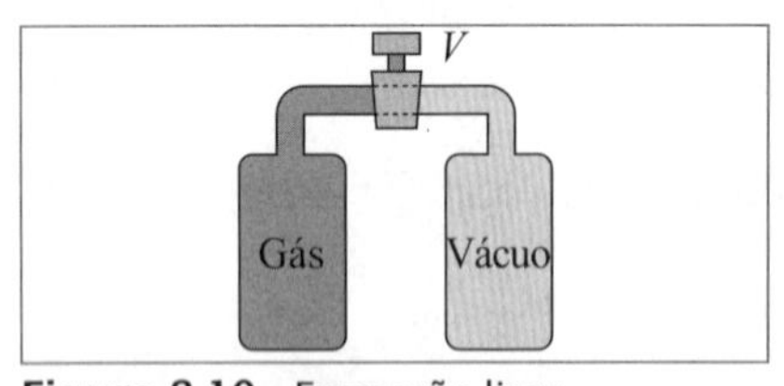

Figura 8.10 Expansão livre.

O que acontece neste exemplo, logo após a abertura da válvula, é que se produz um escoamento turbulento (Seções 2.1 e 2.7) do gás através da tubulação. Para descrever o processo de expansão, seria preciso empregar variáveis hidrodinâmicas (pressão, velocidade, densidade) que variariam rapidamente de ponto a ponto do gás, ou seja, os estados intermediários atravessados pelo sistema estão muito longe do equilíbrio termodinâmico, sendo impossível descrevê-los em termos das variáveis termodinâmicas P e V.

Idealmente, o processo de expansão reversível deve ser "infinitamente lento": a cada instante, a diferença entre o estado do sistema e um estado de equilíbrio termodinâmico deve ser infinitésima. Tal processo recebe o nome de *quase estático*: podemos imaginar que se retira a areia grão a grão, aguardando cada vez um tempo suficiente (tempo de relaxação) para que se restabeleça o equilíbrio após a expansão infinitésima. Na prática, o tempo de relaxação é bastante curto, e basta que a velocidade de expansão seja pequena, em confronto com a velocidade de restabelecimento do equilíbrio.

(ii) Se existe atrito entre o pistão e as paredes, a pressão externa P' durante a expansão tem de ser $< P$, a diferença representando a força necessária para vencer o atrito. Logo, o trabalho externo realizado será $P'dV < PdV$, a diferença representando o calor gerado pelo atrito.

Um processo de expansão quase estático e sem atrito é *reversível*, ou seja, pode ser invertido. Isto se faz passando pela sucessão de estados de equilíbrio em sentido inverso: recolocamos a areia grão a grão. Como $dV < 0$, o trabalho realizado "pelo" gás $PdV < 0$ representa na realidade o trabalho que realizamos *sobre* ele ($-PdV > 0$) para comprimi-lo.

O trabalho realizado por um fluido num processo reversível em que o volume passa de V_i a V_f é

$$\boxed{W_{i\to f} = \int_{V_i}^{V_f} d'W = \int_{V_i}^{V_f} PdV} \quad \textbf{(8.6.2)}$$

Embora tenhamos considerado aqui um recipiente cilíndrico, a (8.6.1) vale para um recipiente de forma qualquer. Com efeito, se um elemento de área dA da superfície do recipiente sofre um deslocamento para fora dn (na direção da normal) no processo de expansão (Figura 8.11), o trabalho realizado é $PdA\ dn$, e o trabalho total, obtido integrando sobre toda a superfície do recipiente (P é constante) é igual a PdV, onde dV é a variação de volume do recipiente. Logo, a (8.6.1) permanece válida.

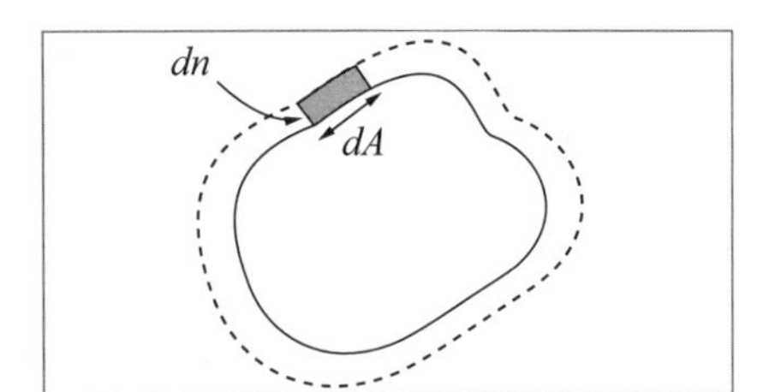

Figura 8.11 Recipiente qualquer.

Representação gráfica

Como um estado de equilíbrio termodinâmico de um fluido homogêneo fica definido por um par de variáveis, por exemplo, (P, V), podemos representá-lo por um ponto no plano P, V. Uma *transformação termodinâmica reversível* faz o sistema passar por uma sucessão de estados de equilíbrio, o que corresponde a descrever uma curva nesse plano. Essa curva recebe o nome de *diagrama indicador* da transformação. Esta representação foi introduzida por James Watt, o inventor da máquina a vapor.

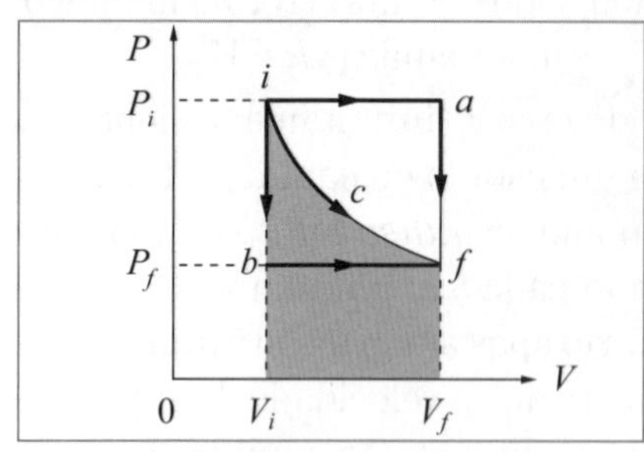

Figura 8.12 Diagrama indicador.

Como a temperatura T fica definida pelo par (P,V), cada curva ou *caminho*, para ir de um ponto i a um ponto f do plano, define como varia a temperatura ao longo do processo. Por exemplo, na Figura 8.12, o caminho icf pode representar uma porção de *isoterma*, ao longo da qual T = constante. Os caminhos iaf e ibf são compostos de porções de *isóbaras*, ao longo das quais P = constante ($P = P_i$, ou $P = P_f$), e de *isócoras*, ao longo das quais V = constante ($V = V_i$ ou $V = V_f$).

O trabalho $W_{i\to f}$, realizado pelo sistema num processo reversível, é dado pela (8.6.2), cuja interpretação gráfica é imediata: é a *área compreendida* entre a curva $P = P(V)$ e o eixo dos V, entre V_i e V_f. Como $P = P(V, T)$, a curva fica definida por $T = T(V)$, ou seja, por um *caminho* entre i e f. Assim, na Figura 8.12, a área sombreada representa $W_{i\xrightarrow{c}f}$, ou seja, o trabalho realizado ao longo do caminho icf. Evidentemente, o trabalho realizado ao longo de outros caminhos, tais como iaf ou ibf, seria diferente.

Logo, o trabalho $W_{i\to f}$ *depende do caminho* pelo qual se vai de i a f, ao contrário da variação de energia interna, $U_f - U_i$, que não depende do caminho, mas tão somente dos estados inicial e final. É por isto que *não existe uma função de estado* W, que representaria o "trabalho contido num sistema" num dado estado, da mesma forma que U é a *energia interna do sistema nesse estado.*

Esta é a razão pela qual adotamos a notação $d'W$ em lugar de dW: não existe uma função W da qual $d'W$ seja a diferencial. Por isto, $d'W$ é chamada de *diferencial inexata.*

Assim, se não especificamos a relação entre y e x, ydx é uma diferencial inexata, e a integral de y entre x_i e x_f depende do caminho, ou seja, da curva $y = y(x)$ escolhida para ligar x_i a x_f. Por outro lado, $x^2\,dx = d\,(x^3/3 + \text{constante})$ é uma diferencial exata.

Como um dado caminho corresponde a um processo reversível, temos

$$W_{i\xrightarrow{c}f} = -W_{f\xrightarrow{c}i} \qquad \textbf{(8.6.3)}$$

ou seja, se percorrermos o caminho em sentido inverso, o trabalho associado troca de sinal.

Um caminho em que o sistema volta ao seu estado inicial é denominado caminho fechado ou **ciclo**. Conforme ilustrado na Figura 8.13, *o trabalho realizado pelo sistema num ciclo corresponde à área contida dentro da curva fechada.* Com efeito, pela (8.6.3), usando as notações da Figura 8.13,

$$W = W_{i\xrightarrow{c}f} + W_{f\xrightarrow{d}i} = W_{i\xrightarrow{c}f} - W_{i\xrightarrow{d}f}$$

o que corresponde à área sombreada na figura da direita. Escrevemos

$$W = \oint P dV \tag{8.6.4}$$

e vemos que $W > 0$ quando o ciclo é descrito no sentido *horário*; se o descrevermos no sentido *anti-horário* teremos $W < 0$.

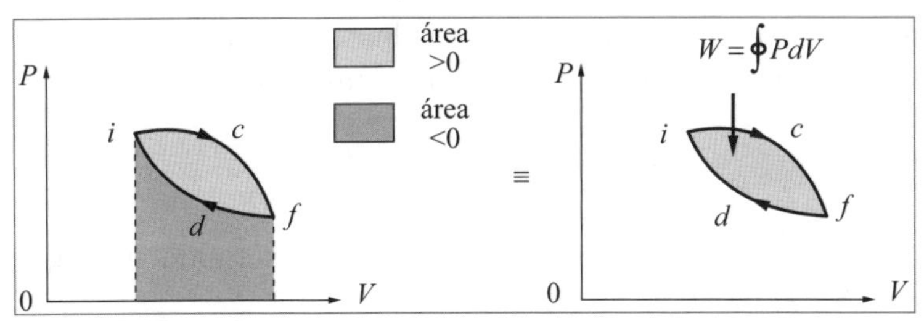

Figura 8.13 Ciclo.

Calor num processo reversível

Como transferir calor a um sistema de forma reversível? A Figura 8.14 ilustra de que forma isso pode ser feito. Partindo da temperatura inicial T_i do sistema (representado na figura em contato térmico com um reservatório térmico de temperatura T_i), transferimos o sistema para contato térmico com outro reservatório térmico à temperatura $T_i + dT$, onde dT é infinitésimo, e aguardamos até que se restabeleça o equilíbrio térmico. Daí o transferimos para novo reservatório térmico à temperatura $T_i + 2dT$, e assim sucessivamente, elevando de dT a temperatura em cada estágio, até que seja atingida a temperatura final T_f, correspondente à transferência de calor desejada. Como a temperatura de cada reservatório térmico não é afetada pela troca de calor infinitesimal, o processo todo é reversível, bastando para isso inverter a ordem das operações.

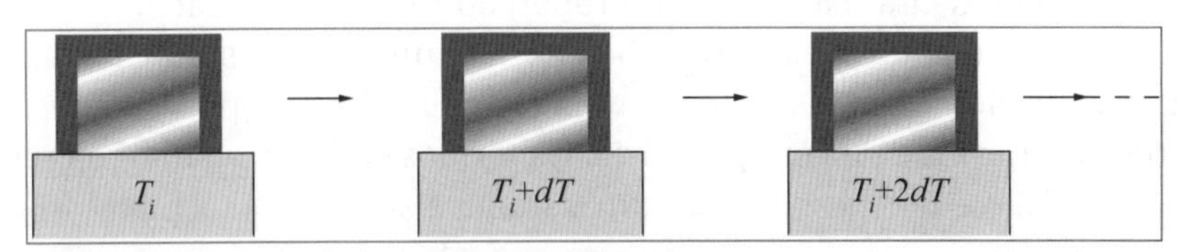

Figura 8.14 Transferência reversível de calor.

Em contraste com este procedimento, o aquecimento de uma panela de água colocada sobre uma chama não é, obviamente, um processo reversível: é inútil esperar que a água quente devolva o calor à chama e se resfrie!

Consideremos agora a (8.5.4). Como $W_{i \to f}$, num processo reversível, depende do caminho, e $\Delta U = U_f - U_i$ não depende, concluímos que Q *também depende do caminho* ou seja, não existe uma função de estado Q, que representaria o "calor contido num sistema": o calor não é uma substância, ao contrário do que pretendia a teoria do calórico!

Devemos, portanto, representar por $d'Q$ (diferencial inexata) uma transferência de calor infinitesimal. Se essa transferência se dá por um processo reversível, produzindo uma variação dT de temperatura num sistema de capacidade térmica C, temos (8.2.1)

$$\boxed{d'Q = CdT} \tag{8.6.5}$$

que podemos considerar como o análogo da (8.6.1).

A formulação infinitesimal da 1ª lei da termodinâmica (8.5.4) é, portanto,

$$\boxed{dU = d'Q - d'W} \tag{8.6.6}$$

onde a diferencial exata dU é a diferença das duas diferenciais inexatas $d'Q$ e $d'W$, da mesma forma que, somando as diferenciais inexatas ydx e xdy, obtemos a diferencial exata

$$ydx + xdy = d\,(xy + \text{constante}).$$

Para uma transformação reversível aplicada a um fluido homogêneo, obtemos, substituindo as (8.6.1) e (8.6.5) na (8.6.6),

$$\boxed{dU = CdT - PdV} \tag{8.6.7}$$

Da mesma forma que, na (8.6.2), P depende do caminho, podemos também escrever, para um processo reversível onde a temperatura passa de T_i a T_f,

$$Q = \int_{T_i}^{T_f} CdT \tag{8.6.8}$$

onde a capacidade térmica C depende do caminho. Já foi mencionado na Seção 8.2 que isso vale para o calor específico: o calor específico c_p a pressão constante é geralmente diferente do calor específico c_v a volume constante.

Notemos, em conclusão, que *a energia interna de um sistema num dado estado não pode ser identificada nem com calor nem com trabalho*: é impossível dizer que proporção dela representa "calor" e que proporção representa "trabalho". Isto decorre diretamente do fato de que calor e trabalho não são funções de estado. Podemos produzir a mesma variação de energia interna num sistema, fornecendo-lhe calor e trabalho em proporções variáveis de forma arbitrária. Os termos calor e trabalho referem-se sempre a *trocas* ou *fluxos* de energia entre um sistema e sua vizinhança.

8.7 EXEMPLOS DE PROCESSOS

(a) Ciclo

Para um processo cíclico (Figura 8.13), o sistema volta sempre exatamente ao seu estado inicial. Logo, $\Delta U = 0$ e a 1ª lei resulta em

$$\boxed{W = Q} \tag{8.7.1}$$

ou seja, *o trabalho produzido pelo sistema num ciclo reversível é igual ao calor que lhe é fornecido.* Este resultado se aplica, em particular, às máquinas térmicas, que operam em ciclos sempre repetidos.

(b) Processo isobárico

É, por definição, um processo em que *a pressão P permanece constante*: por exemplo, processos que ocorrem à pressão atmosférica. Pela (8.6.2), o trabalho realizado num processo isobárico reversível é (Figura 8.15)

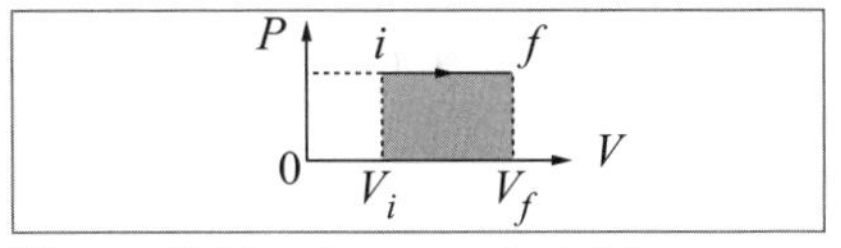

Figura 8.15 Processo isobárico.

$$W_{i\to f} = P\int_{V_i}^{V_f} dV = P\left(V_f - V_i\right) \quad \textbf{(8.7.2)}$$

e a 1ª lei fica

$$\boxed{\Delta U = U_f - U_i = Q - P\left(V_f - V_i\right)} \quad (\text{isobárico}) \quad \textbf{(8.7.3)}$$

Exemplo: Na caldeira de uma máquina a vapor, a água é, primeiro, aquecida até a temperatura de ebulição, e depois vai sendo vaporizada a pressão constante.

Podemos esquematizar o processo, para cada porção de água convertida em vapor, da forma indicada na Figura 8.16. No estado inicial i, temos certa massa de água em forma líquida, ocupando um volume V_l. A caldeira fornece um calor Q para vaporizar a água à pressão constante P; idealizamos a caldeira como um reservatório térmico. O volume de vapor de água produzido é V_v. Geralmente, $V_v >> V_l$, de modo que houve uma *expansão isobárica* do fluido.

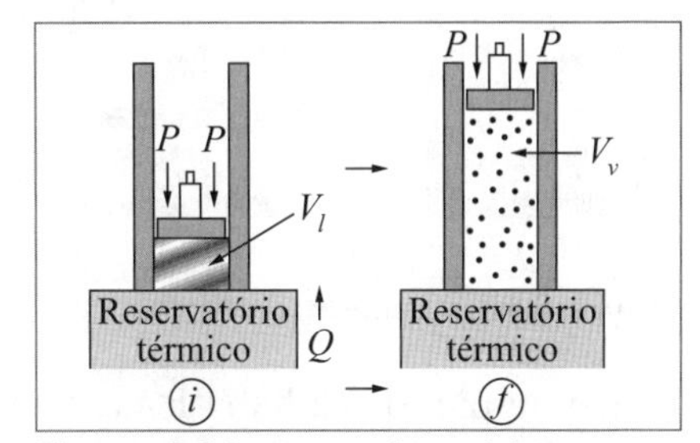

Figura 8.16 Expansão isobárica.

Para vaporizar 1 g de água, é preciso fornecer-lhe uma quantidade de calor L chamada de *calor latente de vaporização*. Para a água a P = 1 atm e T = 100 °C, tem-se L = 539 cal/g; na caldeira de uma máquina a vapor, em geral, a pressão e a temperatura são bem mais elevadas. Se o sistema consiste em m gramas de água, temos, portanto, por definição,

$$Q = mL \quad \textbf{(8.7.4)}$$

e o trabalho realizado na expansão isobárica é dado pela (8.7.2), com $V_i = V_l$ e $V_f = V_v$. Logo, a (8.7.3) resulta em

$$\boxed{\Delta U = mL - P\left(V_v - V_l\right)} \quad \textbf{(8.7.5)}$$

Esta variação de energia interna necessária para levar o sistema do estado líquido ao de vapor pode ser interpretada, do ponto de vista microscópico, como a energia necessária para romper as forças de atração entre as moléculas de água no líquido.

(c) Processo adiabático

É um processo que ocorre sem que haja trocas de calor entre o sistema e sua vizinhança, ou seja,

$$\boxed{Q = 0} \qquad \textbf{(8.7.6)}$$

Logo, a 1ª lei volta a assumir a forma (8.5.1):

$$\boxed{\Delta U = U_f - U_i = -W_{i \to f}} \quad (\text{adiabático}) \qquad \textbf{(8.7.7)}$$

É importante notar que a (8.7.7) *é aplicável quer o processo seja reversível quer não seja*: essa forma da 1ª lei representa simplesmente a lei de conservação da energia. Para um processo reversível num fluido, a diferença é que a (8.6.2) também pode ser aplicada; se o processo não é reversível, $W_{i \to f}$ deixa de ser dado pela (8.6.2), mas a (8.7.7) permanece válida.

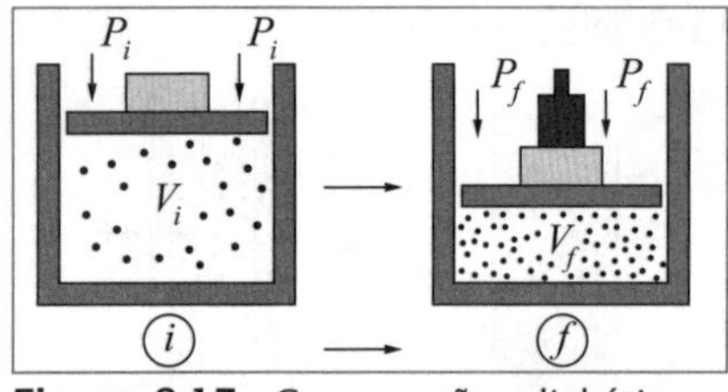

Figura 8.17 Compressão adiabática.

Exemplos: (i) Na compressão adiabática de um gás (Figura 8.17), temos $W_{i \to f} < 0$, de modo que $U_f > U_i$. Geralmente isto implica que a temperatura aumenta: $T_f > T_i$, ou seja, *a compressão adiabática aquece o gás*. Reciprocamente, *uma expansão adiabática resfria um gás*, o que é utilizado na produção de baixas temperaturas.

(ii) Qualquer processo realizado num calorímetro de paredes adiabáticas, como a experiência de Joule ilustrada na Figura 8.4, é adiabático.

(iii) Conforme já foi mencionado na Seção 8.5, qualquer processo suficientemente rápido para que não haja tempo de transferir calor (a transmissão de calor por condução e convecção é relativamente lenta num meio isolante como um gás) pode ser tratado como adiabático. Exemplos: a propagação de ondas sonoras; o aquecimento do ar quando bombeamos um pneu de bicicleta; a expansão do vapor entre a caldeira e o condensador de uma máquina a vapor; a expansão da mistura de gases aquecidos num motor de automóvel.

(iv) *A experiência de Joule de expansão livre*: Joule realizou a experiência da expansão livre, ilustrada na Figura 8.10, com o sistema todo imerso num calorímetro de água com paredes adiabáticas. Como vimos na Seção 8.6, tem-se $W_{i \to f} = 0$ neste caso (o volume do sistema total não se altera, de modo que não há trabalho externo realizado). Logo, a (8.7.7) resulta em

$$\boxed{\Delta U = 0} \qquad \textbf{(8.7.8)}$$

ou seja, *a energia do gás não varia nesse processo adiabático irreversível*.

Note que, neste exemplo, embora os estados inicial e final sejam de equilíbrio termodinâmico, podendo pois ser representados por pontos i e f num gráfico (P, V), por exemplo (Figura 8.12), *os estados intermediários da expansão não são estados de equilíbrio termodinâmico* (Seção 8.6), e não podem pois ser representados nesse gráfico.

PROBLEMAS

8.1 Verifique se a estimativa de Joule para a variação de temperatura da água entre o sopé e o topo das cataratas do Niágara (Seção 8.1) era correta, calculando a máxima diferença de temperatura possível devida à queda da água. A altura de queda é de 50 m.

8.2 A capacidade térmica molar (a volume constante) de um sólido a baixas temperaturas, $T << T_D$, onde T_D é a temperatura de Debye (Seção 8.2), é dada por: $C_V \approx 464\,(T/T_D)^3$ cal/mol.K. Para o NaCl, $T_D \approx 281$K. (a) Calcule a capacidade térmica molar média $\overline{C}_V$ do NaCl entre $T_i = 10$ K e $T_f = 20$ K. (b) Calcule a quantidade de calor necessária para elevar a temperatura de 1 kg de NaCl de 10 K para 20 K.

8.3 Um bloco de gelo de 1 tonelada, destacado de uma geleira, desliza por uma encosta de 10° de inclinação com velocidade constante de 0,1 m/s. O calor latente de fusão do gelo (quantidade de calor necessária para liquefação por unidade de massa) é de 80 cal/g. Calcule a quantidade de gelo que se derrete por minuto em consequência do atrito.

8.4 A *constante solar*, quantidade de energia solar que chega à Terra por unidade de tempo e área, acima da atmosfera e para um elemento de área perpendicular à direção dos raios solares, é de 1,36 kW/m². Para um elemento de área cuja normal faz um ângulo θ com a direção dos raios solares, o fluxo de energia varia com $\cos\theta$. (a) Calcule a quantidade total de energia solar que chega à Terra por dia. *Sugestão*: Para um elemento de superfície dS, leve em conta a interpretação de $dS\cos\theta$ como projeção sobre um plano (Capítulo 1, problema 1.8). (b) Sabe-se que ≈ 23% da energia solar incidente sobre a água vão produzir evaporação. O calor latente de vaporização da água à temperatura ambiente (quantidade de calor necessária para vaporizá-la por unidade de massa) é ≈ 590 cal/g. Sabendo que ≈ 71% da superfície da Terra são cobertos por oceanos, calcule a profundidade da camada de água dos oceanos que seria evaporada por dia pela energia solar que chega à Terra.

8.5 Um calorímetro de alumínio de 250 g contém 0,5 l de água a 20 °C, inicialmente em equilíbrio. Coloca-se dentro do calorímetro um bloco de gelo de 100 g. Calcule a temperatura final do sistema. O calor específico do alumínio é 0,21 cal/g °C e o calor latente de fusão do gelo é de 80 cal/g (durante o processo de fusão, o gelo permanece a 0 °C).

8.6 Um calorímetro de latão de 200 g contém 250 g de água a 30 °C, inicialmente em equilíbrio. Quando 150 g de álcool etílico a 15 °C são despejadas dentro do calorímetro, a temperatura de equilíbrio atingida é de 26,3 °C. O calor específico do latão é 0,09 cal/g. Calcule o calor específico do álcool etílico.

8.7 Um calorímetro de capacidade térmica igual a 50 cal/g contém uma mistura de 100 g de água e 100 g de gelo, em equilíbrio térmico. Mergulha-se nele um aquecedor elétrico de capacidade térmica desprezível, pelo qual se faz passar uma corrente, com potência P constante. Após 5 minutos, o calorímetro contém água a 39,7 °C. O calor latente de fusão do gelo é 80 cal/g. Qual é a potência (em W) do aquecedor?

8.8 O calor específico de um fluido pode ser medido com o auxílio de um *calorímetro de fluxo* (Figura P.1). O fluido atravessa o calorímetro num escoamento estacionário, com vazão de massa V_m (massa por unidade de tempo) constante. Penetrando à temperatura T_i, o fluido passa por um aquecedor elétrico de potência P constante e emerge com temperatura T_f (figura), em regime estacionário. Numa experiência com benzeno, tem-se V_m = 5 g/s, P = 200 W, T_i = 15 °C e T_f = 38,3 °C. Determine o calor específico do benzeno.

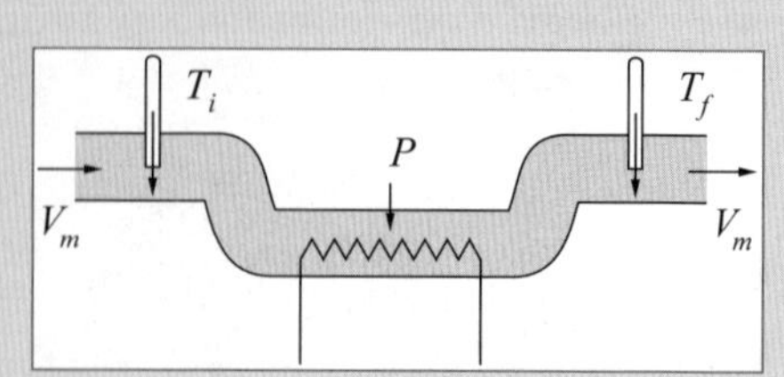

Figura P.1

8.9 Num dos experimentos originais de Joule (Figura 8.4), o trabalho era produzido pela queda de uma massa de 26,3 kg de uma altura de 1,60 m, repetida 20 vezes. O equivalente em água da massa da água e do calorímetro que a continha era de 6,32 kg e a variação de temperatura medida foi de 0,313 °C. Que valor para o equivalente mecânico da caloria resulta destes dados experimentais?

8.10 A uma temperatura ambiente de 27 °C, uma bala de chumbo de 10 g, com uma velocidade de 300 m/s, penetra num pêndulo balístico de massa igual a 200 g e fica retida nele. Se a energia cinética dissipada pela bala fosse totalmente gasta em aquecê-la, daria para derreter uma parte dela? Em caso afirmativo, quantas gramas? O calor específico do chumbo é 0,031 cal/g.°C, sua temperatura de fusão é de 327 °C e o calor latente de fusão é 5,85 cal/g.

8.11 Uma barra de seção transversal constante de 1 cm^2 de área tem 15 cm de comprimento, dos quais 5 cm de alumínio e 10 cm de cobre. A extremidade de alumínio está em contato com um reservatório térmico a 100 °C, e a de cobre com outro, a 0 °C. A condutividade térmica do alumínio é 0,48 cal/s.cm.°C e a do cobre é 0,92 cal/s.cm.°C. (a) Qual é a temperatura da barra na junção entre o alumínio e o cobre? (b) Se o reservatório térmico, a 0 °C, é uma mistura de água com gelo fundente, qual é a massa de gelo que se derrete por hora? O calor latente de fusão do gelo é 80 cal/g.

8.12 Uma barra metálica retilínea de seção homogênea é formada de três segmentos de materiais diferentes, de comprimentos l_1, l_2 e l_3, e condutividades térmicas k_1, k_2 e k_3, respectivamente. Qual é a condutividade térmica k da barra como um todo (ou seja, de uma barra equivalente de um único material e comprimento $l_1 + l_2 + l_3$)?

8.13 Duas esferas metálicas concêntricas, de raios r_1 e $r_2 > r_1$ são mantidas respectivamente às temperaturas T_1 e T_2, e estão separadas por uma camada de material homogêneo de condutividade térmica k (Figura P.2). Calcule a taxa de transmissão de calor por unidade de tempo através dessa camada. *Sugestão*: Considere uma superfície esférica concêntrica intermediária de raio r ($r_1 < r < r_2$) e escreva a lei de condução do calor através dessa superfície. Integre depois em relação a r, de $r = r_1$ até $r = r_2$.

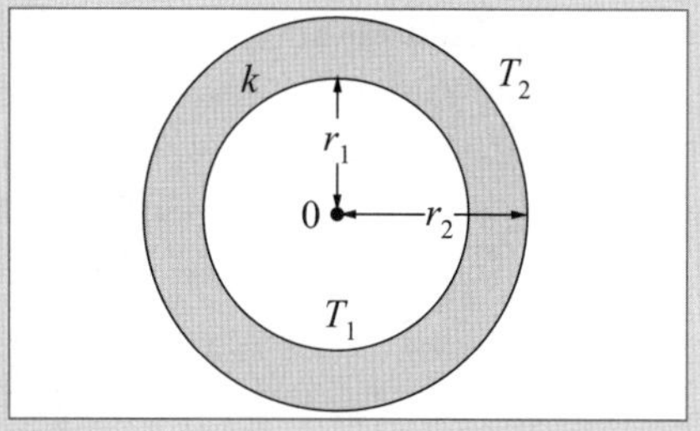

Figura P.2

8.14 Generalize o resultado de Problema 8.13 ao caso da condução do calor através de uma camada de material de condutividade térmica k entre dois cilindros concêntricos de raios ρ_1 e $\rho_2 > \rho_1$ e de comprimento $l >> \rho_2$, de modo que se possam desprezar efeitos das extremidades, (a) Calcule a taxa de transmissão de calor por unidade de tempo através da camada, (b) Aplique o resultado a uma garrafa térmica cilíndrica, com $\rho_1 = 5$ cm, $\rho_2 = 5{,}5$ cm e $l = 20$ cm, com uma camada de ar entre as paredes interna e externa. A condutividade térmica do ar é de $5{,}7 \times 10^{-5}$ cal/s.cm.°C. A garrafa contém café inicialmente a 100 °C e a temperatura externa é de 25 °C. Quanto tempo demora para que o café esfrie até a temperatura ambiente?

8.15 Uma chaleira de alumínio contendo água em ebulição, a 100 °C, está sobre uma chama. O raio do fundo da chaleira é de 7,5 cm e sua espessura é de 2 mm. A condutividade térmica do alumínio é 0,49 cal/s.cm.°C. A chaleira vaporiza 1 l de água em 5 min. O calor de vaporização da água a 100 °C é de 540 cal/g. A que temperatura está o fundo da chaleira? Despreze as perdas pelas superfícies laterais.

8.16 Num país frio, a temperatura sobre a superfície de um lago caiu a –10 °C e começa a formar-se uma camada de gelo sobre o lago. A água sob o gelo permanece a 0 °C: o gelo flutua sobre ela e a camada de espessura crescente em formação serve como isolante térmico, levando ao crescimento gradual de novas camadas de cima para baixo. (a) Exprima a espessura l da camada de gelo formada, decorrido um tempo t do início do processo de congelamento, como função da condutividade térmica k do gelo, da sua densidade ρ e calor latente de fusão L, bem como da diferença de temperatura ΔT entre a água e a atmosfera acima do lago. *Sugestão*: Considere a agregação de uma camada de espessura dx à camada já existente, de espessura x, e integre em relação a x. (b) No exemplo acima, calcule a espessura da camada de gelo 1 h após iniciar-se o congelamento, sabendo que $k = 4 \times 10^{-3}$ cal/s.cm.°C, $p = 0{,}92$ g/cm^3 e $L = 80$ cal/g.

8.17 À pressão atmosférica, a vaporização completa de 1 l de água a 100 °C gera 1,671 m^3 de vapor de água. O calor latente de vaporização da água a esta temperatura é 539,6 cal/g. (a) Quanto trabalho é realizado pela expansão do vapor no processo de vaporização de 1 l de água? (b) Qual é a variação de energia interna do sistema nesse processo?

8.18 Um fluido homogêneo pode passar de um estado inicial i a um estado final f no plano (P, V) por meio de dois caminhos diferentes, representados por iaf e ibf no diagrama indicador (Figura P.3). A diferença de energia interna entre os estados inicial e final é $U_f - U_i = 50$ J. O trabalho realizado pelo sistema na passagem de i para b é de 100 J. O trabalho realizado pelo sistema quando descreve o ciclo $(iafbi)$ é de 200 J.

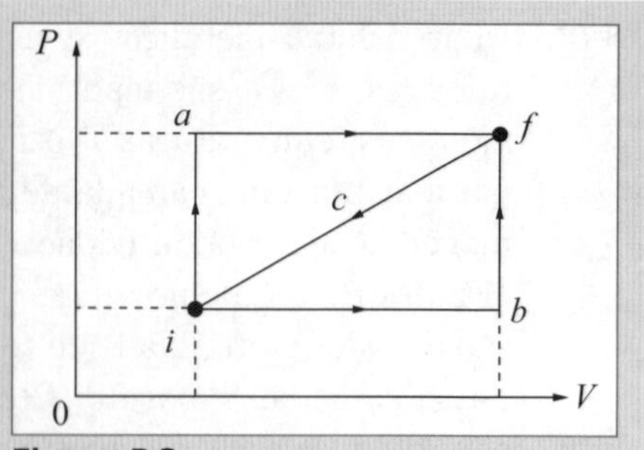

Figura P.3

A partir destes dados, determine, em magnitude e sinal: (a) a quantidade de calor $Q_{(ibf)}$, associada ao caminho ibf; (b) o trabalho $W_{i \rightarrow f}$; (c) a quantidade de calor $Q_{(iaf)}$, associada ao caminho iaf; (d) se o sistema regressa do estado final ao estado inicial, seguindo a diagonal fci do retângulo (Figura), o trabalho $W_{(fci)}$ e a quantidade de calor $Q_{(fci)}$ associados a esse caminho.

8.19 O diagrama indicador da Figura P.4, em que a pressão é medida em bar e o volume em l, está associado com um ciclo descrito por um fluido homogêneo. Sejam W, Q e ΔU respectivamente o trabalho, quantidade de calor e variação de energia interna do sistema associados com cada etapa do ciclo e com o ciclo completo, cujos valores (em J) devem ser preenchidos na tabela abaixo.

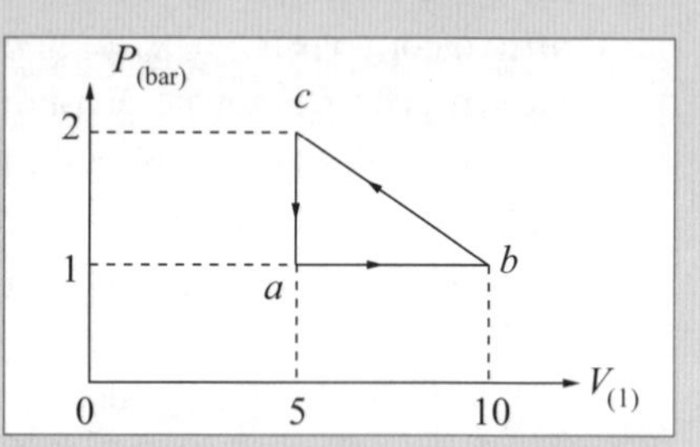

Figura P.4

Etapa	W (J)	Q (J)	ΔU (J)
ab		800	
bc			
ca			-100
Ciclo (*abca*)			

Complete a tabela, preenchendo todas as lacunas.

9

Propriedades dos gases

9.1 EQUAÇÃO DE ESTADO DOS GASES IDEAIS

As substâncias que têm o comportamento termodinâmico mais simples são os gases. Já vimos que, não só para um gás, mas para qualquer fluido homogêneo, um estado de equilíbrio termodinâmico fica inteiramente caracterizado por qualquer par das três variáveis (P, V, T). Isto significa que a terceira é uma função das outras duas, ou seja, que existe uma relação funcional do tipo

$$\boxed{f(P,V,T)=0} \qquad \textbf{(9.1.1)}$$

que se chama a *equação de estado* do fluido.

A equação de estado assume uma forma especialmente simples para um *gás ideal* (também chamado de *gás perfeito).* Conforme o próprio nome está dizendo, trata-se de uma idealização de um gás real, no limite de rarefação extrema. Quanto mais distante a temperatura do gás em relação a seu ponto de liquefação e quanto menor a pressão, mais ele se aproxima do comportamento de um gás ideal. Na prática, trata-se de uma excelente aproximação na maioria dos casos.

(a) A lei de Boyle

Já vimos (Seção 1.5) que a experiência de Torricelli (1643) evidenciou e levou à interpretação correta da pressão atmosférica, cuja variação com a altitude foi investigada por Pascal (1648).

Em 1662, o físico inglês Robert Boyle publicou um livro intitulado "A mola do ar", contendo uma nova lei relativa à elasticidade do ar, ou seja, relacionando sua pressão com seu volume.

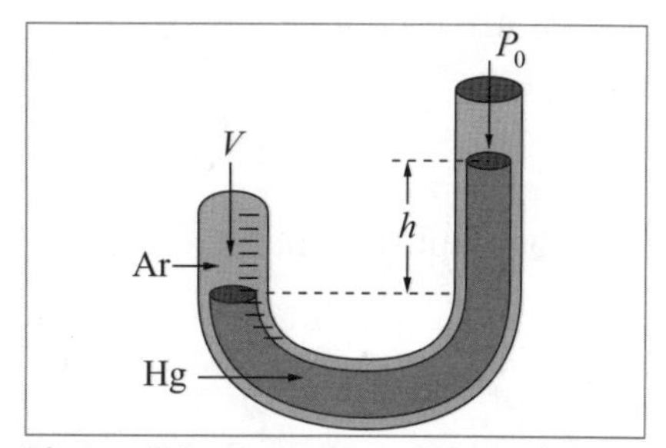

Figura 9.1 Experimento de Boyle.

A experiência realizada por Boyle para obter a sua lei está ilustrada na Figura 9.1. Foi usado um tubo manométrico em U, aberto numa extremidade à pressão atmosférica P_0 e fechado na outra, onde a coluna de mercúrio aprisiona um volume V de ar (lido diretamente na escala graduada do tubo). A pressão P exercida sobre o volume V é

$$P = P_0 + \rho g h \tag{9.1.2}$$

onde h é o desnível entre os dois ramos do tubo (figura) e ρ a densidade do mercúrio.

A experiência era realizada a uma temperatura T constante (temperatura ambiente), com uma quantidade fixa de gás (ar) aprisionado. A pressão P podia ser variada, despejando-se mais mercúrio no ramo aberto. O resultado foi que, nessas condições, o volume V era inversamente proporcional a P:

$$\boxed{V = k / P \; \{ \; PV = k = \text{constante}} \tag{9.1.3}$$

Esta é a *Lei de Boyle*:

A temperatura constante, o volume de uma dada quantidade de gás varia inversamente com a pressão.

A constante k, na (9.1.3), depende da temperatura e da quantidade de gás. No plano (P, V) a (9.1.3), que representa uma *isoterma*, é a equação de uma *hipérbole*.

A lei de Boyle foi redescoberta independentemente por Mariotte em 1676.

(b) A lei de Charles

O passo seguinte é investigar como V ou P variam com T, quando a outra variável é mantida constante. Estudar a dependência de V com a temperatura, a pressão constante, equivale a estudar o *coeficiente de dilatação volumétrica* β do gás [cf. (7.5.5)].

Seja V_θ o volume do gás à temperatura θ na escala Celsius e V_0 o volume correspondente a 0 °C, ambos à pressão de 1 atm. Temos então, pela definição de β,

$$\frac{\Delta V}{V_0} = \frac{V_\theta - V_0}{V_0} = \beta\theta \quad (P = 1 \text{ atm}) \tag{9.1.4}$$

Em 1787, o físico francês Jacques Charles observou que *todos os gases têm aproximadamente o mesmo coeficiente de dilatação volumétrica*, $\beta \approx 1/273$. Isto foi verificado experimentalmente com maior precisão em 1802, por Joseph Louis Gay-Lussac. O valor atualmente aceito é

$$\beta \approx \frac{1}{273{,}15} \, °\text{C}^{-1} \tag{9.1.5}$$

Logo, substituindo na (9.1.4),

$$V_\theta = V_0 (1 + \beta\theta) = \frac{V_0}{273{,}15} \underbrace{(\theta + 273{,}15)_{°\text{C}}}_{= T \text{ pela } (7.4.6)}$$

ou seja, com $T_0 = 273.15$ K ($\cong 0$°C),

$$\boxed{\frac{V(T)}{V(T_0)} = \frac{V}{V_0} = \frac{T}{T_0} \quad (P = P_0 = \text{constante})} \tag{9.1.6}$$

que é a *lei de Charles*:

> *A pressão constante, o volume de um gás é diretamente proporcional à temperatura absoluta.*

Esta lei é tanto melhor verificada quanto mais baixa a pressão P_0; no limite $P_0 \to 0$, pode ser usada para definir a escala termométrica de gás ideal, usando um termômetro de gás a pressão constante.

Analogamente, já vimos, ao estudar o termômetro de gás a volume constante, que

$$\boxed{\frac{P(T)}{P(T_0)} = \frac{P}{P_0} = \frac{T}{T_0} \quad (V = V_0 = \text{constante})} \tag{9.1.7}$$

no limite em que $P_0 \to 0$, o que corresponde à (7.4.7) (na qual tomamos o ponto triplo da água, $\theta = 0{,}01$ °C, em lugar de 0 °C).

(c) A lei dos gases perfeitos

Podemos obter a equação de estado de um gás ideal combinando a lei de Boyle com a lei de Charles. Para isto, vejamos como se pode passar de um estado (P_0, V_0, T_0) a (P, V, T).

A Figura 9.2 mostra as isotermas (hipérboles) associadas à lei de Boyle (9.1.3) no plano (P, V), para uma dada massa de gás. Queremos passar do ponto 0 ao ponto a do plano.

Para isso, podemos passar primeiro do ponto 0 ao ponto 1 (figura), a pressão P_0 constante, e depois de 1 até a, a temperatura T constante.

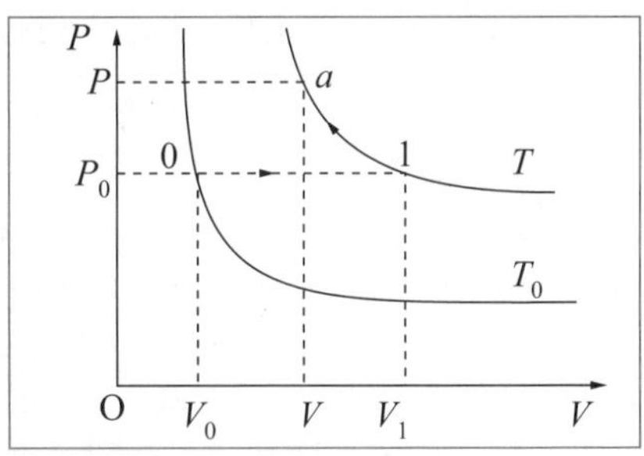

Figura 9.2 Experimento de Boyle.

A passagem de $0(P_0, V_0, T_0)$ a $1(P_0, V_1, T)$ se obtém pela lei de Charles (9.1.6):

$$\frac{V_1}{V_0} = \frac{T}{T_0} \quad (\text{com } P = P_0) \tag{9.1.8}$$

A passagem de $1(P_0, V_1, T)$ até $a(P, V, T)$ se obtém pela lei de Boyle (9.1.3)

$$P_0 V_1 = PV \quad (T = \text{constante}) \tag{9.1.9}$$

Substituindo V_1 na (9.1.9) pelo seu valor tirado da (9.1.8), obtemos

$$\boxed{\frac{PV}{T} = \frac{P_0 V_0}{T_0} = \text{constante}} \tag{9.1.10}$$

que é o resultado desejado.

A constante na (9.1.10) depende apenas da natureza do gás e de sua quantidade. Para obter a forma dessa dependência, vamos antecipar um resultado que decorre da *lei de Avogadro* (1811), a ser discutida mais detalhadamente no Capítulo 11.

Chama-se 1 *mol* de uma substância pura uma massa dessa substância, em gramas, igual à sua massa molecular. Assim, por exemplo,

$$1 \text{ mol } H_2 = 2 \text{ g}; \qquad 1 \text{ mol } O_2 = 32 \text{ g}; \qquad 1 \text{ mol } H_2O = 18 \text{ g}.$$

As condições NTP (normais de temperatura e pressão) correspondem a $T = T_0 =$ 273.15 K e $P = P_0 = 1$ atm. A lei de Avogadro leva ao seguinte resultado:

Um mol de qualquer gás, nas condições NTP, *ocupa sempre o mesmo volume, a saber,* $V_0 = 22{,}415$ l.

Segue-se que, se aplicarmos a (9.1.10) a 1 *mol* de gás, o resultado será sempre o mesmo para qualquer gás, ou seja, será uma *constante universal* R, que se chama a *constante universal dos gases:*

$$R \approx \frac{1\,\text{atm} \times 22{,}4 l}{273\,\text{K}} \approx \frac{1{,}013 \times 10^5 \,\frac{\text{N}}{\text{m}^2} \times 0{,}0224 \text{ m}^3}{2{,}73 \times 10^2 \text{ K}}$$

o que resulta em

$$\boxed{R = 8{,}314 \frac{\text{J}}{\text{mol K}} = 1{,}986 \frac{\text{cal}}{\text{mol K}}} \tag{9.1.11}$$

Levando na (9.1.10), vem, para 1 mol de gás,

$$V = RT/P \quad (1\,\text{mol}) \tag{9.1.12}$$

Como o volume é proporcional à quantidade de gás, uma massa de n moles, nas mesmas condições, ocupa um volume n vezes maior, o que, finalmente, leva a

$$\boxed{PV = nRT} \quad (n\,\text{moles}) \tag{9.1.13}$$

Esta é a *equação de estado dos gases ideais*, também conhecida como *lei dos gases perfeitos.*

Embora nenhum gás real obedeça exatamente a esta equação de estado, ela é uma boa aproximação para a maioria dos gases, tanto melhor quanto mais rarefeito o gás e mais longe estiver de seu ponto de liquefação. Como os pontos de liquefação à pressão normal (1 atm) do hidrogênio (–253 °C) e do hélio (–269 °C) são especialmente baixos, esses gases teriam o comportamento mais próximo de um gás ideal, por exemplo num termômetro de gás a volume constante.

Exemplo: Qual é a densidade do oxigênio à temperatura $\theta = 27$ °C e à pressão $P = 2$ atm?

Sabemos que, nas condições NTP, 1 mol de $O_2 = 32$ g ocupa 22,4 1, de modo que a densidade nessas condições é

$$\rho_0 \approx \frac{3,2 \times 10^{-2}\,\text{kg}}{2,24 \times 10^{-2}\,\text{m}^3} \approx 1,43\ \text{kg}/\text{m}^3$$

com P_0 = 1 atm, T_0 = 273K. Pela (9.1.13), para uma massa dada (n fixo), a densidade ρ é proporcional a $1/V$, ou seja, a P/T. Logo, é preciso multiplicar ρ_0 por (θ = 27 °C ≡ T = 300 K)

$$\frac{P}{P_0} \cdot \frac{T_0}{T} = \frac{2\ \text{atm}}{1\ \text{atm}} \cdot \frac{273\,\text{K}}{300\,\text{K}} \approx 1,82$$

o que resulta em ρ = 2,6 kg/m³.

(d) Trabalho na expansão isotérmica de um gás ideal

Como aplicação da equação de estado de um gás ideal, vamos calcular o trabalho $W_{i\to f}$ realizado na *expansão isotérmica reversível* de um gás ideal, de um volume V_i até V_f. Pela (8.6), temos

$$\boxed{W_{i\to f} = \int_{V_i}^{V_f} P\,dV} \qquad \textbf{(9.1.14)}$$

onde o caminho de integração é ao longo de uma isoterma (Figura 9.3). Pela equação de estado (9.1.13),

$$P = \frac{nRT}{V} \quad (T = \text{constante})$$

de modo que a (9.1.14) fica

$$W_{i\to f} = nRT \int_{V_i}^{V_f} \frac{dV}{V} = nRT \ln V \Big|_{V_i}^{V_f}$$

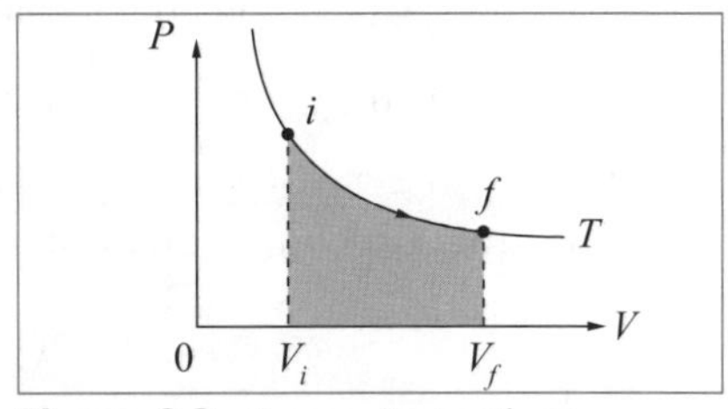

Figura 9.3 Expansão isotérmica.

onde ln é o logaritmo neperiano. Finalmente

$$\boxed{W_{i\to f} = nRT \ln\left(\frac{V_f}{V_i}\right)} \quad (\text{isotérmico}) \qquad \textbf{(9.1.15)}$$

Para $V_f > V_i$ (expansão), é $W_{i\to f} > 0$; para $V_f < V_i$ (compressão), temos $W_{i\to f} < 0$, como deveria ser.

9.2 ENERGIA INTERNA DE UM GÁS IDEAL

(a) A experiência de Joule

Um dos métodos empregados por Joule, para medir o equivalente mecânico da caloria, consistia em aquecer o calorímetro pela compressão de um gás, contido num recipiente imerso na água do calorímetro. O trabalho realizado sobre o gás podia ser facilmente determinado, e resultaria no calor fornecido ao calorímetro, desde que se convertesse inteiramente em calor, sem alterar a energia interna do gás. A fim de verificar se essa hipótese era correta, Joule procurou investigar se a energia interna de um gás variava com seu volume.

Para esse fim, Joule realizou a experiência de *expansão livre* (Seções 8.6, 8.7) mergulhando os dois recipientes (Figura 8.10), um evacuado e o outro contendo ar a ~20 atm, num calorímetro *pequeno*, contendo o mínimo possível de água e termicamente isolado. Após medir a temperatura inicial T_i da água, Joule abriu a válvula, produzindo a expansão livre, e tornou a medir a temperatura final T_f da água após esse processo. Nenhuma variação de temperatura foi detectada, ou seja,

$$\boxed{\Delta T = T_f - T_i = 0} \quad \text{(Joule)} \tag{9.2.1}$$

A razão para ter tomado um calorímetro pequeno foi a intenção de reduzir sua capacidade térmica, tornando-o mais sensível a pequenas variações de temperatura.

Vejamos que conclusão o resultado de Joule (9.2.1) permite tirar sobre a variação da energia interna de um gás com seu volume. Como vimos na (8.5.3), a energia interna U pode ser considerada como função de qualquer par de variáveis independentes, em particular V e T: $U = U(V, T)$. Como se calcula uma pequena variação ΔU de uma tal função de duas variáveis, associada com variações ΔV e ΔT das variáveis independentes?

Para uma função de uma só variável, $Z = f(x)$, sabemos que $\Delta Z = \left(\frac{df}{dx}\right)\Delta x$, (diferencial).

Para uma função de duas variáveis independentes, $Z = f(x, y)$, temos

$$\Delta Z = \left(\frac{\partial f}{\partial x}\right)_y \Delta x + \left(\frac{\partial f}{\partial y}\right)_x \Delta y \tag{9.2.2}$$

onde $\left(\frac{\partial f}{\partial x}\right)_y$ por exemplo, indica a *derivada parcial* (**FB1**, Seção 7.4) de f em relação a x: o índice y serve para lembrar que Z é considerado como função de x e y, e que y é mantido constante. Por exemplo, se $Z = x^2 y^3$ e x varia de 1 a 1,01 e y de 2 a 2,02, temos

$$\Delta Z = (1{,}01)^2 \cdot (2{,}02)^2 - 2^3 \approx 8{,}40 - 8 = 0{,}40; \quad \left(\frac{\partial f}{\partial x}\right)_y = 2xy^3 \quad \text{e} \quad \left(\frac{\partial f}{\partial y}\right)_x = 3x^2y^2$$

o que dá, com $x = 1$, $y = 2$,

$$\Delta x = 0{,}01,\ \Delta y = 0{,}02,\ \left(\frac{\partial f}{\partial x}\right)_y \Delta x + \left(\frac{\partial f}{\partial y}\right)_x \Delta y = 2 \times 1 \times 8 \times 0{,}01 + 3 \times 1 \times 4 \times 0{,}02 \approx$$

$$\approx 0{,}16 + 0{,}24 = 0{,}40 = \Delta Z$$

o que ilustra a (9.2.2).

Aplicando a (9.2.2) a $U(V, T)$, vem

$$\Delta U = \left(\frac{\partial U}{\partial V}\right)_T \Delta V + \left(\frac{\partial U}{\partial T}\right)_V \Delta T \tag{9.2.3}$$

Para a experiência de Joule de expansão livre, vimos na (8.7.8) que $\Delta U = 0$. Admitindo o resultado experimental (9.2.1), vem então

$$0 = \left(\frac{\partial U}{\partial V}\right)_T \Delta V + \left(\frac{\partial U}{\partial T}\right)_V \underbrace{\Delta T}_{=0} = \left(\frac{\partial U}{\partial V}\right)_T \Delta V$$

Como $\Delta V = V_f - V_i \neq 0$ na expansão livre, concluímos que

$$\boxed{\left(\frac{\partial U}{\partial V}\right)_T = 0} \tag{9.2.4}$$

ou seja, a *energia interna de um gás ideal não depende do volume.*

Como consideramos U como função de V e T, e resulta ser independente de V, a conclusão final é que

$$\boxed{U = U(T)} \tag{9.2.5}$$

ou seja, *a energia interna de um gás ideal só depende de sua temperatura.*

Na realidade, apesar das precauções tomadas por Joule, a capacidade térmica da água e do calorímetro ainda eram $\sim 10^3$ vezes maiores que a do ar contido nos recipientes, de modo que uma variação de 1 °C da temperatura do ar só teria produzido uma variação $\sim 10^{-3}$ °C na temperatura da água do calorímetro, que não teria sido detectada pelo termômetro. Sabemos hoje que, nas condições em que a experiência foi realizada, o ar deve ter sofrido uma variação ΔT de vários graus. Para qualquer gás real, $\Delta T \neq 0$, mas se torna cada vez menor, à medida que o gás vai se rarefazendo. Por conseguinte, podemos considerar válidas as (9.2.1) e (9.2.5) *no caso limite de um gás ideal.*

(b) A experiência de Joule-Thomson

Para eliminar a dificuldade de detectar uma variação de temperatura pequena na experiência de Joule, ele e William Thomson (Lord Kelvin) realizaram a *experiência do tampão poroso*, em que a expansão livre é substituída por uma expansão *estacionária* através de uma parede porosa (tampão), que reduz a pressão do gás. O gás se expande num recipiente de paredes adiabáticas, através de um tampão que pode ser constituído, por exemplo, de lã de vidro, ou de uma válvula com pequenos orifícios, para retardar a velocidade do escoamento, impedindo o aparecimento de turbulência.

Na prática, é mantido um *escoamento estacionário* de gás (cf. Seção 2.1) através do tampão (Figura 9.4), por bombeamento, empregando um compressor para transferir o gás. A pressão cai de P_i para P_f ao atravessar o tampão. Nesse regime estacionário, não há trocas de calor entre o gás e as paredes ou os pistões (ambos adiabáticos), cuja distribuição de temperatura permanece constante, de modo que mesmo uma pequena variação de temperatura do gás, devida à expansão, pode ser detectada.

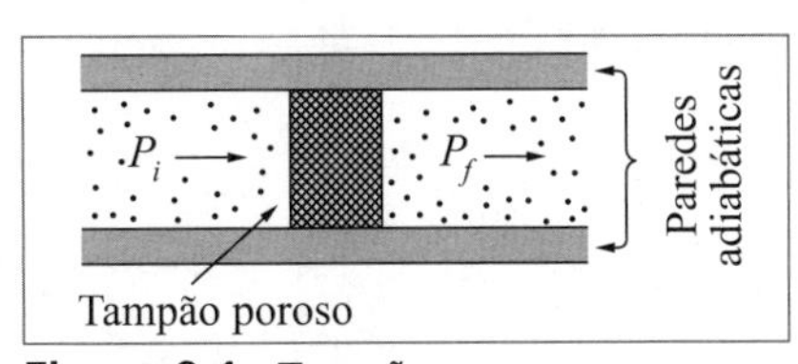

Figura 9.4 Tampão poroso.

Para aplicar a 1ª lei da termodinâmica a uma dada massa de gás que atravessa o tampão, podemos imaginar que essa massa está contida inicialmente entre o tampão e o pistão adiabático A sobre o qual se exerce uma pressão P_i constante, ocupando um volume inicial V_i(Figura 9.5). À direita do tampão, existe outro pistão adiabático B, sobre o qual é exercida uma pressão P_f, também mantida constante pelo bombeamento. Deslocando para a direita o pistão A, o gás passa através do tampão e vai deslocando para a direita o tampão B, até que, no estado final f, toda a massa atravessou o tampão, ocupando um volume final V_f (Figura 9.5).

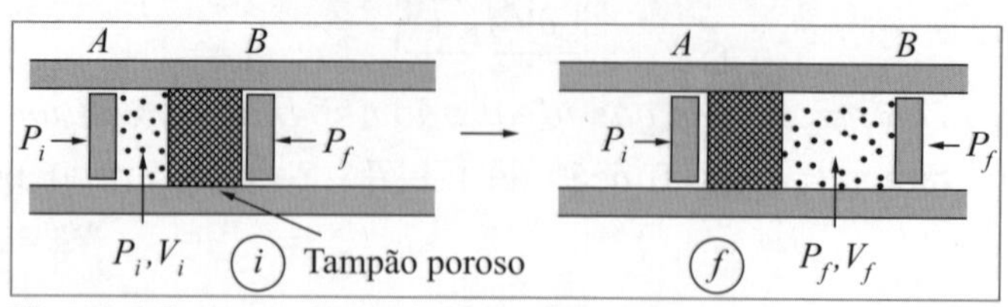

Figura 9.5 Experiência de Joule-Thomson.

Como o gás à esquerda passa *isobaricamente*, à pressão P_i, do volume V_i ao volume 0, o trabalho realizado pelo compressor sobre o gás nessa compressão isobárica é, pela (8.7.2), $P_i\,(0 - V_i) = -P_iV_i$. Analogamente, o gás à direita sofre uma expansão isobárica, à pressão P_f, do volume 0 ao volume V_f, representando um trabalho realizado $P_f\,(V_f - 0) = P_f\,V_f$. O trabalho total realizado sobre o gás é, portanto,

$$W_{i\to f} = P_fV_f - P_iV_i \qquad \textbf{(9.2.6)}$$

Como as paredes e os pistões são todos adiabáticos, temos

$$Q = 0 \qquad \textbf{(9.2.7)}$$

Substituindo as (9.2.6) e (9.2.7) na 1ª lei da Termodinâmica (8.5.4), obtemos

$$\boxed{\Delta U = U_f - U_i = -W_{i\to f} = P_iV_i - P_fV_f} \qquad \textbf{(9.2.8)}$$

Joule e Kelvin mediram as temperaturas T_i (à esquerda do tampão), e T_f (à direita). Para o ar a 20 °C, passando de P_i = 2 atm a P_f = 1 atm, acha-se $\Delta T = T_f - T_i \approx -0{,}26$ °C. Para o hidrogênio, ΔT é extremamente pequeno, da ordem de 10^{-2} °C. Extrapolando ao caso limite de um gás ideal, concluímos que, *para um gás ideal*,

$$\boxed{\Delta T = T_f - T_i = 0} \quad \text{(Joule - Thomson)} \qquad \textbf{(9.2.9)}$$

com precisão experimental muito superior à da (9.2.1).

Como $T_i = T_f$ para um gás ideal, o último membro da (9.2.8) se anula neste caso, pela lei de Boyle. Logo,

$$\Delta U = 0 \quad (\text{gás ideal}) \qquad \textbf{(9.2.10)}$$

e, sendo $\Delta V = V_f - V_i \neq 0$, somos levados novamente à (9.2.4), da qual decorre a (9.2.5):

$$\boxed{\boxed{U = U(T)}} \quad (\text{gás ideal}) \qquad \textbf{(9.2.11)}$$

Logo, *a energia interna de um gás ideal depende somente da sua temperatura.* Um gás ideal é caracterizado termodinamicamente por *duas* condições: a (9.2.11) e a equação de estado (9.1.13). Gases reais a pressões ≤ 2 atm podem ser tratados como gases ideais; o erro nos resultados obtidos é tipicamente de alguns por cento apenas.

O processo de Joule-Thomson tem grande importância prática; é empregado para a liquefação de gases em criogenia e na indústria petroquímica.

(c) Entalpia

Decorre imediatamente da (9.2.8) a seguinte propriedade:

$$\boxed{H = U_i + PV_i = U_f + PV_f} \tag{9.2.12}$$

ou seja, a grandeza

$$\boxed{H = U + PV} \tag{9.2.13}$$

assume o mesmo valor nos estados inicial e final.

Como U, P e V são funções de estado, H é também uma função de estado, que se chama a *entalpia* do sistema. A (9.2.12) mostra que a *entalpia de um gás não se altera quando ele é submetido a um processo de Joule-Thomson* (expansão através de um tampão poroso).

Diferenciando a (9.2.13), vem

$$dH = dU + PdV + VdP$$

Pelas (8.6.5) e (8.6.7), isto equivale a

$$\boxed{dH = d'Q + VdP} \tag{9.2.14}$$

que fornece a variação de entalpia num processo infinitesimal reversível. *Em particular, num processo* isobárico, é P = constante, ∴ $dP = 0$, o que resulta em

$$\boxed{dH = d'Q} \quad (\text{processo isobárico reversível}) \tag{9.2.15}$$

o que significa que, *num processo isobárico reversível, a variação $H_f - H_i$ de entalpia é igual ao calor Q transferido.* Como processos isobáricos são comuns (por exemplo, à pressão atmosférica), a entalpia desempenha um papel importante, especialmente em química e engenharia.

O mesmo raciocínio que levou à conservação da entalpia no escoamento estacionário de um gás através de um tampão poroso, na ausência de um fluxo de calor, se generaliza ao escoamento estacionário de um fluido de densidade $\rho = M/V$ (M = massa). Para a unidade de massa do fluido, temos $V = 1/\rho$, e a entalpia é $u + P/\rho$, onde u é a energia interna por unidade de massa. Se o fluido se desloca no campo gravitacional, é preciso acrescentar ainda as energias cinética $\left(\frac{1}{2}v^2\right)$ e potencial (gz) por unidade de massa. O resultado é que a grandeza

$$\boxed{h = u + \frac{P}{\rho} + \frac{1}{2}v^2 + gz} \tag{9.2.16}$$

se conserva, ao longo de um filete de corrente, o que é uma *generalização da equação* de *Bernoulli* (2.4.6). No caso particular de um fluido *incompressível*, a energia interna u é constante e recaímos na (2.4.6).

9.3 CAPACIDADES TÉRMICAS MOLARES DE UM GÁS IDEAL

Se aplicarmos a (8.6.5) a 1 mol de uma substância,

$$d'Q = CdT \tag{9.3.1}$$

C representa a *capacidade térmica molar* (Seção 8.2). Como vimos na Seção 8.6, C depende do caminho pelo qual se efetua a transferência de calor $d'Q$. Se ele é transferido a *pressão constante*,

$$\boxed{d'Q_P = C_P dT} \quad (P = \text{constante}) \tag{9.3.2}$$

C_P é a *capacidade térmica molar a pressão constante*; se a transferência se efetua a *volume constante*,

$$\boxed{d'Q_V = C_V dT} \quad (V = \text{constante}) \tag{9.3.3}$$

C_V é a *capacidade térmica molar a volume constante*. Como acontece com os calores específicos correspondentes (Seção 8.2), C_P e C_V chamam-se as *capacidades térmicas molares principais*.

As Figuras 9.6 (a) e (b) ilustram a diferença entre os processos (9.3.2) e (9.3.3). Em ambos os casos, o recipiente contendo o gás, inicialmente em equilíbrio com um reservatório térmico à temperatura T, é levado a ter contato térmico com outro reservatório à temperatura $T + dT$, que lhe transfere reversivelmente uma quantidade de calor $d'Q$.

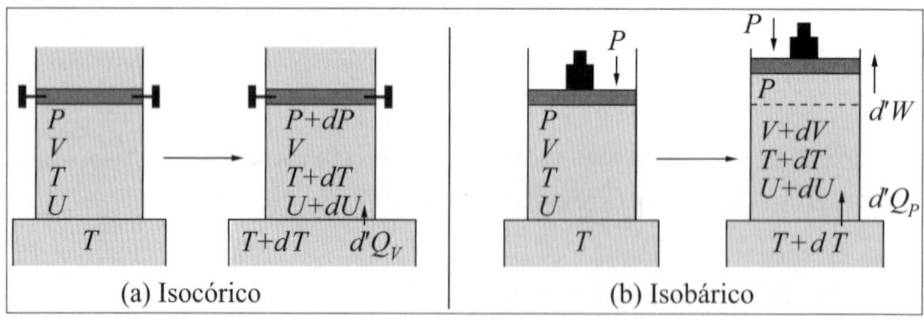

Figura 9.6 Processo isocórico (a) e isobárico (b).

Em (a), o processo é *isocórico*, ou seja, o volume V é mantido constante (o pistão indicado na Figura está preso por dois parafusos), e o calor é $d'Q_V$. Em (b), o processo é *isobárico*: a pressão P é mantida constante e equilibrada pelo peso indicado na Figura. Quando a temperatura aumenta de dT, o gás se expande de dV, realizando um trabalho

$$d'W = PdV$$

e absorvendo calor $d'Q_P$.

A Figura 9.7 ilustra o processo no plano (P, V): (a) corresponde à passagem $a \to b$ e (b) à passagem $a \to c$, entre as isotermas T e $T + dT$. A variação de energia interna em cada um dos processos é dada pela 1ª lei (8.6.7). Para o processo isocórico, V = constante, $dV = 0$, $C = C_V$:

$$dU = d'Q_V = C_V dT \qquad \textbf{(9.3.4)}$$

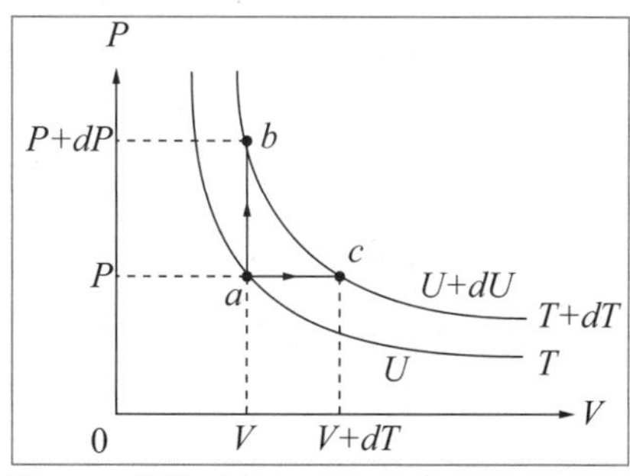

Figura 9.7 Diagrama indicador.

Para o processo isobárico, P = constante, $d'W$ é dado pela (8.6.1) e $C = C_P$:

$$dU = d'Q_P - d'W = C_P dT - PdV \qquad \textbf{(9.3.5)}$$

Em ambos os casos, passamos da temperatura T a $T + dT$. *Para um gás ideal*, como U só depende da temperatura [cf. (9.2.11)], *U e $U + dU$* são os mesmos nos dois casos. Logo dU é o mesmo, e podemos identificar as (9.3.4) e (9.3.5):

$$C_V dT = C_P dT - PdV \quad (\text{gás ideal}) \qquad \textbf{(9.3.6)}$$

Mas, para 1 mol de um gás ideal, vale a equação de estado (9.1.13) com $n = 1$:

$$PV = RT \quad (1\ \text{mol}) \qquad \textbf{(9.3.7)}$$

o que permite calcular a variação de temperatura dT no processo isobárico:

$$PdV + \underbrace{VdP}_{=0 \text{ para } P=\text{const.}} = RdT \ \{ \ PdV = RdT \qquad \textbf{(9.3.8)}$$

Substituindo na (9.3.6), vem

$$C_V dT = C_P dT - RdT$$

o que leva a

$$\boxed{C_P = C_V + R} \quad (\text{gás ideal}) \qquad \textbf{(9.3.9)}$$

Logo, *para um gás ideal, a capacidade térmica molar a pressão constante é maior do que a volume constante, e a diferença é dada pela constante universal dos gases R.*

Este resultado é conhecido como *fórmula de Mayer*, porque foi Mayer quem o obteve e empregou para estimar o equivalente mecânico da caloria (Seção 8.1): na (9.3.6), as quantidades de calor podem ser medidas em calorias e PdV em unidades de energia mecânica.

Se medirmos C_P e C_V em cal/mol K, a (9.1.11) leva a

$$\boxed{C_P - C_V \approx 2\,\text{cal / mol K}} \tag{9.3.10}$$

Este resultado concorda com a experiência, com erro $\leq 1\%$, para inúmeros gases à temperatura ambiente, mostrando que a aproximação de gases ideais é aplicável.

Energia interna de um gás ideal

A (9.3.4), para 1 *mol de um gás ideal*, resulta em

$$\boxed{C_V = \frac{dU}{dT} = C_V(T)} \quad (1\ \text{mol}) \tag{9.3.11}$$

Com efeito, como U só depende de T neste caso, o mesmo vale para $dU/dT = C_V$.

Para n moles de gás, como a energia interna é proporcional à massa de gás, temos

$$dU = nC_V(T)dT \tag{9.3.12}$$

Integrando os dois membros em relação a T entre T_0 (temperatura de referência arbitrária) e T, vem

$$\boxed{U(T) = U(T_0) + n\int_{T_0}^{T} C_V(T')dT'} \quad (\text{gás ideal}, n\ \text{moles}) \tag{9.3.13}$$

A (9.3.13) fornece explicitamente a energia interna de um gás ideal como função da temperatura, desde que conheçamos a variação com T da capacidade térmica molar a volume constante $C_V(T)$.

Veremos mais adiante (Capítulo 11) que C_V = constante para um gás ideal, de modo que a (9.3.13) leva a

$$\boxed{U = nC_V T + U_0} \tag{9.3.14}$$

onde U_0 é uma constante.

9.4 PROCESSOS ADIABÁTICOS NUM GÁS IDEAL

A equação de estado dos gases ideais (9.1.13) relaciona P com V num gás ideal que passa por um *processo adiabático reversível*, o qual pode ser uma compressão ou expansão adiabática.

Num processo adiabático, temos, por definição,

$$d'Q = 0 \tag{9.4.1}$$

de modo que a 1ª lei [cf. (8.6.6) e (8.6.1)] fica

$$dU = -PdV \tag{9.4.2}$$

Para n moles de um gás ideal, a (9.3.12) resulta em

$$dU = nC_V dT \quad \textbf{(9.4.3)}$$

Por outro lado, diferenciando a equação de estado dos gases ideais (9.1.13), vem

$$PdV + VdP = nRdT \quad \textbf{(9.4.4)}$$

ou seja, pelas (9.4.2) e (9.4.3),

$$VdP = -PdV + nRdT = n(C_V + R)dT$$

o que, pela (9.3.9), equivale a

$$VdP = nC_P dT \quad \textbf{(9.4.5)}$$

As (9.4.2) e (9.4.3) levam a

$$-PdV = nC_V dT \quad \textbf{(9.4.6)}$$

Substituindo a (9.4.6) na (9.4.5), vem

$$VdP = \frac{C_P}{C_V} \cdot nC_V dT = -\frac{C_P}{C_V} PdV$$

ou seja,

$$\boxed{\frac{dP}{P} = -\gamma \frac{dV}{V}} \quad \textbf{(9.4.7)}$$

onde

$$\boxed{\gamma = C_P / C_V} \quad \textbf{(9.4.8)}$$

é a razão das capacidades térmicas molares a pressão constante e a volume constante.

A relação de Mayer (9.3.9) mostra que $\gamma > 1$. Em princípio [cf. (9.3.11), C_P e C_V poderiam depender da temperatura, mas, conforme foi mencionado na obtenção da (9.3.14), C_V, e por conseguinte também C_P, são *constantes* para um gás ideal, de modo que γ = constante. Isto nos permite integrar ambos os membros da (9.4.7) entre um estado inicial (P_0, V_0) e um estado final (P, V):

$$\int_{P_0}^{P} \frac{dP'}{P'} = \ln P' \Big|_{P_0}^{P} = \ln\left(\frac{P}{P_0}\right) = -\gamma \int_{V_0}^{V} \frac{dV'}{V'} = -\gamma \ln V' \Big|_{V_0}^{V} = -\gamma \ln\left(\frac{V}{V_0}\right) = \ln\left[\left(\frac{V_0}{V}\right)^{\gamma}\right]$$

o que, finalmente, leva a

$$\frac{P}{P_0} = \left(\frac{V_0}{V}\right)^{\gamma} \begin{cases} \boxed{PV^{\gamma} = P_0 V_0^{\gamma} = \text{ constante}} \\ \text{gás ideal, processo adiabático} \end{cases} \quad \textbf{(9.4.9)}$$

Veremos no Capítulo 11 que, para gases ideais *monoatômicos*, tem-se $\gamma = 5/3$; para gases *diatômicos*, $\gamma = 7/5 = 1{,}40$, valor este que, com boa aproximação, também se aplica ao ar (mistura de N_2 e O_2).

A relação (9.4.9) representa para um processo adiabático o análogo da lei de Boyle (9.1.3) para um processo isotérmico. Vimos na Seção 9.1 que a (9.1.3) define, no diagrama (P, V), uma família de hipérboles que são as *isotermas*. Da mesma forma, para cada valor da constante na (9.4.9), ela define uma curva no plano (P, V), o que leva uma família de curvas denominadas *adiabáticas*.

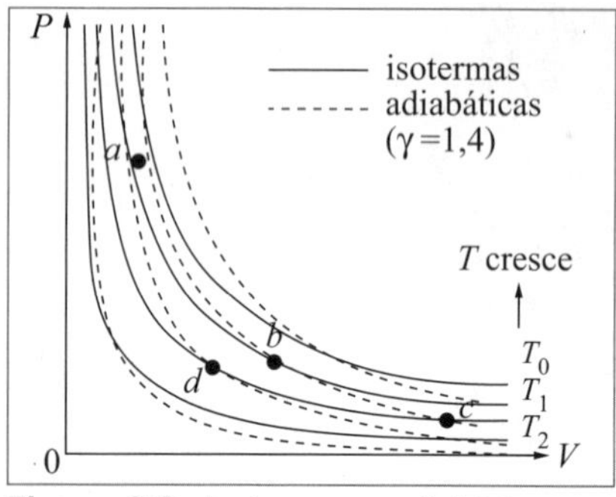

Figura 9.8 Isotermas e adiabáticas.

A equação das isotermas é da forma P = constante/V, ao passo que a das adiabáticas é da forma P = constante/V^γ. Como $1/V^\gamma$, para $\gamma > 1$, cai mais rapidamente do que $1/V$, as adiabáticas caem mais depressa com V do que as isotermas, conforme ilustrado na Figura 9.8, onde $\gamma = 1{,}40$. Assim, num ponto de intersecção entre uma adiabática e uma isoterma, como os pontos a, b, c ou d da Figura, a declividade (coeficiente angular da tangente à curva) é mais abrupta para a adiabática do que para a isoterma.

Isto também resulta diretamente da comparação de dP/dV nos dois casos: para a adiabática, dP/dV se obtém da (9.4.7); para a isoterma, da (9.4.4) com $dT = 0$, o que leva a

$$\frac{dP}{dV} = -\frac{P}{V} \quad (\text{isoterma}); \qquad \frac{dP}{dV} = -\gamma \frac{P}{V} \quad (\text{adiabática}) \tag{9.4.10}$$

mostrando que a declividade da adiabática é γ vezes maior.

Em consequência da declividade maior, se considerarmos uma dada adiabática, como a que passa pelos pontos b e c na Figura 9.8, onde intercepta as isotermas de temperaturas T_1 e T_2, respectivamente, temos $T_1 > T_2$. Logo, *numa expansão adiabática* (processo $b \to c$), a *temperatura cai*. Pela (8.5.1), isto deveria efetivamente acontecer, pois o trabalho realizado pelo gás no processo de expansão diminui sua energia interna (uma vez que não há trocas de calor), e por conseguinte [cf. (9.3.4)] também diminui a temperatura. Reciprocamente, como foi mencionado na Seção 8.5, uma compressão adiabática aquece o gás.

A equação das adiabáticas pode ser reescrita em termos de (V, T) ou (P, T), bastando para isso eliminar a variável restante na (9.4.9), com o auxílio da equação de estado dos gases ideais na forma (9.1.10).

Assim, como P é proporcional a T/V, a (9.4.9) equivale a

$$\boxed{TV^{\gamma-1} = \text{constante}} \tag{9.4.11}$$

mostrando mais uma vez que T diminuí quando V aumenta $(\gamma - 1 > 0)$, ou seja, numa expansão adiabática. Analogamente, sendo V proporcional a T/P, a (9.4.9) também equivale a

$$P\left(\frac{T}{P}\right)\gamma = T^{\gamma}/P^{\gamma-1} = \text{constante}$$

ou seja,

$$\boxed{TV^{\frac{\gamma-1}{\gamma}} = \text{constante}} \qquad \textbf{(9.4.12)}$$

mostrando que a temperatura aumenta com P (compressão adiabática).

Trabalho numa expansão adiabática

O trabalho realizado por um gás numa expansão adiabática reversível é dado pela (8.6.2), onde, pela (9.4.9),

$$PV^{\gamma} = P_i V_i^{\gamma} = P_f V_f^{\gamma} = C \quad (\text{constante}) \qquad \textbf{(9.4.13)}$$

de modo que

$$W_{i\to f} = \int_{V_i}^{V_f} P dV = C\int_{V_i}^{V_f} V^{-\gamma} dV = C\left.\frac{V^{1-\gamma}}{1-\gamma}\right|_{V_i}^{V_f} = \frac{1}{1-\gamma}\left(CV_f^{1-\gamma} - CV_i^{1-\gamma}\right)$$

ou seja, substituindo C pela (9.4.13),

$$\boxed{W_{i\to f} = -\frac{\left(P_f V_f - P_i V_i\right)}{\gamma - 1}} \qquad \textbf{(9.4.14)}$$

Usando a equação de estado dos gases ideais (9.1.13), a (9.4.14) também se escreve

$$W_{i\to f} = -\frac{nR}{\gamma-1}\left(T_f - T_i\right) \underset{\text{pela (9.4.8)}}{=} -\frac{nR}{\left(\dfrac{C_P}{C_V} - 1\right)}\left(T_f - T_i\right)$$

$$= -\underbrace{\frac{nRC_V}{\left(C_P - C_V\right)}}_{=R \text{ pela (9.3.9)}}\left(T_f - T_i\right)\left\{\boxed{W_{i\to f} = -nC_V\left(T_f - T_i\right) \underset{\text{pela (9.3.14)}}{=} -\left(U_f - U_i\right)}\right. \qquad \textbf{(9.4.15)}$$

o que concorda com a (8.5.1).

Exemplo: Um litro de oxigênio à temperatura de 27 °C e a uma pressão de 10 atm se expande adiabaticamente até quintuplicar de volume. Quais são a pressão e a temperatura finais?

Pela (9.4.13), temos ($\gamma = 1{,}4$ para O_2)

$$P_i / P_f = \left(V_f / V_i\right)^{\gamma} = 5^{1,4} \approx 9{,}5\left\{P_f \approx \frac{10}{9{,}5}\text{atm} \approx 1{,}05 \text{ atm}\right.$$

A temperatura inicial é $T_i = (273 + 27)$ K = 300 K. Pela (9.4.11),

$$T_i / T_f = \left(V_f / V_i\right)^{\gamma-1} = 5^{0,4} \approx 1{,}9 \left\{ T_f \approx \frac{300}{1{,}9} \text{ K} \right.$$

o que leva a $T_f \approx 158$ K ≈ – 115 °C, correspondendo a um abaixamento de temperatura de ≈ 142 °C devido à expansão adiabática! Como a temperatura de liquefação do oxigênio a 1 atm é ≈ 90K ≈ – 183 °C, bem abaixo de T_f, a aproximação de gás ideal ainda é razoável à temperatura T_f.

Qual é o trabalho realizado pelo gás na expansão? Pela (9.4.14), com

$$P_i = 10 \text{ atm} \approx 1{,}013 \times 10^6 \text{ N/m}^2, \quad V_i = 1 \text{ l} = 10^{-3} \text{ m}^3$$
$$P_f = 1{,}05 \text{ atm} \approx 1{,}064 \times 10^5 \text{ N/m}^2, \quad V_f = 5 \text{ l} = 5 \times 10^{-3} \text{ m}^{-3}$$

temos

$$W_{i \to f} \approx -\frac{0{,}532 - 1{,}013}{0{,}4} \times 10^3 \approx 1{,}2 \times 10^3 \text{ J}$$

Se a expansão tivesse sido isotérmica em lugar de adiabática, teríamos, pela lei de Boyle,

$$P_i / P_f = V_i / V_f = 5 \; \{ \; P_f = 2 \text{ atm}$$

e o trabalho realizado seria, pela (9.1.15),

$$W_{i \to f} = nRT \ln\left(\frac{V_f}{V_i}\right) = P_i / V_i \ln 5 \approx 1{,}61 \times 1{,}013 \times 10^3 \approx 1{,}63 \times 10^3 \text{ J}$$

que é maior do que no caso da expansão adiabática. Isto é óbvio no diagrama da Figura 9.8: partindo do mesmo ponto (P_i, V_i) e chegando ao mesmo V_f, a isoterma acaba com P_f maior que a adiabática; por conseguinte, $W_{i \to f}$, que é a área debaixo da curva (Seção 8.6), é maior para a expansão adiabática.

Aplicação à velocidade do som

Como vimos na (6.2.27), a velocidade do som num fluido é dada por $v = \sqrt{(\partial P / \partial \rho)_0}$ onde a derivada parcial da pressão em relação à densidade é calculada em torno dos valores de equilíbrio.

Newton supôs que as compressões e expansões do ar numa onda sonora ocorressem isotermicamente e obteve o resultado (6.2.29), em desacordo com a experiência.

Na verdade, como vimos na Seção 6.2, as compressões e expansões numa onda sonora ocorrem tão rapidamente que não há tempo para trocas de calor, ou seja, são *adiabáticas*. A relação entre pressão e densidade é então a (6.2.12), que equivale à (9.4.9). Daí resulta a expressão correta (6.2.31) para a velocidade do som.

PROBLEMAS

9.1 O tubo de vidro de um barômetro de mercúrio tem seção reta de 1 cm^2 e 90 cm de altura acima da superfície livre do reservatório de mercúrio. Num dia em que a temperatura ambiente é de 20 °C e a pressão atmosférica verdadeira é de 750 mm/Hg, a altura da coluna barométrica é de 735 mm. Calcule a quantidade de ar (em moles) aprisionada no espaço acima da coluna de mercúrio.

9.2 Dois recipientes fechados de mesma capacidade, igual a 1 litro, estão ligados um ao outro por um tubo capilar de volume desprezível. Os recipientes contêm oxigênio, inicialmente à temperatura de 25 °C e pressão de 1 atm. (a) Quantas gramas de O_2 estão contidas nos recipientes? (b) Aquece-se um dos recipientes até a temperatura de 100 °C, mantendo o outro a 25 °C. Qual é o novo valor da pressão? (c) Quantas gramas de O_2 passam de um lado para o outro? Despreze a condução de calor através do capilar.

9.3 Um recipiente de paredes adiabáticas é munido de um pistão adiabático móvel, de massa desprezível e 200 cm^2 de área, sobre o qual está colocado um peso de 10 kg. A pressão externa é de 1 atm. O recipiente contém 3 l de gás hélio, para o qual $C_V = \frac{3}{2}R$, à temperatura de 20 °C. (a) Qual é a densidade inicial do gás? Faz-se funcionar um aquecedor elétrico interno ao recipiente, que eleva a temperatura do gás, gradualmente, até 70 °C. (b) Qual é o volume final ocupado pelo gás? (c) Qual é o trabalho realizado pelo gás? (d) Qual é a variação de energia interna do gás? (e) Quanto calor é fornecido ao gás?

9.4 Um mol de um gás ideal, com $\gamma = 7/5$, está contido num recipiente, inicialmente a 1 atm e 27 °C. O gás é, sucessivamente: (i) comprimido isobaricamente até 3/4 do volume inicial V_0; (ii) aquecido, a volume constante, até voltar à temperatura inicial; (iii) expandido a pressão constante até voltar ao volume inicial; (iv) resfriado, a volume constante, até voltar à pressão inicial, (a) Desenhe o diagrama *P-V* associado; (b) Calcule o trabalho total realizado pelo gás; (c) Calcule o calor total fornecido ao gás nas etapas (i) e (ii); (d) Calcule as temperaturas máxima e mínima atingidas; (e) Calcule a variação de energia interna no processo (i) + (ii).

9.5 Um mol de um gás ideal, contido num recipiente munido de um pistão móvel, inicialmente a 20 °C, se expande isotermicamente até que seu volume aumenta de 50%. A seguir, é contraído, mantendo a pressão constante, até voltar ao volume inicial. Finalmente, é aquecido, a volume constante, até voltar à temperatura inicial, (a) Desenhe o diagrama *P-V* associado; (b) Calcule o trabalho total realizado pelo gás nesse processo.

9.6 0,1 mol de um gás ideal, com $C_V = \frac{3}{2}R$, descreve o ciclo representado na Figura P.1 no plano (P, T). (a) Represente o ciclo no plano (P, T), indicando P (em atm) e V (em l) associados aos pontos A, B e C. (b) Calcule ΔW, ΔQ e ΔU para os processos AB, BC, CA e para o ciclo.

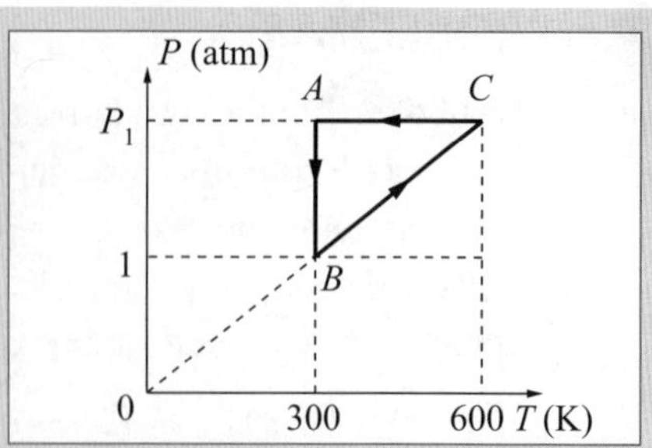

Figura P.1

9.7 1 g de gás hélio, com $C_V = \frac{3}{2}R$, inicialmente nas condições NTP, é submetida aos seguintes processos: (i) expansão isotérmica até o dobro do volume inicial; (ii) aquecimento a volume constante, absorvendo 50 cal; (iii) compressão isotérmica, até voltar ao volume inicial. (a) Represente os processos no plano (P, V), indicando P (em atm), V(em l) e T(em K) associado a cada ponto. (b) Calcule ΔU e ΔW para os processos (i), (ii) e (iii).

9.8 Um mol de um gás ideal descreve o ciclo $ABCDA$ representado na Figura P.2 no plano (P, V), onde $T = T_1$ e $T = T_2$ são isotermas. Calcule o trabalho total associado ao ciclo, em função de P_0, V_0, T_1 e T_2.

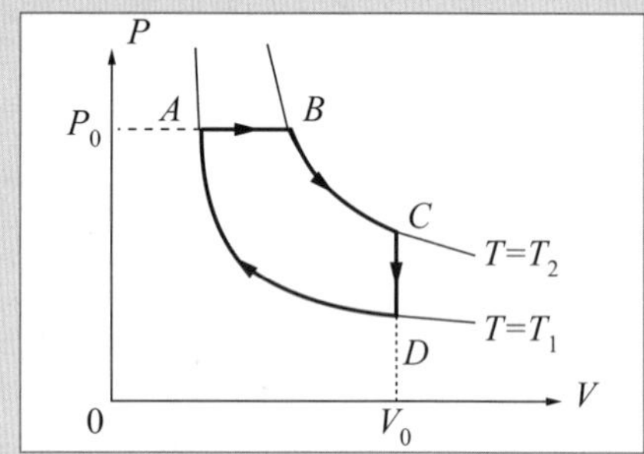

Figura P.2

9.9 Um mol de gás hélio, com $C_V = \frac{3}{2}R$, inicialmente a 10 atm e 0 °C, sofre uma expansão adiabática reversível até atingir a pressão atmosférica, como primeiro estágio num processo de liquefação do gás. (a) Calcule a temperatura final (em °C); (b) Calcule o trabalho realizado pelo gás na expansão.

9.10 Um litro de H_2 (para o qual $\gamma = 7/5$), à pressão de 1 atm e temperatura de 27 °C, é comprimido adiabaticamente até o volume de 0,5 l e depois resfriado, a volume constante, até voltar à pressão inicial. Finalmente, por expansão isobárica, volta à situação inicial. (a) Represente o processo no plano (P, V), indicando P (atm), V(l) e T(K) para cada vértice do diagrama. (b) Calcule o trabalho total realizado; (c) Calcule ΔU e ΔQ para cada etapa.

9.11 Um mol de um gás ideal, com $C_V = \frac{3}{2}R$, a 17 °C, tem sua pressão reduzida à metade por um dos quatro processos seguintes: (i) a volume constante; (ii) isotermicamente; (iii) adiabaticamente; (iv) por expansão livre. Para um volume inicial V_i, calcule, para cada um dos quatro processos, o volume e a temperatura finais, ΔW e ΔU.

9.12 No método de Rüchhardt para medir $\gamma = C_P/C_V$ do ar, usa-se um grande frasco com um gargalo cilíndrico estreito de raio a, aberto para a atmosfera (p_0 = pressão atmosférica), no qual se ajusta uma bolinha metálica de raio a e massa m. Na posição de equilíbrio O da bolinha, o volume de ar abaixo dela no frasco é V (Figura P.3). (a) Calcule a força restauradora sobre a bolinha quando ela é empurrada de uma distância x para baixo a partir do equilíbrio, o movimento sendo suficientemente rápido para que o processo seja adiabático. Mostre que a bolinha executa um movimento harmônico simples e calcule o período τ em função de a, m, V, p_0 e γ. (b) Numa experiência em que a = 0,5 cm, m = 10 g, V = 5 l, p_0 = 1 atm, o período observado é τ = 1,5 s. Determine o valor correspondente de γ para o ar.

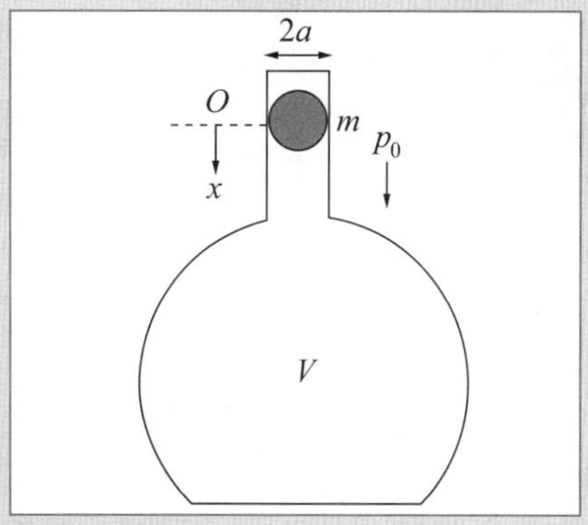

Figura P.3

9.13 Um mol de um gás ideal, partindo das condições NTP, sofre: (i) uma compressão isotérmica até um volume de 5 l, seguida de (ii) uma expansão adiabática até retornar ao volume inicial, atingindo uma pressão final de 0,55 atm. (a) Calcule P ao fim da etapa (i) e T ao fim de (ii). (b) Calcule C_P e C_V, para este gás; (c) Calcule a variação total de energia interna; (d) Calcule o trabalho total realizado.

10

A segunda lei da termodinâmica

10.1 INTRODUÇÃO

A 1ª lei da termodinâmica, como vimos, incorpora ao princípio geral de conservação da energia o reconhecimento de que o calor é uma forma de energia.

Qualquer processo em que a energia total seja conservada é compatível com a 1ª lei. Se um dado processo ocorre num certo sentido ou sequência temporal, conservando a energia em cada instante, nada impediria, de acordo com a 1ª lei, que ele ocorresse em sentido inverso (invertendo a sequência temporal), ou seja, o processo seria reversível.

No entanto, a experiência mostra que os processos observados na escala macroscópica tendem a ocorrer num só sentido, ou seja, são irreversíveis. Vejamos alguns exemplos:

(i) Para elevar de 1 °C a temperatura de 1 litro de água, gastamos 1 kcal. Resfriando de 1 °C 1 litro de água, deveria então ser possível extrair 1 kcal de energia. Um navio poderia ser propelido por essa energia e ao mesmo tempo resfriar sua carga: o oceano constituiria um reservatório praticamente inesgotável de energia. Por que isto não funciona?

(ii) Na experiência de Joule descrita na Seção 8.4, quando os pesos são soltos, eles caem e a água se aquece pelo atrito com as pás, convertendo energia mecânica em energia térmica. Seria igualmente compatível com a 1ª lei que a água se resfriasse espontaneamente, fazendo subir os pesos. Por que isto não ocorre?

(iii) Analogamente, o atrito sempre tende a frear corpos em movimento, convertendo sua energia cinética em calor. Por que não ocorre o processo inverso, acelerando corpos com resfriamento do meio ambiente?

(iv) Uma pessoa que mergulha numa piscina converte energia mecânica em energia térmica da água. Num filme que registre o mergulho, exibido de trás para diante, o processo é invertido e o mergulhador impulsionado de volta para o trampolim – o que não contradiz em nada a conservação da energia. Entretanto, o absurdo da cena é evidente e provoca risos na plateia. Por quê?

(v) Fala-se muito, em nossos dias, da crise de energia, e são feitas campanhas no sentido de "conservar" (economizar, não desperdiçar) a energia. Se a energia sempre se conserva, que sentido tem isso?

(vi) Quando um corpo quente (temperatura elevada) é colocado em contato térmico com um corpo frio (temperatura mais baixa), a 1ª lei só permite concluir [cf. (8.5.6)] que o calor perdido por um dos corpos é ganho pelo outro. No entanto, a experiência mostra que é o mais quente que se resfria e o mais frio que se aquece. Quando colocamos sobre uma chama uma panela com água, nunca ocorre que a água se congele e a temperatura da chama aumente. Por quê?

(vii) Na experiência de expansão livre (Figura 8.10), quando abrimos a válvula, o gás se expande até preencher o recipiente onde havia vácuo. O processo inverso, em que ele voltaria espontaneamente a passar para o outro recipiente, restabelecendo o vácuo naquele para onde passou, não viola a 1ª lei. O que impede sua ocorrência?

Podemos dizer, de forma mais geral, que todas as leis físicas fundamentais que discutimos até agora, em particular as leis do movimento, são reversíveis: nada nelas permite distinguir um sentido de sucessão de eventos (*sentido do tempo*) do sentido inverso. O que determina, então, o sentido do tempo? Qual é a origem física da distinção entre passado e futuro?

A resposta às questões apresentadas aqui está relacionada com a 2ª *lei da termodinâmica*. Ela contribui para esclarecer a origem da "seta do tempo"; voltaremos, mais tarde, à discussão desse problema, que é um dos mais profundos da física.

Historicamente, a formulação da 2ª lei esteve ligada a um problema de engenharia, surgido pouco após a invenção da máquina a vapor: como se poderia aumentar o rendimento de uma máquina térmica, tornando-a o mais eficiente possível?

Esta questão foi abordada em 1824 por um jovem (28 anos) e genial engenheiro francês, Nicolas Sadi Carnot, em seu opúsculo "Reflexões sobre a potência motriz do fogo". Ele escreveu:

> "A máquina a vapor escava nossas minas, propele nossos navios, escava nossos portos e rios, forja o ferro[...] Retirar hoje da Inglaterra suas máquinas a vapor seria retirar-lhe ao mesmo tempo o carvão e o ferro. Secariam todas as suas fontes de riqueza... Apesar do trabalho de toda sorte realizado pelas máquinas a vapor, não obstante o estágio satisfatório de seu desenvolvimento atual, a sua teoria é muito pouco compreendida."

É notável que o trabalho de Carnot foi muito anterior à formulação precisa da 1ª lei da termodinâmica. Embora Carnot empregue a expressão "calórico", há indícios de que ele próprio já teria formulado a 1ª lei, embora de forma um tanto obscura.

Após o trabalho de Carnot, que conduziu à 2ª lei, ela foi formulada de maneira mais precisa por Clausius em 1850 e por Thomson (Lord Kelvin) em 1851. Embora essas formulações sejam diferentes, veremos que são equivalentes.

10.2 ENUNCIADOS DE CLAUSIUS E KELVIN DA SEGUNDA LEI

Frequentemente (inclusive em livros didáticos) se procura traduzir o conteúdo da 2ª lei na afirmação de que, embora seja fácil converter energia mecânica completamente em calor (por exemplo, na experiência de Joule), é impossível converter calor inteiramente em energia mecânica. Isto não é verdade!

Com efeito, consideremos um recipiente de paredes diatérmicas, à temperatura ambiente T, contendo um gás comprimido a uma pressão inicial P_i maior que a pressão atmosférica P_0, e munido de um pistão. Podemos deixar o gás expandir-se isotermicamente, absorvendo uma quantidade de calor ΔQ da atmosfera (reservatório térmico à temperatura T). Nesse processo, o gás realizará um trabalho ΔW dado pela (9.1.15). Podemos geralmente, com muito boa aproximação, tratá-lo como um gás ideal. Como $\Delta T = 0$ (processo isotérmico), a (9.2.11) implica $\Delta U = 0$, ou seja, a energia interna do gás não muda.

Logo, pela 1ª lei da termodinâmica (8.5.4), temos

$$\Delta Q = \Delta W \qquad \textbf{(10.2.1)}$$

ou seja, o calor absorvido da atmosfera se transforma completamente em trabalho. Entretanto, a pressão final P_f do gás é menor que a inicial ($P_f/P_i = V_i/V_f$) e só há expansão enquanto $P_f > P_0$: o processo termina quando a pressão atinge a pressão atmosférica, e só pode ser executado uma única vez. Para obter uma *máquina térmica*, precisamos de um processo que possa ser *repetido indefinidamente*, enquanto se mantenha o fornecimento de calor, ou seja, o sistema precisa voltar ao estado inicial, descrevendo um *ciclo* (Seção 8.6).

É muito fácil ter um ciclo em que trabalho é completamente convertido em calor. Basta, na experiência de Joule, suspender novamente os pesos cada vez que caem, recolocando-os na posição inicial.

Entretanto, se pudéssemos ter um ciclo em que calor se transformasse completamente em trabalho, teríamos realizado um "moto perpétuo de 2ª espécie" (exemplo (i) da Seção 10.1): a energia térmica dos oceanos ou da atmosfera constituiria um reservatório praticamente inesgotável de energia (diferentemente de um "moto perpétuo de 1ª espécie", que criaria energia, violando a 1ª lei). Nenhum processo físico conhecido permite construir um tal "motor miraculoso", o que leva ao *enunciado de Kelvin* (K) da 2ª lei da termodinâmica:

(K): É impossível realizar um processo cujo único efeito seja remover calor de um reservatório térmico e produzir uma quantidade equivalente de trabalho.

Note-se que *único* efeito significa que o sistema tem de voltar ao estado inicial, ou seja, que *o processo e cíclico*. O exemplo dado acima (expansão isotérmica de um gás inicialmente comprimido) não contradiz (K), porque o estado final do gás difere do inicial ($V_f > V_i$): não se trata, portanto, de um ciclo.

Consequências imediatas do enunciado de Kelvin:

(a) A geração de calor por atrito a partir de trabalho mecânico é irreversível

Com efeito, se conseguíssemos inverter completamente tal processo, por exemplo, tornando a suspender os pesos na experiência de Joule após sua queda, por "antiatrito", resfriando a água do calorímetro, poderíamos utilizar a energia potencial armazenada nos pesos para realizar trabalho, fazendo-os descer até a posição inicial. Com isso fecharíamos um ciclo, tendo como único efeito a produção de trabalho a partir do calor da água, o que violaria (K).

(b) A expansão livre de um gás é um processo irreversível

Com efeito, na expansão livre de um gás ideal dentro de um recipiente de paredes adiabáticas, como vimos na Seção 8.6, é $\Delta Q = \Delta W = 0$.

Logo, se pudéssemos inverter esse processo, passando de um volume V_f para $V_i < V_f$ (compressão do gás) com $\Delta Q = \Delta W = 0$, poderíamos depois voltar de V_i para V_f, fechando um ciclo, por uma expansão isotérmica, com $\Delta Q = \Delta W > 0$ (processo que levou à (10.2.1)).

Outro processo irreversível (exemplo (vi) da Seção 10.1) é a *condução de calor*, que se dá sempre no sentido de um corpo mais quente para um corpo mais frio. O *enunciado de Clausius* (C) da 2ª lei se baseia neste fato experimental:

> *(C) É impossível realizar um processo cujo único efeito seja transferir calor de um corpo mais frio para um corpo mais quente.*

Novamente, a qualificação *único* implica que o processo é cíclico, e ela é essencial. Se não exigirmos que o sistema volte ao estado inicial, a transferência é perfeitamente possível.

Para efetuá-la, poderíamos por exemplo colocar um recipiente contendo um gás em contato térmico com o corpo mais frio e absorver calor ΔQ dele por *expansão isotérmica* à temperatura T_1 desse corpo (realizando trabalho na expansão). Em seguida, o gás pode ser aquecido por *compressão adiabática* (absorvendo trabalho), até atingir a temperatura $T_2 > T_1$ do corpo mais quente. Colocando-o em contato térmico com esse corpo, pode-se transferir o calor ΔQ para ele por *compressão isotérmica* do gás à temperatura T_2. Nada impede que o trabalho total realizado nesse processo seja = 0, mas o estado final do gás é diferente do estado inicial: sua temperatura aumentou de T_1 para T_2. Logo, o processo não é um ciclo e não há violação de (C).

Um aparelho que violasse (K) seria, como vimos, um *motor miraculoso* (moto contínuo de 2ª espécie). Analogamente, um aparelho que violasse (C) seria um *refrigerador miraculoso*, pois permitiria um resfriamento contínuo (remoção de calor de um corpo mais frio para um mais quente) sem que fosse necessário fornecer trabalho para esse fim.

10.3 MOTOR TÉRMICO. REFRIGERADOR. EQUIVALÊNCIA DOS DOIS ENUNCIADOS

(a) Motor térmico

Uma máquina térmica (motor) produz trabalho a partir de calor, operando ciclicamente. Pelo enunciado (K), isto é impossível com um único reservatório térmico: precisamos ter, pelo menos, *dois reservatórios térmicos a temperaturas diferentes*, $T_1 > T_2$. Chamaremos de *fonte quente* o reservatório à temperatura T_1 mais elevada, e *fonte fria* o outro, à temperatura T_2.

Seja Q_1 o calor fornecido ao sistema pela fonte quente (*absorvido* da fonte quente), e Q_2 o calor fornecido pelo sistema à fonte fria (*transferido* à fonte fria) [note que para Q_2 estamos aqui usando uma convenção de sinal oposta à que foi introduzida na Seção 8.5!] em cada ciclo. Seja W o trabalho realizado pelo motor num ciclo. Então, pela 1ª lei (8.7.1)

$$\boxed{W = Q_1 - Q_2} \tag{10.3.1}$$

[Com a convenção de sinal da Seção 8.5, teríamos

$$Q_2 \to -Q_2, \quad W = Q_1 + Q_2 \tag{10.3.2}$$

concordando com a (8.7.1)].

Não pode ser $Q_2 = 0$, porque se fosse não precisaríamos da fonte fria: Q_1 teria sido completamente convertido em W, e teríamos um "motor miraculoso", violando (K).

Também não pode ser $Q_2 < 0$ (o que equivaleria a absorver calor de ambas as fontes). Com efeito, se fosse $Q_2 < 0$, bastaria estabelecer contato térmico entre as duas fontes até que, por condução de calor, fosse transferida uma quantidade de calor $-Q_2 > 0$ da fonte quente para a fria, para trazer a fonte fria de volta à condição inicial (note que, pela definição de reservatório térmico, sua temperatura não se altera nesse processo).

O resultado líquido seria produção de trabalho, retirando calor apenas da fonte quente, violando novamente (K).

Por conseguinte, tem de ser $Q_2 > 0$, ou seja, na (10.3.1), $W < Q_1$. Para fixar as ideias, ilustramos na Figura 10.1 o diagrama esquemático de uma *máquina a vapor*. A água é convertida em vapor na *caldeira*, absorvendo calor Q_1 da fonte quente (*fornalha*). O vapor superaquecido passa para o cilindro, onde se expande de forma aproximadamente adiabática, produzindo trabalho W pelo deslocamento de um pistão. A expansão adiabática resfria o vapor, que passa para o *condensador* (Figura 10.1), onde se liquefaz pelo contato com a fonte fria (que pode ser a atmosfera ou um sistema de resfriamento por água corrente). O calor Q_2 cedido à fonte fria é, neste caso, o *calor latente de condensação*, produzido pela condensação do vapor quando se converte em água. Finalmente, a água é aspirada por uma bomba e levada de volta à caldeira, fechando o ciclo.

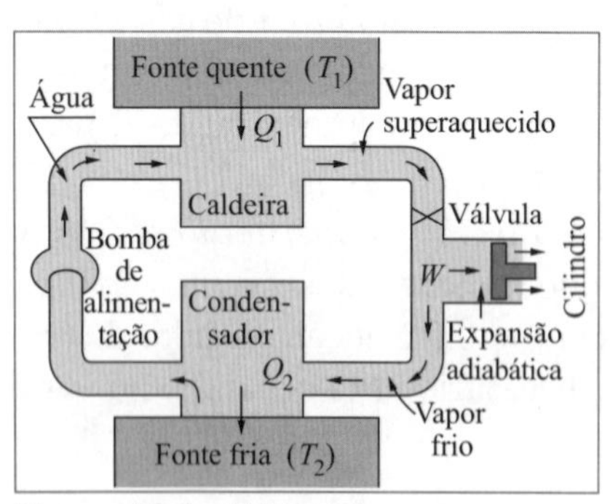

Figura 10.1 Máquina a vapor.

Podemos representar esquematicamente um motor térmico pelo "diagrama de fluxo" da Figura 10.2. Pela (10.3.1), temos $Q_1 = W + Q_2$, o que é representado pela bifurcação da coluna sombreada associada a Q_1 em dois "canais", de espessuras proporcionais a W e a Q_2.

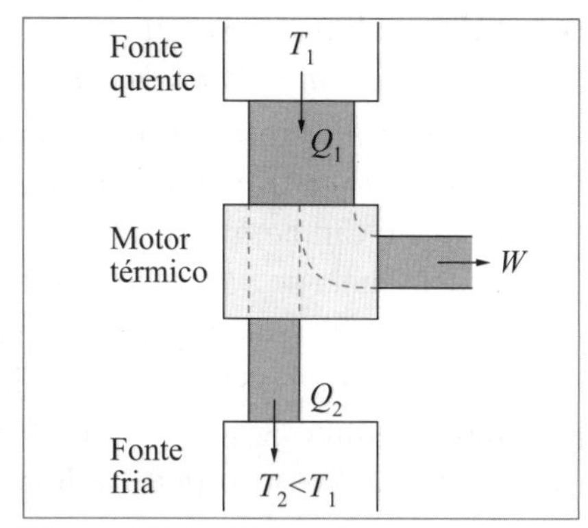

Figura 10.2 Motor térmico.

O "investimento" em energia térmica fornecida é representado por Q_1 (custo de carvão para aquecer a caldeira da máquina a vapor, por exemplo). O "trabalho útil" fornecido é W. O calor Q_2 é um "subproduto" não aproveitado (na máquina a vapor, é dissipado na atmosfera ou na água de resfriamento do condensador). Logo, é natural definir o *rendimento* (ou *eficiência*) do motor térmico por

$$\boxed{\eta = \frac{W}{Q_1} = \frac{\text{Trabalho fornecido}}{\text{Calor consumido}}} \qquad \textbf{(10.3.3)}$$

Pela (10.3.1), temos

$$\boxed{\eta = 1 - \frac{Q_2}{Q_1}} \qquad \textbf{(10.3.4)}$$

Vemos pela (10.3.4) que $Q_2 > 0$ equivale a $\eta < 1$, ou seja, o rendimento é inferior a 100%.

(b) Refrigerador

Numa máquina a vapor, a água é o *agente*, ou seja, a substância que é submetida ao processo cíclico. Num refrigerador, esse agente é o *refrigerante*, que se escolhe como uma substância cujo calor latente de vaporização (Seção 8.7) é elevado, como a amônia ou substâncias do gênero do freon, um clorofluorcarboneto.

O objetivo de um refrigerador é remover calor Q_2 de um reservatório térmico (fonte fria) à temperatura T_2 (por exemplo: interior de uma geladeira doméstica), transferindo calor Q_1 para uma fonte quente à temperatura T_1 (atmosfera à temperatura ambiente, no exemplo da geladeira). Não é possível que seja $Q_1 = Q_2$, porque isso violaria (C): é indispensável fornecer um trabalho W para realizar o processo, com

$$Q_1 = W + Q_2 \qquad \textbf{(10.3.5)}$$

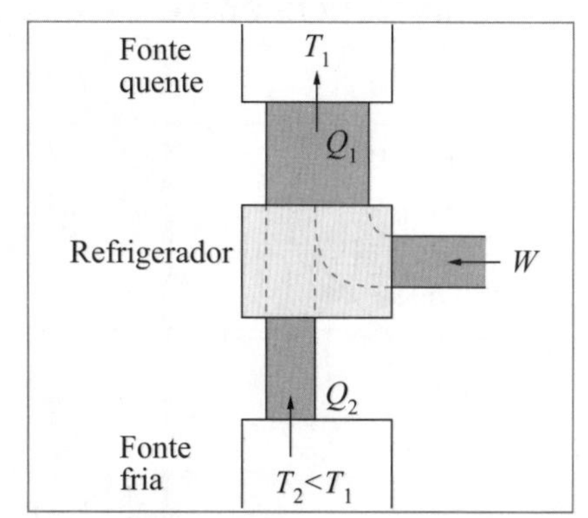

Figura 10.3 Diagrama de fluxo de refrigerador.

O diagrama de fluxo associado a um refrigerador está representado na Figura 10.3. Comparando-o com a Figura 10.1, vemos que *um refrigerador pode ser pensado como um motor térmico funcionando "ao contrário"*.

Na prática, o refrigerante remove calor da fonte fria evaporando-se (calor latente de vaporização) e transfere calor à fonte quente condensando-se (calor latente de liquefação), que é também o contrário do que acontece na máquina a vapor. Para conseguir que a substância se vaporize a uma temperatura mais baixa e liquefaça a temperatura mais elevada, é preciso que ela se vaporize a baixa pressão e liquefaça a alta pressão, e é dessa forma que o trabalho W é introduzido: é fornecido pelo *compressor* (acionado pelo motor numa geladeira doméstica). A temperatura de vaporização, como é sabido, diminui com a pressão (a água ferve a temperatura mais baixa em altitudes elevadas).

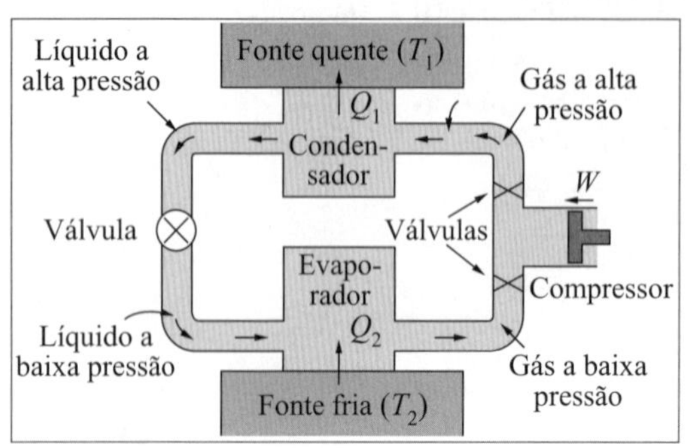

Figura 10.4 Refrigerador.

O diagrama esquemático do funcionamento de um refrigerador está representado na Figura 10.4. O líquido a baixa pressão remove calor da fonte fria vaporizando-se no *evaporador* (serpentina, numa geladeira doméstica). Após ser isolado do evaporador pela passagem através de uma válvula, o gás é comprimido pelo compressor até uma pressão suficiente para liquefazer-se no condensador, cedendo calor à fonte quente. Para passar do líquido a alta pressão daí resultante ao líquido a baixa pressão que será reinjetado no evaporador, fechando o ciclo, é preciso baixar a pressão. Em lugar de fazer isso por expansão adiabática (a compressão do gás pelo compressor é aproximadamente adiabática), na prática se faz passar o líquido por uma válvula (à esquerda na Figura 10.4) onde sofre um processo do tipo Joule-Thomson (Seção 9.2).

Comparando a Figura 10.4 com o esquema da máquina a vapor (Figura 10.1), vemos novamente que o refrigerador corresponde ao motor térmico funcionando em sentido inverso.

(c) Equivalência entre os enunciados (K) e (C)

Vamos mostrar agora que os enunciados de Kelvin e Clausius da 2ª lei da termodinâmica são equivalentes. Para isto, representamos primeiro por diagramas de fluxo (Figura 10.5) os dois sistemas cuja existência é proibida: (K) afirma que não existe um "motor miraculoso", como aquele da figura da esquerda, e (C) que não existe um "refrigerador miraculoso", como aquele da figura da direita.

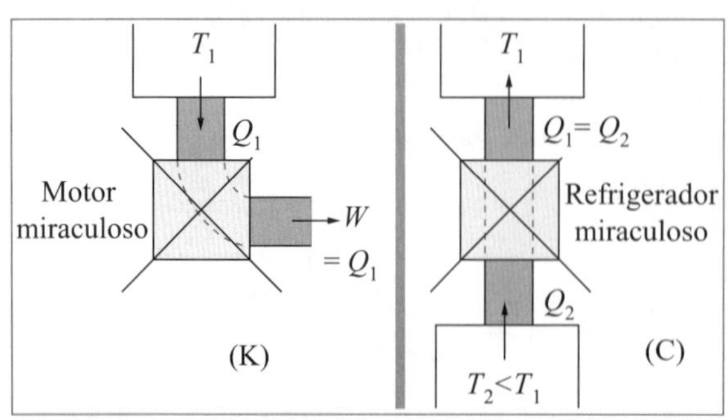

Figura 10.5 Motor e refrigerador miraculosos.

(i) O enunciado (K) implica (C)

Se (K) não implicasse (C), um motor térmico real (Figura 10.3) poderia ser acoplado com um refrigerador miraculoso (já que (C) não seria válido), o qual devolveria à fonte quente (Figura 10.6) o calor Q_2 transferido à fonte fria pelo motor térmico. O resultado líquido seria remover calor $Q_1 - Q_2$ da fonte quente e convertê-lo inteiramente em trabalho W, ou seja, seria equivalente à existência de um motor miraculoso, contradizendo a hipótese da validade de (K). Logo, (K) ⇒ (C).

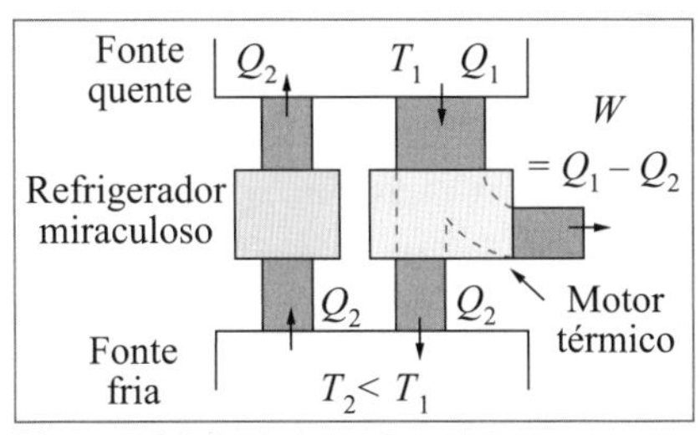

Figura 10.6 (*K*) implica (*C*).

(ii) O enunciado (C) implica (K)

Se (C) não implicasse (K), um refrigerador real (Figura 10.3) poderia ser acoplado com um motor miraculoso (já que (K) não seria válido), o qual converteria totalmente em trabalho W a diferença $Q_1 - Q_2$ entre o calor cedido à fonte quente e o calor absorvido da fonte fria pelo refrigerador real. Esse mesmo trabalho W alimentaria o refrigerador real (Figura 10.7). O resultado líquido do ciclo seria transferência integral do calor Q_2 da fonte fria à fonte quente, sem qualquer outro efeito, ou seja, seria equivalente a um refrigerador miraculoso (violação de (C)), contra a hipótese. Logo, (C) ⇒ (K).

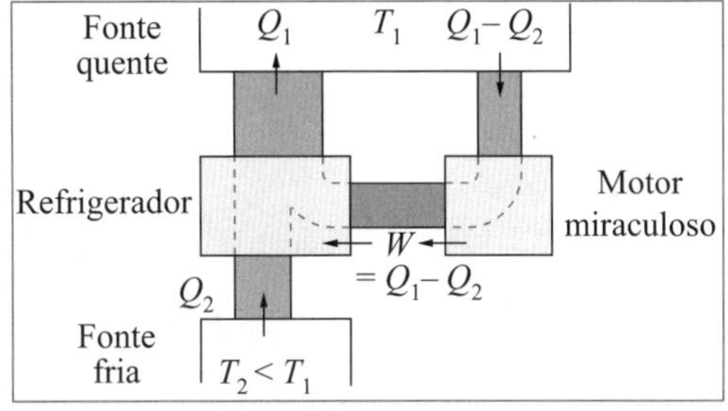

Figura 10.7 (*C*) implica (*K*).

Combinando (i) e (ii) acima, concluímos que *os enunciados de Kelvin e de Clausius da 2ª lei da termodinâmica são equivalentes.*

10.4 O CICLO DE CARNOT

Podemos abordar agora o problema que Carnot se propôs a resolver: *dadas uma fonte quente e uma fonte fria, qual é o máximo rendimento que se pode obter de um motor térmico operando entre essas duas fontes?*

Para que se obtenha o máximo rendimento, é necessário que o processo seja *reversível.* Na Seção 10.1, vimos diversos exemplos de processos irreversíveis, e é fácil ver que a ocorrência de processos desse tipo sempre diminui o rendimento de uma máquina térmica.

Assim, por exemplo, a existência de atrito reduz o rendimento, porque energia mecânica, que poderia produzir trabalho útil, é convertida irreversivelmente em calor, havendo pois um desperdício (Seção 10.1). Analogamente, se corpos a temperaturas diferentes entram em contato térmico, transferindo calor por condução, a energia térmica correspondente não pode ser recuperada num processo cíclico, porque isso implicaria a transferência de calor de um corpo frio a outro mais quente, violando (C).

Logo, devemos restringir-nos a *máquinas térmicas reversíveis*. Como seria uma máquina térmica desse tipo, operando entre duas fontes? Como a condução de calor é irreversível, o sistema utilizado só pode trocar calor com as fontes quando está à mesma temperatura que elas. Logo, a absorção de calor Q_1 da fonte quente tem de ser feita *isotermicamente*, à temperatura T_1 dessa fonte, e o calor Q_2 cedido à fonte fria também deve ser transferido isotermicamente, à temperatura T_2 da fonte fria. Pela mesma razão, as porções do ciclo em que há variação da temperatura do sistema, ou seja, quando ele passa de T_1 a T_2 ou volta de T_2 a T_1, devem ocorrer sem troca de calor, ou seja, como *processos adiabáticos reversíveis*.

Vemos assim que *um ciclo reversível com duas fontes é necessariamente formado de duas porções de isotermas ligadas por duas porções de adiabáticas*. Um tal ciclo recebe o nome de *ciclo de Carnot* e uma máquina térmica reversível recebe o nome de *máquina de Carnot*.

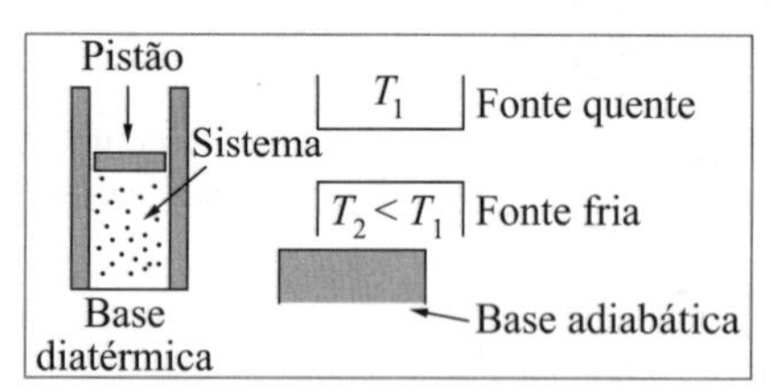

Figura 10.8 Componentes de uma máquina de Carnot.

Para fixar as ideias, é útil considerar um exemplo específico de máquina de Carnot, em que o sistema (*agente*) é um gás contido num recipiente de paredes adiabáticas, exceto por sua base, que é diatérmica, e munido de um pistão. Há também uma base adiabática, sobre a qual o sistema pode ser colocado, e as fontes quente e fria. Esses ingredientes estão representados na Figura 10.8.

A Figura 10.9 ilustra os quatro estágios de um ciclo de Carnot e o diagrama (P, V) correspondente para esse sistema. (1) Partindo do ponto a, faz-se uma *expansão isotérmica reversível* à temperatura T_1, até o ponto b. O gás realiza trabalho e *absorve* uma quantidade de calor Q_1 da fonte quente. (2) A partir de b, o sistema, colocado sobre a base isolante, sofre uma *expansão adiabática reversível*: o gás *realiza trabalho* e sua energia interna diminui, com consequente queda de temperatura de T_1 para T_2 (ponto c). (3) Partindo de c, o recipiente é colocado em contato térmico com a fonte fria e é submetido a uma *compressão isotérmica reversível* à temperatura T_2 da fonte fria. O gás *recebe trabalho* e *fornece* uma quantidade de calor Q_2 à fonte fria, até chegar ao ponto d da figura, situado sobre a adiabática que passa por a. (4) Finalmente, a partir de d, o sistema é recolocado sobre a base isolante e submetido a uma *compressão adiabática reversível*, aquecendo o gás até que ele retorne à temperatura T_1 da fonte quente. Isso permite recolocá-lo em contato com essa fonte, voltando a (1) e fechando o ciclo.

O trabalho total $W = Q_1 - Q_2$ realizado pelo sistema no decorrer de um ciclo é representado graficamente pela área sombreada no diagrama (P, V) apresentado a seguir. Como o ciclo é descrito no sentido horário, temos $W > 0$ [cf. (8.6.4)].

Uma vez que o ciclo de Carnot é reversível, ele pode ser descrito em sentido oposto. Neste caso, temos $W < 0$, ou seja, realizamos trabalho sobre o sistema para que ele *remova* calor Q_2 da fonte fria e *forneça* calor Q_1 à fonte quente: em lugar de um *motor térmico*, a máquina de Carnot, funcionando em sentido inverso, corresponde a um *refrigerador*.

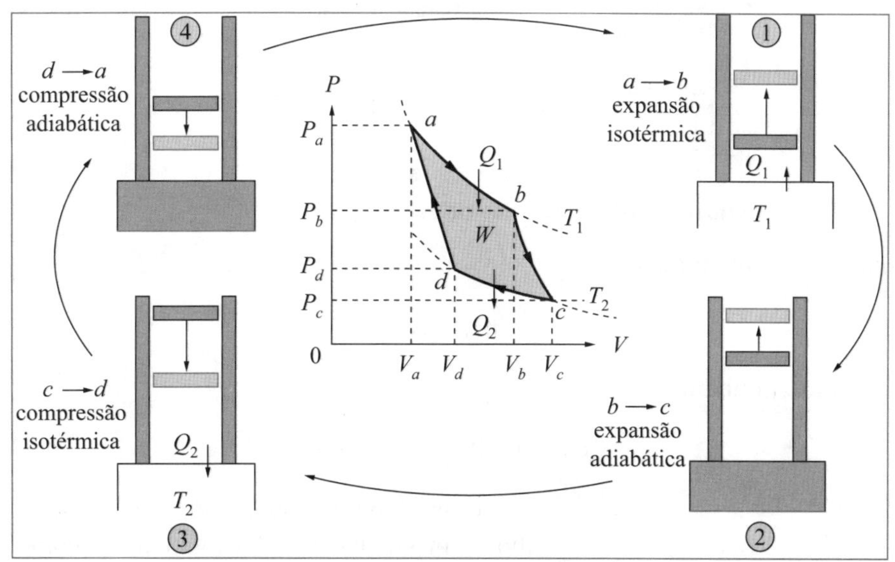

Figura 10.9 Ciclo de Carnot.

Teorema de Carnot

(**a**) *Nenhuma máquina térmica que opere entre uma dada fonte quente e uma dada fonte fria pode ter rendimento superior ao de uma máquina de Carnot.*

(**b**) *Todas as máquinas de Carnot que operem entre essas duas fontes terão o mesmo rendimento.*

(**a**) Seja R um motor térmico de Carnot e seja I outro motor térmico qualquer, operando entre as mesmas duas fontes.

Sempre podemos ajustar os ciclos das duas máquinas para que as duas produzam a mesma quantidade de trabalho W. Com efeito, se fosse $W_R \neq W_I$, sempre poderíamos encontrar dois inteiros m e n tais que, com aproximação tão boa como quisermos, $W_R/W_I = m/n$, ou seja, $nW_R = mW_I = W$. Basta ajustar então n ciclos de R em correspondência com m ciclos de I.

A Figura 10.10 pressupõe o ajuste já feito, para que W seja o mesmo, e define as quantidades de calor trocadas com as duas fontes: Q_1', Q_2', para I e Q_1, Q_2 para R. Pela (10.3.4), os rendimentos correspondentes são:

$$\eta_R = 1 - \frac{Q_2}{Q_1} = \frac{W}{Q_1} \qquad \textbf{(10.4.1)}$$

$$\eta_I = 1 - \frac{Q_2'}{Q_1'} = \frac{W}{Q_1'} \qquad \textbf{(10.4.2)}$$

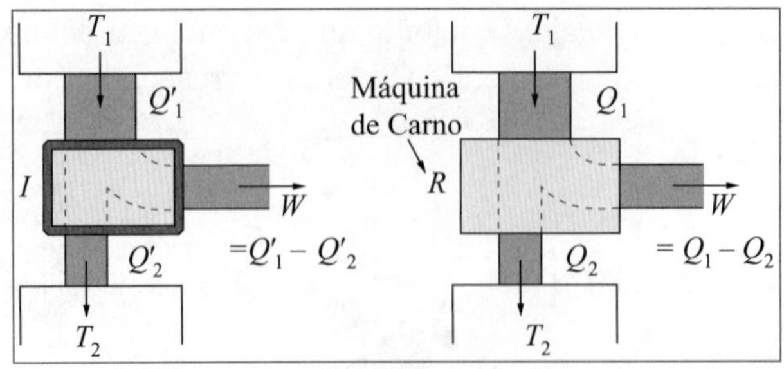

Figura 10.10 Ajuste dos ciclos.

Suponhamos que pudesse ser

$$\eta_I > \eta_R, \quad \therefore Q_1' < Q_1 \tag{10.4.3}$$

Seria então também

$$Q_2' = Q_1' - W < Q_2 = Q_1 - W \tag{10.4.4}$$

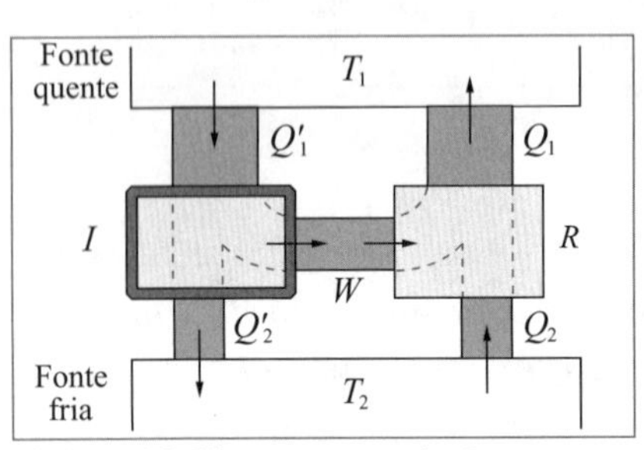

Figura 10.11 Teorema de Carnot.

Como R é reversível, poderíamos usar o trabalho W produzido por I, funcionando como motor térmico, para acionar R, funcionando como refrigerador (Figura 10.11), com

$$W = Q_1' - Q_2' = Q_1 - Q_2$$

O resultado líquido do acoplamento de I com R, como vemos pela figura, seria equivalente, em cada ciclo, a transferir calor $Q_2 - Q'_2 = Q_1 - Q'_1 > 0$ da fonte fria para a fonte quente, sem nenhum outro efeito, violando o enunciado de Clausius da 2ª lei. Logo, não pode valer a (10.4.3), ou seja, tem de ser

$$\boxed{\eta_I \leq \eta_R} \tag{10.4.5}$$

o que demonstra a parte (**a**) do teorema de Carnot.

(**b**) Se I também é uma máquina de Carnot R', portanto reversível, podemos repetir o mesmo raciocínio trocando os papéis de R' e R (ou seja, usando R' como refrigerador e R como motor), o que daria $\eta_R \leq \eta_{R'}$, ao passo que a (10.4.5) daria $\eta_{R'} \leq \eta_R$. Combinando essas duas desigualdades, concluímos que

$$\boxed{\eta_R = \eta_{R'}} \tag{10.4.6}$$

ou seja, que *todas as máquinas de Carnot que operam entre as mesmas fontes são igualmente eficientes*, demonstrando assim a parte (**b**) do teorema de Carnot.

Podemos imaginar uma grande variedade de sistemas, de natureza muito diferente, utilizáveis em princípio numa maquina de Carnot. Mesmo no exemplo da Figura 10.8, qualquer gás (que não precisa ser próximo de um gás ideal) pode ser empregado, e poderíamos utilizar um fluido – ou mesmo uma mistura de líquido com vapor, em vez do gás (neste último caso, conforme veremos mais adiante, os processos isotérmicos não seriam do tipo considerado no exemplo). Pela (10.4.6), o rendimento independe da natureza do sistema ou da substância empregada como agente.

10.5 A ESCALA TERMODINÂMICA DE TEMPERATURA

As únicas características das fontes quente e fria que entram no ciclo de Carnot são as respectivas temperaturas T_1 e T_2, que especificam as isotermas empregadas. O rendimento η_R, de uma máquina de Carnot operando entre essas duas fontes, dado pela (10.4.1), deve representar, portanto, conforme acabamos de ver, uma função universal de T_1 e T_2, independente das propriedades específicas do sistema ou do agente empregado na máquina de Carnot. Devemos ter, portanto, para qualquer máquina de Carnot [cf. (10.4.1)],

$$\boxed{\frac{Q_1}{Q_2} = f(T_1, T_2)} \qquad \textbf{(10.5.1)}$$

onde f é uma função universal, no sentido acima.

Consideremos, além das duas adiabáticas e duas isotermas T_1, T_2 no plano (P, V) que definem um dado ciclo de Carnot, mais uma terceira isoterma qualquer T_3, que intercepta as duas adiabáticas nos pontos e, f, conforme ilustrado na Figura 10.12. Podemos construir três ciclos de Carnot, *abcd*, *dcef* e *abef* com essas isotermas e adiabáticas. Sejam Q_1, Q_2 e Q_3 as quantidades de calor associadas às porções isotérmicas desses ciclos, *ab*, *cd* e *ef*, respectivamente (note que o ciclo *abef* pode ser considerado como resultante de percorrer sucessivamente *abcd* e *dcef*, onde Q_2 é transferido em *cd* e removido em *dc*). Aplicando a (10.5.1) a cada ciclo, vem

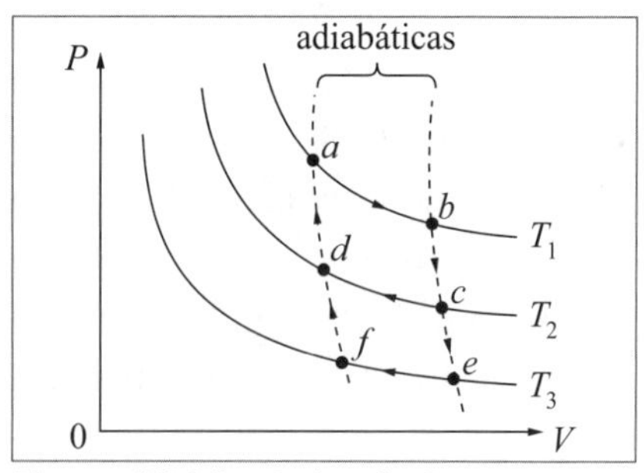

Figura 10.12 Ciclos de Carnot.

$$\left.\begin{aligned} \frac{Q_1}{Q_2} &= f(T_1, T_2) \\ \frac{Q_2}{Q_3} &= f(T_2, T_3) \\ \frac{Q_1}{Q_3} &= f(T_1, T_3) \\ \frac{Q_1}{Q_2} &= \frac{Q_1/Q_3}{Q_2/Q_3} \end{aligned}\right\} f(T_1, T_2) = \frac{f(T_1, T_3)}{f(T_2, T_3)} \qquad \textbf{(10.5.2)}$$

Como T_3 pode ser escolhido de forma arbitrária, a (10.5.2) só é possível se o 2.° membro é efetivamente independente de T_3, ou seja, a função universal f tem de ser da forma

$$\boxed{\frac{Q_1}{Q_2} = f(T_1, T_2) = \frac{F(T_1)}{F(T_2)}} \quad \textbf{(10.5.3)}$$

o que leva à propriedade (10.5.2) qualquer que seja T_3. Na (10.5.3), $F(T)$ é uma *função universal da temperatura, independente das propriedades específicas de qualquer substância.*

Conforme foi percebido por Kelvin, esta é a situação ideal para permitir a introdução de uma *escala termodinâmica absoluta de temperatura*, que não só não depende de propriedades específicas de uma dada substância, como a escala termométrica empírica de mercúrio, por exemplo (Seção 7.2), mas também independe da existência e propriedades de uma classe de substâncias, como os gases, na qual se baseia a escala de gás ideal (Seção 7.3).

Definimos essa nova escala absoluta de temperatura τ escolhendo a função F na (10.5.3) por

$$F(\tau) = \tau \quad \textbf{(10.5.4)}$$

ou seja,

$$\boxed{\frac{Q_1}{Q_2} = \frac{\tau_1}{\tau_2}} \quad \textbf{(10.5.5)}$$

Entretanto, isso define apenas a *razão* de duas temperaturas absolutas. Em princípio, para medi-la, bastaria medir as quantidades de calor trocadas com fontes a essas temperaturas num ciclo de Carnot.

Para definir completamente a escala absoluta, basta atribuir um valor a uma dada temperatura de referência padrão, que se escolhe como a do ponto triplo da água (Seção 7.4), a saber,

$$\tau_{tr} = 273{,}16 \text{ K}$$

A *temperatura termodinâmica absoluta* τ de um corpo qualquer fica então definida por meio de uma máquina de Carnot que opere entre a temperatura deste corpo e a do ponto triplo, por

$$\frac{\tau}{\tau_{tr}} = \frac{Q}{Q_{tr}} \quad \textbf{(10.5.6)}$$

Identidade entre a escala termodinâmica absoluta e a escala de gás ideal

Vamos mostrar agora que a escala termodinâmica absoluta de temperatura, que acabamos de definir, coincide com a escala de gás ideal, definida na Seção 7.4.

Para isto, vamos calcular o rendimento do ciclo de Carnot para o sistema descrito na Seção 10.4, tomando como agente um *gás ideal*, cujas propriedades serão expressas na escala termométrica de gás ideal, que vínhamos utilizando até aqui (temperatura T).

Para calcular Q_1 e Q_2 neste caso, basta notar que, como a energia interna de um gás ideal não varia ao longo de uma isoterma [cf. (9.2.11)], Q é igual ao trabalho realizado isotermicamente, que é dado pela (9.1.15). Logo, para a expansão isotérmica $a \to b$ na Figura 10.9,

$$Q_1 = nRT_1 \ln\left(\frac{V_b}{V_a}\right) \tag{10.5.7}$$

Analogamente, como $Q_2 > 0$ com a convenção de sinal usada na (10.4.1),

$$Q_2 = nRT_2 \ln\left(\frac{V_c}{V_d}\right) \tag{10.5.8}$$

corresponde à compressão isotérmica $c \to d$ na Figura 10.9. Dividindo membro a membro a (10.5.7) pela (10.5.8), vem

$$\frac{Q_1}{Q_2} = \frac{T_1 \ln(V_b / V_a)}{T_2 \ln(V_c / V_d)} \tag{10.5.9}$$

Por outro lado, ao longo das adiabáticas $b \to c$ e $d \to a$, V e T estão relacionados, para um gás ideal, pela (9.4.11), que resulta em

$$\left.\begin{matrix} V_b^{\gamma-1}T_1 = V_c^{\gamma-1}T_2 \\ V_a^{\gamma-1}T_1 = V_d^{\gamma-1}T_2 \end{matrix}\right\} \left(\frac{V_b}{V_a}\right)^{\gamma-1} = \left(\frac{V_c}{V_d}\right)^{\gamma-1} \tag{10.5.10}$$

Logo, $V_b/V_a = V_c/V_d$, de modo que os termos logarítmicos no numerador e denominador da (10.5.9) se cancelam, levando a

$$\boxed{\frac{Q_1}{Q_2} = \frac{T_1}{T_2}} \tag{10.5.11}$$

onde T é a temperatura da escala de gás ideal.

Comparando a (10.5.11) com a (10.5.5), e notando que $\tau_{tr} = T_{\text{tr}} = 273{,}16$ K (cf. Seção 7.4), concluímos finalmente que

$$\boxed{\tau = T} \tag{10.5.12}$$

ou seja, *a escala termodinâmica absoluta de temperatura coincide com a escala de gás ideal*, conforme já se havia mencionado na Seção 7.4.

Finalmente, substituindo a (10.5.11) na (10.4.,1), obtemos a solução do problema que Carnot se havia proposto: *se T_1 e T_2 são as temperaturas absolutas das fontes quente e fria, respectivamente, o máximo rendimento de um motor térmico operando entre elas é o rendimento de uma máquina de Carnot, dado por*

$$\boxed{\eta_R = 1 - \frac{T_2}{T_1}} \tag{10.5.13}$$

Conforme Carnot afirmou em 1824: "A potência motriz do fogo é independente dos agentes utilizados para aproveitá-la: ela é determinada exclusivamente pela temperatura dos corpos entre os quais se produz uma transferência de calor". O que Carnot chama de "potência motriz" é o rendimento.

Como foi mencionado no final da Seção 10.4, o ciclo de Carnot pode ser realizado utilizando, em lugar de um gás, qualquer outro agente, tal como, por exemplo, uma mistura de líquido e vapor em equilíbrio, nos processos de vaporização e condensação. Conforme é bem conhecido, durante o processo de vaporização a uma dada temperatura (*temperatura de ebulição*), a pressão permanece constante (*pressão de vapor*), e a absorção de calor é utilizada para aumentar a proporção de vapor na mistura (*calor latente de vaporização*), até que todo o líquido esteja vaporizado. O inverso ocorre durante a liquefação.

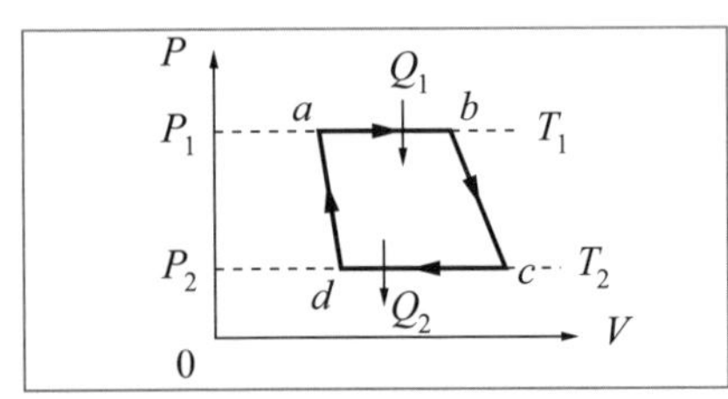

Figura 10.13 Ciclo de Carnot de máquina a vapor ideal.

Assim, o diagrama (P, V) de um ciclo de Carnot com este sistema teria a forma ilustrada na Figura 10.13 (compare com a Figura 10.9). A porção $a \to b$ corresponde à *vaporização isotérmica* à temperatura T_1 e pressão de vapor P_1, e $c \to d$ à *condensação isotérmica* à temperatura T_2 e pressão de vapor P_2; $b \to c$ e $d \to a$ continuam correspondendo a uma expansão e uma compressão adiabáticas, respectivamente.

Este ciclo definiria uma máquina a vapor ideal, de eficiência máxima, em que $a \to b$ representaria a vaporização na caldeira e $c \to d$ a condensação no condensador. Numa máquina a vapor real, esquematizada na Figura 10.1, a porção $d \to a$ é substituída pela transferência do condensador à caldeira produzida pela bomba de alimentação, após o que a água ainda tem de ser aquecida na fornalha até a temperatura T_1. Esse processo é irreversível, bem como muitos outros que não foram levados em conta (atrito entre o pistão e o cilindro, condução de calor etc.), de modo que o rendimento de uma máquina a vapor real é muito inferior ao ideal, dado pela (10.5.13).

Exemplo: Suponhamos que a caldeira de uma máquina a vapor esteja a 180 °C (T_1 = 453 K) e que o vapor escape diretamente na atmosfera, conforme acontece numa locomotiva a vapor. Isto significa que a pressão de vapor P_2 na Figura 10.13 é igual à pressão atmosférica, à qual a temperatura de ebulição da água é de 100 °C, de modo que T_2 = 373 K. Pela (10.5.13), o rendimento máximo ideal seria

$$\frac{T_1 - T_2}{T_1} \approx \frac{80}{453} \approx 0{,}18$$

ou seja, de cada 100 calorias geradas na caldeira, somente 18 no máximo estariam produzindo trabalho útil. Na prática, o rendimento atingido seria pouco mais da metade deste valor.

A vantagem do condensador numa máquina a vapor é não somente evitar que o vapor se perca na atmosfera, permitindo reciclá-lo em circuito fechado, mas também permitir que ele seja resfriado (por exemplo, por água corrente, numa serpentina) a uma temperatura T_2 próxima da temperatura ambiente, $T_2 \sim 300$ K. Isto aumenta o rendimento ideal, no exemplo apresentado aqui, para

$$\frac{T_1 - T_2}{T_1} \approx \frac{153}{453} \approx 0,33$$

ou seja, permite quase duplicá-lo.

Como é difícil, na prática, utilizar uma fonte fria a temperatura menor que a ambiente, procura-se aumentar o rendimento por elevação da temperatura da fonte quente. Assim, elevando-a para 400 °C, o rendimento ideal passa a $(T_1 - T_2)/T_1 \approx 370/673 \approx 55\%$. Hoje em dia, com turbinas a vapor especialmente projetadas, atingem-se rendimentos próximos de 50%. A eficiência de um motor de automóvel a gasolina é ~ 25%; a de um motor Diesel é ~ 40%.

Zero absoluto

A (10.5.6) se aplica obviamente a temperaturas T abaixo de T_{tr} = 273,16 K, que são definidas por

$$T = \frac{T_{tr}}{Q_{tr}} Q \quad \textbf{(10.5.14)}$$

onde Q é o calor transferido isotermicamente à temperatura T da fonte fria ($T < T_{tr}$) entre duas adiabáticas, num ciclo de Carnot entre T e T_{tr}.

O menor valor possível de Q, obtido fazendo $Q \to 0$, define, portanto, o menor valor possível de T, a *temperatura zero absoluto*. Por conseguinte, um sistema estaria à temperatura zero absoluto se um processo isotérmico reversível nessa temperatura ocorresse sem transferência de calor ($Q = 0$). Logo, no zero absoluto, isotermas e adiabáticas se confundiriam.

Pela (10.5.13), a eficiência ideal de uma máquina térmica só poderia atingir 100% se pudéssemos utilizar como fonte fria um reservatório térmico à temperatura zero absoluto ($T_2 = 0$).

Uma série de considerações, que não podemos desenvolver aqui, levou à formulação da *3ª lei da termodinâmica*: *Não é possível, por qualquer série finita de processos, atingir a temperatura zero absoluto.*

Temperaturas absolutas da ordem do décimo de nanokelvin ($T \sim 10^{-10}$ K) já foram atingidas por técnicas especiais.

10.6 O TEOREMA DE CLAUSIUS

Vimos na (10.5.11) que, quando uma máquina térmica executa um ciclo reversível entre dois reservatórios térmicos de temperaturas T_1 e T_2 (ciclo de Carnot), vale a relação

$$\frac{Q_1}{T_1} = \frac{Q_2}{T_2} \quad \textbf{(10.6.1)}$$

onde $Q_1 > 0$ é a quantidade de calor fornecida ao sistema pela fonte quente e $Q_2 > 0$ é a quantidade de calor fornecida pelo sistema à fonte fria. Esta convenção de sinal para Q_2, conforme foi enfatizado na Seção 10.2, é oposta à que havia sido adotada desde a Seção 8.5.

Vamos agora (e daqui por diante) voltar à convenção da Seção 8.5, segundo a qual *Q sempre representa a quantidade de calor fornecida ao sistema*. Por conseguinte, na (10.6.1), devemos fazer a substituição $Q_2 \to -Q_2$, o que leva a

$$\frac{Q_1}{T_1} = -\frac{Q_2}{T_2} \left\{ \boxed{\begin{array}{c} \dfrac{Q_1}{T_1} + \dfrac{Q_2}{T_2} \equiv \sum \dfrac{Q}{T} = 0 \\ \text{num ciclo de Carnot (reversível)} \end{array}} \right. \quad \textbf{(10.6.2)}$$

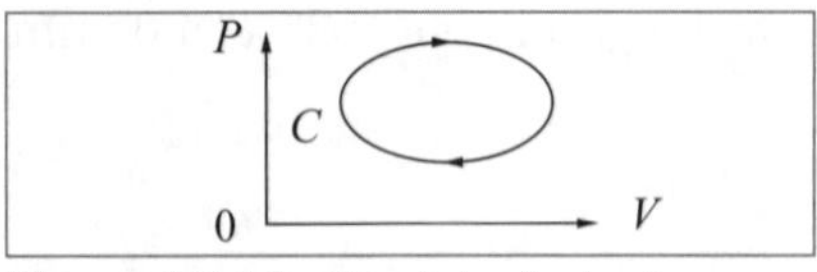

Figura 10.14 Caminho fechado.

Vamos mostrar agora que um resultado análogo vale para *qualquer ciclo reversível*, ou seja, qualquer transformação reversível representada por um caminho C fechado (Figura 10.14) num diagrama (P, V) (por exemplo).

A ideia básica da demonstração consiste em reduzir C a uma sucessão de ciclos de Carnot infinitésimos, para os quais vale a (10.6.2). Como primeiro passo, vamos mostrar que se pode substituir uma pequena porção de C por um caminho formado por porções de uma isoterma e duas adiabáticas, sem alterar o trabalho ΔW e o calor ΔQ associados com essa porção de C.

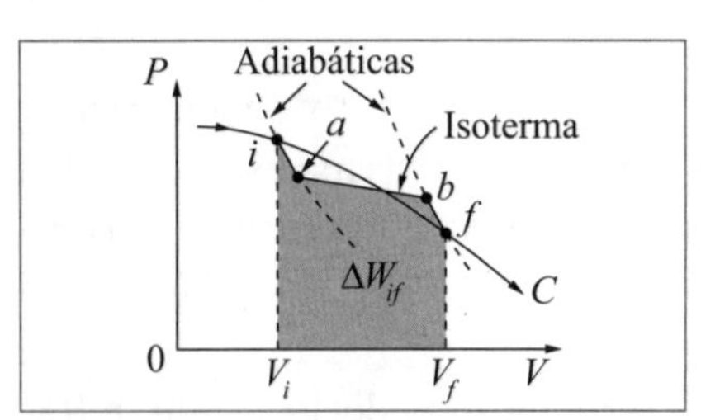

Figura 10.15 Substituição de caminho.

Com efeito, consideremos uma pequena porção de C entre os pontos i e f, bem como as adiabáticas que passam por i e f, e seja ab (Figura 10.15) uma porção de isoterma situada entre essas duas adiabáticas, escolhida de tal forma que a área entre o caminho $ia + ab + bf$ e o eixo dos V (sombreada na figura), que representa o trabalho ΔW_{iabf} associado a esse caminho (Seção 8.6), seja igual a ΔW_{if}, o trabalho associado ao arco if ao longo de C (área entre if e o eixo dos V).

Temos então, por construção,

$$\Delta W_{iabf} = \Delta W_{if} \quad \textbf{(10.6.3)}$$

Como a variação de energia interna $\Delta U = U_f - U_i$ é a mesma ao longo dos dois caminhos, porque só depende dos pontos inicial e final, a 1ª lei da termodinâmica (8.5.4) leva a $\Delta Q_{iabf} = \Delta Q_{if}$. Mas, como ia e bf são porções de adiabáticas, temos $\Delta Q_{ia} = \Delta Q_{bf} = 0$, de modo que fica

$$\Delta Q_{ab} = \Delta Q_{if} \quad \textbf{(10.6.4a)}$$

ou seja, o calor transferido ao longo de if é o mesmo que ao longo da isoterma ab.

Seja S o sistema que descreve o ciclo C. Vamos introduzir um sistema auxiliar S', que pode ser pensado como uma máquina de Carnot operando entre o sistema S e um reservatório térmico auxiliar à temperatura T_0, que, para fixar as ideias, escolhemos como fonte quente, tomando T_0 superior a todas as temperaturas atravessadas por S ao percorrer o ciclo C.

Podemos imaginar C recoberto por um conjunto de adiabáticas (em linha interrompida na Figura 10.16) e de isotermas (em linha cheia na Figura 10.16), escolhidas da forma explicada na Figura 10.15.

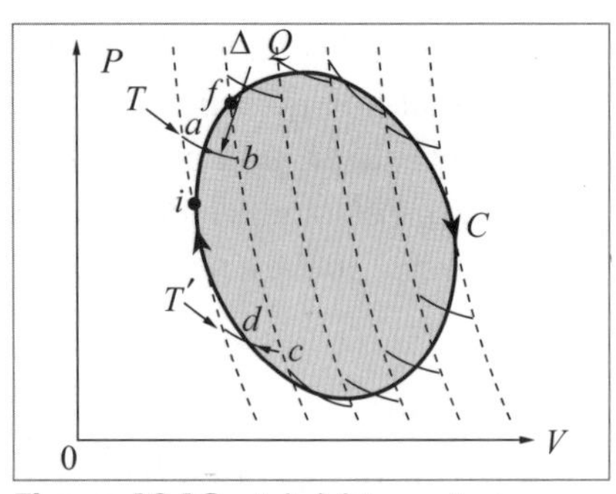

Figura 10.16 Adiabáticas e isotermas.

Assim, por exemplo, para a expansão isotérmica $a \to b$ à temperatura T que substitui o pequeno trecho $i \to f$ de C, é preciso fornecer a S o calor

$$\Delta Q = \Delta Q_{ab} = \Delta Q_{if} \tag{10.6.4b}$$

Para fornecer ΔQ a S, utilizamos a máquina de Carnot S' funcionando como motor térmico entre S como fonte fria, correspondendo ao trecho ab à temperatura T, e a fonte quente à temperatura $T_0 > T$. A quantidade de calor $\Delta Q'$ fornecida pela fonte quente a S' para que ela transfira ΔQ a S é dada pela (10.6.1):

$$\Delta Q' = T_0 \frac{\Delta Q}{T} \tag{10.6.5}$$

o que também equivale à (10.6.2), pois $-\Delta Q$ é a quantidade de calor que S' "recebe" da fonte fria S.

Num trecho como $c \to d$, percorrido em sentido oposto a $a \to b$ (Figura 10.16), continua valendo o mesmo resultado, mas ΔQ e $\Delta Q'$ são ambos < 0, e a máquina de Carnot S' funciona como refrigerador, entre S como fonte fria, à temperatura T' da isoterma cd, e a fonte quente à temperatura T_0.

Se formos aumentando o número de adiabáticas que recobrem C, formando uma malha cada vez mais fina, podemos passar ao limite em que as trocas de calor são infinitesimais, com $\Delta Q \to d'Q$ (diferencial inexata), $\Delta Q' \to d'Q'$ e a quantidade total de calor Q' removida da fonte quente, ao longo de todo o ciclo C, é dada por

$$Q' = \sum \Delta Q' \to \oint_C d'Q'$$

onde $\oint_C$ indica a integral ao longo do ciclo C.

Pela (10.6.5),

$$Q' = T_0 \oint_C \frac{d'Q'}{T} \tag{10.6.6}$$

Note que a temperatura T varia ao longo de cada porção infinitesimal de C, e representa sempre a dos trechos infinitesimais de isotermas pelos quais substituímos trechos correspondentes de C. Como essas isotermas fazem parte dos ciclos de Carnot da máquina de Carnot S', podemos dizer que T é a temperatura do sistema auxiliar S' durante a transferência a S da quantidade de calor $d'Q$.

Completado o ciclo C, tanto S como S' voltaram aos seus estados iniciais, e o único efeito resultante do ciclo é remover a quantidade de calor Q' da fonte quente à temperatura T_0 e realizar uma quantidade de trabalho equivalente (área interna ao ciclo C; cf. Seção 8.6). Pelo enunciado de Kelvin da 2ª lei (Seção 10.2), isto só é possível se for $Q' \leq 0$, ou seja, pela (10.6.6), se

$$\oint_C \frac{d'Q}{T} \leq 0 \qquad \textbf{(10.6.7)}$$

Se o ciclo C é *reversível*, o mesmo raciocínio pode ser repetido com C descrito em sentido inverso (cada $d'Q \to -d'Q$), o que resulta em

$$-\oint_C \frac{d'Q}{T} \leq 0 \qquad \textbf{(10.6.8)}$$

Combinando as (10.6.7) e (10.6.8), obtemos o *teorema de Clausius*, que generaliza a (10.6.2),

$$\boxed{\oint_C \frac{d'Q}{T} = 0 \qquad \text{para } C \text{ reversível}} \qquad \textbf{(10.6.9)}$$

Para que C seja reversível, todas as trocas de calor $d'Q$ têm de ser feitas isotermicamente, como vimos, de modo que S precisa estar à temperatura T de S' durante a troca. Logo, *para C reversível, T também representa a temperatura do sistema S durante a troca de calor $d'Q$.*

Para demonstrar a (10.6.7), não foi utilizada a hipótese da reversibilidade de C. Ela só entrou quando passamos da (10.6.7) à (10.6.8). Logo, se C é irreversível, a (10.6.7) permanece válida, e é chamada de *desigualdade de Clausius*:

$$\boxed{\oint_C \frac{d'Q}{T} \leq 0 \qquad \text{para } C \text{ irreversível}} \qquad \textbf{(10.6.10)}$$

Neste caso, só é válida a interpretação de T como temperatura do sistema auxiliar S' durante a transferência de $d'Q$ a S. No caso irreversível, a temperatura de S pode até não ser bem definida ao longo de C.

Exemplo: Dadas uma fonte quente à temperatura T_1 e uma fonte fria à temperatura $T_2 < T_1$, vimos que o rendimento [cf. (10.3.3), (10.3.4)] de uma máquina térmica reversível (de Carnot) operando entre essas fontes é dado pela (10.5.13),

$$\eta_R = \frac{W_R}{Q_{1R}} = \frac{Q_{1R} - Q_{2R}}{Q_{1R}} = 1 - \frac{Q_{2R}}{Q_{1R}} = 1 - \frac{T_2}{T_1} \qquad \textbf{(10.6.11)}$$

onde o índice R significa "reversível". A última igualdade resulta da (10.5.11) que, como vimos, com $Q_2 \to -Q_2$, equivale à (10.6.2), ou seja, ao teorema de Clausius neste caso.

Vimos também que a eficiência η_I de uma máquina térmica real, como uma máquina a vapor, por exemplo, é sempre menor (na prática, bem menor) que η_R, em virtude da irreversibilidade, ou seja, (o índice I significando "irreversível"),

$$\eta_I = \frac{W_I}{Q_{1I}} = \frac{Q_{1I} - Q_{2I}}{Q_{1I}} = 1 - \frac{Q_{2I}}{Q_{1I}} < 1 - \frac{T_2}{T_1} \tag{10.6.12}$$

Isto significa, por exemplo, que a máquina real, funcionando como motor térmico, produz menos trabalho que a ideal (de Carnot), para a mesma quantidade de calor removida da fonte quente (se $Q_{1I} = Q_{1R}$, tem-se $W_{2I} < W_{2R}$, ou seja, uma quantidade de calor $Q_{2I} > Q_{2R}$ é desperdiçada).

A (10.6.12) equivale a

$$\frac{Q_{2I}}{Q_{1I}} > \frac{T_2}{T_1} \left\{ \frac{Q_{2I}}{T_2} > \frac{Q_{1I}}{T_1} \right. \tag{10.6.13}$$

na notação em que $Q_{2I} > 0$. Voltando à convenção da Seção 8.5, com $Q_{2I} \rightarrow -Q_{2I}$, a (10.6.13) fica

$$-\frac{Q_{2I}}{T_2} > \frac{Q_{1I}}{T_1} \left\{ \frac{Q_{1I}}{T_1} + \frac{Q_{2I}}{T_2} < 0 \right. \tag{10.6.14}$$

o que ilustra a desigualdade de Clausius (10.6.10) neste caso

10.7 ENTROPIA. PROCESSOS REVERSÍVEIS

A consequência mais importante do teorema de Clausius é a existência de uma nova *função de estado* associada a um estado de equilíbrio termodinâmico de um sistema, a *entropia*. Da mesma forma que a 1ª lei da termodinâmica corresponde à existência da energia interna U como função de estado, a 2ª lei corresponde à existência da entropia.

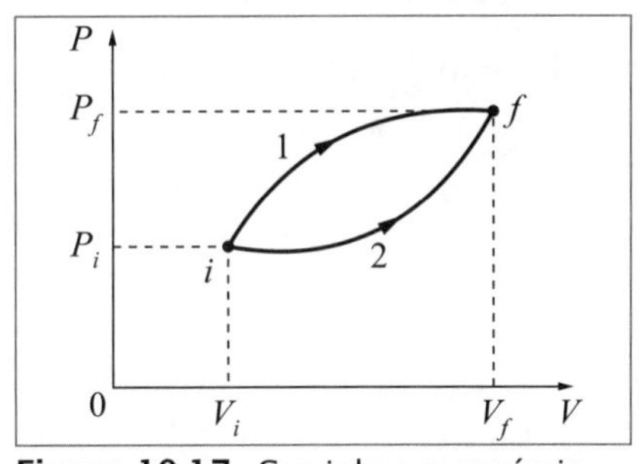

Figura 10.17 Caminhos reversíveis.

Sejam i e f *dois estados de equilíbrio termodinâmico de um sistema*. Em geral, podemos passar de i para f por diferentes caminhos (processos), como 1 e 2 na Figura 10.17. Vamos supor esses caminhos reversíveis, o que denotaremos indicando por $d'Q_R$ (R = reversível) as trocas de calor infinitésimas ao longo deles.

Decorre então do teorema de Clausius o seguinte resultado:

A integral

$$\int_i^f \frac{d'Q_R}{T}$$

tem o mesmo valor para todos os caminhos reversíveis que ligam os estados de equilíbrio termodinâmico i e f.

Com efeito, se formos de i para f pelo caminho 1 e voltamos de f para i pelo caminho 2, teremos descrito um *ciclo reversível*, de modo que o teorema de Clausius (10.6.9) leva a

$$\int_{(1)\,i}^{f} \frac{d'Q_R}{T} + \int_{(2)\,f}^{i} \frac{d'Q_R}{T} = 0 \qquad \textbf{(10.7.1)}$$

onde os índices (1) e (2) à esquerda das integrais indicam qual é o caminho reversível empregado. Como

$$\int_{(2)\,f}^{i} \frac{d'Q_R}{T} = -\int_{(2)\,i}^{f} \frac{d'Q_R}{T} \qquad \textbf{(10.7.2)}$$

a (10.7.1) equivale a

$$\boxed{\int_{(1)\,i}^{f} \frac{d'Q_R}{T} = \int_{(2)\,i}^{f} \frac{d'Q_R}{T}} \qquad \textbf{(10.7.3)}$$

Como 1 e 2 são dois caminhos reversíveis quaisquer, concluímos que *a integral é independente do caminho*, o que demonstra o resultado.

Voltamos, portanto, a ter uma situação análoga à da energia potencial na mecânica (**FB1**, Seção 7.3) e da energia interna (Seção 8.5), o que nos permite, como naqueles casos, definir uma *função de estado do sistema*, cujo valor é definido a menos de uma constante aditiva arbitrária. Como a integral só depende dos extremos i e f, se escolhermos um estado inicial padrão ela passa a depender somente de f, que podemos identificar com o estado de equilíbrio termodinâmico do sistema para o qual queremos calcular o valor da função. A arbitrariedade da escolha do estado padrão i corresponde à constante aditiva arbitrária: mudar i equivale a adicionar uma constante aos valores da função.

Podemos escrever, portanto,

$$\boxed{\int_{i}^{f} \frac{d'Q_R}{T} = S_f - S_i} \qquad \textbf{(10.7.4)}$$

onde S é a nova função de estado, introduzida por Clausius e por ele denominada de *entropia* (do grego "transformação"). A unidade de entropia no sistema MKS é o joule por grau Kelvin, J/K (também se emprega cal/K).

Para um *fluido homogêneo*, por exemplo, cujo estado é definido por qualquer par das variáveis (P, V, T), dizer que S é uma função de estado equivale a dizer que, como na (8.5.3), podemos considerar S como função de qualquer desses pares:

$$\boxed{S = S(P,V); \quad S = S(P,T); \quad S = S(V,T)} \qquad \textbf{(10.7.5)}$$

Se a variação $\Delta S = S_f - S_i$ é infinitesimal, a (10.7.4) se escreve

$$\boxed{dS = \frac{d'Q_R}{T}} \qquad \textbf{(10.7.6)}$$

onde $d'Q_R$ é a quantidade de calor infinitesimal fornecida ao sistema num processo reversível à temperatura T. Note que $d'Q_R$ é uma *diferencial inexata* (cf. Seção 8.6), ao passo que dS, como dU, é uma diferencial exata (dS é a diferencial da função S). Como se passa de $d'Q_R$ a dS multiplicando por $1/T$, diz-se que $1/T$ é um *fator integrante* para a diferencial inexata $d'Q_R$ (veremos exemplos adiante).

A (10.7.6) pode ser considerada como uma *formulação diferencial da 2.ª lei*, da mesma forma que a (8.6.6),

$$dU = d'Q - d'W \tag{10.7.7}$$

é uma formulação diferencial da 1ª lei (que leva a uma diferencial exata por subtração de $d'Q$ de outra diferencial inexata, $d'W$).

Vimos na (8.6.1) que, para uma transformação reversível num fluido,

$$d'W_R = PdV \tag{10.7.8}$$

de modo que, neste caso,

$$\boxed{d'Q_R = dU + PdV} \tag{10.7.9}$$

Casos particulares:

(I) Transformação adiabática reversível

É caracterizada por

$$\boxed{d'Q_R = 0} \tag{10.7.10}$$

Logo, a (10.7.4) leva a

$$\boxed{\Delta S = S_f - S_i = 0} \quad \text{(adiabática reversível)} \tag{10.7.11}$$

ou seja, a *entropia não muda numa transformação adiabática reversível*. Por isso, uma tal transformação também se chama *isentrópica* (a entropia constante). Esta é a explicação do índice S colocado na derivada parcial $\partial P/\partial \rho$ no cálculo da velocidade do som (6.2.14).

(II) Variação de entropia numa transição de fase

Durante uma transição de fase, como a vaporização (Seção 10.5) ou a fusão, a pressão e a temperatura permanecem constantes, até que toda a massa m da substância se tenha vaporizado ou fundido. Se T é a temperatura de transição (ponto de ebulição, ponto de fusão) à pressão considerada, a transição pode ser efetuada como um processo isotérmico reversível, em que o calor é transferido por um reservatório térmico à temperatura T, e a (10.7.4) leva a

$$\Delta S = S_f - S_i = \frac{1}{T}\int_i^f d'Q_R = \frac{\Delta Q_R}{T} \tag{10.7.12}$$

O *calor latente* l *é a quantidade de calor por unidade de massa necessária para efetuar a transição*. Logo, para uma massa m, temos $\Delta Q_R = ml$, e a (10.7.12) fica

$$\boxed{\Delta S = \frac{ml}{T}} \quad \textbf{(10.7.13)}$$

Por exemplo, o calor latente de fusão do gelo à pressão de 1 atm (temperatura de fusão 0 °C) é de 79,6 cal/g, de modo que a fusão de 1 kg de gelo produz uma variação de entropia

$$\Delta S = S_{\text{água}} - S_{\text{gelo}} = \frac{79{,}6 \times 10^3}{273}\text{cal / K} \approx 292\text{cal / K} \approx 1220\text{J / K}$$

(III) Fluido incompressível, sem variação de volume

Se a temperatura de um fluido incompressível, a volume constante, varia de T_i para T_f, qual é a variação correspondente ΔS de entropia?

Seja C a capacidade térmica do sistema, que vamos supor constante no intervalo de temperatura (T_i, T_f), o volume e a pressão permanecendo constantes. Temos então, para uma variação de temperatura dT,

$$d'Q_R = CdT \quad \textbf{(10.7.14)}$$

Para que o processo seja reversível, as variações de temperatura têm de ser efetuadas da forma descrita na Seção 8.6. A (10.7.4) leva, então, a

$$\Delta S = S_f - S_i = C\int_{T_i}^{T_f} \frac{dT}{T} = C\ln\left(\frac{T_f}{T_i}\right) \quad \textbf{(10.7.15)}$$

de modo que podemos tomar, neste caso,

$$\boxed{S = C\ln T + \text{constante}} \quad \textbf{(10.7.16)}$$

(IV) Entropia de um gás ideal

Vamos calcular a *entropia molar*, ou seja, a entropia por mol, que indicaremos por s. Combinando as (10.7.6) e (10.7.9), vem

$$\boxed{dS = \frac{dU}{T} + \frac{PdV}{T}} \quad \textbf{(10.7.17)}$$

o que vale para qualquer fluido. Para 1 mol de um gás ideal, temos pela (9.3.11),

$$dU = C_V(T)dT \quad \textbf{(10.7.18)}$$

onde C_V é a capacidade térmica molar a volume constante.

A equação de estado (9.1.13) dos gases ideais, para 1 mol, leva a

$$PV = RT \tag{10.7.19}$$

e, diferenciando,

$$PdV + VdP = RdT \tag{10.7.20}$$

Temos, agora, várias opções, conforme o par de variáveis em função das quais queiramos exprimir S [cf. (10.7.5)].

(a) S como função de (V, T):

Substituindo as (10.7.18) e (10.7.19) na (10.7.17), obtemos para a entropia molar

$$dS = \frac{C_V(T)}{T} dT + R\frac{dV}{V} \tag{10.7.21}$$

que é efetivamente uma diferencial exata, e leva a

$$s_f - s_i = \int_{T_i}^{T_f} \frac{C_V(T)}{T} dT + R\int_{V_i}^{V_f} \frac{dV}{V}$$

ou seja,

$$\boxed{s_f - s_i = \int_{T_i}^{T_f} \frac{C_V(T)}{T} dT + R\ln\left(\frac{V_f}{V_i}\right)} \tag{10.7.22}$$

O fato de que ds é uma diferencial exata é uma ilustração do teorema de Clausius, mostrando que $1/T$ é efetivamente um fator integrante. Assim, embora PdV seja uma diferencial inexata, $PdV/T = RdV/V$ é uma diferencial exata.

Se C_V = constante no intervalo de temperatura (T_i, T_f) (cf. Seção 9.3), a (10.7.22) fica

$$s_f - s_i = C_V \int_{T_i}^{T_f} \frac{dT}{T} dT + R\ln\left(\frac{V_f}{V_i}\right) = C_V \ln\left(\frac{T_f}{T_i}\right) + R\ln\left(\frac{V_f}{V_i}\right) \tag{10.7.23}$$

Logo, *a entropia molar de um gás ideal*, como função de V e T, é

$$\boxed{s(V,T) = C_V \ln T + R\ln V + \text{ constante}} \tag{10.7.24}$$

Note que, para n moles, os 2os membros tanto da (10.7.18), como da (10.7.19), teriam de ser multiplicados por n, de modo que

$$S(V,T) = ns(V,T) \quad (n \text{ moles}) \tag{10.7.25}$$

ou seja, a entropia é uma *grandeza extensiva*, proporcional à massa do sistema [cf. (10.7.13), (10.7.16)]. O volume V é outro exemplo de grandeza extensiva, ao passo que variáveis como P e T são grandezas *intensivas*, cujos valores em equilíbrio termodinâmico permanecem os mesmos quando se amplia ou reduz o tamanho do sistema.

(b) S como função de (P, T)

Para exprimir ds em função de dT e dP, basta eliminar dV na (10.7.17), com o auxílio da (10.7.20), que leva a

$$PdV = VdP + RdT$$

e, levando na (10.7.17),

$$ds = \frac{C_V + R}{T} dT - \underbrace{\frac{V}{T}}_{\substack{=R/P \\ \text{pela } (10.7.19)}} dP$$

ou, lembrando a fórmula de Mayer (9.3.9),

$$ds = \frac{C_P(T)}{T} dT - R\frac{dP}{P} \tag{10.7.26}$$

que é uma diferencial exata, e leva a

$$s_f - s_i = \int_{T_i}^{T_f} \frac{C_P(T)}{T} dT - R \int_{P_i}^{P_f} \frac{dP}{P}$$

ou seja,

$$\boxed{s_f - s_i = \int_{T_i}^{T_f} \frac{C_P(T)}{T} dT - R\ln\left(\frac{P_f}{P_i}\right)} \tag{10.7.27}$$

Se a capacidade térmica molar a pressão constante não varia no intervalo (T_i, T_f), isto resulta em

$$\boxed{s_f - s_i = C_P \ln\left(\frac{T_f}{T_i}\right) - R\ln\left(\frac{P_f}{P_i}\right)} \tag{10.7.28}$$

ou seja,

$$\boxed{s(P,T) = C_P \ln T - R\ln P + \text{ constante}} \tag{10.7.29}$$

Esta relação também decorre imediatamente da (10.7.24), substituindo nela $V = RT/P$.

(c) S como função de (P, V)

Substituindo na (10.7.24) T por PV/R, obtemos

$$s(P,V) = C_V \ln(PV) + R\ln V + \text{ constante} = C_V \ln P + \underbrace{(C_V + R)}_{C_P}\ln V + \text{ constante}$$

ou seja,

$$s(P,V) = C_V\left(\ln P + \underbrace{\frac{C_P}{C_V}}_{=\gamma(9.4.8)} \ln V\right) + \text{constante} = C_V\left(\ln P + \underbrace{\gamma \ln V}_{\ln(V^{\gamma})}\right) + \text{constante}$$

Finalmente,

$$\boxed{s(P,V) = C_V \ln\left(PV^{\gamma}\right) + \text{constante}} \qquad \textbf{(10.7.30)}$$

Lembrando a (9.4.9), esta expressão mostra explicitamente que um processo adiabático reversível é *isentrópico* (10.7.11), ou seja, que a entropia não se altera num tal processo.

10.8 VARIAÇÃO DE ENTROPIA EM PROCESSOS IRREVERSÍVEIS

Se um sistema sofre uma transformação *irreversível* de um estado inicial i a um estado final f, onde i e f são estados de equilíbrio termodinâmico, qual é a variação de entropia correspondente?

Por definição, ela é dada pela (10.7.4):

$$\boxed{S_f - S_i = \int_i^f \frac{d'Q_R}{T}} \qquad \textbf{(10.8.1)}$$

Logo, para calcular $S_f - S_i$, é *preciso imaginar um processo reversível* que leve de i a f (pois na (10.8.1) $d'Q_R$ é uma troca de calor num processo *reversível* à temperatura T), e calcular a (10.8.1) usando esse processo. *Qualquer* processo reversível pode ser usado, pois o resultado independe dele – só depende dos estados i e f. Na prática, nem sempre é fácil imaginar um tal processo reversível.

Se a variação de entropia de um sistema ao passar de i para f é a mesma quer ele passe de i a f por um processo reversível ou irreversível, o que caracteriza a diferença entre estas duas situações? Conforme veremos adiante, embora a variação da entropia do *sistema* seja a mesma nos dois casos, isto não é verdade para a *vizinhança* do sistema.

(i) Expansão livre

Numa expansão livre, como vimos (Seções 8.6, 8.7), um gás passa de um volume inicial V_i a um volume final $V_f > V_i$ sem realizar trabalho externo ($\Delta W = 0$) e sem trocar calor, pois a experiência é realizada num recipiente de paredes adiabáticas ($\Delta Q = 0$), de modo que $\Delta U = 0$.

Em particular, numa expansão livre infinitésima, a (8.6.6) leva a

$$d'Q = 0; \quad d'W = 0; \quad dU = d'Q - d'W = 0 \qquad \textbf{(10.8.2)}$$

embora seja $PdV > 0$, o que ilustra a diferença entre $d'W$ e $d'W_R = PdV$ [cf. (10.7.8)].

Para calcular $\Delta S = S_f - S_i$, temos de imaginar uma expansão reversível de V_i a V_f, na qual $\Delta U = U_f - U_i = 0$. Para um *gás ideal*, isto equivale a $\Delta T = 0$, de modo que a expansão reversível deve ser *isotérmica* ($T_f = T_i$). Logo, ΔS é dado pelas (10.7.23) e (10.7.25), com $T_f = T_i$.

$$\boxed{\Delta S = S_f - S_i = nR \ln\left(\frac{V_f}{V_i}\right) > 0} \quad \textbf{(10.8.3)}$$

Por exemplo, se o gás dobra de volume ($V_f = 2V_i$), temos $\Delta S = nR \ln 2$.

Note que, pela (10.7.6),

$$d'Q_R = TdS > 0 \quad \textbf{(10.8.4)}$$

no processo reversível (expansão isotérmica), ao passo que $d'Q = 0$ na expansão livre (10.8.2), o que ilustra a diferença entre $d'Q$ e $d'Q_R$.

(ii) Difusão de um gás em outro

Quando destampamos um frasco de perfume, o cheiro se espalha gradualmente pelo ambiente, por um processo de *difusão* do vapor de perfume na atmosfera. Esse processo é irreversível: o vapor não volta espontaneamente a recolher-se no frasco.

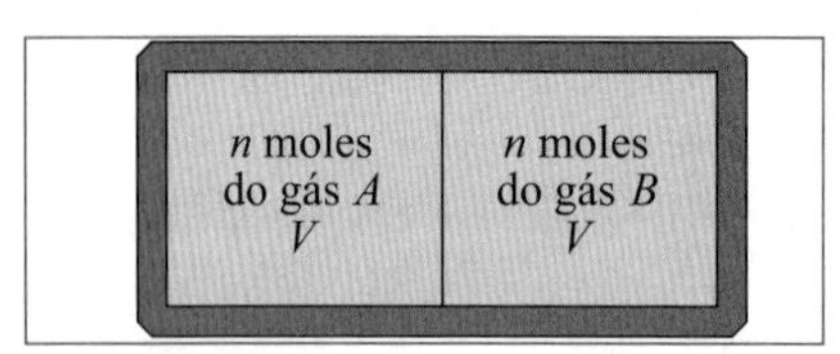

Figura 10.18 Difusão.

A Figura 10.18 ilustra um exemplo simples do processo de difusão. Se, para $t = 0$, perfuramos o diafragma que separa o gás A do gás B, eles se difundem um no outro até que uma mistura homogênea dos dois gases (admitindo que não reagem quimicamente) ocupe todo o volume disponível $2V$.

Podemos pensar neste processo como sendo equivalente à *expansão livre* do gás A de V para $2V$ (embora se tenha o gás B, e não o vácuo, no outro recipiente) ao mesmo tempo em que o gás B sofre uma expansão livre também de V para $2V$, o que daria, pela (10.8.3), a variação de entropia devida à mistura entre os dois gases,

$$\boxed{\Delta S = nR \ln 2 + nR \ln 2 = 2nR \ln 2 > 0} \quad \textbf{(10.8.5)}$$

Pode-se justificar este resultado construindo um processo reversível para calcular ΔS (o que não é simples: o argumento baseia-se na difusão através de membranas semipermeáveis). Resulta também da teoria cinética dos gases (Capítulo 11) que, numa mistura de gases ideais, cada um se comporta como se ocupasse sozinho todo o volume ocupado pela mistura (ou seja, como se os outros não estivessem presentes), o que justifica a analogia feita com expansão livre.

O paradoxo de Gibbs: Que acontece com o resultado (10.8.5) se o gás A é idêntico ao gás B? Nesse caso, do ponto de vista macroscópico, não se deveria poder falar de mistura, e não deveria haver variação de entropia, o que foi apontado por Gibbs em 1875 e foi amplamente discutido como um aparente paradoxo. Para um gás de partículas idênticas, tratado pela teoria quântica, a variação de entropia desaparece, porque elas têm de ser tratadas como *indistinguíveis*.

(iii) Condução do calor

Suponhamos que dois corpos 1 e 2 a temperaturas diferentes, com $T_1 > T_2$, são colocados em contato térmico (Figura 10.19) dentro de um recipiente de paredes adiabáticas. Sabemos que o calor flui de 1 para 2, e que se trata de um processo irreversível.

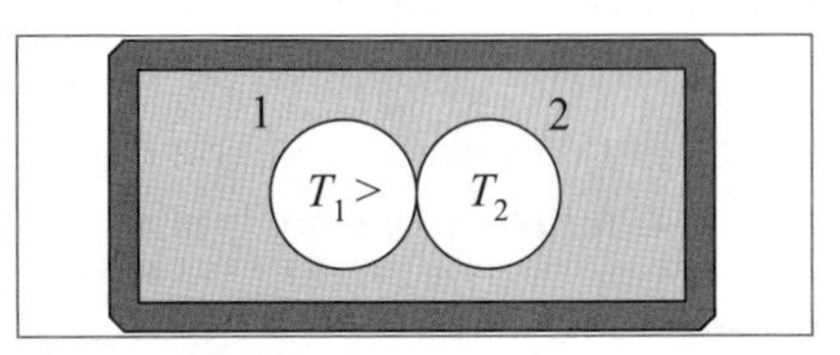

Figura 10.19 Contato térmico.

Para calcular a variação de entropia associada à transferência de uma quantidade infinitésima de calor, é preciso imaginá-la efetuada de forma reversível. Podemos remover reversivelmente uma quantidade de calor $d'Q_R$ de 1 à temperatura T_1 por contato térmico com um reservatório a essa temperatura e transferir $d'Q_R$ para 2 pelo mesmo método, utilizando um reservatório à temperatura T_2. A variação de entropia associada a essa transferência é

$$\boxed{dS = dS_1 + dS_2 = -\frac{d'Q_R}{T_1} + \frac{d'Q_R}{T_2} = d'Q_R\left(\frac{1}{T_2} - \frac{1}{T_1}\right) > 0} \qquad \textbf{(10.8.6)}$$

Se os dois corpos têm a mesma massa m e o mesmo calor específico c, sabemos que, quando for atingido o equilíbrio térmico, a temperatura final comum será (por quê?)

$$T_f = \frac{1}{2}(T_1 + T_2) \qquad \textbf{(10.8.7)}$$

Para calcular a variação de entropia do sistema entre a situação inicial e a final, basta baixar a temperatura de 1 de $T_1 \to T_f$ e elevar a de 2 de $T_2 \to T_f$ por um processo reversível. Isto pode ser feito através de contatos térmicos com uma sucessão de reservatórios cuja temperatura varia gradualmente (por gradações infinitésimas) entre os extremos, como ilustrado na Figura 8.14. O cálculo é semelhante ao do exemplo (III) da Seção 10.7, com $d'Q_R = mc\; dT$:

$$\begin{aligned}
\Delta S = \Delta S_1 + \Delta S_2 &= \int_{T_1}^{T_f} \frac{d'Q}{T} + \int_{T_2}^{T_f} \frac{d'Q}{T} \\
&= mc\int_{T_1}^{T_f} \frac{dT}{T} + mc\int_{T_2}^{T_f} \frac{dT}{T} = mc\left[\ln\left(\frac{T_f}{T_1}\right) + \ln\left(\frac{T_f}{T_2}\right)\right] \\
&= mc\ln\left(\frac{T_f^2}{T_1 T_2}\right) = 2mc\ln\left(\frac{T_f}{\sqrt{T_1 T_2}}\right)
\end{aligned} \qquad \textbf{(10.8.8)}$$

Substituindo T_f pela (10.8.7), vem finalmente:

$$\Delta S = 2mc \ln \left[\frac{\frac{1}{2}(T_1 + T_2)}{\sqrt{T_1 T_2}} \right] > 0 \qquad \textbf{(10.8.9)}$$

pois a média aritmética, com $T_1 \neq T_2$, é sempre maior que a média geométrica.

A (10.8.9) também fornece a variação de entropia quando se misturam duas massas iguais m do mesmo fluido de calor específico c, inicialmente a temperaturas diferentes T_1 e T_2. A temperatura final ainda é dada pela (10.8.7), e a (10.7.15) leva ao mesmo resultado.

Exemplo: Mistura-se 1 litro de água a 270 °C com 1 litro de água a 90 °C. Qual é a variação de entropia?

Neste caso, $m = 1$ kg, $c = 1$ kcal/kg K $= 4{,}186 \times 10^3$ J/kg K, $T_2 = 300$ K, $T_1 = 363$ K, e a (10.8.9) leva a

$$\Delta S = 2 \times 4{,}186 \times 10^3 \ln\left(\frac{331{,}5}{330}\right) \text{J / K} \approx 38 \text{ J / K}$$

10.9 O PRINCÍPIO DO AUMENTO DA ENTROPIA

Voltemos agora à desigualdade de Clausius (10.6.10):

$$\oint_C \frac{d'Q}{T} \leq 0 \quad C \text{ irreversível} \qquad \textbf{(10.9.1)}$$

onde T é a temperatura do corpo que transfere $d'Q$ ao sistema considerado.

Quando C é reversível, a integral se anula. Quando a integral se anula, não existe nenhuma razão *termodinâmica* para que C não seja reversível, embora possa ser difícil, na prática, inverter o ciclo. Por isto, vamos identificar a *irreversibilidade* com um valor negativo da integral:

$$\boxed{\oint_C \frac{d'Q}{T} < 0 \quad C \text{ irreversível}} \qquad \textbf{(10.9.2)}$$

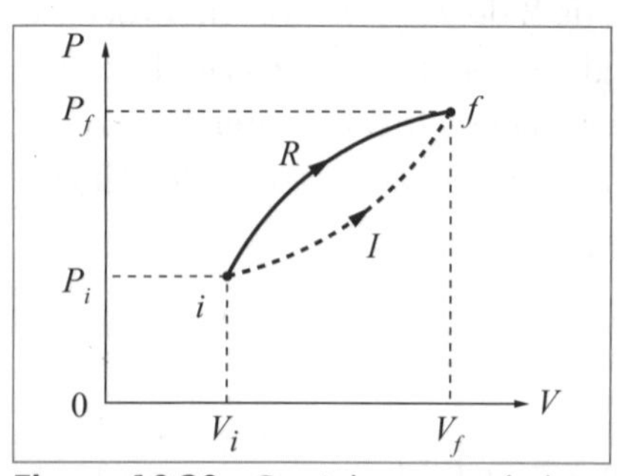

Figura 10.20 Caminhos reversível e irreversível.

Sejam agora (R) e (I) dois caminhos diferentes, o 1° reversível e o 2° irreversível, ligando dois estados de equilíbrio termodinâmico (Figura 10.20, onde (I) foi representado em pontilhado, porque não precisa passar por estados de equilíbrio). Então, $iRf + fIi$ define um ciclo *C irreversível* e a (10.9.2) leva a

$$\int_{(I)\,i}^{f} \frac{d'Q}{T} + \int_{(R)\,f}^{i} \frac{d'Q_R}{T} = \int_{(I)\,i}^{f} \frac{d'Q}{T} - \int_{(R)\,i}^{f} \frac{d'Q_R}{T} = \int_{(I)\,i}^{f} \frac{d'Q}{T} - \left(S_f - S_i\right) < 0 \qquad \textbf{(10.9.3)}$$

onde invertemos o sentido de (R) com troca de sinal, o que é permitido graças à reversibilidade de (R), e utilizamos a (10.7.4). A (10.9.3) leva a

$$\boxed{\int_{(I)\,i}^{f} \frac{d'Q}{T} < S_f - S_i = \Delta S \quad I \text{ irreversível}} \tag{10.9.4}$$

ou, de forma mais geral,

$$\boxed{\int_{i}^{f} \frac{d'Q}{T} \leq S_f - S_i = \Delta S \begin{cases} < \text{se irreversível} \\ (= \text{se reversível}) \end{cases}} \tag{10.9.5}$$

Em forma diferencial,

$$\boxed{d'Q \leq TdS} \tag{10.9.6}$$

onde o sinal de = só vale para $d'Q_R$ [cf. (10.7.6)].

Em particular, para um *sistema termicamente isolado*, ou seja, um sistema contido dentro de um recipiente de paredes adiabáticas, temos

$$d'Q = 0 \tag{10.9.7}$$

(não há trocas de calor com o exterior), e a (10.9.6) ou (10.9.5) resulta em

$$\boxed{\Delta S \geq 0 \quad \text{sistema isolado}} \tag{10.9.8}$$

que é o ***princípio do aumento da entropia***: *A entropia de um sistema termicamente isolado nunca pode decrescer: não se altera quando ocorrem processos reversíveis, mas aumenta quando ocorrem processos irreversíveis.*

Exemplos: Vimos na Seção 10.8, (i), (ii) e (iii), diversos exemplos de processos irreversíveis em sistemas termicamente isolados. Em todos os casos, calculamos ΔS e mostramos que $\Delta S > 0$ [cf. (10.8.3), (10.8.5), (10.8.6) e (10. 8.9)].

Num sistema isolado, é o princípio de aumento da entropia que permite dizer em que sentido devem ocorrer os processos naturais, ou seja, aqueles que se produzem espontaneamente na natureza (Seção 10.1): *é sempre no sentido em que a entropia do sistema isolado aumenta*. Assim, na expansão livre, o gás tende a ocupar todo o volume disponível; dois gases diferentes se misturam (difusão mútua); o calor passa de um corpo a temperatura mais alta para outro a temperatura mais baixa (condução).

O atrito sempre tende a frear corpos em movimento, convertendo energia cinética em calor (Seção 10.1), porque este é o sentido em que a entropia aumenta, com $d'Q > 0 \Rightarrow dS > 0$, ou seja, com geração de calor a partir de energia mecânica.

Como consequência do princípio de aumento da entropia, *o estado de equilíbrio de um sistema isolado é o estado de entropia máxima.*

Podemos sempre procurar ampliar o sistema considerado acrescentando-lhe uma vizinhança suficientemente ampla para que o conjunto sistema + vizinhança constitua, com boa aproximação, um sistema isolado. Assim, para experiências na escala terrestre, seria em geral amplamente suficiente abarcar como vizinhança todo o sistema solar. O sistema isolado obtido quando se amplia suficientemente a vizinhança para que sejam levadas em conta todas as variações de entropia resultantes de um dado processo costuma ser chamado de "universo". Este nome não tem a conotação de universo no sentido cosmológico (ao qual, aliás, os resultados não seriam estritamente aplicáveis); conforme mencionado acima, o "universo" pode ser identificado com o sistema solar para a maioria dos processos na escala terrestre. Com este entendimento, a (10.9.8) se aplica ao "universo", e o princípio de aumento da entropia tem a seguinte formulação: *A entropia do universo nunca decresce: não é afetada por processos reversíveis e cresce em processos irreversíveis.*

Neste sentido, quando um sistema troca (recebe ou fornece) reversivelmente calor $d'Q_R$ com um reservatório à temperatura T, a entropia do sistema varia de $d_1S = d'Q_R/T$ (> 0 ou < 0 conforme o sinal de $d'Q_R$), mas, em compensação, a entropia do reservatório (vizinhança) varia de $d_2S = -d'Q_R/T$, de modo que a entropia do universo não é alterada por este processo reversível:

$$dS = d_1S + d_2S = d'Q_R / T - d'Q_R / T = 0$$

É sempre possível diminuir a entropia de um dado sistema à custa de um aumento no mínimo equivalente da entropia da vizinhança desse sistema.

O *princípio do aumento da entropia é equivalente à 2ª lei da termodinâmica.* Com efeito, vimos que ele decorre da 2ª lei, e é fácil ver que a 2ª lei decorre dele. *Enunciado de Clausius*: Se fosse possível realizar um processo cujo único efeito fosse transferir calor ΔQ de um corpo mais frio (temperatura T_2) a um corpo mais quente (temperatura T_1), a variação de entropia do universo seria

$$\Delta S = -\frac{\Delta Q}{T_2} + \frac{\Delta Q}{T_1} = \underbrace{\Delta Q}_{>0} \frac{\left(\overbrace{T_2 - T_1}^{<0}\right)}{T_1 T_2} < 0$$

contradizendo, portanto, o princípio do aumento da entropia.

Enunciado de Kelvin: Se existisse um processo cujo único efeito fosse remover calor ΔQ de um único reservatório à temperatura T, convertendo-o em trabalho, a variação correspondente de entropia do universo seria

$$\Delta S = -\Delta Q / T < 0$$

violando o princípio do aumento da entropia.

Degradação da energia

Podemos, agora, responder à pergunta colocada na Seção 10.8: se a variação de entropia de um sistema ao passar de um estado de equilíbrio i para outro estado de equilíbrio f é a mesma, quer isso ocorra por um processo reversível ou irreversível, que diferença isto faz?

O princípio do aumento da entropia mostra que a diferença está no aumento da entropia do universo no caso irreversível. Do ponto de vista prático, conforme vamos ver, isto corresponde, em geral, a um desperdício de energia que, em princípio, poderia ter sido utilizada.

Com efeito, comparemos, por exemplo, a expansão livre de um gás ideal de V_i a V_f (processo irreversível), com sua expansão isotérmica reversível do mesmo estado inicial ao mesmo estado final (Seção 10.8(i)).

Na expansão isotérmica, que utilizamos para calcular a variação de entropia (10.8.3), o gás realiza um trabalho dado pela (9.1.15):

$$W_{i\to f} = nRT\ln\left(\frac{V_f}{V_i}\right) = \Delta Q \qquad \textbf{(10.9.9)}$$

que é igual ao calor ΔQ absorvido do reservatório na expansão ($\Delta U = 0$). Como o processo é reversível, o que indicaremos pelo índice superior R, ΔS^R (vizinhança) = ΔS^R (reservatório) = $-\ \Delta S^R$ (gás), de modo que

$$\Delta S^R\ (\text{universo}) = \Delta S^R\ (\text{gás}) + \Delta S^R\ (\text{vizinhança}) = 0 \qquad \textbf{(10.9.10)}$$

O trabalho $W_{i\to f}$ na expansão reversível pode em princípio ser utilizado para levantar um peso ou para comprimir uma mola (Figura 10.21), onde fica armazenado sob a forma de energia potencial e pode ser reconvertido em trabalho mecânico.

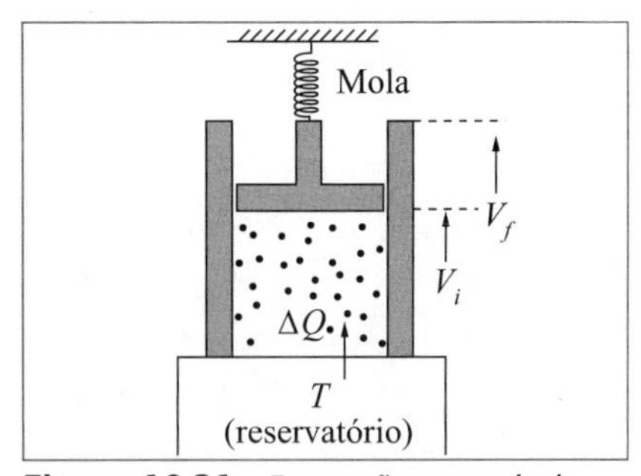

Figura 10.21 Expansão reversível.

No processo irreversível de expansão livre, não há troca de calor com a vizinhança, de modo que (I = irreversível)

$$\Delta S^I\ (\text{vizinhança}) = 0 \qquad \textbf{(10.9.11)}$$

ao passo que

$$\Delta S^I\ (\text{gas}) = \Delta S^R\ (\text{gas}) = nR\ln\left(\frac{V_f}{V_i}\right) \qquad \textbf{(10.9.12)}$$

pela (10.8.3). Logo,

$$\Delta S^I\ (\text{universo}) = \Delta S^R\ (\text{gás}) + \Delta S^I\ (\text{vizinhança}) = \Delta S^R\ (\text{gás}) > 0 \qquad \textbf{(10.9.13)}$$

e não é realizado trabalho na expansão livre ($W_{i\to f} = 0$).

Logo, no caso irreversível, é *desperdiçada uma quantidade de trabalho* [cf. (10.9.9), (10.9.12)]

$$\boxed{W_{i\to f} = \Delta Q = T\Delta S^I\quad (\text{universo})} \qquad \textbf{(10.9.14)}$$

que poderia ter sido utilizada se a transformação tivesse sido efetuada de forma reversível. O *aumento de entropia do universo no processo irreversível reflete uma degradação de energia.*

Considerações análogas se aplicam a outros processos irreversíveis. Na condução de calor, quando dois corpos em contato térmico equilibram sua temperatura, está havendo degradação de energia, pois poderíamos utilizar a diferença de temperatura para acionar um motor térmico, cujo rendimento seria máximo no caso reversível (máquina de Carnot). No caso do atrito, a dissipação de energia mecânica pela conversão em calor é óbvia.

Esta é a conexão entre a 2ª lei da termodinâmica e os esforços no sentido de evitar o desperdício de energia (questão (v) da Seção 10.1).

No Capítulo 12, discutiremos a interpretação microscópica da entropia, que permite compreender de forma mais aprofundada a conexão entre a 2ª lei da termodinâmica e o problema da "seta do tempo".

PROBLEMAS

10.1 Demonstre que duas adiabáticas nunca podem se cortar. Sugestão: Supondo que isto fosse possível, complete um ciclo com uma isoterma e mostre que a 2ª lei da termodinâmica seria violada se um tal ciclo existisse.

10.2 Uma usina termoelétrica moderna opera com vapor de água superaquecido, a temperaturas da ordem de 500 °C, e é resfriada com água de rio, geralmente a 20 °C. Em virtude de inúmeros tipos de perdas, a eficiência máxima que se consegue atingir na prática é da ordem de 40%. Que fração da eficiência máxima idealmente possível para esses valores isto representa?

10.3 Chama-se *coeficiente de desempenho* K de um refrigerador a razão Q_2/W, onde Q_2 é a quantidade de calor removida da fonte fria (congelador) e W o trabalho fornecido pelo compressor, por ciclo de refrigeração, (a) Para um refrigerador de Carnot ideal, exprima K em função das temperaturas T_1 e T_2 das fontes quente e fria, respectivamente, (b) Exprima K em função da eficiência da máquina de Carnot obtida operando o refrigerador em sentido inverso, (c) Um dado refrigerador doméstico tem coeficiente de desempenho 40% do ideal; o motor do compressor tem 220 W de potência e o congelador é mantido a –13 °C. Para uma temperatura ambiente de 27 °C, qual é a quantidade de calor removida do congelador, em 15 min de funcionamento do motor? Que quantidade de gelo ela permitiria formar, partindo de água a uma temperatura próxima de 0 °C? O calor latente de fusão do gelo é 80 cal/g.

10.4 Um mol de um gás ideal diatômico ($\gamma = 7/5$) descreve o ciclo $ABCDA$ (Figura P.1), onde P é medido em bar e V em l. (a) Calcule a temperatura nos vértices. (b) Calcule a eficiência de um motor térmico operando segundo esse ciclo. (c) Compare o resultado (b) com a eficiência máxima ideal associada às temperaturas extremas do ciclo.

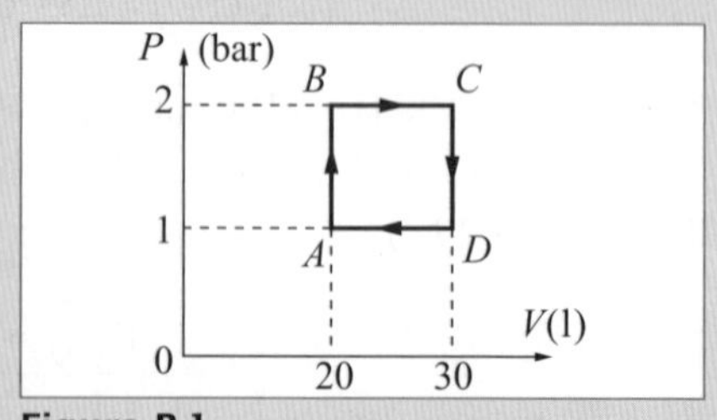

Figura P.1

10.5 Um gás ideal com $\gamma = 5/3$ sofre uma expansão isotérmica em que seu volume aumenta em 50%, seguida de uma contração isobárica até o volume inicial e de aquecimento, a volume constante, até a temperatura inicial. (a) Calcule o rendimento desse ciclo. (b) Compare o resultado com o rendimento de um ciclo de Carnot que opere entre as mesmas temperaturas extremas.

10.6 Um gás ideal de coeficiente adiabático γ é submetido ao ciclo *ABCA* da Figura P.2, onde *AB* é um segmento de reta. (a) Calcule o rendimento. (b) Mostre que ele é menor do que o rendimento de um ciclo de Carnot operando entre as mesmas temperaturas extremas.

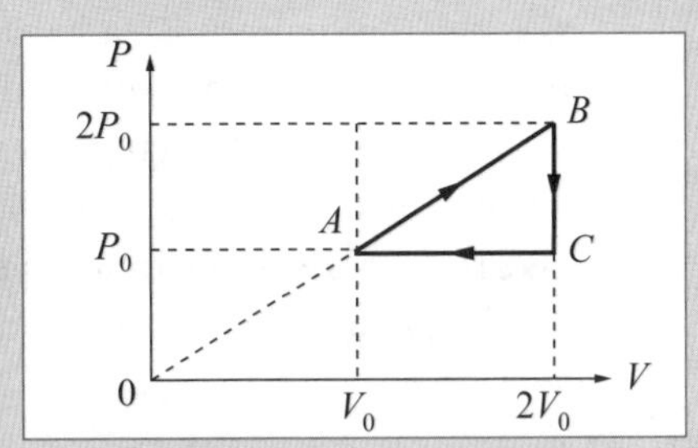

Figura P.2

10.7 Numa máquina térmica, o agente é um gás ideal de coeficiente adiabático γ, que executa o ciclo da Figura P.3, onde *BC* é uma adiabática e *CA* uma isoterma. (a) Calcule o rendimento em função de r e γ. (b) Exprima o resultado em função da razão $\rho = T_1/T_2$ entre as temperaturas extremas. (c) Para $\gamma = 1{,}4$ e $r = 2$, qual é a razão entre o rendimento obtido e o rendimento de um ciclo de Carnot que opere entre T_1 e T_2?

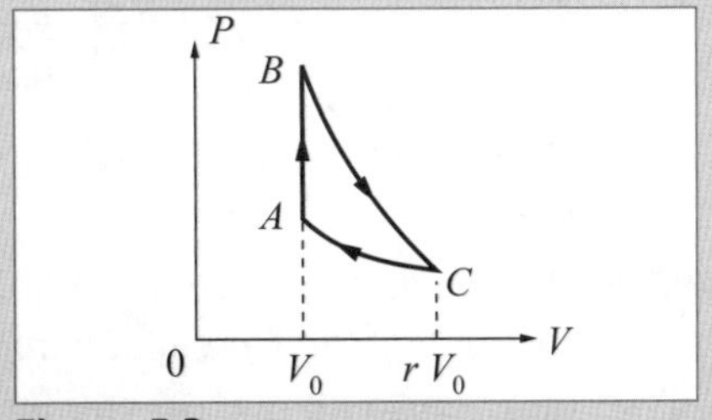

Figura P.3

10.8 A Figura P.4, onde AB e CD são adiabáticas, representa o *ciclo de Otto*, esquematização idealizada do que ocorre num motor a gasolina de quatro tempos: AB representa a compressão rápida (adiabática) da mistura de ar com vapor de gasolina, de um volume inicial V_0 para V_0/r (r = taxa de compressão); BC representa o aquecimento a volume constante devido à ignição; CD é a expansão adiabática dos gases aquecidos, movendo o pistão; DA simboliza a queda de pressão associada à exaustão dos gases da combustão. A mistura é tratada como um gás ideal de coeficiente adiabático γ. (a) Mostre que o rendimento do ciclo é dado por

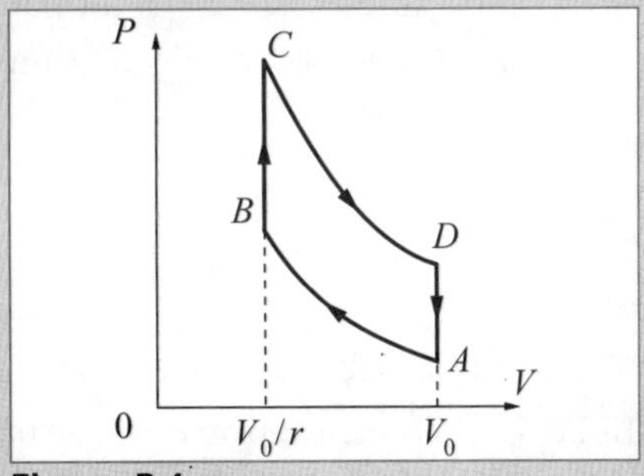

Figura P.4

$$\eta = 1 - \frac{T_D - T_A}{T_C - T_B} = 1 - \left(\frac{1}{r}\right)^{\gamma - 1}$$

(b) Calcule η para $\gamma = 1{,}4$ e $r = 10$ (compressão máxima permissível para evitar pré-ignição).

10.9 O *ciclo Diesel*, representado na Figura P.5, onde AB e CD são adiabáticas, esquematiza o que ocorre num motor Diesel de quatro tempos. A diferença em relação ao ciclo de Otto (Problema 8) é que a taxa $r_c = V_0/V_1$ de compressão adiabática é maior, aquecendo mais o ar e permitindo que ele inflame o combustível injetado sem necessidade de uma centelha de ignição: isto ocorre a pressão constante, durante o trecho BC; a taxa de expansão adiabática associada a CD é $r_e = V_0/V_2$. (a) Mostre que o rendimento do ciclo Diesel é dado por

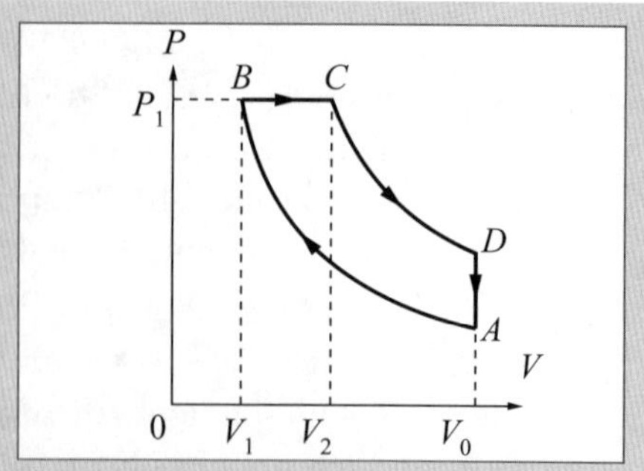

Figura P.5

$$\eta = 1 - \frac{1}{\gamma}\left(\frac{T_D - T_A}{T_C - T_B}\right) = 1 - \frac{1}{\gamma} \cdot \frac{\left(\frac{1}{r_e}\right)^\gamma - \left(\frac{1}{r_c}\right)^\gamma}{(1/r_e) - (1/r_c)}$$

(b) Calcule η para $r_c = 15$, $r_e = 5$, $\gamma = 1{,}4$. (c) Compare o resultado com o rendimento de um ciclo de Carnot entre as mesmas temperaturas extremas.

10.10 O *ciclo de Joule*, representado na Figura P.6, onde AB e CD são adiabáticas, é uma idealização do que ocorre numa turbina a gás: BC e DA representam respectivamente aquecimento e resfriamento a pressão constante; $r = P_B/P_A$ é a taxa de compressão. (a) Mostre que o rendimento do ciclo de Joule é dado por

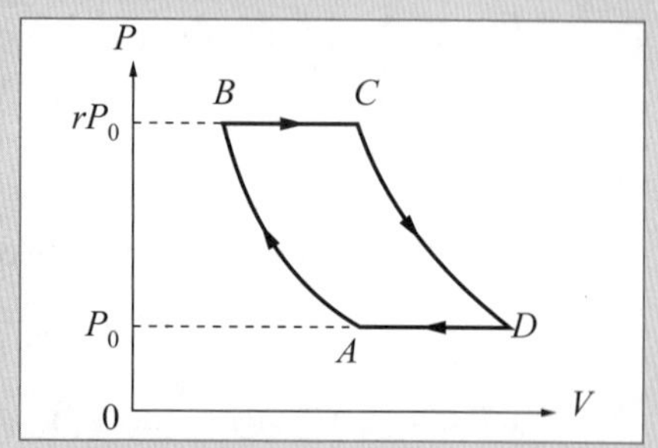

Figura P.6

$$\eta = 1 - \left(\frac{1}{r}\right)^{\frac{\gamma-1}{\gamma}}$$

(b) Calcule o rendimento para $r = 10$.

10.11 O ciclo da Figura P.7 é formado por isotermas de temperaturas T_1 (BC), T_3 (DE) e T_2 (FA), e pelas adiabáticas AB, CD e EF. As taxas de expansão isotérmicas V_C/V_B e V_E/V_D, são ambas iguais a r. Calcule o rendimento do ciclo e mostre que é menor do que o rendimento de um ciclo de Carnot entre as mesmas temperaturas extremas.

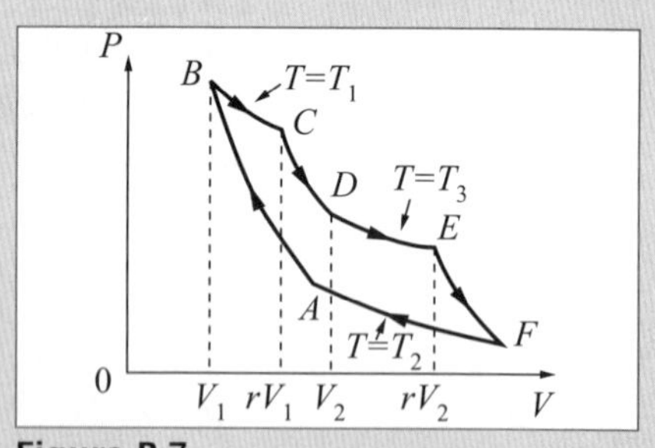

Figura P.7

10.12 A partir dos dados fornecidos no Problema 8.2 do Capítulo 8, calcule a entropia molar s do NaCl a baixas temperaturas, $T << T_D$, onde T_D é a temperatura de Debye (para um sólido a baixas temperaturas, $C_V \sim C_P$). Tome $s = 0$ para $T = 0$.

10.13 Um fluido é submetido a um ciclo reversível. Se o ciclo é representado por um diagrama no plano (T, S), onde S é a entropia do fluido, (a) Mostre que o trabalho associado ao ciclo é dado por $W = \oint TdS$, a área orientada por ele subtendida, (b) Represente um ciclo de Carnot para um gás ideal no plano (T, S). Verifique o resultado da parte (a) neste caso. (c) Calcule o rendimento η do ciclo de Carnot da parte (b) diretamente a partir do diagrama (T, S).

10.14 Um quilograma de gelo é removido de um congelador a –15 °C e aquecido, até converter-se totalmente em vapor, a 100 °C. Qual é a variação de entropia deste sistema? O calor específico do gelo é de 0,5 cal/g °C; o calor latente de fusão do gelo é de 79,6 cal/g, e o calor latente de vaporização da água é de 539,6 cal/g.

10.15 Dois litros de ar ($\gamma = 1{,}4$), nas condições normais de temperatura e pressão, sofrem uma expansão isobárica até um volume 50% maior, seguida de um resfriamento a volume constante até baixar a pressão a 0,75 atm. De quanto varia a entropia desse sistema?

10.16 Um recipiente de paredes adiabáticas contém 2 l de água a 30 °C. Coloca-se nele um bloco de 500 g de gelo. (a) Calcule a temperatura final do sistema. Tome 80 cal/g para o calor latente de fusão do gelo. (b) Calcule a variação de entropia do sistema.

10.17 Um litro de água, inicialmente a 100 °C, é totalmente vaporizado: (a) em contato com um reservatório térmico a 100 °C; (b) em contato com um reservatório térmico a 200 °C. O calor latente de vaporização da água é de 539,6 cal/g. Calcule a variação total de entropia do universo devida exclusivamente ao processo de vaporização, nos casos (a) e (b), e relacione os resultados com a reversibilidade ou não do processo.

10.18 Um cilindro contendo 1 kg de He a 150 atm, em equilíbrio térmico com o ambiente a 17 °C, tem um pequeno vazamento através do qual o gás escapa para a atmosfera, até que o tanque se esvazia por completo do hélio. Qual é a variação de entropia do gás hélio? Que quantidade de trabalho é desperdiçada por este processo?

10.19 Uma chaleira contém 1 litro de água em ebulição. Despeja-se toda a água numa piscina, que está à temperatura ambiente de 20 °C. (a) De quanto variou a entropia da água da chaleira? (b) De quanto variou a entropia do universo?

10.20 Chama-se *energia livre (de Helmholtz)* de um sistema a função de estado $F = U - TS$, onde U é a energia interna e S a entropia do sistema. Essa função desempenha um papel importante nas transformações isotérmicas, tais como as que se produzem à temperatura ambiente. Mostre que, numa transformação isotérmica, (a) Se a transformação é reversível, o trabalho W realizado pelo sistema é igual ao decréscimo de F. (b) No caso irreversível W é menor que esse decréscimo, de modo que o decréscimo de F dá a energia máxima disponível para realizar trabalho. (c) Mostre que, numa expansão livre, o decréscimo de F dá o trabalho desperdiçado.

11 Teoria cinética dos gases

11.1 A TEORIA ATÔMICA DA MATÉRIA

Nesse capítulo e no próximo, vamos passar, pela primeira vez, da física macroscópica à física microscópica, introduzindo a descrição da estrutura da matéria na escala atômica.

Não vamos discutir a estrutura do átomo, nem a da matéria condensada (líquidos, sólidos), porque isto só se torna possível após a formulação da teoria quântica. No caso dos gases, porém, muitas propriedades (não todas!) podem ser explicadas independentemente da teoria quântica, com o auxílio de um modelo microscópico bastante rudimentar, a teoria cinética dos gases. Algumas das hipóteses básicas dessa teoria foram formuladas no século XVIII, mais de um século antes da formulação da própria teoria atômica.

Um dos grandes méritos da teoria cinética, conforme vamos ver, é fornecer uma explicação microscópica dos conceitos básicos da termodinâmica (como o de temperatura), bem como de seus princípios básicos (2ª lei).

Inicialmente, faremos um breve apanhado das ideias que levaram à teoria atômica, cujas origens estão ligadas ao desenvolvimento da química.

(a) A hipótese atômica na antiguidade

Conjecturas e especulações sobre a estrutura da matéria remontam no mínimo aos filósofos da Grécia antiga, onde já se discutia a ideia de "elementos primordiais" dos quais a matéria seria composta, bem como se seria ou não possível subdividir indefinidamente as substâncias.

Entre os séculos V e III a.C. foi formulada, primeiro, por Leucipo e Demócrito de Abdera, e, mais tarde, por Epicuro, a hipótese de que a matéria é constituída por partículas minúsculas, indestrutíveis, a que deram o nome de *átomos* (o que em grego significa "indivisível"), movendo-se no vazio (vácuo). Cada substância, como a água ou o ferro, seria formada por átomos idênticos, mas eles teriam formas diferentes para substâncias diferentes.

A divulgação dessas ideias foi feita pelo poeta romano Lucrécio (século I A.D.) em sua obra "Sobre a natureza das coisas". Para ilustrar o movimento incessante dos átomos,

Lucrécio o compara com o dos grãos de poeira que vemos dançar num feixe de raios solares quando penetra numa sala escura, dizendo:... "Esta dança é uma indicação de movimentos subjacentes invisíveis da matéria [...] grande número de partículas minúsculas, sob o impacto de choques invisíveis, mudam de direção e se agitam [...]. Assim, o movimento parte dos átomos e é gradualmente levado até o nível de nossos sentidos." Conforme veremos mais adiante, esta descrição poderia ser aplicada a um dos fenômenos que evidenciam a existência de átomos, o movimento browniano.

(b) O conceito de elementos

Até o século XVII, prevaleceu a ideia elaborada na Grécia antiga dos "quatro elementos primordiais" (água, fogo terra e ar), e os alquimistas medievais procuravam transmutar substâncias em ouro "adicionando fogo".

A primeira definição mais próxima da atual de "elementos" foi dada por Robert Boyle em seu livro "O químico céptico": "[...] O que entendo por elementos [...] são certos corpos primitivos e simples, perfeitamente sem mistura, os quais, não sendo formados de quaisquer outros corpos, nem uns dos outros, são os ingredientes dos quais todos os corpos perfeitamente misturados são feitos, e nos quais podem finalmente ser analisados..."

Os materiais são classificados hoje em dia em *substâncias puras* e *misturas* dessas substâncias. Uma mistura de várias substâncias tem composição variável ou seja, podemos variar as proporções dos diversos componentes. Numa *mistura heterogênea*, a composição não é uniforme, ou seja, diferentes porções da mesma amostra podem ter composições diferentes. Por exemplo: o granito é uma mistura heterogênea de grãos de quartzo, mica e feldspato. Numa *mistura homogênea*, a composição é uniforme, o que ocorre mesmo na escala microscópica, como acontece com as soluções. Assim, uma solução de sal de cozinha na água é uniforme (embora continue tendo composição variável, dependendo da concentração). Podemos, assim mesmo, separá-la nas substâncias puras que a compõem, por processos que não envolvem qualquer transformação química: basta por exemplo, evaporar a água para separá-la do sal.

Uma substância pura, ao contrário de uma mistura, tem composição fixa. A água e o sal de cozinha são substâncias puras, mas não são elementos: são compostos, formados de elementos (hidrogênio e oxigênio, no caso da água; cloro e sódio, para o sal de cozinha), em proporções fixas. Os elementos são substâncias puras que não podem ser decompostas em outras por qualquer transformação química. Sabemos hoje que o que caracteriza um elemento químico é o *número atômico*, ou seja, o número de prótons no núcleo atômico.

Contribuições importantes às ideias básicas da química, e em particular ao conceito de elemento químico, foram dadas por Lavoisier, na segunda metade do século XVIII.

(c) A lei das proporções definidas e a lei das proporções múltiplas

Em 1799, o químico francês Joseph Louis Proust formulou, baseado em suas experiências, a *lei das proporções definidas*, segundo a qual, *quando dois ou mais elementos se combinam para formar um composto, essa combinação sempre se dá em proporções bem definidas de peso.*

Assim,

1 g de hidrogênio	+ 8 g de oxigênio	→ 9 g de água,
2 g de hidrogênio	+ 16 g de oxigênio	→ 18 g de água,
2 g de hidrogênio	+ 8 g de oxigênio	→ 9 g de água
		+ 1 g de hidrogênio,

ou seja, no último exemplo 1 g de hidrogênio não se combina.

John Dalton, frequentemente chamado de "pai da teoria atômica", publicou sua obra "Um novo sistema de Filosofia Química" em 1808-1810. Nela, expunha as seguintes ideias básicas: 1) Átomos são indivisíveis e imutáveis (ou seja, não podem ser transmutados uns nos outros por processos químicos, como queriam os alquimistas); 2) Todos os átomos de um mesmo elemento são idênticos; 3) Compostos químicos são formados por combinações de átomos, como C + O → CO. Dalton chama de "átomo composto" o que hoje chamamos de molécula.

A interpretação de Dalton da lei das proporções definidas foi que essas proporções em peso dos diferentes elementos num composto representam as diferentes massas atômicas dos elementos. Assim, 12 g de carbono + 16 g de oxigênio → 28 g de monóxido de carbono pode ser interpretado como significando que a massa de 1 átomo de C é = 12/16 da massa de 1 átomo de O.

Esta interpretação também permitia explicar a *lei das proporções múltiplas*, segundo a qual, *quando o mesmo par de elementos pode dar origem a mais de um composto, as massas de um deles que se combinam com uma massa fixa de outro para formar compostos diferentes, estão entre si, em razões dadas por números inteiros pequenos.* Assim, 12 g de carbono + 32 g de oxigênio → 44 g de gás carbônico, onde a proporção de oxigênio em relação ao outro exemplo acima é 2:1.

Em linguagem moderna, a interpretação de Dalton deste resultado era que a fórmula química da molécula de monóxido de carbono é CO, e a da molécula de gás carbônico é CO_2.

Entretanto, tomando por base apenas estas leis, existia considerável grau de ambiguidade na determinação da fórmula química de um composto, e o critério de Dalton de adotar a fórmula mais simples nem sempre conduzia ao resultado correto. Assim, a fórmula de Dalton para a água era HO.

(d) A lei das combinações volumétricas

Em 1808, estudando reações químicas entre gases, *em igualdade de condições de temperatura e pressão*, Joseph Louis Gay-Lussac descobriu a *lei das combinações volumétricas: Os volumes de gases que se combinam nessas condições guardam entre si proporções simples (dadas por números inteiros pequenos).* Assim,

2 volumes de gás hidrogênio	+ 1 volume de gás oxigênio	→ 2 volumes de vapor de água,
1 volume de gás nitrogênio	+ 3 volumes de gás hidrogênio	→ 2 volumes de vapor de amônia,
1 volume de gás hidrogênio	+1 volume de gás cloro	→ 2 volumes de gás ácido clorídrico.

Confrontando estes resultados com a ideia de Dalton de que compostos químicos são formados por combinações de átomos, eles sugerem que, *à mesma temperatura e pressão, volumes iguais de todos os gases contêm o mesmo número de partículas.* Assim, o último exemplo sugere que há o mesmo número de "partículas" de H e Cl em volumes iguais desses gases.

Entretanto, do ponto de vista de Dalton, para quem a fórmula química devia ser a mais simples possível, isto levava a uma dificuldade: ele interpretava a última reação acima como

$$H + Cl \rightarrow HCl$$

e isto deveria levar ao mesmo número de "partículas" de HCl, ou seja, a somente 1 volume, em lugar de 2.

(e) A hipótese de Avogadro

A dificuldade estava em perceber que as "partículas" de que é formado o gás hidrogênio, por exemplo, não precisam ser átomos de hidrogênio: podem ser formadas de mais de um átomo. De fato, como sabemos, o hidrogênio é um gás diatômico, e a molécula de hidrogênio é H_2, e não H.

Em 1811, o físico italiano Amedeo Avogrado enunciou duas hipóteses básicas: 1) As partículas constituintes de um gás "simples" (elemento) não são necessariamente formadas por um único átomo, mas podem conter um certo número de átomos ligados entre si; 2) Nas mesmas condições de temperatura e pressão, volumes iguais de todos os gases contêm o mesmo número de partículas. Assim, as moléculas de hidrogênio, oxigênio, nitrogênio e cloro são todas diatômicas: H_2, O_2, N_2, e Cl_2, e as reações acima se escrevem:

$$2\,H_2 + O_2 \rightarrow 2H_2O$$
$$N_2 + 3H_2 \rightarrow 2NH_3$$
$$H_2 + Cl_2 \rightarrow 2HC1$$

fornecendo ao mesmo tempo as fórmulas moleculares dos compostos, e reconciliando todas as leis acima.

Em linguagem moderna, podemos assim enunciar a *lei de Avogadro: Volumes iguais de todos os gases, nas mesmas condições de temperatura e pressão, contêm o mesmo número de moléculas.*

(f) Massa atômica e molecular; mol

Uma vez conhecidas as fórmulas químicas das substâncias, os métodos de Dalton podem ser empregados para estabelecer uma escala relativa de massas atômicas e moleculares.

Assim, se adotarmos como unidade de massa a massa do átomo de hidrogênio (elemento mais leve), $m_H = 1$, teremos $m_{H2} = 2$. Como 4 g (H_2) + 32 g (O_2) → 36 g (H_2O), concluímos que $m_{O2} = 32$, $m_O = 16$, $m_{H2O} = 18$; analogamente, como 12 g (C) + 32 g (O_2) → 44 g (CO_2), concluímos que $m_C = 12$.

Na realidade, conforme será visto mais tarde, cada elemento pode ter mais de um *isótopo* de massa atômica diferente, ocorrendo na natureza com diferentes abundâncias relativas, o que leva a massas atômicas fracionárias; a unidade de massa atômica (u.m.a.) é definida atualmente convencionando que a massa atômica do isótopo C^{12} do carbono é exatamente 12 u.m.a., mas, por enquanto, não levaremos em conta estas correções.

É conveniente adotar como unidade de massa o *mol*, já definido na Seção 9.1 como *a massa em g de uma substância pura igual à sua massa molecular*: 1 mol (H_2) = 2g; 1 mol (O_2) = 32 g; 1 mol (H_2O) = 18 g. Por conseguinte, 1 *mol de qualquer substância tem sempre o mesmo número de moléculas*. Além disso, pela lei de Avogadro, 1 *mol de qualquer gás, nas mesmas condições de temperatura e de pressão, ocupa o mesmo volume*. Como vimos na Seção 9.1, nas condições NTP, 1 *mol de gás* = 22,415 l.

O *número de moléculas por mol é denominado número de Avogadro*, e é dado por

$$\boxed{N_0 \approx 6{,}023 \times 10^{23} \quad \text{moléculas / mol}} \tag{11.1.1}$$

Esse número pode ser determinado experimentalmente de uma grande variedade de maneiras (uma delas será discutida mais adiante).

Para ter uma ideia da enormidade deste número, basta citar o seguinte exemplo, devido a Lord Kelvin: se se jogar um copo de água no oceano, misturando-o uniformemente com toda a água dos oceanos, um copo de água da mistura conterá ainda cerca de 10.000 das moléculas originalmente lançadas!

Podemos utilizar N_0 para estimar a ordem de grandeza do tamanho e da massa de um átomo. É de se esperar que, num líquido, o espaçamento entre as moléculas seja comparável ao seu tamanho. Como a densidade da água é 1 g/cm³, temos então:

1 mol (H_2O) = 18 g = 18 cm³ = N_0 moléculas. Assim, o volume ocupado por uma molécula é 18 cm³/N_0 ≈ 30 × 10^{-24} cm³ ~ d^3, onde d é o tamanho da molécula. Logo,

$$d \sim 3 \times 10^{-8} \text{ cm} = 3 \text{ Å}$$

O tamanho atômico típico deve ser, portanto, ~ 1 Å.

Analogamente, temos

$$1 \text{mol}(\text{H}_2) = 2\,\text{g} = 2N_0 \quad \text{átomos de H},$$

de modo que a massa de 1 átomo de H é

$$m_H = \frac{1}{N_0}\text{g} \sim 1{,}67 \times 10^{-24} \text{ g}$$

11.2 A TEORIA CINÉTICA DOS GASES

Várias das ideias qualitativas da teoria cinética já haviam sido propostas por Gassendi no meio do século XVII, e foram retomadas por Hooke duas décadas mais tarde.

Em 1738, o físico suíço Daniel Bernoulli, em seu tratado "Hydrodynamica", formulou um modelo microscópico de um gás, que antecipava em cerca de um século desenvolvimentos futuros da teoria cinética dos gases e da própria termodinâmica. Conforme ilustrado na Figura 11.1 (adaptada da figura original de Bernoulli), ele considerou um gás contido num recipiente coberto por um pistão móvel, com a pressão equilibrada por um peso. Bernoulli imaginou o gás como sendo composto de um grande número de minúsculas partículas esféricas, em constante movimento em todas as direções. A sustentação do pistão pela pressão do gás resulta das numerosas colisões das partículas do gás com a parede do pistão, da mesma forma que um jato de areia exerce uma pressão sobre uma parede (**FB1**, Seção 9.4).

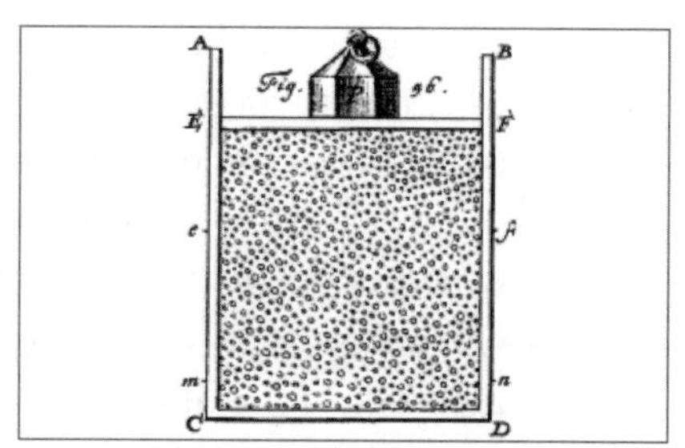

Figura 11.1 Modelo de Bernoulli. *Fonte*: BERNOULLI, D. *Hydrodynamica*. Strasbourg: Dulsecker, 1738.

Se diminuirmos o volume, aumenta o número de colisões por segundo com o pistão, o que leva a um aumento da pressão: Bernoulli utilizou este argumento para deduzir a lei de Boyle (9.1.3). Deduziu também de seu modelo que, a pressão constante, o volume deveria crescer com a temperatura, antecipando em meio século a lei de Charles. Nesta dedução, escreveu: "... admite-se que o calor possa ser considerado como um crescente movimento interno das partículas", o que antecipa em um século o reconhecimento do calor como forma de energia.

Outras contribuições importantes à teoria cinética foram dadas, na primeira metade do século XIX, por Herapath e Waterston e, entre 1856 e 1860, por Joule, Krönig, Clausius e, finalmente, por James Clerk Maxwell. As principais foram devidas a Clausius e a Maxwell.

Hipóteses básicas

Vamos considerar um gás homogêneo, de uma substância pura (por exemplo, hidrogênio ou vapor de água), contido num recipiente. As hipóteses básicas da teoria cinética dos gases são as seguintes:

(1) O gás é constituído por um número extremamente grande de moléculas idênticas. Basta lembrar o valor do número de Avogadro.

(2) O tamanho de uma molécula de gás é desprezível em confronto com a distância média entre as moléculas, ou seja, as moléculas ocupam uma fração pequena do volume total ocupado pelo gás. No final da Seção anterior, estimamos o volume ocupado por uma molécula de água, supondo que as moléculas "se tocam" no líquido, quando 1 mol ocupa 18 cm^3. Como 1 mol de vapor de água, nas con-

dições NTP, ocupa 22.400 cm^3, vemos que, na forma gasosa, as moléculas ocupam menos de 1/1.000 do volume total, nesse caso.

(3) As moléculas estão em movimento constante em todas as direções. Esse movimento explica imediatamente a capacidade ilimitada de expansão de um gás. Veremos em breve que as velocidades moleculares são extremamente elevadas, geralmente da ordem de centenas de m/s. Devem ocorrer, portanto, frequentes colisões das moléculas não somente com as paredes, mas também umas com as outras. É em decorrência dessas colisões que as direções das velocidades se distribuem ao acaso, ou seja, uniformemente.

(4) As forças de interação entre as moléculas são de curto alcance, atuando somente durante as colisões. O comportamento das forças interatômicas em função da distância foi discutido no volume **1**, Seções 5.2. e 6.5: vimos que as forças são inicialmente atrativas a distâncias maiores, tornando-se fortemente repulsivas quando os átomos começam a se interpenetrar, mas o alcance dessas interações é da ordem das dimensões atômicas e moleculares, ou seja, num gás, é muito menor que o espaçamento médio entre as moléculas [cf. (2)]. Em primeira aproximação, podemos imaginar as moléculas como esferas impenetráveis, comportando-se como "bolas de bilhar" microscópicas. A duração de cada processo de colisão é desprezível em confronto com o intervalo de tempo médio entre duas colisões consecutivas. Durante este intervalo, uma molécula se move como uma partícula livre, ou seja, com movimento retilíneo uniforme. Logo uma típica trajetória molecular é um caminho em ziguezague muito irregular e complicado.

(5) Tanto as colisões entre as moléculas como as colisões entre elas e as paredes do recipiente são perfeitamente elásticas, ou seja, a energia cinética total se conserva (**FB1**, Seção 9.3). Se houvesse perda da energia cinética total nas colisões, conforme veremos adiante, a pressão do gás não se manteria constante, mas iria decrescendo espontaneamente, o que não é observado. Veremos também, todavia, que é desnecessário supor que cada colisão individual seja elástica: basta que as colisões sejam elásticas, em média.

11.3 TEORIA CINÉTICA DA PRESSÃO

O cálculo da pressão exercida por um gás sobre as paredes de um recipiente é análogo ao cálculo da pressão exercida por um jato de areia (**FB1**, Seção 9.4).

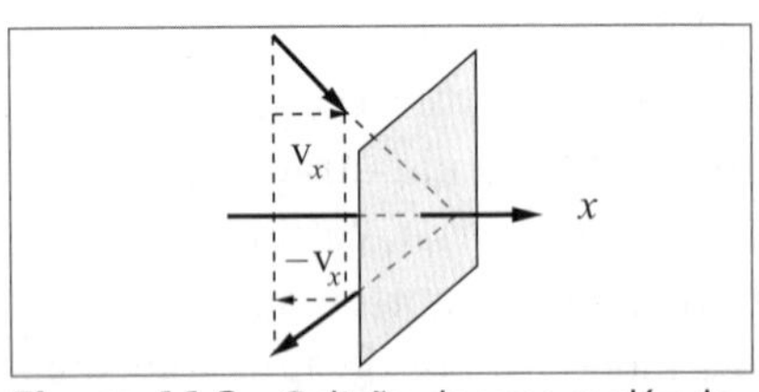

Figura 11.2 Colisão de uma molécula com uma parede.

Sendo a colisão elástica, o efeito da colisão de uma molécula com uma parede é inverter a componente da velocidade perpendicular à parede, como acontece com um raio luminoso que se reflete num espelho; se a parede é perpendicular ao eixo Ox, por exemplo (Figura 11.2), a colisão inverte a componente v_x da velocidade: $v_x \rightarrow -v_x$.

Se m é a massa das moléculas do gás, o momento da molécula na direção x varia de $-mv_x - mv_x = -2mv_x$ em consequência dessa colisão. Pela conservação do momento, o momento transferido à parede pela colisão é

$$\Delta p_x = 2mv_x \qquad \textbf{(11.3.1)}$$

A força média $\overline{F}_x$ exercida sobre a parede pelas moléculas do gás é igual (**FB1**, Seção 9.4) ao momento médio transferido por unidade de tempo pelas colisões, que é a média do momento transferido por colisão multiplicado pelo número de colisões por unidade de tempo.

Para calcular essa média, levando em conta que as moléculas se movem com velocidades de magnitudes e direções diferentes, vamos subdividir as moléculas em grupos, classificando-as de acordo com suas velocidades. Para simplificar, subdividiremos as velocidades em agrupamentos discretos: $\mathbf{v}_1$, $\mathbf{v}_2$, $\mathbf{v}_3$ etc. Uma subdivisão mais apropriada levaria em conta que as velocidades podem variar continuamente: em componentes cartesianas (v_x, v_y, v_z): consideraríamos moléculas cujas velocidades estão compreendidas entre esses valores e $(v_x + dv_x, v_y + dv_y, v_z + dv_z)$, com (v_x, v_y, v_z) tomando todos os valores possíveis (distribuição contínua de velocidades). A distribuição discreta é uma aproximação da distribuição contínua, em que consideramos todas as moléculas num intervalo $(\Delta v_x, \Delta v_y, \Delta v_z)$ como tendo a mesma velocidade.

Seja n_1 o número de moléculas por unidade de volume com velocidade $\mathbf{v}_1$, n_2 o número com velocidade $\mathbf{v}_2$ etc. Se n é o número total de moléculas por unidade de volume, temos então

$$n = n_1 + n_2 + n_3 + \ldots \qquad \textbf{(11.3.2)}$$

Seja dS um elemento de superfície da parede perpendicular ao eixo Ox, e consideremos um feixe de moléculas de velocidade $\mathbf{v}_1$ que colidem com esse elemento durante um intervalo de tempo dt (Figura 11.3). Para que haja colisão, temos de supor $\mathbf{v}_1$ voltado para a parede ($v_{1x} > 0$), e não afastando-se dela (ou seja, com $v_{1x} < 0$).

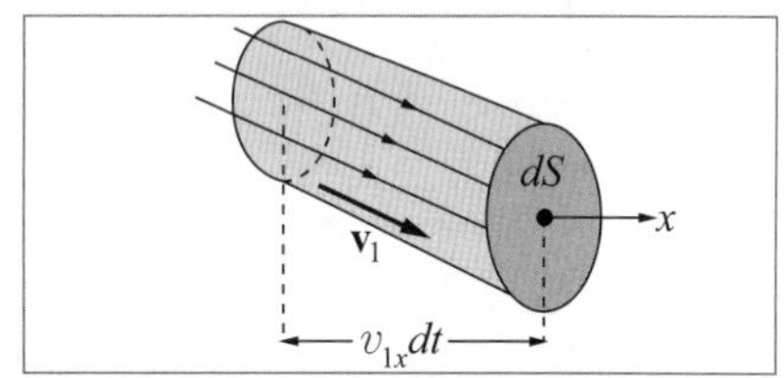

Figura 11.3 Colisão de um feixe com uma parede.

As moléculas desse feixe que colidem com dS durante dt são exatamente aquelas contidas num cilindro de base dS e geratriz $\mathbf{v}_1 dt$ (por quê ?). A altura do cilindro é $v_{1x}\, dt$ (Figura), de modo que o volume é $v_{1x}\, dS\, dt$. Como há n_1 moléculas de velocidade $\mathbf{v}_1$, por unidade de volume, o número total de moléculas de velocidade $\mathbf{v}_1$ que colidem com dS durante dt é

$$dn_1 = n_1 v_{1x} dS dt \qquad \textbf{(11.3.3)}$$

Cada colisão, pela (11.3.1), transfere à parede um momento $\Delta p_{1x} = 2mv_{1x}$. Logo, o momento total transferido pelas colisões com dS durante dt é

$$dp_{1x} = dn_1 \Delta p_{1x} = 2mn_1 v_{1x}^2 dS dt \qquad \textbf{(11.3.4)}$$

A força $dF_{1x} = dp_{1x}/dt$ é a taxa de variação do momento, e a pressão $P_1 = dF_{1x}/dS$ é a força por unidade de superfície. Logo,

$$P_1 = 2mn_1 v_{1x}^2 \tag{11.3.5}$$

é a pressão exercida sobre a parede pelo feixe de moléculas de velocidade $\mathbf{v}_1$.

A *pressão total P* do gás se obtém somando as contribuições de todos os feixes $\mathbf{v}_i$ que colidem com a parede, ou seja, com $v_{ix} > 0$:

$$P = 2m \sum_{v_{ix}>0} n_i v_{ix}^2 \tag{11.3.6}$$

Pela isotropia da distribuição de velocidades, a soma sobre $v_{ix} < 0$ é igual à soma sobre $v_{ix} > 0$, de modo que podemos remover a restrição a $v_{ix} > 0$ suprimindo o fator 2 na (11.3.6):

$$P = m \sum_i n_i v_{ix}^2 \tag{11.3.7}$$

onde a soma se estende agora a todas as velocidades possíveis.

O valor médio de v_x^2, que indicaremos por $< v_x^2 >$, é por definição a média ponderada

$$\boxed{< v_x^2 > = \frac{n_1 v_{1x}^2 + n_2 v_{2x}^2 + \ldots}{n_1 + n_2 + \ldots} = \frac{\sum_i n_i v_{ix}^2}{\sum_i n_i}} \tag{11.3.8}$$

onde o denominador, pela (11.3.2), é igual a n.

Logo, a (11.3.7) equivale a

$$P = nm < v_x^2 > \tag{11.3.9}$$

Ainda pela isotropia da distribuição das velocidades moleculares, temos

$$< v_x^2 > = < v_y^2 > = < v_z^2 > = \frac{1}{3}\left(< v_x^2 > + < v_y^2 > + < v_z^2 >\right) = \frac{1}{3} < \mathbf{v}^2 > \tag{11.3.10}$$

Logo, finalmente,

$$\boxed{P = \frac{1}{3} nm < v^2 >} \tag{11.3.11}$$

Se tivéssemos levado em conta a distribuição contínua das velocidades, em lugar de aproximá-la por uma distribuição discreta, o único efeito teria sido substituir somas por integrais, em expressões como as (11.3.6) e (11.3.8).

A energia cinética média de uma molécula é ½ m $<v^2>$. Multiplicando esta expressão pelo número total n de moléculas por unidade de volume, obtemos a *energia cinética média do gás por unidade de volume*

$$\boxed{\frac{1}{2} nm < v^2 > = < \mathfrak{T} > /V} \tag{11.3.12}$$

onde $< \Im >$ é a energia cinética média total do gás e V o volume do recipiente. O 2º membro da (11.3.12) é *a densidade de energia cinética média do gás.*

Substituindo a (11.3.12) na (11.3.11), fica

$$\boxed{P = \frac{2}{3} < \Im > /V} \quad \textbf{(11.3.13)}$$

ou seja, *a pressão do gás é igual a 2/3 da densidade de energia cinética média total das moléculas.*

Lei de Dalton

Consideremos uma mistura de gases que não reagem quimicamente entre si (por exemplo, o ar, que é uma mistura principalmente de nitrogênio e oxigênio), contida num recipiente de volume V. Em 1802, Dalton obteve experimentalmente o seguinte resultado: a *pressão exercida pela mistura é a soma das pressões que cada gás componente da mistura exerceria se ocupasse sozinho todo o volume do recipiente.* Essas pressões são chamadas de *pressões parciais*, e a lei é chamada *lei de Dalton das pressões parciais.*

A lei de Dalton é explicada imediatamente pela teoria cinética dos gases. Com efeito, se $\Im_1$ é a energia cinética total das moléculas do gás 1 da mistura, $\Im_2$ do gás 2 etc. a pressão total, pela (11.3.13), é

$$P = \frac{2}{3}\left(< \Im_1 > + < \Im_2 > + \ldots\right) / V = P_1 + P_2 + \ldots \quad \textbf{(11.3.14)}$$

onde P_1, P_2,... são as pressões parciais que os gases 1, 2,... exerceriam se cada um ocupasse sozinho todo o volume V.

Velocidade quadrática média

Voltando ao caso de um único gás, a (11.3.11) pode ser escrita

$$P = \frac{1}{3} \rho < v^2 > \quad \textbf{(11.3.15)}$$

onde $\rho = nm$ é a densidade do gás (massa total por unidade de volume). Por conseguinte,

$$\boxed{v_{\text{qm}} = \sqrt{< v^2 >} = \sqrt{3P / \rho}} \quad \textbf{(11.3.16)}$$

é a *velocidade quadrática média* das moléculas do gás, que é uma das formas de definir a magnitude média da velocidade das moléculas.

Como P e ρ são grandezas macroscópicas, podemos utilizar essa relação para calcular a velocidade. Por exemplo: nas condições NTP ($T = 273$K, $P = 1$ atm $= 1{,}01 \times 10^5$ N/m^2), a densidade do oxigênio é $\rho \approx 1{,}43$ kg/m^3, de modo que a (11.3.16) resulta em

$$v_{\text{qm}}\left(\text{O}_2, \text{NTP}\right) \approx 461 \text{ m / s}$$

Obtemos valores análogos para outros gases nas condições NTP, tanto maiores quanto menor a densidade ρ, ou seja, a massa molecular do gás: 493 m/s para o N_2, 615 m/s para o vapor de H_2O, 1.311 m/s para o He e 1.838 m/s para o H_2. Para o ar, cuja densidade é 1,29 kg/m³ nas condições NTP, a (11.3.16) resulta em v_{qm} = 485 m/s.

Os valores encontrados para as velocidades quadráticas médias moleculares nos gases, de várias centenas de m/s, são da mesma ordem de grandeza que a velocidade do som nesses gases, mas um tanto maiores. Por exemplo, para o ar, v_{qm} = 485 m/s (NTP), ao passo que a velocidade do som nas mesmas condições é de 311m/s. A relação entre as duas velocidades se obtém imediatamente comparando a (11.3.16) com a expressão (6.2.31) da velocidade do som:

$$v_{qm} / v_{som} = \sqrt{3/\gamma} \quad \textbf{(11.3.17)}$$

onde $\gamma = C_p/C_V$, a razão das capacidades térmicas molares a pressão constante e a volume constante, é sempre < 3, conforme veremos (Seção 11.5).

É fácil compreender por que v_{som} é da mesma ordem, mas menor, que v_{qm}. A velocidade do som é a velocidade de propagação de pequenas perturbações (de densidade ou pressão) no interior do gás. Microscopicamente, tal perturbação se propaga entre regiões adjacentes do gás por meio do movimento das moléculas que o constituem, as quais representam, portanto, o mecanismo de transporte. Como as moléculas se movem desordenadamente em todas as direções, colidindo frequentemente uma com as outras, a velocidade de propagação da perturbação ordenada (v_{som}) é menor que a velocidade média de agitação desordenada (v_{qm}).

Observemos finalmente que, como a (11.3.13) só faz intervir a energia cinética *média*, não é necessário (Seção 11. 2, hipótese (5)) supor que cada colisão individual seja elástica: basta que as colisões sejam elásticas em média.

11.4 A LEI DOS GASES PERFEITOS

(a) A equipartição da energia de translação

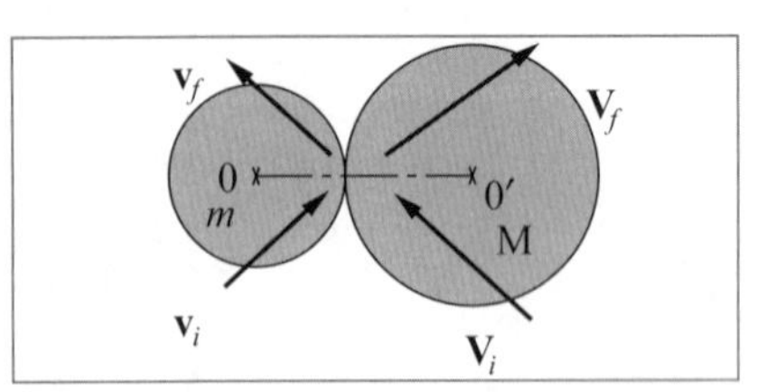

Figura 11.4 Colisão entre moléculas.

Consideremos de forma mais detalhada a colisão entre uma molécula do gás e uma molécula da parede, tratando-as, para fixar ideias, como esferas impenetráveis, ou seja, como se fossem "bolas de bilhar" microscópicas. Sejam (m, $\mathbf{v}_i$) e (M, $\mathbf{V}_i$) as massas e velocidades iniciais (antes da colisão) da molécula de gás e da molécula da parede, respectivamente, e $\mathbf{v}_f$ e $\mathbf{V}_f$ as velocidades finais (depois da colisão) correspondentes. Seja OO' a linha que liga os centros das duas moléculas no instante da colisão (Figura 11.4).

Como a força que atua durante a colisão tem a direção da linha dos centros, as componentes de velocidade perpendiculares a essa linha não são alteradas pela colisão, de modo que basta considerar o movimento ao longo da linha dos centros. Tudo se passa, portanto, como se tivéssemos uma colisão elástica unidimensional ao longo dessa linha.

O problema de uma colisão elástica unidimensional foi resolvido no volume **1**, Seção 9.4. Sejam (u_i, U_i) e (u_f, U_f) as componentes de $(\mathbf{v}_i, \mathbf{V}_i)$ e $(\mathbf{v}_f, \mathbf{V}_f)$ ao longo da linha dos centros, respectivamente. Temos então, pelo que foi apresentado no volume **1** (9.4.11), adaptado às notações atuais,

$$U_f = \frac{2}{m+M}\left[mu_i + \frac{1}{2}(M-m)U_i\right] \quad \textbf{(11.4.1)}$$

Como as componentes de velocidade perpendiculares à linha dos centros não variam, a (11.4.1) resulta, então, para a variação de energia cinética da molécula da parede devido à colisão, em

$$\begin{aligned}\frac{1}{2}M\left(\mathbf{V}_f^2 - \mathbf{V}_i^2\right) &= \frac{1}{2}M\left(U_f^2 - U_i^2\right)\\ &= \frac{2}{(m+M)^2}\left\{m^2u_i^2 + \frac{1}{4}\left[(M-m)^2 - (M+m)^2\right]U_i^2 + m(M-m)u_iU_i\right\}\\ &= \frac{4mM}{(m+M)^2}\left\{\frac{1}{2}mu_i^2 - \frac{1}{2}MU_i^2 + \frac{1}{2}(M-m)u_iU_i\right\}\end{aligned}$$

ou, tomando a média sobre as colisões (11.3.8),

$$\begin{aligned}&\frac{1}{2}M < \mathbf{V}_f^2 > -\frac{1}{2}M < \mathbf{V}_i^2 >\\ &= \frac{4mM}{(m+M)^2}\left\{\frac{1}{2}m < u_i^2 > -\frac{1}{2}M < U_i^2 > + \frac{1}{2}(M-m) < u_iU_i >\right\}\end{aligned} \quad \textbf{(11.4.2)}$$

Os movimentos das moléculas da parede não guardam, em média, correlações com os das moléculas de gás e, como a parede está em repouso, o valor médio de U_i deve ser nulo.

Logo,

$$< u_iU_i > = < u_i >< U_i >= 0 \quad \textbf{(11.4.3)}$$

e a (11.4.2) fica

$$\frac{1}{2}M < \mathbf{V}_f^2 > -\frac{1}{2}M < \mathbf{V}_i^2 > = \frac{4mM}{(m+M)^2}\left(\frac{1}{2}m < u_i^2 > -\frac{1}{2}M < U_i^2 >\right) \quad \textbf{(11.4.4)}$$

Uma vez que a parede está em repouso, uma variação de energia cinética média das suas moléculas só pode representar uma variação de energia interna, ou seja, aquecimento da parede, com uma correspondente elevação de temperatura. Mas o gás está em equilíbrio térmico com as paredes, de modo que a temperatura permanece constante. Logo, o 1° membro da (11.4.4) tem de ser nulo, e concluímos que

$$\frac{1}{2}m < u_i^2 > = \frac{1}{2}M < U_i^2 > \quad \textbf{(11.4.5)}$$

Como $< u_i >$ e $< U_i >$ são componentes de velocidades segundo direções quaisquer (a direção da linha dos centros numa colisão varia ao acaso), obtemos, finalmente,

$$\boxed{\frac{1}{2}m < \mathbf{v}^2 > = \frac{1}{2}M < \mathbf{V}^2 >} \quad \textbf{(11.4.6)}$$

ou seja, em *equilíbrio térmico*, a *energia cinética média das moléculas do gás e da parede é a mesma.*

Se tivermos, no recipiente, uma mistura de dois gases diferentes, com moléculas de massas m e m', a (11.4.6) também se aplica ao segundo gás, e concluímos então que

$$\boxed{\frac{1}{2}m < \mathbf{v}^2 > = \frac{1}{2}m' < \mathbf{v}'^2 >} \tag{11.4.7}$$

ou seja, que em *equilíbrio térmico a energia cinética média de diferentes moléculas numa mistura gasosa é a mesma*. Logo, moléculas mais pesadas se movem, em média, mais lentamente do que moléculas mais leves.

Esses resultados demonstram a *equipartição da energia cinética de translação* das moléculas à mesma temperatura (condições de equilíbrio térmico), e constituem um caso particular de um resultado muito mais geral, que será mencionado mais adiante, o teorema da equipartição de energia (Seção 11.5).

Como a energia cinética média é a mesma para moléculas de todos os gases em equilíbrio térmico, ela só pode depender da temperatura: a energia cinética média de translação das moléculas de um gás é função apenas da temperatura. Combinando esse resultado com a (11.3.12), obtemos imediatamente várias consequências importantes.

(b) Consequências

(i) A lei de Boyle

Pela (11.3.13), $PV = \frac{2}{3} < \mathfrak{I} >$. Conforme acabamos de ver, $< \mathfrak{I} >$ depende apenas da temperatura. Logo, a temperatura constante, PV = constante, que é a lei de Boyle (9.1.3), deduzida assim a partir da teoria cinética dos gases.

(ii) A lei de Avogadro

Pela (11.3.11),

$$\frac{P}{\frac{1}{2}m < \mathbf{v}^2 >} = \frac{2}{3}n \tag{11.4.8}$$

Nas mesmas condições de temperatura e pressão, o 1° membro da (11.4.8) tem o mesmo valor para todos os gases. Logo, o mesmo vale para o 2° membro, ou seja, para o número de moléculas por unidade de volume. Vemos, portanto, que a teoria cinética dos gases explica a lei de Avogadro (Seção 11.1): *nas mesmas condições de temperatura e pressão, volumes iguais de todos os gases têm o mesmo número de moléculas.*

(iii) Separação isotópica por difusão gasosa

Com o auxílio da (11.3.16), a (11.4.7) se escreve

$$\frac{1}{2}mv_{\mathrm{qm}}^2 = \frac{1}{2}m' v'^2_{\mathrm{qm}} \left\{ \boxed{v_{\mathrm{qm}} / v'_{\mathrm{qm}} = \sqrt{m' / m}} \right. \tag{11.4.9}$$

ou seja, as velocidades quadráticas médias das moléculas de gases diferentes à mesma temperatura são inversamente proporcionais às raízes quadradas das respectivas massas moleculares. Por exemplo: para o H_2, é $m = 2$ e para o O_2 é $m' = 32$. Logo, à mesma temperatura, v_{qm} é quatro vezes maior para moléculas de H_2 do que para O_2.

Quando um gás está confinado num recipiente com uma parede porosa, moléculas do gás atravessam a parede através dos poros, escapando do recipiente por difusão; se o recipiente está em contato com a atmosfera, também há difusão de moléculas do ar em sentido inverso, penetrando no recipiente através da parede.

Se os poros forem suficientemente finos e se fizermos vácuo externamente à parede, as moléculas escapam através dos orifícios praticamente sem colidir entre si ou com moléculas de ar, de modo que a velocidade de escape é próxima, em média, de v_{qm}. Nessas condições, a (11.4.9) prediz que *as velocidades relativas de difusão de diferentes gases à mesma temperatura são inversamente proporcionais às raízes quadradas das densidades relativas desses gases*. Esta é a *lei de Graham*, obtida experimentalmente em 1832. Assim por exemplo, a velocidade de difusão do hidrogênio nas condições acima descritas é quatro vezes maior que a do oxigênio.

Este resultado pode ser aplicado para *separar isótopos por difusão* (isótopos do mesmo elemento têm as mesmas propriedades químicas e não podem, portanto, ser separados por processos químicos). Este processo é empregado na separação do U^{235}, cuja abundância relativa é de 0,7% no urânio natural, contra $\approx$ 99,3% de U^{238}.

O gás utilizado é hexafluoreto de urânio, UF_6. Como as massas moleculares do $U^{235}F_6$ e do $U^{238}F_6$ são, respectivamente, 349 e 352, o enriquecimento máximo ideal em $U^{235}F_6$, após uma difusão através de uma parede porosa é, pela (11.4.9), de $\sqrt{352/349} \approx 1{,}0086$, ou seja, de 0,43% apenas. É preciso, portanto, repetir o processo um grande número de vezes, usando uma "cascata" de muitos estágios consecutivos. Para atingir 99% de enriquecimento em $U^{235}F_6$, há necessidade de ~ 4.000 estágios.

(c) Temperatura e energia cinética média

Consideremos um gás de moléculas monoatômicas, que trataremos como se fossem esferas impenetráveis. Neste caso, a única forma de energia é a energia cinética de translação, de modo que podemos identificar a energia cinética média total do gás, $<\mathfrak{I}>$, com sua energia interna U:

$$U = <\mathfrak{I}> = \frac{1}{2} Nm <v^2> \quad \textbf{(11.4.10)}$$

onde N é o número total de moléculas do gás contidas dentro do volume V. Vamos tomar para V o volume de 1 mol, de modo que $N = N_0$ é o número de Avogadro. A (11.3.13) fica

$$P = \frac{2}{3} U / V \quad \textbf{(11.4.11)}$$

onde $U = U(T)$ depende apenas da temperatura T (vimos que $<\mathfrak{I}>$ só depende de T), conforme deve ser para um gás ideal [cf. (9.2.11)].

Consideremos agora a expressão (10.7.17) da entropia, aplicada a 1 mol de um gás ideal, ou seja, com dU dado pela (10.7.18) e P dado pela (11.4.11):

$$dS = \frac{C_v(T)}{T}dT + \frac{2}{3}\frac{U(T)}{VT}dV \tag{11.4.12}$$

Como $S = S(V, T)$ [cf. (10.7.5)], temos

$$dS = \left(\frac{\partial S}{\partial V}\right)dV + \left(\frac{\partial S}{\partial T}\right)dT \tag{11.4.13}$$

de modo que, comparando com a (11.4.12), temos

$$\frac{\partial S}{\partial T} = \frac{C_v(T)}{T}, \quad \frac{\partial S}{\partial V} = \frac{2}{3}\frac{U(T)}{VT} \tag{11.4.14}$$

Como as operações de derivação parcial em relação a V e T são independentes, podemos aplicá-las em qualquer ordem, ou seja,

$$\frac{\partial}{\partial V}\left(\frac{\partial S}{\partial T}\right) = \frac{\partial}{\partial T}\left(\frac{\partial S}{\partial V}\right) = \frac{\partial^2 S}{\partial V \partial T} \tag{11.4.15}$$

Mas, pela (11.4.14), $\partial S/\partial T$ não depende de V.

$$\frac{\partial}{\partial V}\left(\frac{\partial S}{\partial T}\right) = \frac{\partial}{\partial V}\left[\frac{C_v(T)}{T}\right] = 0 \tag{11.4.16}$$

Logo, pelas (11.4.15) e (11.4.14), devemos ter

$$0 = \frac{\partial}{\partial T}\left(\frac{\partial S}{\partial V}\right) = \frac{1}{V}\frac{\partial}{\partial T}\left[\frac{2}{3}\frac{U(T)}{T}\right] \tag{11.4.17}$$

ou seja, a expressão entre colchetes é independente da temperatura, representando, portanto, uma constante. Como $U(T)$, para uma dada temperatura T, tem o mesmo valor para todos os gases pela (11.4.7), concluímos que essa constante é uma *constante universal* R:

$$\frac{2}{3}\frac{U(T)}{T} = R \left\{ U(T) = \frac{3}{2}RT \quad (1\,\text{mol}) \right. \tag{11.4.18}$$

ou finalmente, pela (11.4.10), com $N = N_0$,

$$\boxed{< \Im >_{\text{mol}} = \frac{1}{2}N_0 m < v^2 > = \frac{3}{2}RT} \tag{11.4.19}$$

Substituindo a (11.4.19) na (11.3.13), obtemos, para 1 mol de um gás ideal,

$$\boxed{\boxed{PV = RT}} \quad (1\,\text{mol}) \tag{11.4.20}$$

que é a *equação de estado dos gases ideais* (9.1.13) (*lei dos gases perfeitos*), deduzida inteiramente a partir da teoria cinética dos gases. Vemos, ao mesmo tempo, que a constante universal R não passa da constante universal dos gases (9.1.11). Levando em conta a (11.4.18), vemos também que a (11.4.12) torna-se idêntica à (10.7.21).

Por conseguinte, a teoria cinética dos gases permite deduzir não somente as leis de Boyle e Avogadro, como também a lei dos gases perfeitos, mostrando assim como resultados macroscópicos são obtidos a partir de um modelo microscópico.

A (11.4.18) fornece ainda outro resultado fundamental, a relação entre a energia cinética de translação média por molécula e a temperatura:

$$\boxed{\frac{1}{2}m < v^2 > = \frac{3}{2}kT} \qquad \textbf{(11.4.21)}$$

onde

$$\boxed{k = R / N_0} \qquad \textbf{(11.4.22)}$$

é a *constante de Boltzmann*, que, sendo a razão de duas constantes universais, é também uma constante universal. Pelas (9.1.11) e (11.1.1), temos

$$k = \frac{8,314 \text{ J / mol K}}{6,023 \times 10^{23} \text{ moléculas / mol}}$$

o que resulta em

$$\boxed{k = 1,38 \times 10^{-23} \text{ J / molécula K}} \quad \text{constante de Boltzmann} \qquad \textbf{(11.4.23)}$$

A (11.4.21) fornece uma *interpretação microscópica da temperatura absoluta T, como medida da energia cinética média de translação das moléculas de um gás ideal.* Por isso, esta energia é chamada *energia de agitação térmica.*

Exemplo: Qual é a energia cinética média por molécula à temperatura ambiente? Tomando esta temperatura como de 22 °C = 295 K, a (11.4.21), com a (11.4.23), resulta em

$$\frac{1}{2}m < v^2 > \approx \frac{2}{3} \times 295 \text{ K} \times 1,38 \times 10^{-23} \frac{\text{J}}{\text{molécula K}}$$

$$= \frac{2}{3} \times 4,07 \times 10^{-21} \text{ J} \approx \frac{3}{2} \times 0,025 \text{ eV} \approx 0,04 \text{ eV}$$

onde exprimimos o resultado também em elétrons-volts (eV), lembrando que (**FB1**, Seção 7.5)

$$1 \text{eV} \approx 1,612 \times 10^{-19} \text{ J}$$

É útil lembrar que, para $T \sim$ temperatura ambiente,

$$kT \approx 0,025 \text{eV} = \frac{1}{40} \text{eV} \quad (T \approx 295 \text{ K}) \qquad \textbf{(11.4.24)}$$

Notemos finalmente que, como R é uma constante macroscópica, que pode ser determinada experimentalmente pela equação de estado dos gases ideais, qualquer experimento que permite determinar k estará ao mesmo tempo servindo para determinar o número de Avogadro N_0 [cf. (11.4.22)].

11.5 CALORES ESPECÍFICOS E EQUIPARTIÇÃO DA ENERGIA

(i) Gás ideal monoatômico

Pela (9.3.11), a capacidade térmica molar a volume constante de um gás ideal é dada por

$$\boxed{C_v = \frac{d}{dT} U_{\text{mol}}(T)} \tag{11.5.1}$$

onde U_{mol} é a energia interna de 1 mol do gás, que só depende de T. Tratando-se de um gás ideal, a energia de interação entre as moléculas do gás é desprezível, por hipótese, de forma que a *energia interna do gás é a soma das energias das moléculas.*

Até agora, a única forma de energia de cada molécula que consideramos é a energia cinética de translação, como se a molécula fosse um ponto material, capaz apenas de movimento de translação, ou uma esfera rígida, incapaz de entrar em rotação. Este modelo [cf. (11.4.10)] leva à (11.4.19),

$$\left.\underbrace{U_{\text{mol}}(T) = \frac{3}{2} RT}_{(11.5.1)}\right\} \rightarrow \boxed{C_v = \frac{3}{2} R} \quad (\text{monoatômico}) \tag{11.5.2}$$

o que, pelas (9.3.9) e (9.4.8), daria

$$\boxed{C_P = C_v + R = \frac{5}{2} R; \quad \gamma = \frac{C_P}{C_V} = \frac{5}{3}} \quad (\text{monoatômico}) \tag{11.5.3}$$

Levando em conta a (9.1.11), obtemos os seguintes valores numéricos:

$$C_v \approx 2{,}98 \,\text{cal / mol K}, \quad C_P \approx 4{,}97 \,\text{cal / mol K}, \quad \gamma \approx 1{,}67 \tag{11.5.4}$$

Os valores experimentais obtidos para gases monoatômicos como He e A, à temperatura ambiente, são muito próximos desses, de forma que o modelo se aplica muito bem a esses gases, levando-nos a concluir que suas moléculas se comportam como se fossem dotadas apenas de energia cinética de translação.

(ii) O teorema de equipartição da energia

Conforme veremos logo, para gases não monoatômicos, tem-se geralmente $C_V \geq R$, o que é uma indicação direta de que, além da energia cinética de translação, é preciso levar em conta outras contribuições à energia das moléculas.

Se tratarmos cada átomo numa molécula diatômica como uma partícula puntiforme (ponto material), por analogia com o caso monoatômico, a molécula, como sistema de duas partículas, terá seis graus de liberdade (**FB1**, Seção 11.1). Podemos associar três delas às coordenadas (X, Y, Z) do centro de massa, cuja energia cinética

$$\tau_{\text{trans}} = \frac{1}{2} M \mathbf{V}_{\text{CM}}^2 = \frac{1}{2} M \left(\dot{X}^2 + \dot{Y}^2 + \dot{Z}^2 \right) \tag{11.5.5}$$

é a *energia cinética de translação* da molécula.

Os outros três graus de liberdade podem ser associados às coordenadas relativas do vetor de posição **r** de uma das partículas em relação à outra (**FB1**, Seção 10.1). Podemos tomar essas coordenadas (x, y, z) como a distância $r = |\mathbf{r}|$ entre os átomos e dois ângulos, que definem a orientação de **r** no espaço.

Se r permanece fixo, a molécula se comporta como um haltere rígido (Figura 11.5), e, associada aos dois ângulos, temos a possibilidade de rotação em torno de dois eixos perpendiculares (para partículas puntiformes, não faz sentido falar da rotação do haltere em torno de seu próprio eixo). Temos de associar, portanto, a esses graus de liberdade internos a *energia cinética de rotação*

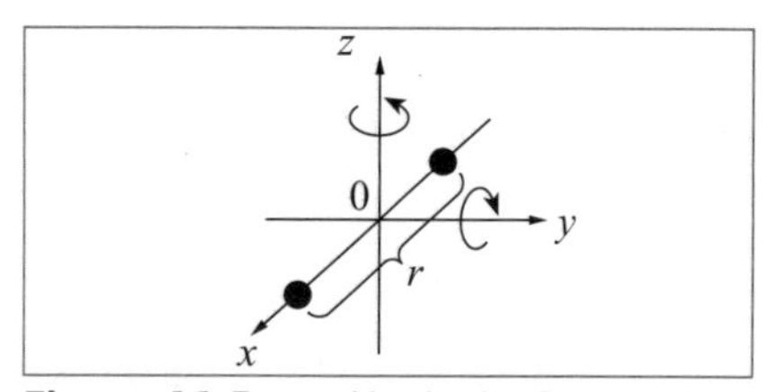

Figura 11.5 Molécula diatômica.

$$\tau_{\text{rot}} = \frac{1}{2} I_1 \omega_1^2 + \frac{1}{2} I_2 \omega_2^2 \qquad \textbf{(11.5.6)}$$

onde ω_1 e ω_2 são as velocidades angulares de rotação em torno dos dois eixos ortogonais e I_1 e I_2 são os momentos de inércia correspondentes (**FB1**, Seção 12.1).

Em geral, porém, a distância interatômica r também pode variar. Como a molécula é um sistema ligado, deve se comportar como um oscilador harmônico para pequenos desvios do equilíbrio (Seção 3.1), o que leva a uma *energia cinética de vibração*

$$\tau_{\text{vibr}} = \frac{1}{2} \mu \dot{r}^2 \qquad \textbf{(11.5.7)}$$

onde μ é a massa reduzida (**FB1**, Seção 10.10) e uma energia potencial de vibração (Seção 3.2)

$$U_{\text{vibr}} = \frac{1}{2} K r^2 \qquad \textbf{(11.5.8)}$$

onde K é a constante de força associada à vibração.

Note-se que todas as contribuições (11.5.5) a (11.5.8) à energia são *funções quadráticas de velocidades ou coordenadas* (*lineares ou angulares*). Segundo um teorema fundamental da mecânica estatística clássica, o *teorema de equipartição da energia* (cuja demonstração requer métodos mais elaborados, que não poderemos desenvolver aqui), *numa situação de equilíbrio térmico à temperatura T, a energia média associada a cada termo quadrático na expressão da energia total é igual a ½ kT por molécula.*

Assim, para a energia cinética de translação (11.5.5), temos

$$\frac{1}{2} M < \dot{X}^2 > = \frac{1}{2} M < \dot{Y}^2 > = \frac{1}{2} M < \dot{Z}^2 > = \frac{1}{2} kT \qquad \textbf{(11.5.9)}$$

o que corresponde à equipartição da energia cinética vista acima, e leva à (11.4.21):

$$< \tau_{\text{trans}} > = \frac{3}{2} kT \qquad \textbf{(11.5.10)}$$

Como a energia cinética de rotação (11.5.6) é a soma de dois termos quadráticos, temos

$$< \tau_{\text{rot}} > = kT \tag{11.5.11}$$

Analogamente, como a energia total de vibração é a soma dos dois termos quadráticos (11.5.7) e (11.5.8),

$$< \tau_{\text{vibr}} + U_{\text{vibr}} > = kT \tag{11.5.12}$$

Já havíamos visto na (3.2.33) que, para um oscilador harmônico, a energia potencial média é igual à energia cinética média.

(iii) Calores específicos para vários modelos

Vejamos agora as consequências desses resultados para C_V, C_P e γ de vários modelos possíveis de gases ideais. Seja *q o número de termos quadráticos na expressão da energia total de uma molécula*. Pela equipartição da energia, a energia total média por molécula será então $qkT/2$. A energia por mol se obtém multiplicando por N_0, de modo que (11.4.22)

$$U_{\text{mol}}(T) = \frac{1}{2} qRT \tag{11.5.13}$$

e as (11.5.1), (9.3.9) e (9.4.8) dão

$$\boxed{C_V = \frac{q}{2} R, \quad C_P = \frac{q+2}{2} R, \quad \gamma = \frac{q+2}{q}} \tag{11.5.14}$$

Como o valor mínimo de q é 3, vemos que

$$\boxed{1 < \gamma \leq \frac{5}{3}} \tag{11.5.15}$$

conforme (11.3.17).

Para o modelo de partícula puntiforme das moléculas monoatômicas, tem-se $q = 3$, e a (11.5.14) se reduz à (11.5.3), levando aos valores (11.5.4). Para o modelo de haltere de moléculas diatômicas (sem vibração), é $q = 5$, e a (11.5.14) resulta em:

$$\begin{aligned} &C_V = \frac{5}{2} R \approx 4{,}97 \frac{\text{cal}}{\text{mol K}}; \quad C_P = \frac{7}{2} R \approx 6{,}96 \frac{\text{cal}}{\text{mol K}} \\ &\gamma = \frac{7}{5} = 1{,}40 \quad (\text{diatômica rígida}) \end{aligned} \tag{11.5.16}$$

Levando em conta também a possibilidade de vibração de moléculas diatômicas, é $q = 7$, e vem

$$C_V = \frac{7}{2}R \approx 6{,}96\frac{\text{cal}}{\text{mol K}};\quad C_P = \frac{9}{2}R \approx 8{,}95\frac{\text{cal}}{\text{mol K}}$$
$$\gamma = \frac{9}{7} = 1{,}29 \quad (\text{diatômica com vibrações}) \tag{11.5.17}$$

Para uma molécula poliatômica com mais de dois átomos, temos sempre a possibilidade de rotação em torno de três eixos ortogonais, de modo que, mesmo tratando-a como um corpo rígido, é no mínimo $q = 6$; o que resulta em

$$C_V \geq 3,\quad C_P \geq 4R,\quad \gamma \leq \frac{4}{3} \quad (\text{poliatômica}) \tag{11.5.18}$$

Em geral, teremos também neste caso diversos modos normais de vibração (Seção 4.6), de forma que podemos esperar valores de q bastante superiores a três.

Podemos também aplicar o teorema de equipartição da energia ao cálculo da capacidade térmica molar de um sólido. Classicamente, um sólido pode ser pensado como um sistema de partículas (átomos ou moléculas) que ocupam posições de equilíbrio bem definidas, como numa rede cristalina. A energia térmica estaria associada a pequenas vibrações dessas partículas em torno de suas posições de equilíbrio. Como há três direções independentes de oscilação para cada partícula, a energia média por partícula seria o triplo da (11.5.12), levando a ($q = 6$)

$$\boxed{C_V = 3R \approx 5{,}96\frac{\text{cal}}{\text{mol K}} \quad (\text{sólidos})} \tag{11.5.19}$$

que é a *lei de Dulong e Petit* (Seção 8.2).

(iv) Confronto com a experiência

A tabela abaixo apresenta os valores experimentais de γ, C_V e $(C_P - C_V)/R$ para diversos gases, à temperatura ambiente.

	monoatômico		diatômico				poli-atômico
Gás	He	A	H_2	N_2	O_2	Cl_2	NH_3
γ	1,66	1,67	1,41	1,40	1,40	1,35	1,31
C_V (cal/mol K)	2,98	2,98	4,88	4,96	5,03	6,15	6,65
$(C_P - C_V)/R$	1,001	1,008	1,00	1,01	1,00	1,09	1,06

Para um gás ideal, é $(C_P - C_V)/R = 1$, de modo que a última linha da tabela dá uma ideia da validade de tratar cada gás nessas condições como um gás ideal.

Para os gases monoatômicos, os valores experimentais são muito próximos dos da (11.5.4), correspondendo ao modelo com $q = 3$. Para H_2, N_2 e O_2, os valores correspondem aproximadamente aos da (11.5.6), ou seja $q = 5$. Já para outro gás diatômico, Cl_2, os valores experimentais são intermediários entre os da (11.5.16) e os da (11.5.17) ($q = 7$), indicando que, além da rotação, a molécula também deve entrar em vibração, mas sem atingir $q = 7$. Como explicar isso? Já a molécula de NH_3 se comporta aproximadamente como se tivesse $q = 7$, quando, pelo número de átomos, seria de se esperar que o valor de q fosse mais elevado.

Os valores da tabela são todos à temperatura ambiente e, enquanto o gás se comportar como ideal, deveriam ser independentes da temperatura. A experiência mostra que isto também não acontece. Assim, por exemplo, a Figura 11.6 apresenta o comportamento de C_V/R em função de T observado para o H_2. À temperatura ambiente, é $C_V/R = 5/2$, mas, para $T < 100$ K, o valor cai para $\approx 3/2$, e, acima de 3.200 K (quando o hidrogênio se dissocia), parece estar tendendo para 7/2. É como se as moléculas de H_2 pudessem girar e vibrar ($q = 7$) a temperaturas elevadas, e as vibrações ficassem "congeladas" abaixo de ~1.000 K ($q = 5$); abaixo de ~100 K, as rotações também se "congelam" e a molécula se comporta como um ponto material ($q = 3$).

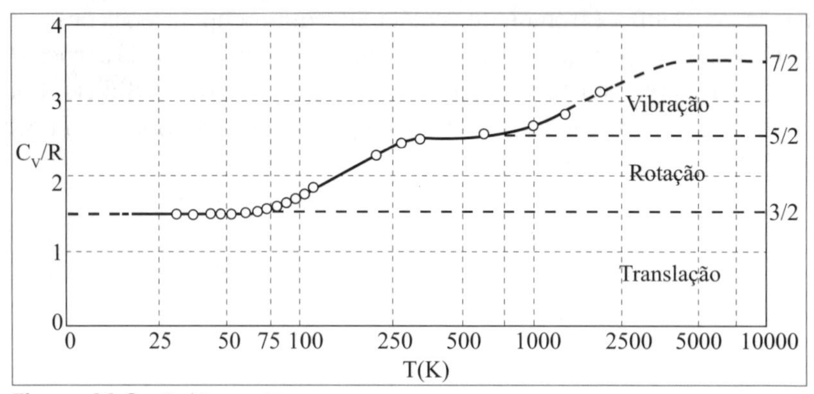

Figura 11.6 C_V/R para H_2.

Esse comportamento, inteiramente incompreensível pelas leis da mecânica clássica, é chamado de "congelamento dos graus de liberdade", e também é observado para outros gases quando se mede a variação dos calores específicos com a temperatura.

Analogamente, medindo o calor específico de sólidos em função de T, a baixas temperaturas, obtemos os resultados representados na Figura 11.7: C_V se aproxima de 6 cal/molK (lei de Dulong e Petit (11.5.19)) a temperaturas suficientemente elevadas, mas decresce com T e $\rightarrow 0$ quando $T \rightarrow 0$.

Pelo teorema de equipartição da energia, todos os graus de liberdade, incluindo translação, rotação e vibração, deveriam contribuir igualmente, em qualquer temperatura.

A contradição se torna ainda mais séria quando levamos em conta que os átomos constituintes das moléculas não são pontos materiais, mas têm eles próprios uma estrutura interna, formada pelo núcleo atômico e por elétrons. Cada elétron é uma partícula que também deveria contribuir para o calor específico, pelo teorema de equipartição da energia; no entanto, nenhuma dessas contribuições aparece. Analogamente, num metal como a prata, existem elétrons livres, que se comportam como se constituíssem um gás, mas a contribuição dos elétrons livres ao calor específico também não é observada.

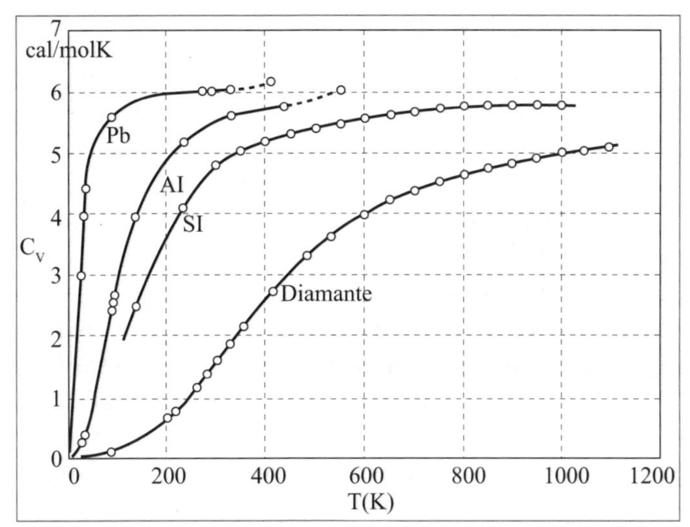

Figura 11.7 C_V (em cal/molK) para sólidos.

Encontramos aqui pela primeira vez, por meio dos reflexos dinâmicos da estrutura molecular sobre os calores específicos, uma indicação clara de que a mecânica clássica deixa de ser aplicável no domínio atômico. Maxwell foi provavelmente o primeiro a perceber esse problema; numa conferência que deu em 1869, referiu-se a ele nestes termos: "Apresentei-lhes agora o que considero como a maior dificuldade até hoje encontrada pela teoria molecular".

A explicação desses resultados só veio a ser fornecida pela mecânica quântica, e está ligada a uma das diferenças mais profundas entre ela e a mecânica clássica: a quantização da energia.

A *energia de translação* das moléculas, tal como a de um sistema mecânico clássico, pode variar continuamente, e o resultado (11.5.10) permanece válido. As diferenças aparecem quando consideramos graus de liberdade associados ao movimento interno, tais como rotação e vibração, ou à estrutura eletrônica.

A energia interna de sistemas atômicos, tais como átomos e moléculas, só assume valores discretos, em lugar de ter variação contínua. Esses valores definem *níveis quantizados* de energia, o que se aplica à energia rotacional, vibracional ou eletrônica.

À medida que elevamos a temperatura, aumenta a energia cinética média das moléculas. Entretanto, para que essa energia possa ser transferida para energia interna, numa colisão entre moléculas, é necessário efetuar uma *transição quântica* entre dois níveis discretos de energia interna. Para isso é preciso fornecer urna energia mínima, igual à diferença de energia entre os dois níveis. Enquanto a energia cinética média (temperatura) não atinge esse patamar, o grau de liberdade correspondente permanece "congelado".

Isto explica os degraus observados no gráfico de $C_V(T)$ para o H_2, por exemplo (Figura 11.6); a temperaturas suficientemente baixas, só se observa a energia de translação. Graus de liberdade rotacionais começam a ser excitados, para o H_2, a temperaturas ≥ 50 K. Graus de liberdade vibracionais só começam a ser excitados, neste caso, para $T \geq 500$ K. Para excitar graus de liberdade eletrônicos, seria preciso atingir temperaturas bem mais elevadas.

11.6 LIVRE PERCURSO MÉDIO

Vimos na Seção 11.3 que a velocidade média das moléculas de um gás à temperatura ambiente tem valores típicos da ordem de centenas de metros por segundo. Por outro lado, quando destampamos um vidro de perfume numa extremidade de um quarto, o aroma leva um tempo apreciável para se transmitir até a outra extremidade, embora moléculas do perfume não devessem levar mais do que alguns centésimos de segundo para atravessar essa distância, movendo-se com a velocidade média. Objeções deste tipo foram levantadas contra a teoria cinética dos gases nos seus primórdios.

Essa aparente dificuldade é removida quando levamos em conta as *colisões entre as moléculas do gás*. Em consequência dessas colisões, a trajetória típica de uma molécula no gás é um caminho em ziguezague extremamente tortuoso (Figura 11.8), em que a molécula se move com movimento retilíneo e uniforme entre cada duas colisões consecutivas. As moléculas de perfume no exemplo acima se propagam por um processo de *difusão*, cuja velocidade média efetiva é muito menor do que seria se viajassem em linha reta, sem sofrer colisões, o que explica o efeito observado (cf. Cap. 12).

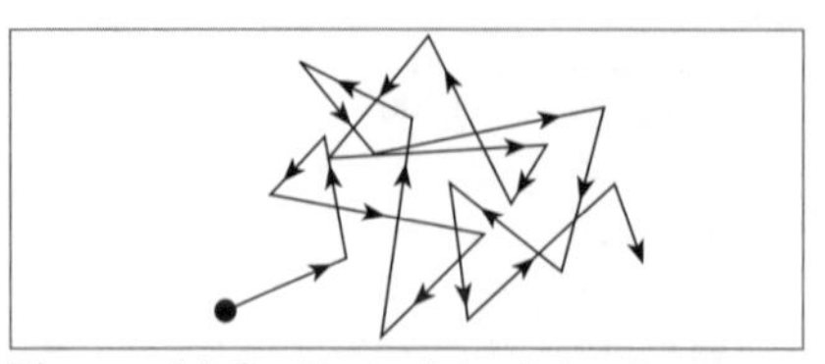

Figura 11.8 Trajetória típica de uma molécula.

A distância percorrida pela molécula entre duas colisões flutua ao longo de sua trajetória. O valor médio dessa distância, $\bar{l}$, é chamado de *livre percurso médio*.

Se tratarmos as moléculas como esferas impenetráveis de diâmetro d, é de se esperar que $\bar{l}$ seja tanto maior quanto menor for d. Com efeito, nesse modelo, as moléculas só colidem entre si quando encostam uma na outra, ou seja, quando se aproximam a uma distância d. Quanto menor for d, menor será a chance de que ocorra uma colisão, e maior o valor de $\bar{l}$. No limite de moléculas puntiformes ($d \to 0$), o livre percurso médio seria infinito ($\bar{l} \to \infty$).

Na realidade, as moléculas não são geralmente esféricas, e não se "encostam" uma na outra durante uma colisão: as forças intermoleculares repulsivas são de curto alcance, mas há também forças atrativas de maior alcance (**FB1**, Seção 6.5), e uma colisão real corresponde a uma deflexão contínua da trajetória molecular; por isso, d deve ser pensando como um *diâmetro efetivo* das moléculas.

O livre percurso médio também deve aumentar, à medida que o gás se torna mais rarefeito, porque *a frequência de colisão diminui com a diminuição do número médio de moléculas n por unidade de volume.*

Duas moléculas colidem quando seus centros O e O′ se aproximam a uma distância d (Figura 11.9(a)), ou, o que é equivalente, quando o centro O′ toca a superfície de uma esfera de raio d com centro em O (Figura 11.9(b)). Podemos dizer que o volume dessa esfera é o *volume excluído* em torno de O, dentro do qual nenhum centro de outra molécula pode penetrar.

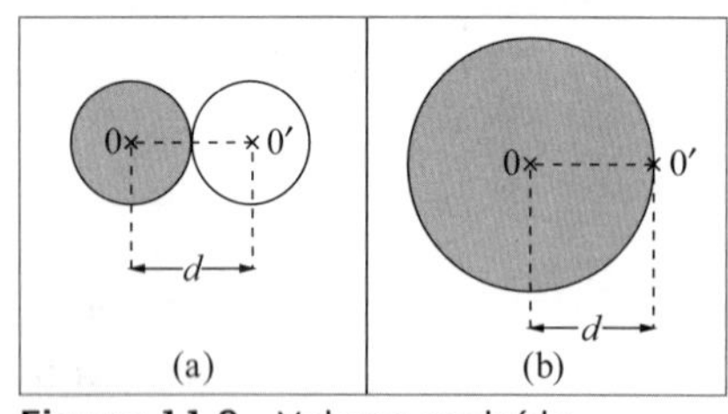

Figura 11.9 Volume excluído.

A esfera de raio d é chamada de *esfera de exclusão* ou *esfera de influência*. Note-se que, como seu raio é o dobro do raio da molécula, o *volume de exclusão* é oito vezes maior que o volume efetivo v_0, de uma molécula:

$$\frac{4}{3}\pi d^3 = 8 \times \frac{4}{3}\pi\left(\frac{d}{2}\right)^3 = 8v_0 \tag{11.6.1}$$

Se imaginarmos a molécula de centro O rodeada por sua esfera de influência, todas as outras moléculas podem ser tratadas como se fossem puntiformes no que diz respeito a suas colisões com a molécula considerada.

Enquanto O percorre sua trajetória em ziguezague, a esfera de influência varre um volume que é uma espécie de cilindro quebrado com eixo na trajetória e de raio d (Figura 11.10). O número médio de colisões sofridas pela molécula de centro O durante sua trajetória coincide com o número médio de moléculas cujos centros seriam varridos por esse volume, ou seja, é igual ao volume do cilindro multiplicado por n.

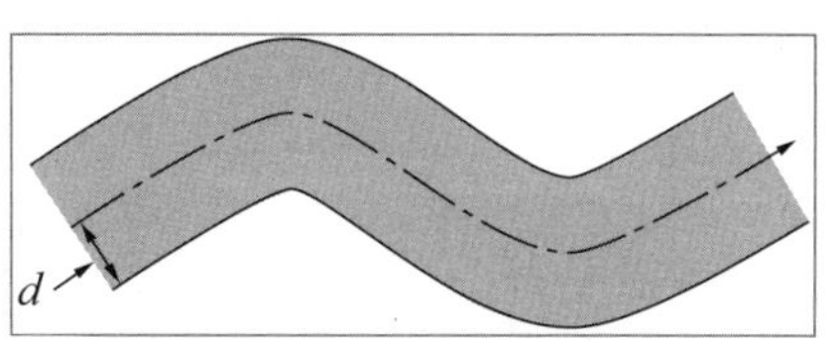

Figura 11.10 Volume varrido.

A área da seção transversal do cilindro,

$$\boxed{\sigma = \pi d^2} \tag{11.6.2}$$

é chamada de seção de *choque total* de colisão, ou seção *eficaz*, da molécula. Podemos considerá-la como a *área efetiva que a molécula bloqueia*, ou oferece como alvo, para os centros de outras moléculas. Essa grandeza desempenha um papel extremamente importante.

Para uma primeira estimativa de $\bar{l}$, vamos imaginar que todas as moléculas do gás, exceto a molécula de centro O, estão paradas, enquanto essa molécula se move com velocidade média $\bar{v}$ (que deve ser da ordem de grandeza da velocidade quadrática média (11.3.16)).

Durante um intervalo de tempo t, o espaço percorrido (em ziguezague) pelo centro O será, em média, igual a $\bar{v}t$, e o volume do cilindro varrido será

$$V = \sigma\bar{v}t \tag{11.6.3}$$

O número médio de colisões sofridas pela molécula de centro O durante o intervalo de tempo t será então, como vimos, o número médio de moléculas contidas nesse cilindro, ou seja,

$$nV = n\sigma\bar{v}t \tag{11.6.4}$$

A *frequência média de colisão* $\bar{f}$, ou seja, o número médio de colisões por unidade de tempo, é obtido dividindo-se por t:

$$\bar{f} = n\sigma\bar{v} \tag{11.6.5}$$

Dividindo a distância média total percorrida por unidade de tempo, que é igual a $\overline{v}$, pelo número médio de colisões por unidade de tempo, $\overline{f}$, obtém-se o livre percurso médio $\overline{l}$

$$\overline{l} = \overline{v} / \overline{f} = \frac{1}{n\sigma} = \frac{1}{\pi n d^2} \tag{11.6.6}$$

que, conforme havíamos previsto, é inversamente proporcional a n e aumenta à medida que d diminui.

Entretanto, este resultado foi obtido supondo-se que a molécula considerada se movia, todas as demais permanecendo em repouso. Qual é o efeito do movimento das outras moléculas?

Ele não afeta o percurso médio $\overline{v}$ por unidade de tempo da molécula considerada, que aparece no numerador da (11.6.6), mas modifica a expressão (11.6.5) da frequência média de colisão $\overline{f}$, que foi utilizada no denominador da (11.6.6).

No cálculo de $\overline{f}$, o que deve intervir não é $\overline{v}$, mas sim $\overline{v}_{rel}$, onde $\overline{f}$ é a *velocidade relativa* entre duas moléculas, a única que intervém no processo de colisão (a velocidade do CM das duas moléculas não afeta a colisão). Assim, por exemplo, uma molécula que se mova na mesma direção e sentido que a molécula considerada, com a mesma velocidade v, não colidirá com ela; outra que se mova com velocidade $-v$, terá velocidade relativa $2v$, e uma que se mova com velocidade v numa direção perpendicular terá velocidade relativa $\sqrt{2}\, v$. Em média, sobre todas as direções, a velocidade relativa de um grupo de moléculas de mesma velocidade escalar v será maior que v, o que afeta o valor de $\overline{f}$:

$$\overline{f} = n\sigma\overline{v}_{rel} \tag{11.6.7}$$

em lugar da (11.6.5).

Para estimar o valor de $\overline{v}_{rel}$, consideremos duas moléculas de velocidades $\mathbf{v}$ e $\mathbf{v}'$ que colidem.

A velocidade relativa de colisão será

$$\mathbf{v}_{rel} = \mathbf{v} - \mathbf{v}'$$

o que resulta em

$$v_{rel}^2 = v^2 + v'^2 - 2\mathbf{v} \cdot \mathbf{v}' \tag{11.6.8}$$

onde $\mathbf{v} \cdot \mathbf{v}' = vv' \cos\theta$ (θ = ângulo entre as velocidades), e θ assume todos os valores possíveis. Logo, tomando valores médios,

$$< \mathbf{v} \cdot \mathbf{v}' > = vv' < \cos\theta > = 0 \tag{11.6.9}$$

o que resulta em

$$< v_{rel}^2 > = < v^2 > + < v^2 > = 2v_{qm}^2 \tag{11.6.10}$$

pois, tratando-se de moléculas idênticas,

$$< v^2 > = < v'^2 > = v_{qm}^2$$

pela (11.3.16).

Identificando v_{qm} com $\bar{v}$, a (11. 6.10) chegamos, então, a

$$\boxed{\bar{v}_{rel} = \sqrt{2}\bar{v}} \quad \textbf{(11.6.11)}$$

Substituindo na (11.6.7) e levando o resultado na (11.6.6), obtemos finalmente para o *livre percurso médio*

$$\boxed{\bar{l} = \frac{1}{\sqrt{2}n\sigma} = \frac{1}{\sqrt{2}\pi n d^2}} \quad \textbf{(11.6.12)}$$

Um cálculo mais detalhado, levando em conta a distribuição das velocidades moleculares, conduz ao mesmo resultado.

Valores numéricos: O diâmetro molecular efetivo de uma "molécula de ar" (ou seja, de N_2 ou de O_2) é de ordem de $3{,}7 \times 10^{-10}$ m, de modo que

$$\sigma = \pi d^2 \approx 4{,}2 \times 10^{-19}\,\text{m}^2$$

Nas condições NTP, 1 mol de ar = 22,41 = $2{,}24 \times 10^{-2}$ m^3 contém $N_0 \approx 6 \times 10^{23}$ moléculas, de forma que o número médio de moléculas por unidade de volume é

$$n \approx 6 \times 10^{23} / 2{,}24 \times 10^{-2} \quad \text{moleculas / m}^3$$

Substituindo os valores de n e σ na (11.6.12), obtemos

$$\bar{l} \approx 6 \times 10^{-8}\,\text{m} \quad (\text{ar, NTP}) \quad \textbf{(11.6.13)}$$

O volume médio ocupado por uma molécula, nessas condições, é $1/n \approx 37 \times 10^{-27}$ m^3 ~ $\bar{\delta}^3$, onde $\bar{\delta}$ é o espaçamento médio entre as moléculas, de modo que $\bar{\delta}$ ~ 3×10^{-9} m. Vemos, portanto, que

$$\bar{l} \gg \bar{\delta} \gg d \quad \textbf{(11.6.14)}$$

A condição $\bar{\delta} \gg d$ verifica a hipótese básica (2) da Seção 11.2 (diâmetro molecular efetivo << distância média entre as moléculas). A condição $\bar{l} \gg \bar{\delta}$ (no caso, o livre percurso médio é cerca de vinte vezes maior que o espaçamento médio entre as moléculas) mostra que uma molécula atravessa em média muitas distâncias intermoleculares antes de colidir com outra.

Por outro lado, o valor (11.6.13) ainda representa uma distância microscópica, explicando o que ocorre com um vidro de perfume destampado: a trajetória de uma molécula passa por um número imenso de ziguezagues antes de cobrir uma distância macroscópica. Tomando $\bar{v} \approx v_{qm} \approx 485$ m/s para o ar nas condições NTP (Seção 11.3), a (11.6.6) e a (11.6.13) dão para a frequência média de colisão, neste caso,

$$\bar{f} = \bar{v} / \bar{l} \approx \frac{48{,}5}{6} \times 10^9\,\text{s}^{-1} \sim 8 \times 10^9 \quad \text{colisões / s}$$

e o intervalo de tempo médio entre duas colisões sucessivas é

$$1/\bar{f} \approx 1{,}2 \times 10^{-10}\,\text{s} \quad (\text{ar, NTP})$$

A (11.6.12) mostra que, para um dado gás (σ dado), $\bar{l}$ só depende (inversamente) da densidade n de moléculas, ou seja, é *inversamente proporcional à pressão*. Assim, se passarmos de 1 atm = 760 mm Hg a 1 mm Hg, $\bar{l}$ para o ar se torna $\approx 4{,}6 \times 10^{-5}$ m ~ 0,05 mm. Num recipiente em alto vácuo, a uma pressão $P \sim 10^{-6}$ mm Hg, tem-se $\bar{l} \sim 50$ m, o que já é usualmente maior do que as dimensões do recipiente. Nesse caso, o livre percurso não será mais determinado pelas colisões entre moléculas, mas por colisões com as paredes do recipiente. Esse é o regime desejado, por exemplo, num acelerador de partículas, onde queremos evitar colisões entre as partículas do feixe e moléculas do ar residual.

11.7 GASES REAIS. A EQUAÇÃO DE VAN DER WAALS

Até aqui, tratamos somente de um gás ideal, o que corresponde a desprezar as interações entre as moléculas. Num gás real, elas têm de ser levadas em conta. A força típica de interação (**FB1**, Seção 5.2) entre duas moléculas, cujos centros estão separados por uma distância r, se comporta da forma indicada na Figura 11.11. A distâncias menores que r_0, ela é fortemente repulsiva, e cresce tão rapidamente que pode ser esquematizada por uma parede impenetrável em $r \approx r_0$. Se existisse somente esta componente repulsiva, as moléculas se comportariam como esferas impenetráveis de raio $\approx r_0$. Este é o modelo de "bolas de bilhar" microscópicas que utilizamos na discussão do livre percurso médio, com $d \approx 2r_0$.

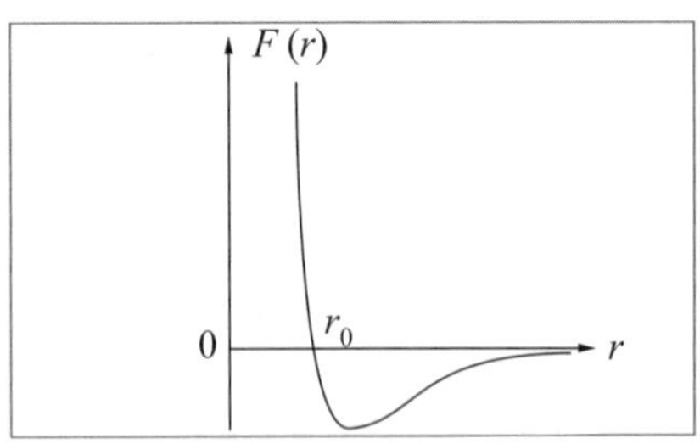

Figura 11.11 Força de interação entre duas moléculas.

Para $r > r_0$, a força se torna atrativa: a atração máxima ocorre pouco além de r_0, depois do que cai rapidamente (*forças de Van der Waals*), de modo que o alcance das forças atrativas não é muito maior que r_0.

A equação de estado de um gás real difere da de um gás ideal tanto em virtude do efeito da componente repulsiva (tamanho finito das moléculas), como da componente atrativa das forças intermoleculares. Em 1873, J. D. Van der Waals formulou uma equação de estado para descrever um gás real, procurando levar em conta, pelo menos em primeira aproximação, ambos os efeitos, conforme discutiremos a seguir.

(a) Efeito do tamanho finito das moléculas

Vimos na (11.6.1) que, para fins de cálculo do livre percurso médio, o volume de exclusão associado a cada molécula, dentro do qual não pode penetrar o centro de outra molécula, é dado por

$$\frac{4}{3}\pi d^3 = 8 \times \frac{4}{3}\pi r_0^3 = 8v_0$$

onde $d = 2r_0$ é o diâmetro efetivo da molécula e v_0 o seu volume efetivo. Assim, podemos tratar as moléculas como pontos materiais (identificados com os respectivos centros), desde que se exclua um volume v_0 em torno de cada uma.

Assim, se N é o número total de moléculas no volume V, o volume total do recipiente disponível para ser percorrido pelo centro de uma molécula é

$$V - 8(N-1)v_0 \approx V - 8Nv_0 \qquad \textbf{(11.7.1)}$$

uma vez que, para cada molécula, existem $(N - 1)$ esferas de exclusão, e N é tão grande que podemos tomar $N - 1 \to N$. Poderíamos pensar então que basta substituir V por $V - 8Nv_0$ na lei dos gases perfeitos para levar em conta o tamanho finito das moléculas.

Entretanto, V entrou na dedução da equação de estado por meio de $n = N/V$ na (11.3.11), que entra no cálculo do número de colisões por unidade de tempo das moléculas com as paredes: esse número é proporcional a n [cf. (11.3.3)].

Para que uma molécula colida com uma parede, é necessário que seu centro se aproxime da parede a uma distância menor que $r_0 = d/2$. Logo, somente o *hemisfério dianteiro* da esfera de exclusão associada a cada molécula, ou seja, aquele voltado para a parede (Figura 11.12) é eficaz na exclusão de centros de outras moléculas que possam colidir com a parede: moléculas cujos centros estejam no hemisfério traseiro estarão automaticamente a uma distância $> r_0$ da parede, e não colidirão com ela. Logo, do ponto de vista do efeito do tamanho finito sobre o número de colisões por unidade de tempo com as paredes, somente o hemisfério dianteiro de cada esfera de exclusão deve ser considerado. O valor eficaz de n na (11.3.11) é obtido, então, pela substituição

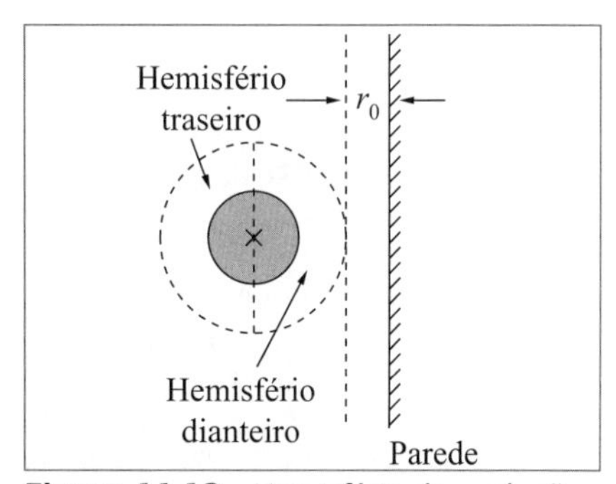

Figura 11.12 Hemisfério de exclusão.

$$V \to V - 4Nv_0 \qquad \textbf{(11.7.2)}$$

ou seja, o volume total excluído é apenas a metade do que foi levado em conta na (11.7.1).

Seja v o *volume molar*, ou seja o volume de 1 mol do gás: a equação de estado dos gases ideais (11.4.20) se escreve, neste caso, $Pv = RT$, e $N = N_0$ é o número de Avogadro, de forma que a (11.7.2) fica

$$v \to v - b \qquad \textbf{(11.7.3)}$$

onde

$$\boxed{b = 4N_0v_0 = 4N_0 \times \frac{4}{3}\pi v_0^3} \qquad \textbf{(11.7.4)}$$

é uma constante característica do gás (dependente de r_0) chamada de *covolume*.

Efetuando a substituição (11.7.3) na lei dos gases perfeitos, obtemos

$$P = \frac{RT}{v - b} \quad (1\,\text{mol}) \tag{11.7.5}$$

equação de estado que já havia sido proposta por Clausius para levar em conta o tamanho finito das moléculas.

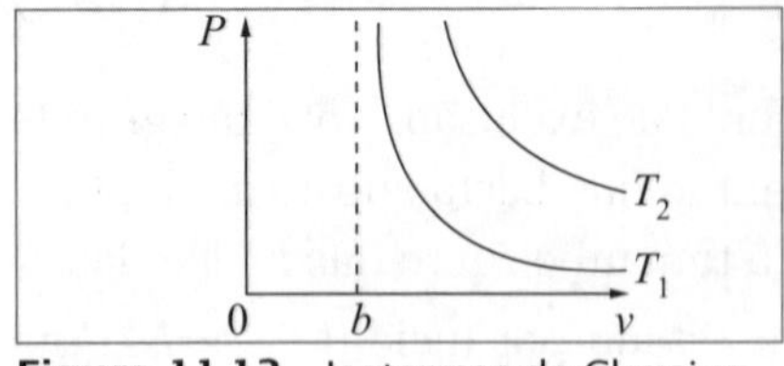

Figura 11.13 Isotermas de Clausius.

As isotermas associadas à (11.7.5) (Figura 11.13) são hipérboles, como para um gás ideal (Figura 9.2), com a assíntota vertical deslocada para $v = b$ em lugar de $v = 0$: seria preciso exercer pressão infinita para baixar o volume molar v até o covolume b. Na realidade, num modelo de esferas impenetráveis, o sistema se torna incompressível (o que podemos associar à transição do gás para o líquido) quando as moléculas estão todas se tocando, o que corresponderia a um volume inferior a b, mas a dedução que fizemos não pode ser extrapolada a esse caso limite.

(b) Efeito da interação atrativa

Levamos em conta na (11.7.5) o efeito da parte repulsiva das forças de interação $F(r)$ entre as moléculas (Figura 11.11). Vejamos agora o efeito da interação atrativa ($r > r_0$), que também cai muito rapidamente (forças de Van der Waals), de forma que seu alcance é também da ordem de grandeza de r_0.

Uma molécula *no interior* do gás é atraída por outras moléculas, em média distribuídas em torno dela uniformemente e isotropicamente em todas as direções. Logo, os efeitos da atração das demais moléculas se compensam.

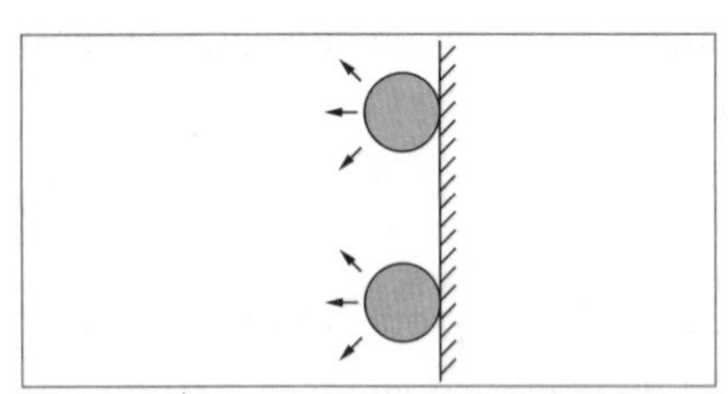
Figura 11.14 Atração das moléculas perto das paredes.

Entretanto, para moléculas que se encontram *na vizinhança das paredes*, ou seja, aquelas consideradas no cálculo da pressão (Seção 8.3), isto não se aplica. Para elas, todas as demais moléculas do gás ficam situadas no hemisfério traseiro, e a força de atração média resultante exercida sobre elas (Figura 11.14), tem sentido oposto à pressão do gás sobre as paredes, correspondendo, portanto, a uma *diminuição de pressão.*

A força atrativa resultante sobre cada molécula é exercida essencialmente pela camada de moléculas vizinha, de espessura ~ $2r_0$, uma vez que o alcance das forças atrativas é da ordem de r_0. Essa força é proporcional ao número de moléculas nessa camada, que, por sua vez, é proporcional à densidade $n = N/V$ de moléculas do gás.

As moléculas que sofrem essa força atrativa são as que se encontram a uma distância ~ r_0 da parede, cujo número também é proporcional a n. Como a força atrativa sobre cada uma delas é proporcional a n, a diminuição de pressão ΔP é proporcional a n^2, ou seja, para 1 mol do gás ($N = N_0$), é proporcional a $1/v^2$:

$$\Delta P = -\frac{a}{v^2}, \quad a > 0 \qquad \textbf{(11.7.6)}$$

onde a constante positiva a é característica do gás.

O termo ΔP, que é chamado de *copressão*, deve ser acrescentado ao 2° membro da (11.7.5). Passando-o para o 1° membro, obtemos finalmente a *equação de estado de Van der Waals*

$$\boxed{\left(P + \frac{a}{v^2}\right)(v - b) = RT \quad (1\,\text{mol})} \qquad \textbf{(11.7.7)}$$

onde os parâmetros a e b são as *constantes de Van der Waals* da substância considerada.

(c) Isotermas de Van der Waals

As isotermas associadas à (11.7.7) podem ser construídas a partir das correspondentes à (11.7.5), representadas na Figura 11.13, acrescentando a correção ΔP da (11.7.6) em cada ponto, ou seja, subtraindo a/v^2 da ordenada, para um ponto de abscissa v.

Para v grande, esta correção se torna muito pequena, de modo que as isotermas se aproximam das hipérboles. Para T grande, o 2° membro da (11.7.5) é bem maior que a correção ΔP dada pela (11.7.6), e as isotermas continuam sendo aproximadamente hiperbólicas. Logo, os desvios em relação ao comportamento de gás ideal ocorrem principalmente a temperaturas mais baixas ou volumes menores (gases mais condensados), como seria de esperar.

Para v suficientemente pequeno, a subtração do termo a/v^2 faz baixar as isotermas de distâncias consideráveis em relação às hipérboles, levando a curvas do tipo representado na Figura 11.15. Para P e T dados, a (11.7.7) é uma equação do 3° grau em v. Se T é suficientemente baixo, essa equação tem três raízes reais, ou seja, uma horizontal $P = P_1 = constante$ corta a isoterma em três pontos 1, 2 e 3 (Figura 11.15), dando três valores distintos de v para os mesmos P e T (veremos logo como interpretar este resultado). À medida que T sobe, esses três pontos de intersecção vão se aproximando, até que, para uma dada temperatura $T = T_C$, as três raízes se confundem num único ponto C (figura); para $T > T_C$, passa a haver somente uma raiz real.

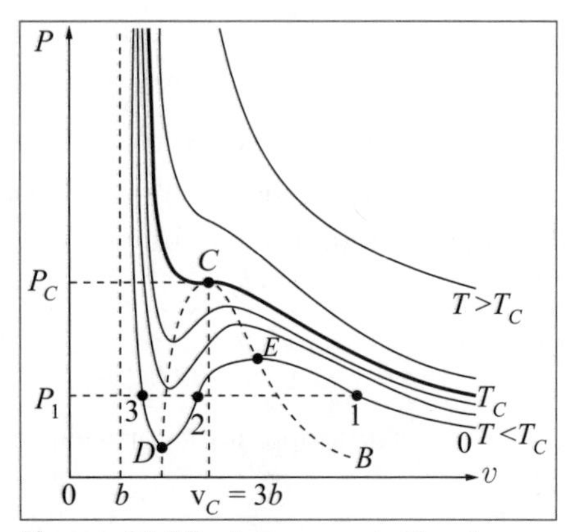

Figura 11.15 Isotermas de Van der Waals.

Para $T < T_C$, cada isoterma passa por um mínimo D e um máximo E (Figura 11.15), que para $T = T_C$ se confundem em C, que é um ponto de inflexão com tangente horizontal. O lugar geométrico dos máximos e mínimos é uma curva BCD (em linha interrompida na figura), cujo máximo é C.

A equação da curva BCD é, pela (11.7.7),

$$0 = \frac{dP}{dv} = \frac{d}{dv}\left(\frac{RT}{v-b} - \frac{a}{v^2}\right) = -\frac{RT}{(v-b)^2} + \frac{2a}{v^3} \overset{\text{pela}(11.7.7)}{=} -\frac{\left(P + \frac{a}{v^2}\right)}{v-b} + \frac{2a}{v^3} \quad \textbf{(11.7.8)}$$

o que, resolvendo em relação a P, resulta em

$$P_0 = \frac{a}{v^2} - \frac{2ab}{v^3} \quad (\text{curva } BCD) \quad \textbf{(11.7.9)}$$

As coordenadas do ponto C, máximo desta curva, se obtém resolvendo

$$0 = \frac{dP_0}{dv} = -\frac{2a}{v^3} + \frac{6ab}{v^4} = \frac{2a}{v^4}(3b - v)$$

cuja raiz é

$$\boxed{v_c = 3b} \quad \textbf{(11.7.10)}$$

O valor de P correspondente, $P = P_C$, se obtém substituindo a (11.7.10) na (11.7.9):

$$P_c = \frac{a}{9b^2} - \frac{2ab}{27b^3} \left\{ \boxed{P_c = \frac{2ab}{27b^2}} \right. \quad \textbf{(11.7.11)}$$

Finalmente, a temperatura T_C da isoterma que passa pelo ponto C se obtém substituindo as (11.7.10) e (11.7.11) na (11.7.7):

$$\boxed{RT_c = \frac{8a}{27b}} \quad \textbf{(11.7.12)}$$

Esta isoterma recebe o nome de *isoterma crítica*.

É fácil verificar que o ponto crítico C é ponto de inflexão da isoterma crítica, com tangente horizontal, calculando d^2P/dv^2, que, pela (11.7.8), é dada por

$$\frac{d^2P}{dv^2} = \frac{2RT}{(v-b)^2} - \frac{6a}{v^4} \quad \textbf{(11.7.13)}$$

Substituindo nesta expressão os valores críticos (11.7.10) a (11.7.12), resulta, com efeito,

$$\left(\frac{d^2P}{dv^2}\right)_c = 0 \quad \textbf{(11.7.14)}$$

(d) Discussão

Ao longo da porção DE de uma isoterma de Van der Waals com $T < T_C$ (veja a Figura 11.15), v cresce quando P aumenta, ou seja, definindo o *módulo de compressibilidade isotérmico* K_T por [cf. (6.2.1), (6.2.11)]

$$K_T = -\frac{1}{v}\left(\frac{\partial v}{\partial p}\right)_T \tag{11.7.15}$$

temos $K_T < 0$. Um sistema em que $K_T < 0$ não pode existir em equilíbrio térmico, porque seria instável, no mesmo sentido em que falamos do equilíbrio instável de uma partícula (**FB1**, Seção 6.5): qualquer flutuação do sistema a partir desse ponto, por menor que seja, irá afastá-lo dele cada vez mais. Um sistema desse tipo entraria em colapso, porque, quanto mais diminuísse o seu volume, menor seria a pressão necessária para mantê-lo em equilíbrio.

Logo, as porções de isotermas em que P cresce com v não podem existir. O que acontece com um gás real se, partindo de um ponto onde ele se aproxima de um gás ideal, ou seja com v grande e P pequeno, para $T < T_C$, formos comprimindo gradativamente o gás?

A princípio, partindo de um ponto como A na Figura 11.16, o gás segue uma isoterma do tipo Van der Waals. Entretanto, atingido um determinado ponto 1 dessa isoterma, e continuando a reduzir-se o volume do sistema (por exemplo, através de um recipiente munido de um pistão), a pressão deixa de aumentar, permanecendo constante no valor P_1.

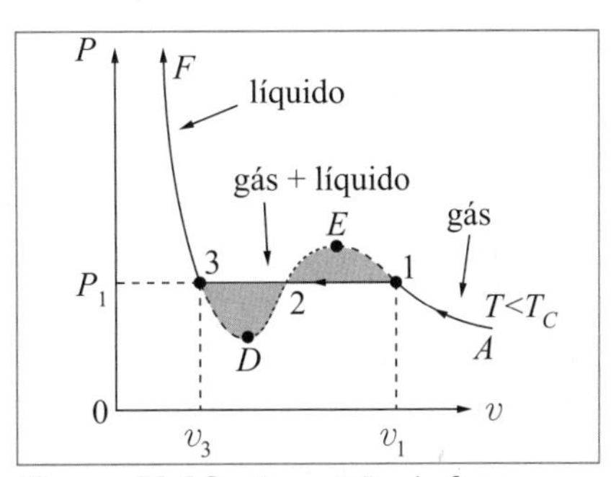

Figura 11.16 Transição de fase.

A diminuição de volume do sistema é acompanhada de uma *transição de fase*, em que ele se *condensa*, passando da fase gasosa para a fase *líquida*. Inicialmente, vão aparecendo gotas de líquido, e a proporção líquido/gás vai aumentando, à medida que v diminui, sempre com $P = P_1$, até que o sistema tenha passado inteiramente ao estado líquido, no ponto 3. A partir do ponto 3, a isoterma tipo Van der Waals é retomada, com forte aumento de pressão para pequena redução de volume, correspondendo ao caráter quase incompressível do líquido.

Vemos por conseguinte que a porção $A \to 1$ da isoterma representa a *fase gasosa*, a porção $3 \to F$ a *fase líquida*, e a porção horizontal $1 \to 3$ corresponde a *coexistência das fases líquida e gasosa*. A pressão $P = P_1$, em que essa coexistência ocorre à temperatura T, recebe o nome de *pressão de vapor à temperatura* T (um gás com $T < T_C$ costuma ser chamado de *vapor*).

Como se determina o ponto 1 de uma isoterma de Van der Waals onde começa a ocorrer a transição de fase? Segundo uma regra proposta por Maxwell, o segmento horizontal $1 \to 3$ na Figura 11.16 deve ser traçado de tal forma que as áreas sombreadas $1E2$ e $2D3$ sejam iguais.

Para justificar sua construção, Maxwell imaginou um ciclo termodinâmico reversível, em que a substância é levada ao longo da isoterma de Van der Waals no sentido $1 \to E \to 2 \to D \to 3$ e depois volta ao longo do segmento horizontal $3 \to 2 \to 1$. Como este ciclo é todo descrito à mesma temperatura T, ou seja, é *isotérmico*, o seu rendimento, pela (10.5.13) (com $T_2 = T_1$) é $\eta_R = 0$, ou seja, o trabalho total realizado é nulo. Como os contornos das duas áreas sombreadas são descritos em sentidos opostos, esse trabalho é representado graficamente pela diferença entre as duas áreas (cf. Seção 8.6), o que levaria à construção de Maxwell.

Este raciocínio não é correto. Com efeito, para que se tivesse um ciclo termodinâmico reversível, seria preciso que os estados percorridos fossem estados de *equilíbrio termodinâmico*, o que não acontece ao longo da porção instável das isotermas de Van der Waals. Entretanto, argumentos mais elaborados, que não poderemos discutir aqui, mostram que a prescrição de Maxwell (áreas iguais) é correta.

A porção $1E$ da isoterma de Van der Waals pode ser realizada experimentalmente: ela corresponde a estados em que o vapor se encontra a pressão mais elevada que a pressão de vapor à temperatura T, sem que ele se condense. É o que se chama um *vapor supersaturado*. Isto ocorre, por exemplo, com vapor de água na alta atmosfera. Entretanto, é uma situação de equilíbrio instável: basta que apareçam núcleos de condensação, tais como partículas carregadas ou minúsculos grãos de poeira em suspensão, para que gotas de líquido comecem a se condensar em torno desses núcleos. Essa propriedade foi usada na *câmara de Wilson* para materializar as trajetórias de partículas nucleares ou subnucleares.

Analogamente, a porção $3D$ da isoterma (Figura 11.16) representa estados em que o líquido está *superaquecido*, ou seja, a temperatura T é mais alta do que aquela compatível com a pressão de vapor no ponto considerado da isoterma, sem que haja vaporização. Também nesse caso, a presença de núcleos provoca a vaporização, o que é utilizado na *câmara de bolhas* para observar trajetórias de partículas de alta energia.

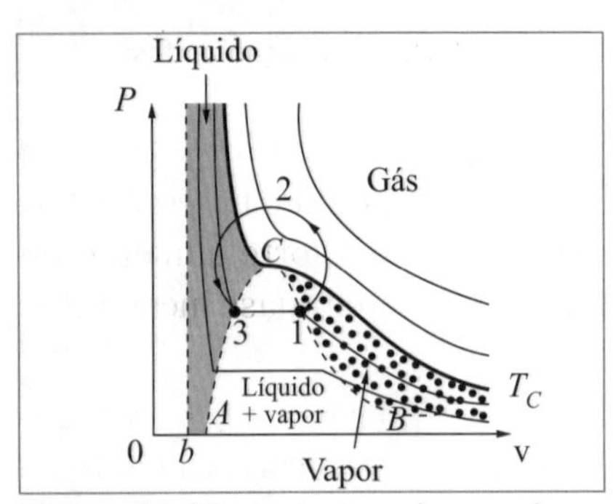

Figura 11.17 Isotermas de um gás real.

As isotermas de um gás real (Figura 11.17) são análogas às de um gás de Van der Waals, com as porções instáveis substituídas por segmentos de reta horizontais na região de coexistência de líquido + vapor. Esta região é delimitada pela curva ACB. Acima da isoterma crítica V, temos *gás*. Na região pontilhada da figura, ao lado de T_C e acima de BC, o gás costuma ser chamado de *vapor*. Na região sombreada, abaixo de T_C e acima de AC, temos *líquido*.

Acima de T_C, por mais que aumentemos a pressão, o gás não se liquefaz. Oxigênio, nitrogênio e hidrogênio eram chamados de "gases permanentes" antes de se reconhecer que não haviam sido liquefeitos por não se ter atingido temperaturas abaixo da temperatura crítica dessas substâncias (vide valores na tabela apresentada a seguir); o O_2 foi liquefeito pela primeira vez em 1877.

À medida que T se aproxima de T_C por valores inferiores, vai diminuindo o comprimento da porção horizontal das isotermas, ou seja, a diferença entre os volumes molares do líquido e do vapor à pressão de vapor. No ponto crítico, essa diferença desaparece.

Para $T > T_C$, a substância passa de forma contínua e homogênea da região de vapor à região de líquido, sem que haja em qualquer momento uma separação de fase. Assim é possível passar do ponto 1 (vapor) da Figura 11.17 ao ponto 3 (líquido) de forma contínua, "dando a volta por cima" pelo caminho $1 \rightarrow 2 \rightarrow 3$ indicado na figura. É o que se chama de *continuidade entre os estados líquido e gasoso.*

A tabela abaixo apresenta os valores de T_C, P_C e ρ_C, (densidade no ponto crítico) para diversas substâncias.

Substância	T_C(K)	P_C (atm)	ρ_C(g/cm^3)	$P_C v_C/RT_C$
H_2O	647,50	218,50	0,3250	0,230
O_2	154,60	49,70	0,4100	0,292
N_2	126,00	33,50	0,3100	0,291
H_2	32,98	12,76	0,0314	0,304
Hélio 4	5,19	2,25	0,0690	0,308

A última coluna da tabela apresenta o valor de Pv/RT no ponto crítico. Para um gás ideal, seria igual à unidade. Para um gás de Van der Waals, pelas (11.7.10) a (11.7.12), teríamos

$$P_C v_C \,/\, RT_C = 3/8 = 0{,}375 \quad \text{(Van der Waal)} \tag{11.7.16}$$

o que difere apreciavelmente dos valores experimentais da tabela. Por outro lado, pela (11.7.10), é $v_C = 3b$, e não seria de se esperar que a equação de Van der Waals desse muito bons resultados nesta região, em que as moléculas ocupariam quase todo o volume do recipiente.

As constantes de Van der Waals a e b podem ser obtidas a partir dos coeficientes de variação de P com T (a v constante) e de v com T (a P constante). Medindo-se o volume em l (litros), os valores de b para gases são geralmente da ordem de 0,03 a 0,06 1/mol e os valores de a são da ordem de 0,1 a 5 l^2 × atm/mol^2. Como, para um gás nas condições NTP, 1 mol = 22,4 l, o covolume b é ~ 0,15% a 0,3% do volume total, o que está de acordo com a estimativa anterior (Seção 11.2) de que o volume ocupado pelas moléculas num gás, nessas condições, é $\lesssim 10^{-3}$ do volume total. A partir do valor experimental de b, pode-se obter o diâmetro efetivo $d = 2r_0$ das moléculas do gás, com o auxílio da (11.7.4).

A magnitude a/v^2 da copressão (11.7.6), que mede o efeito das forças atrativas de coesão, é também da ordem de 0,3% da pressão total para o ar nas condições NTP. Como ela é proporcional a v^{-2} ou seja, a P^2 (para T constante), é fácil observar que ela se torna uma fração considerável da pressão total para $P \sim 10^2$ atm; os desvios da lei dos gases perfeitos se tornam grandes nessas condições.

PROBLEMAS

11.1 Um feixe molecular de oxigênio, contendo 10^{10} moléculas/cm^3 de velocidade média 500 m/s, incide sobre uma placa segundo um ângulo de 30° com a normal à placa. Calcule a pressão exercida pelo feixe sobre a placa, supondo as colisões perfeitamente elásticas.

11.2 Um dos vácuos mais elevados recentemente produzidos, corresponde a uma pressão de 10^{-12} mm/Hg. Nessa pressão, a 27 °C, quantas moléculas de ar por cm^3 ainda permanecem?

11.3 Um gás é submetido a uma expansão isotérmica reversível num recipiente cilíndrico, munido de um pistão de área A e massa M. O pistão se desloca na direção x com velocidade constante u. Tem-se $u << v_{qm}$ e $M >> m$, onde v_{qm} é a velocidade quadrática média das moléculas, cuja massa é m. Suponha as colisões das moléculas com o pistão perfeitamente elásticas num referencial que se move com o pistão. (a) Mostre que, no referencial do laboratório (onde o cilindro está em repouso), as colisões com o pistão não são perfeitamente elásticas, calculando a perda de energia cinética de uma molécula que colide com o pistão com componente x da velocidade $v_x > 0$ (no resultado, despreze u em confronto com v_x). (b) Some sobre todas as moléculas e mostre que a perda total de energia cinética é igual ao trabalho realizado na expansão do gás.

11.4 Calcule o número médio de moléculas por cm^3 e o espaçamento médio entre as moléculas: (a) em água líquida, (b) em vapor de água a 1 atm e 100 °C (tratado como gás ideal); (c) No caso (b), calcule a velocidade média quadrática das moléculas.

11.5 Um kg de ar é composto de 232 g de oxigênio, 755 g de nitrogênio e 13 g de outros gases. Para ar nas condições normais de temperatura e pressão, calcule as pressões parciais exercidas pelo oxigênio e pelo nitrogênio.

11.6 Um recipiente de 10 litros contém 7 g de nitrogênio gasoso, à pressão de 4,8 atm e à temperatura de 1.800 K. A essa temperatura, uma porcentagem x das moléculas de nitrogênio se encontram dissociadas em átomos. Calcule x.

11.7 A temperatura na superfície da Lua chega a atingir 127 °C. Calcule a velocidade quadrática média do hidrogênio molecular a essa temperatura e compare-a com a velocidade de escape da superfície da Lua. Que conclusão pode ser tirada dessa comparação?

11.8 A velocidade do som num gás (que pode ser tratado como ideal) é 0,683 vezes a velocidade quadrática média das moléculas do gás nas mesmas condições de temperatura e pressão. Qual é o número de átomos por molécula do gás?

11.9 Considere uma partícula esférica de 0,5 µm de raio e densidade 1,2 g/cm^3, como as que foram utilizadas por Jean Perrin em experiências para determinação do número de Avogadro. Uma tal partícula, em suspensão num líquido, adquire um movimento de agitação térmica que satisfaz à lei de equipartição da energia. De acordo com esta lei, qual seria a velocidade quadrática média da partícula em suspensão à temperatura de 27 °C?

11.10 (a) Calcule o expoente adiabático $\gamma = C_P/C_V$ para um gás diatômico a uma temperatura elevada, tal que uma fração x das moléculas se encontram dissociadas em átomos. Verifique que o resultado se reduz aos casos limites esperados quando não há dissociação ou quando ela é total, (b) Se o valor observado é $\gamma = 1{,}5$, qual é a porcentagem de dissociação x?

11.11 Coloca-se 1 g de hidrogênio e 1 g de hélio num recipiente de 10 l, a uma temperatura de 27 °C. (a) Qual é a pressão? (b) Calcule os calores específicos molares C_V e C_P, bem como $\gamma = C_P/C_V$, para a mistura gasosa.

11.12 Um gás é formado de moléculas diatômicas de momento de inércia $I = 6 \times 10^{-39}$ g·cm². Calcule a velocidade angular quadrática média de rotação de uma molécula do gás em torno de um eixo perpendicular à linha que une os centros dos dois átomos, nas condições normais de temperatura e pressão.

11.13 O livre percurso médio em hélio gasoso a 1 atm e 15 °C é de $1{,}862 \times 10^{-5}$ cm. (a) Calcule o diâmetro efetivo de um átomo de hélio, (b) Estime o número médio de colisões por segundo que um átomo de hélio sofre nessas condições.

11.14 O diâmetro efetivo da molécula de CO_2 é $\approx 4{,}59 \times 10^{-8}$ cm. Qual é o livre percurso médio de uma molécula de CO_2 para uma densidade de 4,91 kg/m³?

11.15 Sejam P_C, v_C e T_C as constantes críticas de um gás de Van der Waals (Seção 11.7). Mostre que, se exprimirmos a equação de Van der Waals em termos das variáveis reduzidas $\pi = P/P_C$, $\omega = v/v_C$ e $\tau = T/T_C$, ela assume uma forma universal, ou seja, a mesma para todas as substâncias.

11.16 Calcule o trabalho realizado por um gás de Van der Waals numa expansão isotérmica à temperatura T, passando do volume molar v_i, para v_f.

11.17 A partir da tabela da Seção 11.7, tratando o hélio gasoso como um gás de Van der Waals, calcule o diâmetro efetivo de um átomo de hélio. Compare o resultado com aquele obtido no Problema 11.13. Discuta a razão da concordância ou discrepância.

11.18 A pressão crítica e a temperatura crítica observadas para o CO_2 são, respectivamente, $P_C = 73{,}0$ atm e $T_C = 304{,}1$ K. (a) Calcule as constantes de Van der Waals a e b para o CO_2. (b) Calcule a densidade crítica ρ_C para o CO_2 pela equação de Van der Waals e compare-a com o valor observado de 0,46 g/cm³. (c) Se o CO_2 fosse um gás ideal, a que pressão seria preciso submeter 1 mol de CO_2 para que ocupasse o volume de 0,5 l à temperatura de 0 °C? (d) Qual seria a pressão necessária na situação (c) considerando o CO_2 como um gás de Van der Waals? (e) Em (d), que fração da pressão total é devida à interação entre as moléculas do gás?

12

Noções de mecânica estatística

12.1 INTRODUÇÃO

A teoria cinética dos gases mostra que é possível deduzir e interpretar resultados válidos em nível macroscópico, tais como a equação de estado de um gás, a partir de sua estrutura microscópica na escala atômica.

Nessa escala, o gás é constituído de um número imenso de partículas (da ordem do número de Avogadro), movendo-se constantemente em todas as direções e colidindo entre si e com as paredes do recipiente. O movimento de cada partícula obedece às leis da mecânica (na escala atômica, é preciso levar em conta os efeitos quânticos). Entretanto, o comportamento do gás não é descrito aplicando essas leis para determinar o movimento de cada partícula, porque: (i) não seria possível obter as condições iniciais para $\sim 10^{24}$ partículas; (ii) mesmo que fossem dadas, seria impossível resolver as equações de movimento correspondentes; (iii) não estamos interessados nos detalhes do movimento de cada partícula, mas tão somente no estudo de um número muito pequeno de parâmetros macroscópicos que caracterizam o gás: pressão, volume, temperatura.

Vimos no capítulo anterior que na obtenção da equação de estado só intervêm os *valores médios de grandezas microscópicas*, tais com a energia cinética média. Isto é típico: para passar da descrição microscópica à macroscópica, é preciso empregar métodos *estatísticos*, que levaram ao desenvolvimento da *mecânica estatística*.

Estamos acostumados à descrição estatística quando se lida com grandes populações, como a população de um país. Um exemplo é a distribuição de renda: divide-se a renda por habitante em faixas, e determinar a distribuição significa dizer que fração da população tem sua renda compreendida dentro dos limites de cada faixa. Conhecendo essa distribuição, podemos imediatamente calcular a renda média per capita: basta multiplicar a renda média de cada faixa pela fração dos habitantes e somar os resultados, como na (11.3.8) (o resultado será tanto mais preciso quanto mais fina for a subdivisão em faixas). A distribuição tem de obedecer a certos vínculos óbvios: a soma de todos os habitantes é a população total do país (equivalentemente, a soma de todas as frações é igual à unidade), e a soma de todas as rendas é a renda total do país. Assim, a fração dos habitantes que podem ter uma renda extremamente elevada é muito pequena.

Vamos discutir agora, no caso de um gás, uma distribuição estatística análoga, que é um dos resultados básicos da mecânica estatística: a *distribuição das velocidades moleculares*.

12.2 A DISTRIBUIÇÃO DE MAXWELL

Em um trabalho que apresentou em 1859, James Clerk Maxwell obteve a distribuição das velocidades moleculares num gás em equilíbrio térmico à temperatura T. Como a velocidade quadrática média depende da temperatura, o mesmo deve acontecer com essa distribuição.

Para definir a distribuição de velocidades, temos de levar em conta que elas podem variar continuamente, de forma que uma faixa de velocidades é definida por

$$(\mathbf{v}, \mathbf{v} + d\mathbf{v}) \equiv (v_x, v_x + dv_x;\ v_y, v_y + dv_y;\ v_z, v_z + dv_z) \tag{12.2.1}$$

ou seja, corresponde a moléculas cuja velocidade $\mathbf{v}$ tem componente x compreendida entre v_x e $v_x + dv_x$, componente y compreendida entre v_y e $v_y + dv_y$, e componente z compreendida entre v_z e $v_z + dv_z$. Seja

$$f(v_x, v_y, v_z)\, dv_x dv_y dv_z \tag{12.2.2}$$

a *fração* das moléculas compreendidas na faixa (12.2.1), num gás em equilíbrio térmico à temperatura T. A função $f\,(v_x, v_y, v_z)$ é a *função de distribuição de velocidades*, e nosso objetivo é determinar a forma dessa função.

Notando que v_x, v_y e v_z podem, em princípio, assumir quaisquer valores entre $-\infty$ e ∞, e sendo a (12.2.2) definida como fração, devemos ter a *condição de normalização*

$$\int_{-\infty}^{\infty} dv_x \int_{-\infty}^{\infty} dv_y \int_{-\infty}^{\infty} dv_z\ \ f(v_x, v_y, v_z) = 1 \tag{12.2.3}$$

Na Seção 11.3, aproximamos a distribuição contínua por uma distribuição discreta, caracterizada por valores $\mathbf{v}_i$ da velocidade (i = 1,2,3...). A fração das moléculas com velocidade $\mathbf{v}_i$ era dada por [cf. (11.3.2)] $n_i/n = n_i/\Sigma_j n_j$, que seria o análogo da (12.2.2). O valor médio de v_x^2, por exemplo, era definido pela (11.3.8), cujo análogo para a distribuição contínua (12.2.2) é

$$< v_x^2 > = \int_{-\infty}^{\infty} dv_x \int_{-\infty}^{\infty} dv_y \int_{-\infty}^{\infty} dv_z\ \ v_x^2 f(v_x, v_y, v_z) \tag{12.2.4}$$

(a) O método de Boltzmann

Para determinar a função de distribuição de velocidades, vamos empregar um método proposto por Boltzmann em 1876. O ponto de partida é a *lei de Halley* (1.7.4), que fornece a variação com a altitude z da pressão $p(z)$ exercida por um gás em equilíbrio térmico à temperatura T no campo gravitacional (atmosfera isotérmica):

$$\frac{p(z)}{p(0)} = \frac{\rho(z)}{\rho(0)} = \exp\left[-g\frac{\rho(0)}{p(0)}z\right] \tag{12.2.5}$$

onde $\rho(z)$ é a densidade do gás à altitude z e $p(0)$, $\rho(0)$ são os valores da pressão e da densidade à altitude zero.

Pela lei dos gases perfeitos (9.1.13) aplicada a um volume V do gás a uma altitude qualquer,

$$pV = nRT = (\mathfrak{M} / M)RT \tag{12.2.6}$$

onde o número de moles n é igual à razão $\mathfrak{M}/M$ da massa $\mathfrak{M}$ de gás no volume V à massa molar M. Como $\mathfrak{M}/V = \rho$ é a densidade do gás à altitude considerada, a (12.2.6) resulta em

$$p = \rho RT / M \tag{12.2.7}$$

A massa molar M é a massa de 1 mol do gás, ou seja, é igual à massa m de uma molécula do gás multiplicada pelo número de Avogadro N_0 (número de moléculas por mol):

$$M = N_0 m \tag{12.2.8}$$

Substituindo a (12.2.8) na (12.2.7) e lembrando que $R/N_0 = k$ é a constante de Boltzmann (11.4.22), obtemos finalmente

$$\rho/p = m / (kT) \tag{12.2.9}$$

o que vale a qualquer altitude.

Seja $n(z)$ *o número de moléculas por unidade de volume à altitude* z. Temos então

$$\rho(z) = n(z)m \tag{12.2.10}$$

Substituindo as (12.2.9) e (12.2.10) na (12.2.5), obtemos

$$\frac{n(z)}{n(0)} = \exp\left(-\frac{mg}{kT}z\right) \tag{12.2.11}$$

ou seja, o número de moléculas por unidade de volume cai exponencialmente com a altitude z. Por outro lado, a qualquer altitude z, por hipótese, o gás está em equilíbrio térmico à temperatura T, de modo que a distribuição de velocidades (ou seja, a fração das moléculas em cada faixa de velocidade) é a mesma para qualquer z.

Vamos inicialmente desprezar as colisões entre as moléculas. Neste caso, a trajetória seguida por uma molécula no campo gravitacional é uma parábola (Figura 12.1), e uma molécula que sai de $z = 0$, com uma componente $v_z > 0$ de velocidade na direção z, atingirá uma altitude z dada por

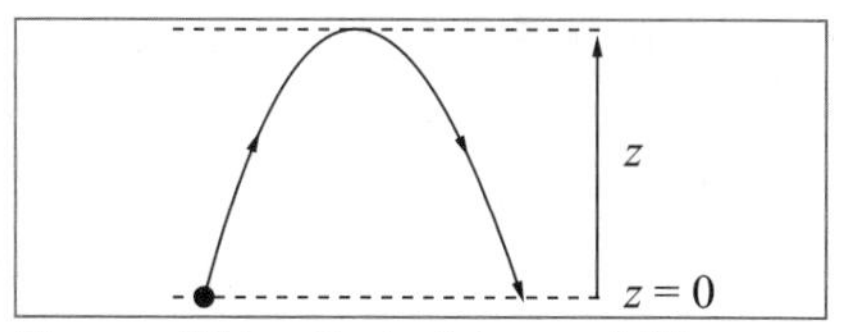

Figura 12.1 Trajetória parabólica.

$$\frac{1}{2}mv_z^2 = mgz \tag{12.2.12}$$

Somente atingem a altitude z moléculas com v_z maior ou igual ao valor mínimo dado pela (12.2.12) (para valores maiores de v_z, as moléculas ultrapassam a altitude z). Logo, podemos interpretar a redução do número médio de moléculas por unidade de volume com a altitude, dada pela (12.2.11), como um reflexo do fato de que somente moléculas suficientemente velozes de camadas mais baixas (onde n é maior) atingem a altitude considerada. Este raciocínio foi empregado por Boltzmann para obter a distribuição de velocidades, conforme veremos agora.

(b) A distribuição da componente v_z

Para simplificar a notação, vamos fazer

$$v_z = w \tag{12.2.13}$$

Seja $f_1(w)$ a função de distribuição de w à temperatura T (a mesma a qualquer altitude), de modo que $f_1(w)\, dw$ é a fração das moléculas cuja componente z de velocidade está entre w e $w + dw$.

Devemos ter então, analogamente à (12.2.3),

$$\int_{-\infty}^{\infty} f_1(w)dw = 1 \tag{12.2.14}$$

Vamos considerar apenas as moléculas que se movem para cima, ou seja, com $w > 0$. O valor médio $< w^+ >$ da velocidade dessas moléculas é

$$\langle w^+ \rangle = \int_0^{\infty} f_1(w)wdw \tag{12.2.15}$$

(Note que $\int_{-\infty}^{\infty} f_1(w)wdw = \langle w \rangle = 0$ Por quê?

O número médio de moléculas por unidade de tempo que atravessam de baixo para cima uma seção de área unitária à altitude z é

$$n(z) < w^+ > \tag{12.2.16}$$

porque, num intervalo de tempo dt, atravessam essa área as moléculas (Figura 12.2) contidas num cilindro com base nessa seção e de altura $<w^+>dt$,

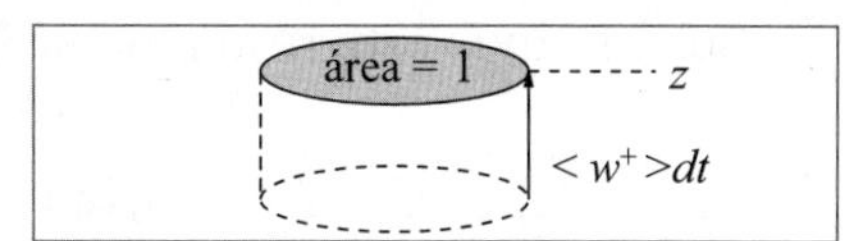

Figura 12.2 Atravessamento de área unitária.

cujo volume é $<w^+>dt$; o número médio de moléculas contidas nesse volume à altitude z é $n(z)$ $<w^+>$ dt, o que leva à (12.2.16).

Pelo mesmo raciocínio, o número médio de moléculas que atravessam $z = 0$ com v_z entre w e $w + dw$ por unidade de tempo e área é

$$n(0) \underbrace{f_1(w)dw}_{\substack{\text{fração no} \\ \text{intervalo considerado}}} \cdot w \tag{12.2.17}$$

Estas moléculas atingem altitudes máximas entre z e $z + dz$, onde, pelas (12.2.12) e (12.2.13),

$$mgdz = d\left(\frac{1}{2}mw^2\right) = mwdw \tag{12.2.18}$$

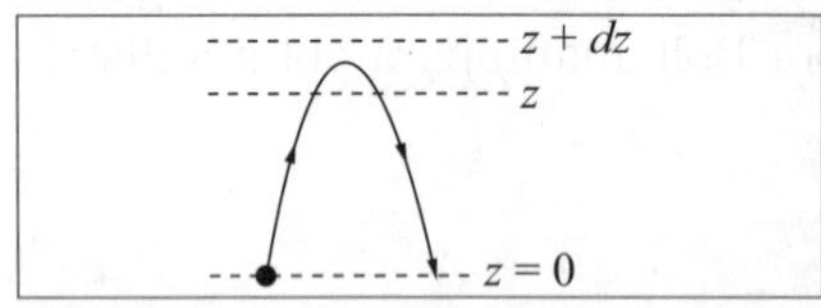

Figura 12.3 Moléculas que contribuem.

A *redução* do número médio de moléculas por unidade de tempo e área entre as altitudes z e $z + dz$ é devida exatamente às moléculas que obedecem às (12.2.17) e (12.2.18), porque moléculas com w maior atravessam ambas as seções, e as com w menor não atingem sequer a altitude z (Figura 12.3). Logo, levando em conta a (12.2.16),

$$\left[n(z) - n(z + dz)\right] < w^+ > \ = n(0) f_1(w) wdw \tag{12.2.19}$$

onde w é definido por

$$\frac{1}{2}mw^2 = mgz \tag{12.2.20}$$

Como

$$n(z) - n(z + dz) = -\frac{dn}{dz}dz$$

as (12.2.18) e (12.2.19) dão

$$-\frac{dn}{dz} < w^+ > \ = n(0) f_1(w) w \frac{dw}{dz} = n(0) g f_1(w) \tag{12.2.21}$$

Por outro lado, diferenciando a (12.2,11) em relação a z, obtemos

$$\frac{dn}{dz} = -\frac{mg}{kT}\, n(0) \exp\left(-\frac{mg}{kT}z\right) \tag{12.2.22}$$

Substituindo este resultado na (12.2.21) e levando em conta a (12.2.20), obtemos

$$f_1(w) = \frac{m < w^+ >}{kT} \exp\left(-\frac{1}{2}\frac{mw^2}{kT}\right) \tag{12.2.23}$$

O valor de $<w^+>$ se obtém aplicando a condição de normalização (12.2.14):

$$\int_{-\infty}^{\infty} f_1(w)dw = 1 = \frac{m < w^+ >}{kT}\int_{-\infty}^{\infty} \exp\left(-\frac{1}{2}\frac{mw^2}{kT}\right)dw = \sqrt{\frac{2m}{kT}} < w^+ > \int_{-\infty}^{\infty} e^{-x^2}dx \quad \textbf{(12.2.24)}$$

onde fizemos na integral a mudança de variável $mw^2/(2kT) = x^2$. Resta calcular esta integral:

$$A = \int_{-\infty}^{\infty} e^{-x^2}dx \quad \textbf{(12.2.25)}$$

Temos

$$A^2 = \int_{-\infty}^{\infty} e^{-x^2}dx \int_{-\infty}^{\infty} e^{-y^2}dy = \int_{-\infty}^{\infty} dx \int_{-\infty}^{\infty} dy \; e^{-\left(x^2+y^2\right)} \quad \textbf{(12.2.26)}$$

que podemos considerar como uma integral dupla estendida a todo o plano (x,y). Esta integral pode ser calculada em coordenadas polares (r, θ): $x^2 + y^2 = r^2$, $dxdy \to r\,dr\,d\theta$, o que resulta em

$$A^2 = \int_0^{2\pi} d\theta \int_0^{\infty} e^{-r^2} \; rdr = 2\pi \cdot \left[-\frac{1}{2}e^{-r^2}\right]_0^{\infty} = \pi$$

ou seja

$$A = \int_{-\infty}^{\infty} e^{-x^2}dx = \sqrt{\pi} \quad \textbf{(12.2.27)}$$

Substituindo a (12.2.27) na (12.2.14), vem

$$< w^+ > = \sqrt{\frac{kT}{2\pi}} \quad \textbf{(12.2.28)}$$

Levando este resultado na (12.2.23), obtemos finalmente

$$\boxed{f_1(w) = \left(\frac{m}{2\pi kT}\right)^{1/2} \exp\left(-\frac{1}{2}\frac{mw^2}{kT}\right)} \quad \textbf{(12.2.29)}$$

que fornece a função de distribuição da componente $w = v_z$ das moléculas de um gás em equilíbrio térmico à temperatura T.

(c) Discussão

A Figura 12.4 é o gráfico da *função gaussiana* $y(x) = \exp(-x^2)$, que, a menos do fator de normalização, dá o andamento de (12.2.29) como função da variável x, onde

$$x^2 = \frac{\frac{1}{2}mw^2}{kT} \quad \textbf{(12.2.30)}$$

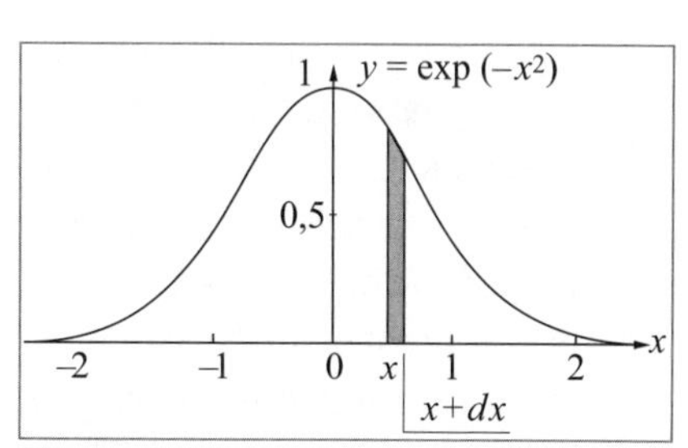

Figura 12.4 Gaussiana.

Note que ½ mw^2 é a *energia cinética* associada à translação na direção z e kT é o dobro da energia cinética média associada a esse grau de liberdade à temperatura T [cf. (11.5.9)].

A função y cai muito rapidamente para $|x|>>1$, o que significa que muito poucas moléculas possuem velocidades v_z tais que a energia cinética associada é $>> kT$. A área debaixo da curva entre x e $x + dx$ (sombreada na Figura 12.4) permite obter a fração das moléculas com velocidade entre w e $w + dw$, pois w é proporcional a x, pela (12.2.30). A simetria da curva em relação a $x = 0$ reflete a simetria da distribuição entre $v_z > 0$ e $v_z < 0$.

Na dedução, não foi levado em conta o efeito das colisões entre as moléculas, embora ele seja essencial para estabelecer a distribuição de velocidades (por exemplo, uma situação em que todas as moléculas, num dado instante, tivessem a mesma velocidade, não pode corresponder à distribuição de equilíbrio, porque seria imediatamente destruída pelo efeito das colisões).

A razão pela qual não foi preciso considerar explicitamente o efeito das colisões é que ele está contido implicitamente no raciocínio que levou à (12.2.21): o resultado não depende de seguir o movimento de cada molécula individual, mas apenas do número *médio* de moléculas por unidade de tempo e área que cruzam uma dada seção; se uma determinada molécula, numa colisão, transfere a componente v_z de sua velocidade a outra molécula, que toma o seu lugar, isso não afeta o resultado.

Para que uma molécula tenha um valor elevado de v_z, é preciso que ela tenha sofrido colisões favoráveis (ou seja, que *aumentem* o valor de v_z) com grande número de outras moléculas sucessivamente. Podemos comparar a probabilidade de que isto aconteça com a probabilidade de obter uma sequência de n "caras" em n lançamentos sucessivos de uma moeda, num jogo de cara ou coroa. Esta probabilidade é

$$(1/2)^n = \exp(-n \ln 2) \qquad \textbf{(12.2.31)}$$

ou seja, decresce exponencialmente com n. Pela mesma razão, na (12.2.29), a probabilidade de que uma molécula tenha energia cinética de translação elevada na direção z decresce exponencialmente com o valor dessa energia cinética.

Poderíamos perguntar também como é possível que $<v>$ (dado pela (12.2.28)) seja independente de z, se as moléculas, à medida que sobem a altitudes z maiores na atmosfera, têm de ir sofrendo uma redução de energia cinética para compensar o ganho de energia potencial. Isto não deveria diminuir a energia cinética média, o que seria incompatível com a hipótese da atmosfera isotérmica (T = constante)?

A resposta é que isto não acontece porque as moléculas mais lentas não atingem altitudes z mais elevadas [cf. (12.2.12)], o que tende a aumentar a energia cinética média, compensando a diminuição devida ao aumento da energia potencial. A distribuição de Maxwell é precisamente aquela para a qual os dois efeitos se compensam, mantendo o equilíbrio térmico à temperatura T, qualquer que seja z. Assim, a *fração* das moléculas com velocidades dentro de uma dada faixa permanece a mesma, independente da altitude: é o *número médio de moléculas por unidade de volume* que vai decrescendo exponencialmente com a altitude, segundo a (12.2.11).

(d) A distribuição de Maxwell

A discussão que acaba de ser feita indica que a distribuição de velocidades em equilíbrio térmico à temperatura T, que independe de z, também não é afetada pela presença do campo gravitacional: a (12.2.11) serviu apenas para auxiliar na obtenção de $f_1(w)$, empregando o raciocínio de Boltzmann.

Por conseguinte, como a componente v_z nada tem de especial, a função $f_1(w)$ também deve descrever a distribuição das componentes v_x e v_y da velocidade. É de se esperar então que a fração (12.2.2) das moléculas cujas velocidades estão compreendidas na faixa (12.2.1) seja dada por

$$f\left(v_x, v_y, v_z\right) dv_z dv_y dv_z = f_1\left(v_x\right) dv_x f_1\left(v_y\right) dv_y f_1\left(v_z\right) dv_z \qquad \textbf{(12.2.32)}$$

No exemplo da distribuição de renda mencionado acima, a (12.2.32) corresponde ao seguinte raciocínio: se 10% da população do país caem numa certa faixa de renda, e 1/4 da população está concentrado numa dada região do país, a fração da população que satisfaz simultaneamente a ambas as condições (cai na faixa de renda em questão e mora na região considerada) seria 1/4 × 10% = 2,5%. Entretanto, isto pressupõe que as duas condições são *independentes*, ou seja, que o fato de morar em determinada região não altera a distribuição de renda. Para um país, isto tende a não ser verdade: há regiões mais e menos desenvolvidas.

Analogamente, a (12.2.32) pressupõe que o fato de uma molécula ter componente x da velocidade numa certa faixa não afeta a distribuição das outras componentes. Embora plausível, esse resultado não é óbvio. Maxwell empregou esta hipótese em sua dedução original, o que é passível de crítica. Entretanto, deduções mais rigorosas confirmam o resultado.

Substituindo a (12.2.29) na (12.2.32), obtemos finalmente a *distribuição de Maxwell*

$$\boxed{f\left(v_x, v_y, v_z\right) = \left(\frac{m}{2\pi kT}\right)^{3/2} \exp\left[-\frac{m\left(v_x^2 + v_y^2 + v_z^2\right)}{2kT}\right]} \qquad \textbf{(12.2.33)}$$

A condição de normalização (12.2.3) é automaticamente satisfeita: a integral tripla se reduz a um produto de três integrais, em v_x, v_y e v_z, que são iguais à unidade, pela (12.2.4).

Reciprocamente, se perguntarmos, partindo da (12.2.33), que fração das moléculas têm componente x de velocidade entre v_x e $v_x + dv_x$, a resposta é

$$dv_x \int_{-\infty}^{\infty} dv_y \int_{-\infty}^{\infty} dv_z f\left(v_x, v_y, v_z\right) = f_1\left(v_x\right) dv_x \qquad \textbf{(12.2.34)}$$

conforme deveria ser.

Se tomarmos um recipiente macroscópico contendo N moléculas de um gás em equilíbrio à temperatura T, podemos representar a velocidade (v_x, v_y, v_z) de cada molécula por um ponto no espaço de velocidades, com essas coordenadas cartesianas em

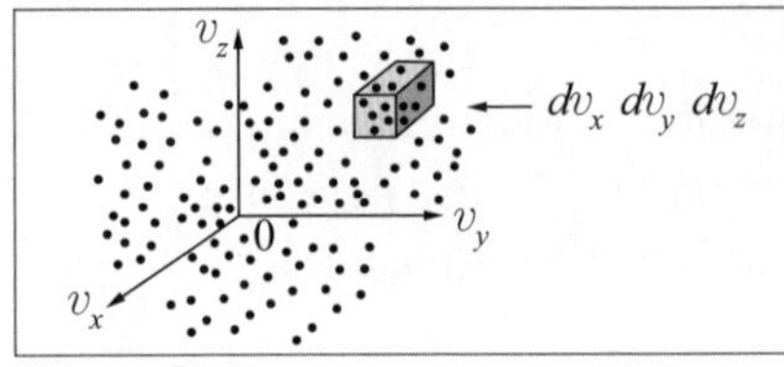

Figura 12.5 Espaço de velocidades.

relação a um sistema de eixos (v_x, v_y, v_z). A fração das moléculas na faixa (12.2.1) será igual a $dN_{v_x v_y v_z}/N$, onde (Figura 12.5) $dN_{v_x v_y v_z}$ é o número de pontos representativos que caem num elemento de volume $dv_x\, dv_y\, dv_z$ com centro no ponto (v_x, v_y, v_z):

$$dN_{v_x, v_y, v_z} = Nf\left(v_x, v_y, v_z\right) dv_x dv_y dv_z \quad \textbf{(12.2.35)}$$

O expoente da (12.2.33) é

$$\boxed{\frac{\frac{1}{2}mv^2}{kT} = \frac{\text{energia cinética}}{kT}} \quad \textbf{(12.2.36)}$$

que só depende de $\mathbf{v}^2$, ou seja, *a distribuição no espaço de velocidades é isotrópica*, conforme seria de se esperar: não há direção privilegiada para as velocidades.

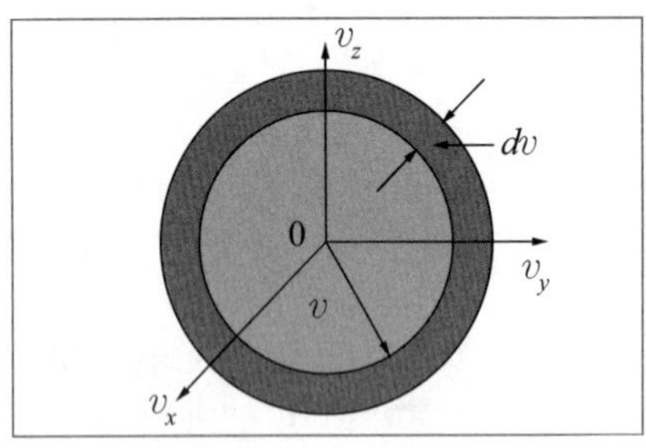

Figura 12.6 Distribuição em magnitude.

Podemos perguntar qual é a função de distribuição da *magnitude da velocidade*: que fração das moléculas tem $|v|$ entre v e $v + dv$? No espaço das velocidades, são aquelas cujos pontos representativos caem entre as esferas de raios v e $v + dv$ (Figura 12.6), ou seja,

$$dN(v) = NF(v)dv = Nf\left(v_x, v_y, v_z\right) \cdot \overbrace{4\pi v^2 dv}^{\substack{\text{volume entre} \\ \text{as duas esferas}}} = 4\pi N \left(\frac{m}{2\pi kT}\right)^{3/2} \exp\left(\frac{mv^2}{2kT}\right) v^2 dv \quad \textbf{(12.2.37)}$$

o que leva à *função de distribuição* $F(v)$:

$$\boxed{F(v) = 4\pi \left(\frac{m}{2\pi kT}\right)^{3/2} v^2 \exp\left(-\frac{mv^2}{2kT}\right)} \quad \textbf{(12.2.38)}$$

Pela (12.2.37), $dN(v)/N = F(v)dv$ é a fração das moléculas que têm $|\mathbf{v}|$ entre v e $v + dv$. Por construção,

$$\boxed{\int_0^\infty F(v)dv = 1} \quad \textbf{(12.2.39)}$$

(e) Velocidades características

A partir da (12.2.38), podemos calcular várias velocidades características das moléculas do gás.

Velocidade quadrática média: É definida por [cf. (12.2.4)]

$$v_{qm}^2 = < v^2 > = \int_{-\infty}^{\infty} F(v) v^2 dv \tag{12.2.40}$$

Para calcular esta integral, notemos que, com $m/(2kT) = \lambda$, as (12.2.38) e (12.2.39) se escrevem

$$\lambda^{3/2} \int_{-\infty}^{\infty} v^2 e^{-\lambda v^2} dv = \frac{\sqrt{\pi}}{4} \tag{12.2.41}$$

Derivando ambos os membros em relação ao parâmetro λ, obtemos

$$\frac{3}{2}\lambda^{1/2} \int_0^{\infty} v^2 e^{-\lambda v^2} dv - \lambda^{3/2} \int_0^{\infty} v^2 e^{-\lambda v^2} v^2 dv = 0$$

ou seja,

$$\frac{4}{\sqrt{\pi}} \lambda^{3/2} \int_0^{\infty} v^4 e^{-\lambda v^2} dv = \int_0^{\infty} F(v) v^2 dv = \frac{3}{2}\lambda^{-1} \underbrace{\int_0^{\infty} F(v) dv}_{=1}$$

o que resulta em

$$v_{qm}^2 = \frac{3}{2}\lambda^{-1} = \frac{3}{2}\frac{2kT}{m} \left\{ \boxed{v_{qm} = \sqrt{\frac{3kT}{m}}} \right. \tag{12.2.42}$$

o que equivale à (11.4.21). Analogamente, a equipartição da energia de translação (11.5.9) se obtém imediatamente das (12.2.4) e (12.2.33).

Velocidade média: É definida por

$$\boxed{< v > = \int_0^{\infty} F(v) v dv} \tag{12.2.43}$$

Substituindo $F(v)$ pela (12.2,38) e efetuando a mudança de variável

$$x = \frac{mv^2}{2kT}$$

obtemos

$$\langle v \rangle = \sqrt{\frac{8kT}{\pi m}} \qquad \underbrace{\int_0^{\infty} e^{-x} x dx}_{= -xe^{-x}\Big|_0^{\infty} + \int_0^{\infty} e^{-x} dx = -e^{-x}\Big|_0^{\infty} = 1} \tag{12.2.44}$$

$$\therefore \boxed{\langle v \rangle = \sqrt{\frac{8kT}{\pi m}}}$$

Velocidade mais provável: É o valor v_p que maximiza $F(v)$:

$$\frac{d}{dv}\left[F(v)\right] = 0 \left\{ 2ve^{-\frac{mv^2}{2kT}} - v^2 \cdot \frac{mv}{kT} e^{-\frac{mv^2}{2kT}} = 0 \right. \tag{12.2.45}$$

$$\therefore \boxed{v_p = \sqrt{\frac{2kT}{m}}}$$

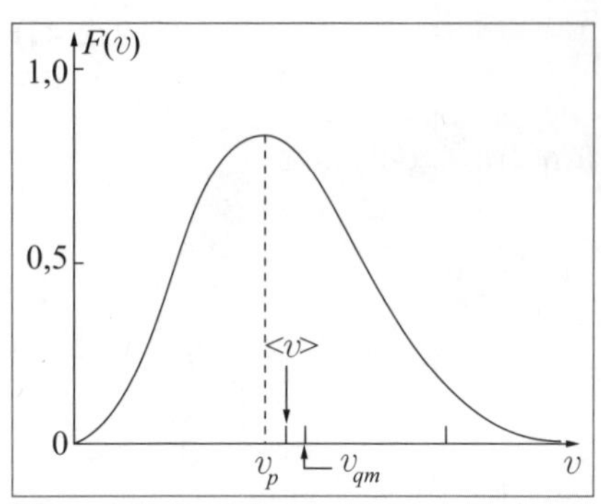

Figura 12.7 Velocidades características.

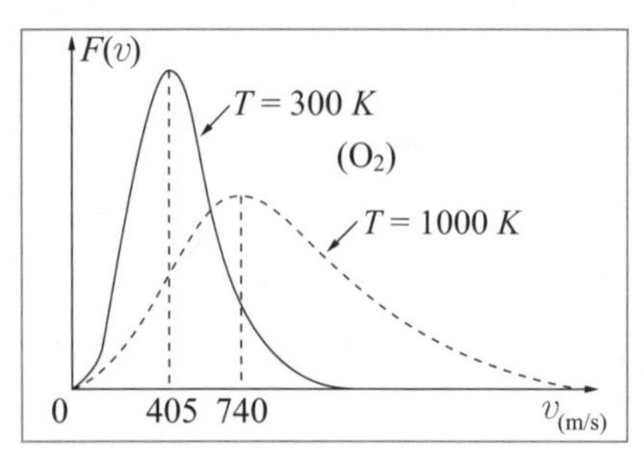

Figura 12.8 Efeito do aumento da temperatura.

Como

$$\sqrt{3} = 1{,}732, \quad \sqrt{8/\pi} = 1{,}595 \quad \text{e} \quad \sqrt{2} = 1{,}414$$

as três velocidades características (12.2.42), (12.2.44) e (12.2.45) são muito próximas entre si. A Figura 12.7 fornece a função de distribuição $F(v)$ e indica a localização de v_p (posição do pico), $< v >$ e v_{qm}.

A Figura 12.8 mostra o que acontece com $F(v)$ quando a temperatura T aumenta (os valores numéricos se referem a O_2).

O pico (valor de v_p) se desloca para a direita e se alarga; o valor de $F(v)$ diminui, mantendo a área debaixo da curva sempre = 1. Note que a fração das moléculas com velocidades mais elevadas aumenta consideravelmente, o que permite compreender o efeito da elevação da temperatura sobre a taxa de reações químicas em fase gasosa.

(f) Distribuição de Boltzmann

No exemplo da atmosfera isotérmica, conhecemos a distribuição de velocidades das moléculas e também a sua distribuição espacial, que é dada pela lei de Halley (12.2.11): a distribuição é uniforme num plano horizontal (x, y), mas decresce exponencialmente com a altitude z. Combinando as duas distribuições, podemos dizer que a fração das moléculas num elemento de volume $dx\ dy\ dz$ com centro em (x, y, z) e com velocidade na faixa (12.2.1) é

$$F\left(\underbrace{x, y, z,}_{\mathbf{r}}\ \underbrace{v_x, v_y, v_z}_{\mathbf{v}}\right) dx\ dy\ dz\ dv_z dv_y dv_z \tag{12.2.46}$$

onde, pelas (12.2.11) e (12.2.33),

$$\begin{aligned} F(\mathbf{r}, \mathbf{v}) &= C \exp\left(-\frac{mgz}{kT}\right) \exp\left(-\frac{m\mathbf{v}^2}{2kT}\right) \\ &= C \exp\left[-\frac{1}{kT}\left(\frac{1}{2}m\mathbf{v}^2 + mgz\right)\right] \end{aligned} \tag{12.2.47}$$

onde C é um fator de normalização.

Mas

$$E = \frac{1}{2} m\mathbf{v}^2 + mgz \quad \textbf{(12.2.48)}$$

é a *energia total* de uma molécula de velocidade $\mathbf{v}$ situada na altitude z. Logo, a *função de distribuição em posição e velocidade* $F(\mathbf{r}, \mathbf{v})$ é dada por

$$\boxed{F(\mathbf{r},\mathbf{v}) = C \exp\left(-\frac{E}{kT}\right)} \quad \textbf{(12.2.49)}$$

onde E é a energia total da molécula e C o fator de normalização

A (12.2.49) é a generalização, devida a Boltzmann, da lei de distribuição de Maxwell, e tem aplicabilidade muito mais geral do que ao caso da atmosfera isotérmica. *A probabilidade de encontrar uma molécula com energia total E (cinética + potencial), numa situação de equilíbrio térmico à temperatura T, decresce exponencialmente com E.* A interpretação física deste resultado é análoga à que vimos em conexão com a (12.2.31). No caso da atmosfera isotérmica, por exemplo, é pouco provável que uma molécula atinja uma altitude elevada (energia potencial elevada), porque é preciso para isso que ela sofra uma sucessão de colisões tendentes a aumentar cada vez mais sua elevação.

12.3 Verificação experimental da distribuição de Maxwell

A distribuição de Maxwell pôde ser comprovada com grande precisão nas últimas décadas, graças à técnica dos *feixes atômicos e moleculares*. Embora se tenham utilizado feixes de partículas *carregadas*, aceleradas e defletidas por campos elétricos e magnéticos, desde o início do século XX, só bem mais recentemente foram desenvolvidos métodos para manipulação de feixes de partículas *neutras*, formados de átomos ou moléculas.

Um dispositivo típico para produção de um feixe está representado na Figura 12.9. Uma amostra do material cujos átomos ou moléculas formarão o feixe é evaporada no forno, a temperaturas de algumas centenas de graus e pressões da ordem de 10^{-2} a 10^{-3} mm/ Hg. O feixe sai do forno por um orifício de diâmetro d da ordem de 0,02 a 0,05 mm, emergindo num espaço onde se fez alto vácuo e sendo colimado ao passar por fendas alinhadas (Figura 12.9).

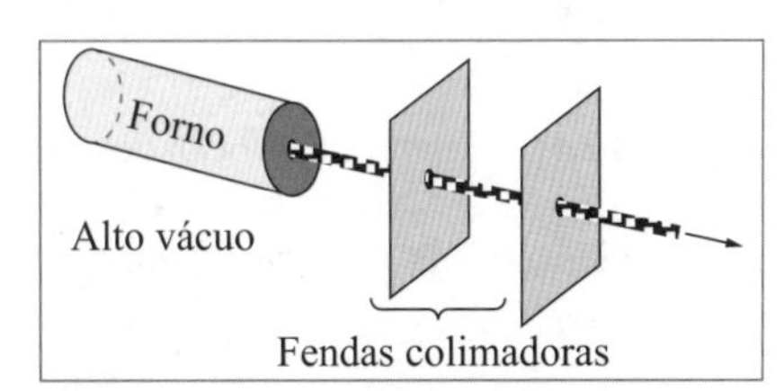

Figura 12.9 Produção de um feixe.

As estimativas do livre percurso médio obtidas na Seção 11.6 mostram que, para as pressões acima, tem-se

$$d \ll \bar{l} \quad \textbf{(12.3.1)}$$

Logo, as moléculas passam, em média, na vizinhança do orifício um tempo ~ $d/\bar{v}$ muito menor do que o intervalo de tempo médio entre duas colisões $\bar{l}/\bar{v}$ ($\bar{v}$ = velocidade média).

Nestas condições, a presença do orifício produz uma perturbação muito pequena na distribuição de velocidade no interior do forno, e o escapamento do feixe através do orifício chama-se de *efusão*. Isto não seria verdade se fosse $d >> \bar{l}$: o escapamento do gás corresponderia, nessas condições, a um escoamento de tipo *hidrodinâmico*, afetando toda a distribuição de velocidades dentro de recipiente.

Seja ΔS a área do orifício. Pela (12.2.17), o número médio de moléculas com velocidades entre v e $v + dv$ que incidem sobre ΔS durante um intervalo de tempo Δt será proporcional a

$$nF(v)dv \cdot \Delta S \cdot v\Delta t \quad \textbf{(12.3.2)}$$

onde $F(v)$ é dado pela (12.2.38) e n é o número de moléculas por unidade de volume dentro do forno.

Logo, a *densidade de corrente* $j(v)$ (número de moléculas por unidade de tempo e área) no feixe, para moléculas com velocidades entre v e $v + dv$, será dada por

$$j(v) = AnvF(v) \infty \; nv^3 \exp\left(-\frac{mv^2}{2kT}\right) \quad \textbf{(12.3.3)}$$

onde A é uma constante de proporcionalidade. Note que a densidade de corrente difere da distribuição de Maxwell por conter um fator v adicional.

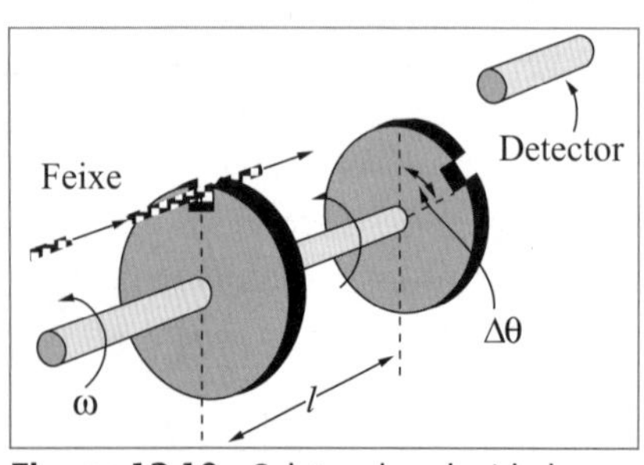

Figura 12.10 Seletor de velocidades.

Para medir $j(v)$, utiliza-se um *seletor de velocidades*. Um dos tipos empregados está esquematizado na Figura 12.10. Consiste num par de obturadores acoplados ao mesmo eixo, que gira com velocidade angular ω, e espaçados de uma distância l. Cada obturador é um disco com um dente que pode ser atravessado pelo feixe: se o dente não está em frente ao feixe, este é interceptado pelo obturador. Para $\omega = 0$, há uma separação angular $\Delta\theta$ entre os dentes dos dois obturadores. Para que um grupo de moléculas de velocidade v do feixe atravesse os dois obturadores, é preciso que se tenha

$$\Delta\theta = \omega\Delta t = \omega l / v \quad \textbf{(12.3.4)}$$

onde $\Delta t = l/v$ é o *tempo de voo* das moléculas entre os dois obturadores.

Como $\Delta\theta$ e l são fixos na (12.3.4), basta fazer variar ω para medir $j(v)$ em função de v. Os resultados obtidos mostram excelente acordo com a (12.3.3), confirmando a validade da distribuição de Maxwell.

12.4 MOVIMENTO BROWNIANO

Em 1827, o botânico inglês Robert Brown, observando ao microscópio minúsculas partículas de pólen em suspensão na água, notou que elas estavam continuamente em movimento, agitando-se de forma extremamente irregular. A princípio, pensou que se tratasse de seres vivos, mas verificou depois que o mesmo movimento era observado em partículas inorgânicas em suspensão, bastando que seu tamanho fosse suficientemente pequeno: da ordem de 0,1 μ a 1 μ, ou seja, 10^{-5} a 10^{-4} cm.

A explicação correta, atribuindo o movimento ao efeito das colisões de moléculas do líquido com as partículas em suspensão, foi primeiro proposta por Delsaux em 1877.

A primeira teoria quantitativa do movimento browniano foi publicada por Einstein em 1905, no mesmo volume de *Annalen der Physik* em que apareceu seu primeiro trabalho sobre relatividade restrita.

Naquela época, a teoria atômica ainda estava em seus primórdios, e era vista com grande ceticismo por físicos e químicos eminentes, como Mach e Ostwald, que argumentavam não haver nenhuma evidência experimental direta da existência de átomos. Einstein descreveu as origens do seu trabalho em sua autobiografia científica:

> "Meu objetivo principal era encontrar fatos que garantissem, na medida do possível, a existência de átomos de tamanho bem definido. Tentando fazê-lo, descobri que, segundo a teoria atômica, deveria existir um movimento observável de partículas microscópicas em suspensão, sem saber que observações do movimento browniano já eram familiares há muito tempo".

O movimento browniano representa, efetivamente, um exemplo do que Lucrécio, na antiguidade, havia ilustrado por meio da imagem dos grãos de poeira que dançam ao acaso, suspensos no ar, tornados visíveis por um raio de luz (Seção 11.1): evidência do movimento de agitação térmica na escala molecular, amplificado até tornar-se visível ao microscópio.

A partícula microscópica em movimento browniano pode ser pensada como uma espécie de "molécula gigante", submetida a um bombardeio contínuo pelas moléculas do fluido em que está suspensa. A cada instante, a pressão resultante desse bombardeio flutua de forma irregular, levando a partícula a ter o seu próprio movimento de agitação térmica. A velocidade e a amplitude desse movimento são muito menores do que as das moléculas do fluido, em decorrência da massa enormemente maior da partícula suspensa, mas mesmo assim são visíveis ao microscópio. A direção, resultante dos momentos transferidos ao acaso em todas as direções e magnitudes, também varia a cada instante.

O teorema de equipartição da energia também se aplica à partícula suspensa: como ela está em equilíbrio térmico com as moléculas do fluido, à temperatura T, sua energia cinética média é dada pela (11.4.21):

$$\frac{1}{2}m < v^2 > = \frac{3}{2}kT \tag{12.4.1}$$

onde m é a massa da partícula suspensa.

Para uma partícula de ~ 0,1 μm de raio, m é ~ 10^8 vezes a massa de uma molécula típica do fluido, de modo que, pela (12.4.1), v_{qm} seria ~ 10^{-4} vezes menor que as velocidades moleculares típicas. Como estas são de centenas de m/s (Seção 11.3), valores típicos de v_{qm} para partículas brownianas seriam da ordem de cm/s. Entretanto, as velocidades observadas ao microscópio para partículas dessas dimensões são da ordem de 0,01 a 0,1 mm por minuto, ou seja, são ~ 10^4 a 10^5 vezes menores. Como explicar essa discrepância?

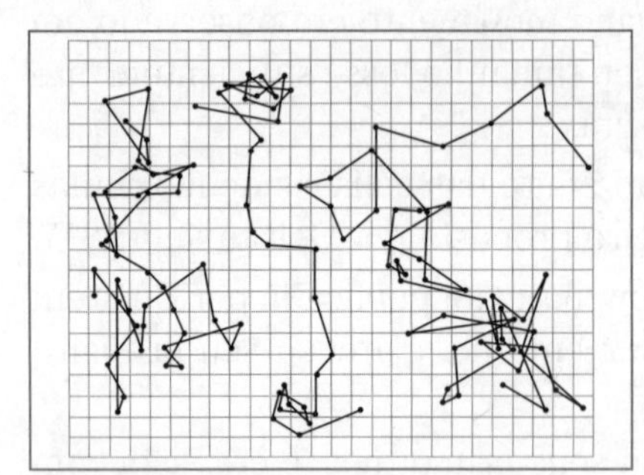

Figura 12.11 "Trajetórias" brownianas de partículas de raio 0,53 μm observadas por Jean Perrin em 1909 (posições a intervalos de 30 s, unidas por segmentos de retas).

Uma "trajetória browniana" típica observada tem o aspecto ilustrado na Figura 12.11, onde a partícula foi do ponto inicial ao ponto final durante o intervalo de observação. Entretanto, se dispuséssemos de um "supermicroscópio" capaz de ampliar fortemente um só "passo" dessa trajetória, veríamos que este "passo" é na realidade um intricado caminho em ziguezague, tão emaranhado quanto a "trajetória" toda observada, e isto continuaria valendo em ampliações sucessivas (autosimilaridade), até chegarmos à escala molecular. Logo, a "velocidade" observada, é na realidade, uma média sobre este complicado processo de difusão, o que leva a um valor muito inferior a v_{qm}. Para compreender o que acontece, é preciso analisar esse processo.

Figura 12.12 O passeio bidimensional do bêbado segundo George Gamow. *Fonte*: GAMOW, G. *One, two, three... infinity*. New York: Viking Press, 1955.

Passeio ao acaso unidimensional

O exemplo mais simples de um processo de difusão do tipo do movimento browniano é *o passeio ao acaso em uma dimensão*, que pode ser ilustrado pelo "problema do passeio do bêbado".

Uma pessoa embriagada parte de um poste, deslocando-se ao longo da direção x e dando passos sempre do mesmo comprimento l, mas com igual probabilidade de dar um passo à frente ou um passo atrás. A que distância média estará do poste após N passos? (Uma versão bidimensional, desenhada pelo físico George Gamow, está reproduzida na Figura 12.12).

Seja x_n a posição após n passos, com origem no poste. Temos então:

$$x_1 = \pm l \begin{cases} < x_1 > \, = 0 \\ x_1^2 = l^2 \left\{ < x_1^2 > \, = l^2 \right. \end{cases}$$

$$x_2 = x_1 \pm l \begin{cases} < x_2 > \, = 0 \\ < x_2^2 > \, = \underbrace{< x_1^2 >}_{=l^2} + l^2 \pm 2 \underbrace{< x_1 >}_{=0} l = 2l^2 \end{cases}$$

$$x_n = x_{n-1} \pm l \begin{cases} < x_n > \, = 0 \\ < x_n^2 > \, = \underbrace{< x_{n-1}^2 >}_{=l^2} + l^2 \pm 2 \underbrace{< x_{n-1} >}_{=0} l \end{cases}$$

$$\therefore < x_n^2 > \, = \, < x_{n-1}^2 > + l^2 = \, < x_{n-2}^2 > + 2l^2 = \ldots = nl^2$$

o que resulta em

$$< x_N > = 0, \quad \text{mas} \quad < x_N^2 > = Nl^2 \tag{12.4.2}$$

ou seja

$$\boxed{x_{N_{\text{qm}}} = \sqrt{< x_N^2 >} = \sqrt{N}l} \tag{12.4.3}$$

Logo, após 100 passos, a pessoa estará em média a 10 passos de distância do poste, com igual probabilidade de encontrar-se à esquerda ou à direita dele. A posição mais provável seria a origem ($<x_N> = 0$), mas a distribuição de probabilidade para x_N (Figura 12.13) seguiria uma curva Gaussiana como a da Figura 12.4, cuja largura $\sqrt{\langle x_N^2 \rangle}$ representa a flutuação da posição devida ao movimento ao acaso.

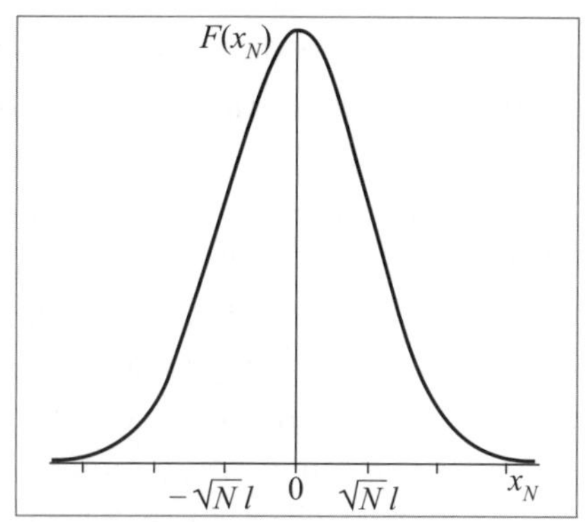

Figura 12.13 Distribuição de probabilidade.

No caso da partícula browniana, podemos interpretar x_n como a projeção na direção x do deslocamento a partir de uma origem dada após n colisões com moléculas do fluido. Se τ é o intervalo de tempo médio entre duas colisões, o tempo total decorrido até x_n é $t = n\tau$, ou seja, n é *proporcional ao tempo de observação t*.

Podemos então reescrever a (12.4.2) como uma relação entre o deslocamento quadrático médio na direção x e o tempo de observação t:

$$\boxed{< x^2 > = 2Dt} \tag{12.4.4}$$

onde a constante de proporcionalidade D definida desta forma chama-se o *coeficiente de difusão.*

O mesmo raciocínio pode ser empregado para estimar a ordem de grandeza do coeficiente de difusão para difusão de um gás em outro, como no exemplo da difusão de vapor de perfume no ar (Seção 11.6). Neste caso, em lugar de uma partícula browniana, temos uma molécula (de perfume, por exemplo), e o intervalo de tempo médio entre duas colisões é $\omega = \bar{l}/\bar{v}$, onde $\bar{l}$ é o livre percurso médio. Como $N = t/\tau$, e o passo l na (12.4.2) é $\sim \bar{l}$, vem

$$< x^2 > \sim N\bar{l}^2 \sim \frac{t}{\tau}\bar{l}^2 = \bar{l}\bar{v}\tau \tag{12.4.5}$$

ou seja, comparando com a (12.4.4),

$$D \sim \bar{l}\bar{v} \tag{12.4.6}$$

para *difusão de um gás em outro*. Valores típicos, nas condições NTP, são $\bar{l} \sim 10^{-5}$ cm e $\bar{v} \sim 5 \times 10^4$ cm/s, de modo que $D \sim 1$ cm²/s, o que explica a lentidão com que o perfume se difunde no ar.

No caso tridimensional, por causa da isotropia, podemos escrever

$$< x^2 > = < y^2 > = < z^2 > = \frac{1}{3} < r^2 > \quad \textbf{(12.4.7)}$$

de modo que a (12.4.4) leva a

$$\boxed{< r^2 > = 6Dt} \quad \textbf{(12.4.8)}$$

A distância quadrática média dos deslocamentos à origem, $r_{qm} = \sqrt{< r^2 >}$, cresce com $\sqrt{t}$ em lugar de crescer linearmente com t.

O resultado obtido se generaliza ao cálculo da flutuação associada a um grande número N de eventos ao acaso: essa flutuação é $\sim \sqrt{N}$. Por exemplo, o número de moléculas de gás que colidem com a parede de um recipiente varia a cada instante, dando origem a flutuações de pressão (como no exemplo do jato de areia: (cf. **1**, Seção 9.4). Qual é a ordem de grandeza dessas flutuações?

O número médio de moléculas de um gás que colidem com 1 cm^2 da parede do recipiente a cada instante é o que está contido dentro de uma distância $\sim \bar{l}$ da parede, ou seja, é $\bar{N} \sim n\bar{l}$, onde n é o número médio de moléculas/cm^3. Nas condições NTP, tem-se $n \sim 10^{19}$/cm^3 e $\bar{l} \sim 10^{-5}$ cm, de forma que $\bar{N} \sim 10^{14}$. Logo, a flutuação correspondente é $\sim 10^7$, mas o que importa é a *flutuação relativa*

$$\boxed{\sqrt{\overline{(\Delta N)^2}} / \bar{N} \sim \sqrt{\bar{N}} / \bar{N} \sim 1 / \sqrt{\bar{N}}} \quad \textbf{(12.4.9)}$$

que, neste caso, é $\sim 10^{-7}$, ou seja, é extremamente pequena.

Por outro lado, uma partícula browniana de 0,1 µm de diâmetro tem uma superfície $\sim (10^{-5}\text{ cm})^2 \sim 10^{-10}\text{ cm}^2$, de modo que, neste caso, $\bar{N} \sim 10^4$ moléculas colidem com a partícula a cada instante. A flutuação de pressão correspondente é $1/\sqrt{\bar{N}} \sim 1\%$, que já é uma flutuação apreciável. São essas flutuações relativas de pressão ao acaso (ora há mais moléculas batendo numa direção, ora em outra) que produzem o movimento browniano.

A relação de Einstein

Para calcular o coeficiente de difusão D no caso do movimento browniano, consideremos a equação de movimento da partícula browniana na direção x.

Quais são as forças que atuam sobre a partícula? Ao deslocar-se dentro do fluido, ela encontra uma resistência de atrito que, para as baixas velocidades do movimento browniano, é proporcional à velocidade. A equação de movimento na direção x é então (m = massa da partícula)

$$m\frac{d^2x}{dt^2} + \mu\frac{dx}{dt} = F_{ext} \quad \textbf{(12.4.10)}$$

onde μ é o *coeficiente de atrito*, proporcional à viscosidade do fluido (**FB1**, Seção 5.2) e F_{ext} é a força externa, resultante das colisões entre a partícula browniana e as moléculas do fluido. Essa força varia ao acaso, representando as flutuações de pressão sofridas: é o que se chama uma *força estocástica* ou *força de Langevin*. Em particular, é igualmente provável que seja $F_{ext} > 0$ ou $F_{ext} < 0$ a cada instante, de forma que

$$< F_{ext} > = 0 \tag{12.4.11}$$

onde $< >$ indica a média sobre um grande número de observações de partículas brownianas.

A (12.4.10) permite tirar conclusões sobre tais valores médios. Para calcular D, pela (12.4.4), devemos achar $<x^2>$ em função de t:

Temos

$$\frac{d}{dt}\left(x^2\right) = 2x\frac{dx}{dt}$$

Multiplicando ambos os membros da (12.4.10) por x, temos

$$mx \underbrace{\frac{d^2x}{dt^2}}_{\frac{d}{dt}\left(x\frac{dx}{dt}\right)-\left(\frac{dx}{dt}\right)^2} + \mu x \underbrace{\frac{dx}{dt}}_{\frac{1}{2}\frac{d}{dt}\left(x^2\right)} = xF_{ext}$$

ou seja

$$m\frac{d}{dt}\left[\frac{d}{dt}\left(\frac{x^2}{2}\right)\right] - mv_x^2 + \mu\frac{d}{dt}\left(\frac{x^2}{2}\right) = xF_{ext} \tag{12.4.12}$$

onde $v_x = dx/dt$ é a componente x da velocidade da partícula.

Podemos agora tomar a média de ambos os membros da (12.4.12) sobre um grande número de observações. Tendo em vista a (12.4.11), é razoável supor que

$$< xF_{ext} > = 0 \tag{12.4.13}$$

Por outro lado, pela equipartição da energia,

$$\frac{1}{2}m < v_x^2 > = \frac{1}{2}kT \tag{12.4.14}$$

Seja

$$f = \frac{d}{dt} < x^2 > = < \frac{d}{dt}\left(x^2\right) > \tag{12.4.15}$$

onde a igualdade decorre de serem independentes as operações de tomar a média e de derivação em relação ao tempo. Com as (12.4.13) a (12.4.15), a média da (12.4.13) fica

$$m\frac{df}{dt} + \mu f = 2kT \tag{12.4.16}$$

Tomando como nova variável

$$g(t) = f(t) - \frac{2kT}{\mu} \tag{12.4.17}$$

que só difere de f por uma constante, a (12.4.16) se escreve

$$\frac{dg}{dt} = -\frac{g}{\tau}, \quad \tau = \frac{m}{\mu} \tag{12.4.18}$$

cuja solução é

$$g(t) = g(0)e^{-t/\tau} \tag{12.4.19}$$

Como a massa m da partícula browniana é muito pequena, a vida média τ do decaimento exponencial (12.4.19) também é (valores típicos de τ são $\sim 10^{-8}$ s). Logo, para qualquer tempo de observação razoável, podemos tomar

$$g(t) \approx 0 = \frac{d}{dt} < x^2 > -\frac{2kT}{\mu} \tag{12.4.20}$$

onde substituímos as (12.4.17) e (12.4.15).

Integrando em relação a t ambos os membros da (12.4.20). e tomando $x(0) = 0$, obtemos finalmente

$$< x^2 > = \frac{2kT}{\mu} t \tag{12.4.21}$$

Comparando com a (12.4.4), resulta

$$\boxed{D = kT / \mu} \tag{12.4.22}$$

que é a *relação de Einstein* para o coeficiente de difusão no movimento browniano.

A (12.4.22) relaciona D, que governa a *flutuação* de posição $<x^2>$, com o coeficiente de atrito μ, que governa a *dissipação* da velocidade pelo atrito interno no fluido. É um exemplo de uma relação muito geral, a *relação flutuação – dissipação*, entre estes dois tipos de efeitos. É natural que eles estejam relacionados, pois a dissipação é devida ao mesmo mecanismo microscópico (colisões com as moléculas) responsável pelas flutuações.

Para uma partícula esférica de raio a, o coeficiente de atrito μ se relaciona com a viscosidade η do fluido (Seção 2.7) por uma fórmula devida a Stokes:

$$\mu = 6\pi\eta a \tag{12.4.23}$$

Conhecendo a temperatura T na (12.4.22), vemos que medir o coeficiente de difusão D equivale a medir a constante de Boltzmann $k = R/N_0$ (11.4.22). Como a constante universal dos gases R é conhecida, isto fornece o número de Avogadro N_0, atingindo assim o objetivo original de Einstein, que era demonstrar a realidade da existência das moléculas; o valor de N_0, como vimos na Seção 11.1, também permite estimar o tamanho das moléculas. O título da tese de doutorado de Einstein de 1905 era "Uma nova determinação das dimensões moleculares".

Uma série de experimentos com partículas brownianas de diversos tamanhos em suspensão num fluido foi feita por Jean Perrin em 1909. Os resultados comprovaram a relação de Einstein (12.4.22), em particular o fato de que D independe da massa da partícula (Perrin chegou a variar a massa na proporção de 1 para 15.000) e permitiram determinar o número de Avogadro.

Para valores típicos de η e $a \sim 10^{-5}$ cm, à temperatura ambiente, as (12.4.22) e (12.4.23) dão $D \sim 10^{-8}$ cm²/s. Pela (12.4.8), com $t \sim 30$ s (tempo típico de observação), isto leva a $\sqrt{< r^2 >} = r_{qm} \sim 0{,}01$ mm, o que concorda com os valores observados.

Com aparelhos suficientemente sensíveis, é possível amplificar o movimento browniano até a escala macroscópica. Isto pode ser feito observando as flutuações na posição angular de um espelho suspenso por uma fibra de torção de quartzo extremamente delgada, com um arranjo tipo galvanômetro (Figura 12.14). O deslocamento angular φ é medido pela reflexão (do espelho para uma escala graduada) de um feixe luminoso.

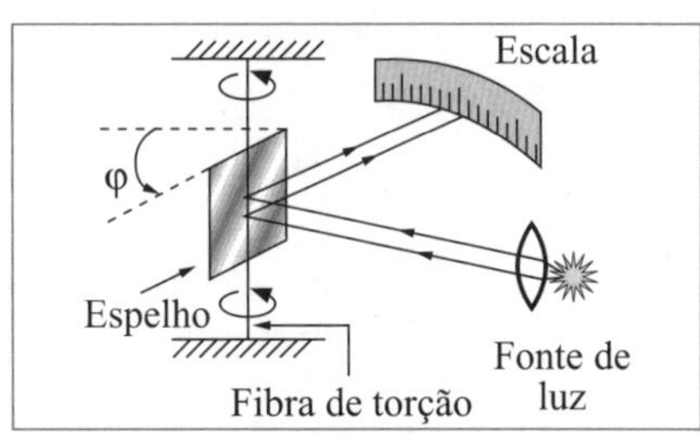

Figura 12.14 Observação do movimento browniano.

As flutuações observadas de φ devem-se a flutuações da pressão exercida pela atmosfera sobre o espelho, que levam a um torque flutuante. Se K é o módulo de torção do fio, a energia potencial associada a um pequeno deslocamento angular φ é (Seção 3.3)

$$U = \frac{1}{2} K \varphi^2 \tag{12.4.24}$$

Como esta expressão é quadrática em φ, o teorema de equipartição da energia (Seção 11.5) resulta, para a flutuação quadrática média $<\varphi^2>$, em equilíbrio térmico à temperatura T,

$$< U > \; = \frac{1}{2} K < \varphi^2 > \; = \frac{1}{2} kT \left\{ < \varphi^2 > \; = \frac{kT}{K} \right. \tag{12.4.25}$$

Medindo $<\varphi^2>$ e conhecendo K, determina-se k e, consequentemente, N_0, o que foi feito por Kappler (1931).

12.5 INTERPRETAÇÃO ESTATÍSTICA DA ENTROPIA

(a) Macroestados e microestados

Vimos, no Capítulo 10, que a irreversibilidade encontrada nos fenômenos macroscópicos está ligada à 2ª lei da termodinâmica, expressa em termos do *princípio do aumento da entropia*: $\Delta S \geq 0$, com $\Delta S > 0$ para processos irreversíveis (Seção 10.9). Entretanto, as leis básicas da física (em particular da Mecânica) que regem os processos são reversíveis. Como conciliar estes dois fatos?

Para analisar este problema, vamos considerar um exemplo simples de processo macroscópico irreversível e examinar sua descrição microscópica. O exemplo é o de

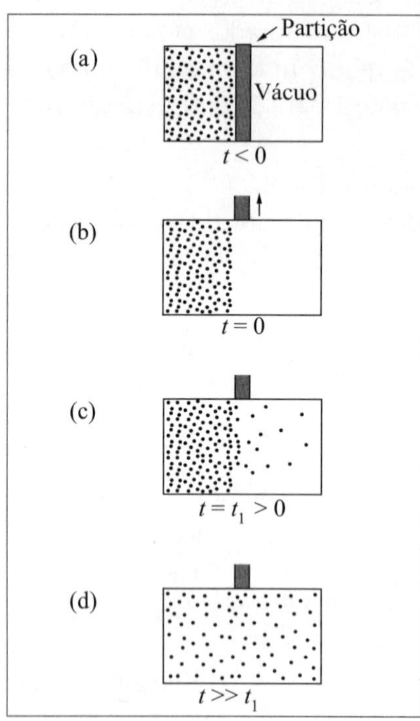

Figura 12.15 Remoção de partição.

uma experiência idealizada análoga à expansão livre de um gás. Consideremos um recipiente fechado dividido em duas partes iguais por uma partição (Figura 12.15). Para $t < 0$, fez-se o vácuo à direita da partição e há um gás em equilíbrio térmico à esquerda. Para $t = 0$, a partição é removida. Num instante posterior (Figura (c)), o gás terá começado a difundir-se para o recipiente da direita. Finalmente, para tempos maiores, será atingido novo estado de equilíbrio térmico, com o gás difundido uniformemente por todo o recipiente (Figura (d)).

Esse processo é irreversível: não esperamos que ocorra espontaneamente na sequência inversa, da Figura (d) para a Figura (b). Se assim não fosse, correríamos o risco de morrer sufocados, caso o ar da sala em que nos encontramos se condensasse espontaneamente na outra metade da sala, deixando o vácuo na nossa!

Do ponto de vista microscópico, a difusão do gás da esquerda para a direita ocorre por um processo análogo ao movimento browniano: cada molécula sofre um grande número de colisões com as outras, descrevendo uma "trajetória browniana" em ziguezague, extremamente complicada, para passar de um lado para outro, o que acaba levando a uma certa distribuição das posições e velocidades das moléculas na situação da Figura (d).

De acordo com as leis da mecânica, cada uma das colisões entre moléculas é reversível, de modo que o processo inverso (passagem de (d) para (b)) é perfeitamente compatível com essas leis. Corresponde à reversão do movimento ("passar o filme de trás para diante").

Entretanto, para reconstituir (b) a partir de (d), é preciso *inverter as velocidades de todas as moléculas* em (d), ou seja, partir de uma situação inicial em que as posições e velocidades de um número gigantesco de moléculas ($\sim 10^{27}$, em situações macroscópicas típicas) têm de ser exatamente aquelas que produzem o processo inverso.

Embora possível em princípio, esta é uma situação extremamente improvável, tão improvável que estamos plenamente justificados quando a consideramos impossível na prática. Não precisamos temer a morte por asfixia súbita devida à condensação espontânea das moléculas de ar!

A ideia de que eventos extremamente improváveis não ocorrem é familiar. Se todos os mutuários de uma companhia de seguros de vida morressem no mesmo dia, ela iria à falência. Entretanto, como dizia Eddington, "a vida humana é proverbialmente incerta, mas poucas coisas são mais certas do que a estabilidade financeira de uma companhia de seguros de vida". Uma das razões para isso é o grande número de mutuários: pela (12.4.9), a flutuação relativa se toma desprezível num grande número de eventos distribuídos ao acaso. Para o gás, uma distribuição de posições e velocidades iniciais de ~10^{27} moléculas que as leve todas a "conspirar" para se concentrarem numa metade do recipiente é tão rara, frente ao número inimaginavelmente maior de outras configurações iniciais que não levam a esse efeito, que sua probabilidade de ocorrência é nula para todos os fins práticos.

Vemos aparecer assim a ideia de que *a 2ª lei da termodinâmica deve ser uma lei* ***probabilística****, de natureza diferente das leis determinísticas da mecânica clássica*, por exemplo.

Voltando ao exemplo do gás, procuremos explicitar de forma mais quantitativa a ideia de que configurações em que as moléculas estão uniformemente distribuídas na metade esquerda e na metade direita do recipiente são mais prováveis do que aquelas em que ele se concentra inteiramente numa das metades. Para isto, vamos examinar configurações possíveis de um "gás teórico" de N moléculas, começando com valores baixos de N e vendo o efeito de aumentar N.

	$N = 2$						
	Configuração	**Molécula 1**	**Molécula 2**	n_E	n_D	**N. de estados**	**Probabilidade**
(A)	(A)	E	E	2	0	1	1/4
(B)	(B)	E	D	1	1	2	1/2
(C)	(C)	D	E				
(D)	(D)	D	D	0	2	1	1/4
	Totais					4	1

As figuras da esquerda na tabela acima mostram as quatro configurações possíveis de um "gás de $N = 2$ moléculas" no que se refere à ocupação da metade esquerda (E) ou direita (D) do recipiente pelas moléculas 1 e 2. As colunas "n_E" e "n_D" da tabela classificam as configurações pelo número total de moléculas à esquerda (n_E) e à direita (n_D), não importando *quais* sejam as moléculas de cada lado. A penúltima coluna fornece o número de estados com estes valores de (n_E, n_D). O número total $4 = 2^2 = 2^N$ é o mesmo número das configurações.

Consideramos cada uma das configurações (A) a (D) como *igualmente provável*: a probabilidade de cada uma é, portanto, = 1/4. Podemos dizer que a probabilidade de que a molécula 1 esteja de um determinado lado é = 1/2, e o mesmo vale para 2. Como essas probabilidades são independentes (a presença de 1 de um lado não afeta a de 2), a probabilidade de que ambos os eventos se realizem, isto é, que o "gás" se concentre todo de um lado, qualquer que seja a configuração, é $1/2 \times 1/2 = 1/4$.

A última coluna da tabela fornece a probabilidade associada à configuração (n_E, n_D). Vemos que é máxima (= 1/2) para $n_E = n_D$ (distribuição uniforme).

N = 4							
Molécula				n_E	n_D	**N. de estados**	**Probabilidade** $P(n_E, n_D)$
1	**2**	**3**	**4**				
E	E	E	E	4	0	$1=\binom{4}{0}$	$1/16 = (1/2)^4$
D	E	E	E	3	1	$4=\binom{4}{1}$	$\frac{4}{16}=\frac{1}{4}=\binom{4}{1}\left(\frac{1}{2}\right)^4$
E	D	E	E				
E	E	D	E				
E	E	E	D				
D	D	E	E	2	2	$6=\binom{4}{2}$	$\frac{6}{16}=\frac{3}{8}=\binom{4}{2}\left(\frac{1}{2}\right)^4$
D	E	D	E				
D	E	E	D				
E	D	D	E				
E	D	E	D				
E	E	D	D				
D	D	D	E	1	3	$4=\binom{4}{3}$	$\frac{4}{16}=\frac{1}{4}=\binom{4}{3}\left(\frac{1}{2}\right)^4$
D	D	E	D				
D	E	D	D				
E	D	D	D				
D	D	D	D	0	4	$1=\binom{4}{4}$	$1/16 = (1/2)^4$
Totais						$16 = 2^4$	1

A tabela acima mostra os resultados correspondentes para um "gás de quatro moléculas". É fácil demonstrar (verifique!) que, para N qualquer, os resultados são os seguintes:

Número de configurações das moléculas = 2^N; probabilidade de cada configuração $(1/2)^N$. Número de estados com dados $(n_E, n_D) = \binom{N}{n_E} = \binom{N}{n_D}$, onde

$$\binom{N}{n} = \frac{N!}{n!(N-n)!} = \binom{N}{N-n} \tag{12.5.1}$$

é o número de combinações de N elementos n a n, ou seja ainda, o coeficiente de $a^{N-n}\, b^n$ na expansão de $(a + b)^N$ (coeficiente binomial).

A probabilidade $P(n_E, n_D)$ de encontrar n_E moléculas à esquerda e n_D à direita é dada por

$$P(n_E, n_0) = \binom{N}{n_E}\left(\frac{1}{2}\right)^N \tag{12.5.2}$$

A Figura 12.16 mostra um gráfico da distribuição de probabilidade (12.5.2) como função de n_E/N, para $N = 100$, juntamente com os pontos obtidos acima para $N = 2$ e $N = 4$. Esta é a chamada *distribuição binomial*, obtida por Jacques Bernoulli. Como mostra a figura, à medida que N aumenta, o pico em torno de $n_E = n_D$ vai-se tornando cada vez mais estreito. Pode-se mostrar que, para N grande, a *largura* desse pico, que mede a *flutuação relativa em torno do valor médio*, é da ordem de $1/\sqrt{N}$, como na (12.4.9). Logo, para um gás de $N \sim 10^{24}$ partículas, a flutuação esperada de densidade em torno da *distribuição uniforme* ($n_E = n_D$) é $\sim 10^{-12}$.

Por outro lado, a probabilidade de que as N moléculas se concentrem todas do mesmo lado é

$$P(N,0) = \left(\frac{1}{2}\right)^N \qquad \textbf{(12.5.3)}$$

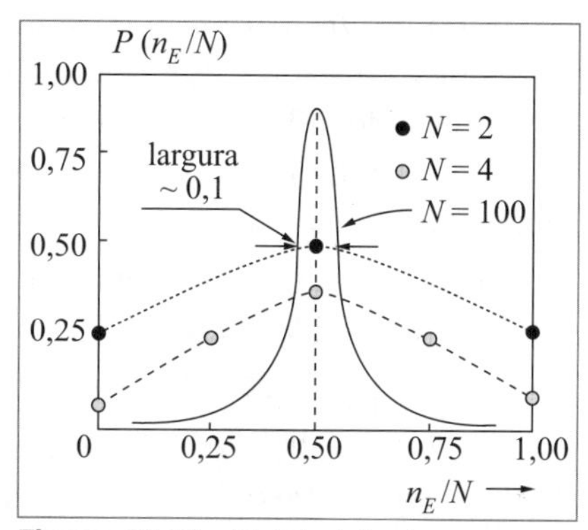

Figura 12.16 Distribuição de probabilidade.

que é idêntica à probabilidade de obter N caras em N lançamentos sucessivos de uma moeda [cf. (12.2.31)]. Para $N \sim 10^{27}$, esta probabilidade, $\sim (1/2)^{10^{27}} \sim 10^{-3\times 10^{26}}$ é fantasticamente pequena. Levando em conta o intervalo de tempo médio entre colisões, o tempo que seria preciso esperar para que tal evento tivesse probabilidade apreciável de ocorrer é enormemente grande, mesmo em confronto com a idade do Universo.

A caracterização de um estado do gás pela sua densidade em diferentes regiões macroscópicas define um *macroestado* do gás. Nas tabelas acima, os macroestados são caracterizados pelos pares (n_E, n_D).

A cada macroestado, podemos associar diversos *microestados* diferentes: nas tabelas, um microestado é especificado indicando quais das moléculas, de 1 a N, estão em E e quais estão em D. Uma caracterização completa de um microestado, na mecânica clássica, seria obtida dando as posições e velocidades de todas as moléculas.

Como vimos pelas tabelas, a cada macroestado corresponde em geral (para N grande) um grande número de microestados diferentes. Como associamos igual probabilidade a cada microestado, segue-se que *o macroestado mais provável de um sistema é aquele que pode ser realizado pelo maior número possível de microestados diferentes.*

Para N muito grande, conforme ilustrado pelo exemplo acima, a distribuição de probabilidade terá um máximo extremamente concentrado em torno do macroestado mais provável, com flutuações extremamente pequenas. A descrição em termos de macroestados corresponde à *descrição termodinâmica macroscópica*, em termos de apenas alguns parâmetros, como (P, ρ, T).

(b) Entropia e probabilidade

O exemplo de um processo irreversível correspondente à expansão livre, ilustrado na Figura 12.15, indica que os processos físicos devem ocorrer no *sentido em que a probabilidade associada ao macroestado do sistema aumenta*, tendendo ao *equilíbrio termodinâmico, que deve corresponder ao macroestado de máxima probabilidade.*

Podemos ainda dizer, nesse exemplo, que o estado com todas as moléculas na metade esquerda é um *estado altamente ordenado*, que corresponde a 1 único "microestado", ao passo que o estado com distribuição uniforme das moléculas corresponde ao *máximo de desordem*, no sentido de ter o maior número possível de realizações microscópicas distintas. É a mesma diferença entre as cartas de um baralho bem embaralhado ou ordenado em sequências do mesmo naipe. O estado de equilíbrio termodinâmico representa a desordem máxima: a distribuição de Maxwell corresponde ao "caos molecular".

Há um paralelismo completo entre a evolução do macroestado de um sistema no sentido da probabilidade crescente e o *princípio de aumento da entropia*, o que nos leva a inferir que *a entropia deve ser uma medida da probabilidade termodinâmica.*

Se associarmos um *peso estatístico* W a um macroestado, definido como *o número de microestados compatíveis com esse macroestado* (ou seja, proporcional à sua probabilidade termodinâmica), a *entropia* S deve ser, portanto, uma função crescente de W. Que espécie de função?

Uma pista é fornecida pelo fato de que *a entropia é uma grandeza aditiva*, ou seja, se juntarmos dois volumes de gás à mesma temperatura (para que permaneçam em equilíbrio termodinâmico), a entropia do sistema resultante, S, é a soma das entropias dos dois sistemas [cf. (10.7.25)].

Por outro lado, como se trata de dois *sistemas independentes*, *a probabilidade P de um macroestado do sistema resultante é o produto das probabilidades dos macroestados das componentes*, ou seja,

$$P = P_1 P_2 \Rightarrow S = S_1 + S_2 \tag{12.5.4}$$

Uma função com a propriedade de levar produtos em somas é o *logaritmo*. Somos assim levados a inferir o célebre resultado devido a Ludwig Boltzmann (1872)

$$\boxed{S = k \ln W} \tag{12.5.5}$$

onde k é uma constante e W é o *peso estatístico* do macroestado de entropia S, ou seja, *o número total de microestados compatíveis com esse macroestado.* Na física clássica, W seria definido a menos de um fator constante arbitrário, porque a entropia é definida pela (10.7.4) a menos de uma constante aditiva arbitrária (isto não ocorre na física quântica). A fórmula de Boltzmann (12.5.5) encabeça a lápide em seu túmulo (Figura 12.17).

Figura 12.17 A inscrição no túmulo de Boltzmann.

Pela (12.5.5),

$$\boxed{S_f - S_i = k \ln\left(W_f / W_i\right)} \tag{12.5.6}$$

ou seja, a variação de entropia entre dois estados depende do *peso estatístico relativo* (ou probabilidade relativa) de um em relação ao outro, dada por W_f / W_i.

No modelo de expansão livre, vimos que a probabilidade de que as N moléculas do gás estejam no volume $V/2$ é

$$\left(\frac{V/2}{V}\right)^N = \left(\frac{1}{2}\right)^N$$

Da mesma forma, as probabilidades de que o gás esteja ocupando o volume V_i e o volume V_f, respectivamente, seriam

$$P_i = \left(\frac{V_i}{V}\right)^N, \quad P_f = \left(\frac{V_f}{V}\right)^N$$

de modo que a razão dos pesos estatísticos correspondentes seria

$$\frac{W_f}{W_i} = \left(\frac{V_f}{V_i}\right)^N \tag{12.5.7}$$

Substituindo este resultado na (12.5.6), vemos que a variação de entropia numa expansão livre do volume V_i ao volume V_f é

$$\Delta S = S_f - S_i = k \ln\left[\left(V_f / V_i\right)^N\right] = Nk \ln\left(V_f / V_i\right)$$

ou seja, para n moles de gás ($N = nN_0$),

$$\Delta S = S_f - S_i = nN_0 k \ln\left(\frac{V_f}{V_i}\right) \tag{12.5.8}$$

Comparando este resultado com a (10.9.12), concluímos que

$$k = R / N_0 \tag{12.5.9}$$

Logo, pela (11.4.22), a constante k na (12.5.5) é a *constante de Boltzmann*. A (12.5.5) é uma das relações fundamentais da física, estabelecendo a *conexão entre termodinâmica e mecânica estatística*. A expressão geral (12.2.49) da *distribuição de Boltzmann*, também conhecida como *distribuição canônica em energia*, está diretamente relacionada com a (12.5.5).

12.6 O DEMÔNIO DE MAXWELL

Figura 12.18 O demônio de Maxwell.

Num tratado de termodinâmica de 1871, James Clerk Maxwell considera um gás em equilíbrio térmico, contido num recipiente termicamente isolado, dividido em duas partes A e B por uma partição em que há uma minúscula abertura, controlada por uma portinhola, tão leve que pode ser aberta ou fechada dispendendo um trabalho desprezível. Nele imagina (Figura 12.18) introduzido o "demônio",

> "[...] um ser capaz de enxergar as moléculas individuais, que abre e fecha a portinhola, de forma a permitir que somente as moléculas mais rápidas passem de A para B, e somente as mais lentas passem de B para A".

Dessa forma, sem realizar trabalho, ele eleva a temperatura (associada à energia cinética média das moléculas) de B e baixa a de A, transferindo calor de A para B, com isso violando a 2ª lei da termodinâmica. Maxwell pretendia apenas enfatizar que a 2ª lei tem validade macroscópica (estatística), não se aplicando a um pequeno número de moléculas, mas seu modelo foi visto como um paradoxo, uma redução de entropia num sistema termicamente isolado.

Em 1929, Leo Szilard propôs aplicar o argumento de Maxwell a um "gás" de uma só molécula (Figura 12.19): (1) O demônio pode baixar uma partição para dividir ao meio o recipiente; (2) Ele baixa a partição, que é móvel, como um pistão, e verifica de que lado está a molécula; (3) Acopla o pistão a um peso, suspenso de uma polia, e coloca o "gás" em contato com um reservatório térmico à temperatura T; (4) A expansão isotérmica (produzida pela pressão de uma só molécula) empurra o pistão até o outro extremo do recipiente, permitindo que o demônio remova a partição e volte à configuração (1). O resultado global é um *ciclo* em que, pela (12.5.8), com $N = 1$ e $V_f/V_i = 2$, a entropia *diminui*, pela conversão de calor do reservatório térmico em trabalho, de

$$\Delta S = -k \ln 2 \qquad \textbf{(12.6.1)}$$

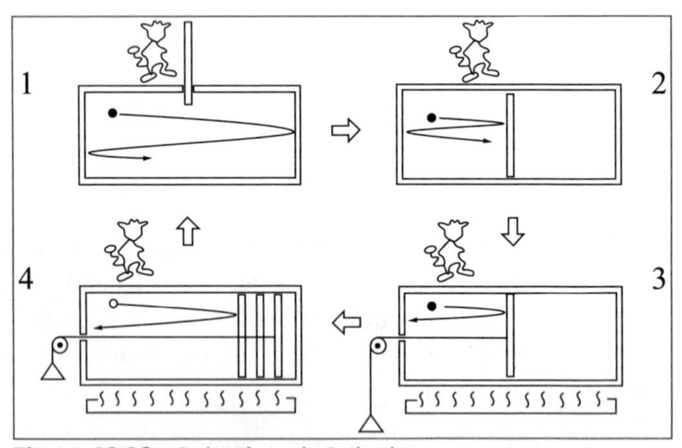

Figura 12.19 O demônio de Szilard.

Como o ciclo poderia ser repetido indefinidamente, seria também um moto-perpétuo de 2ª espécie.

Szilard propôs que a 2ª lei não é violada porque há um aumento compensatório de entropia, igual e contrário à (12.6.1), devido ao *processo de detecção para localizar de que lado da partição se encontra a molécula.* A variação de entropia com sinal trocado, ou *negentropia*, representa assim um *ganho de informação* $\Delta I = -\Delta S$. A informação sobre o lado (E ou D) pode ser codificada em linguagem binária, por exemplo, 0 = E, 1 = D. Representa assim *1 bit de informação.*

Entretanto, a explicação de Szilard não é correta. A explicação correta, "exorcizando" o demônio de Maxwell, foi dada por Rolf Landauer em 1961. A aquisição de informação, como num computador, pode ser tornada reversível, não alterando a entropia. O que é irreversível, em ambos os casos, é o ato de *apagar* a informação. Pelo *Princípio de Landauer*,

Apagar 1 bit de informação representa um aumento de entropia $\Delta S \geq k \ln 2$.

Antes de atualizar a informação sobre um estado macroscópico de um gás, o demônio tem de apagar de sua memória a informação que já está nela armazenada. É isso que elimina a aparente violação da 2ª lei.

A física é uma ciência experimental. A comprovação experimental desses resultados foi obtida recentemente, tanto uma simulação do demônio de Szilard* quanto a verificação** do Princípio de Landauer.

12.7 A CATRACA TÉRMICA

Em 1912, Smoluchowski propôs um mecanismo *automático* que simularia um demônio de Maxwell. A sua ideia foi popularizada por Feynman em suas *Lectures on Physics* (vol. 1, cap. 16), na forma de uma *catraca térmica* (Figura 12.20).

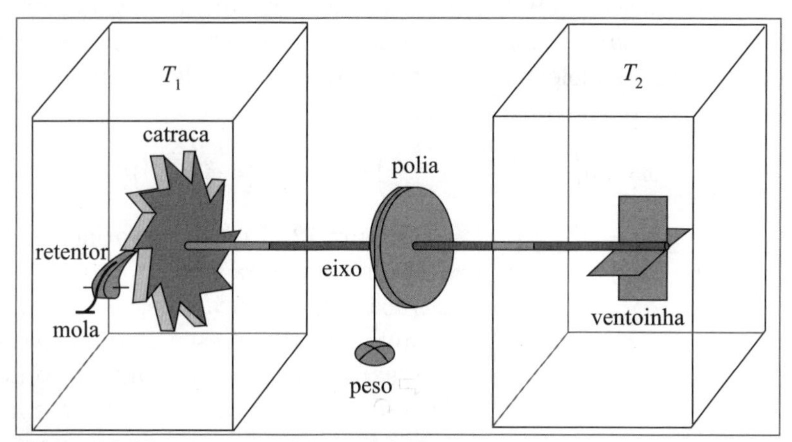

Figura 12.20 A catraca térmica de Feynman.

Dois recipientes contêm gás, a temperaturas T_1 e T_2 (para simplificar, podemos tomar $T_1 = T_2 = T$). Estão conectados por um eixo, ligado de um lado a uma ventoinha e do outro a uma catraca (Figura 12.20). A catraca só pode girar no sentido horário, porque um retentor inserido num dente a impede de girar no sentido oposto; ela funciona como um *demônio automático*. Com efeito, as colisões das moléculas do gás sobre a ventoinha, transmitidas pelo eixo à catraca, a fazem girar, em princípio no único sentido permitido. Acoplando uma polia ao eixo e suspendendo dela um peso, ele seria assim levantado, convertendo a agitação térmica do gás em trabalho e violando a 2ª lei.

---

* S. Toyabe et al., *Nature Physics* **6**, 988 (2010).

** A. Bérut et al., *Nature* **483**, 187 (2012).

O que está errado? O retentor também é bombardeado pelas moléculas do gás do lado da catraca. As flutuações térmicas correspondentes podem, então, fazê-lo escorregar para fora, liberando o dente e permitindo que a catraca gire no sentido anti-horário ("proibido").

Seja ε a energia necessária para fazer a catraca girar do ângulo θ entre dois dentes consecutivos. A probabilidade de que uma flutuação térmica à temperatura T comunique essa energia à ventoinha, na ausência de um peso suspenso, é dada pelo *fator de Boltzmann* (12.2.49),

$$\exp(-\varepsilon/kT)$$

Mas, para temperaturas iguais $T_1 = T_2 = T$, essa é também a probabilidade de que uma flutuação térmica comunique essa energia ao retentor, realizando trabalho contra a mola que o prende e permitindo que a catraca gire de um ângulo θ "para trás". Logo, as probabilidades de rotação em ambos os sentidos são iguais: a polia flutua o tempo todo, com rotações para a frente e para trás, e o trabalho realizado sobre o peso, em média, é nulo. Para $T_1 \neq T_2$, Feynman mostra (confira!) que o sistema pode funcionar como um motor térmico, com rendimento ideal dado pelo rendimento da máquina de Carnot (10.5.13).

Consideremos, agora, a situação na presença de um peso suspenso, ainda com $T_1 = T_2 = T$. Seja τ o torque (positivo para rotação anti-horária) que o peso produz. Para que a ventoinha gire de um ângulo θ, é necessário então comunicar-lhe uma energia $\varepsilon + \tau\theta$, ao passo que a energia para liberar o retentor de um dente continua sendo ε. Se $\overline{n}$ é o número médio de colisões moleculares por segundo capazes de transmitir a energia ε, a velocidade angular de rotação da catraca é

$$\omega = \overline{n}\theta\left(e^{-(\varepsilon+\tau\theta)/kT} - e^{-\varepsilon/kT}\right) = \overline{n}\theta\, e^{-\varepsilon/kT}\left(e^{-\tau\theta/kT} - 1\right) \qquad \textbf{(12.7.1)}$$

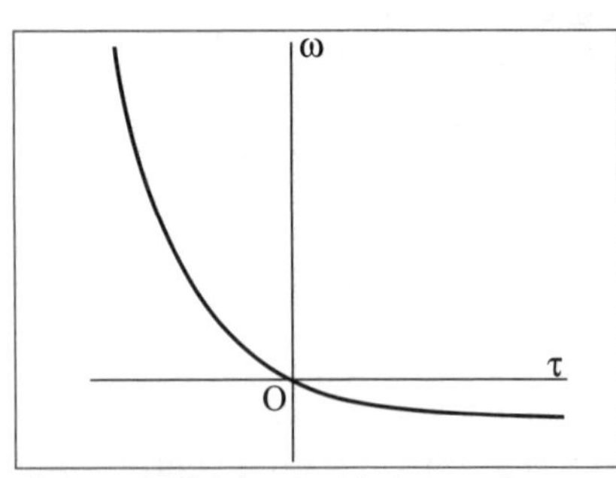

Figura 12.21 Velocidade angular × torque.

A Figura 12.21 mostra a variação de ω em função do torque τ. Para τ positivo, procurando forçar a catraca a girar para trás, ω tende a um valor constante quando τ cresce. Para τ negativo, porém, o fator exponencial é dominante e a velocidade angular cresce rapidamente. Vemos assim que a catraca de Feynman funciona como um *demônio de Maxwell automático, retificador das flutuações térmicas, que amplifica as flutuações maiores de forma assimétrica, favorecendo o deslocamento unidirecional (num sentido) em relação ao sentido oposto.*

12.8 APLICAÇÃO À BIOLOGIA

O que Newton é para a física, Darwin representa para a biologia. Na expressão do geneticista Dobzhanski, "Nada em biologia faz sentido se não for visto à luz da evolução". Um exemplo, mencionado na Seção 6.3, é a extraordinária sensitividade da nossa audição (o que também vale para a visão), vantagem evolutiva para a sobrevivência de nossos antepassados frente a ameaças nas florestas pré-históricas.

Um ser vivo é um sistema altamente improvável, e sua existência parece à primeira vista violar o princípio de aumento da entropia. Entretanto, é importante lembrar que este princípio (Seção 10.9) se aplica a um sistema *fechado*, ou seja, termicamente isolado. Não há nada de contraditório em que a entropia de um sistema *aberto*, em interação com o exterior (o resto do universo, na terminologia da Seção 10.9), diminua, às expensas de um aumento maior da entropia do resto do Universo. É o que acorre com organismos vivos: a diminuição de sua entropia é compensada, em última análise, pelo aumento da entropia do sol.

Com efeito, como Boltzmann já havia sugerido em 1886 e Erwin Schrödinger enfatizou em seu livro de 1945 "What is life?", um ser vivo não se alimenta propriamente de matéria ou de energia (calorias), mas de negentropia, ou seja, da *informação* contida em tipos muito especiais de matéria, moléculas orgânicas com grau de ordem elevado (carboidratos, proteínas,...) assimiladas por seu metabolismo, que são resultantes da fotossíntese, portanto, originárias da radiação solar, capturada diretamente pelos vegetais e depois nutrindo os animais.

No metabolismo das células vivas, um papel central é desempenhado pelas *proteínas*, biopolímeros de 20 aminoácidos, formados tipicamente por ~ 300 unidades. Elas são responsáveis por uma multiplicidade extraordinária de funções: atuam como enzimas, anticorpos, hormônios, no controle do ciclo celular, no transporte intracelular, na motilidade, na regulação da transcrição dos genes. As *proteínas motoras* são máquinas moleculares extraordinárias, que convertem energia química diretamente em trabalho. Como podem ser tão versáteis?

A razão (conforme foi salientado por Jacques Monod) é que *atuam como demônios de Maxwell, capazes de retificar o movimento browniano*. A água é a componente majoritária das células e o tamanho típico de uma proteína motora é da ordem de dezenas de nm, de forma que elas são fortemente afetadas pelas flutuações brownianas.

Vamos considerar como exemplo a proteína motora *miosina* 5 [Figura 12.22(a)], que transporta vesículas ao longo de dendritos dos neurônios, caminhando sobre filamentos de actina. Estes se assemelham a dois colares de contas (os monômeros), que estão enrolados um com o outro, como uma hélice, de passo ~ 37 nm [Figura 12.22(b)]. A molécula tem dois "domínios motores" chamados de "cabeças", embora atuem como os pés na caminhada. As pernas ou "pescoços", com 24 nm de comprimento, podem atuar como braços de alavanca, inclinando a molécula. A "cauda" se liga a um suporte onde se aloja a carga transportada. Num registro das passadas em função do tempo [Figura 12.22(c)], as flutuações brownianas estão bem evidenciadas.

A miosina 5 se move, convertendo em energia mecânica a energia química fornecida pelo "combustível" universal das células, a *hidrólise* do ATP (trifosfato de adenosina), convertendo-o em difosfato (ADP), por meio da reação química

$$\text{ATP} + \text{H}_2\text{O} \rightarrow \text{ADP} + \text{P}_\text{i} + \text{H}^+$$

onde P_i é um fosfato inorgânico; a energia liberada é da ordem de 20 vezes a energia térmica. Esse processo está associado a mudanças de conformação nos domínios motores da miosina 5.

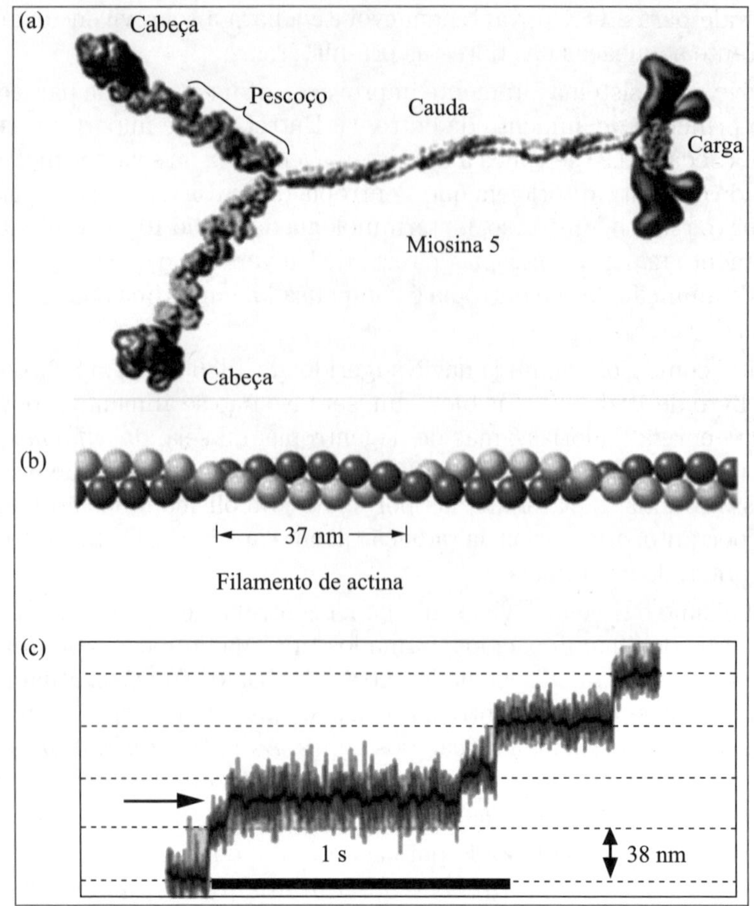

Figura 12.22 (a) Molécula de miosina 5; (b) Filamento de actina; (c) Deslocamento × tempo.

O "ciclo mecanoquímico" correspondente a um passo da miosina 5 está representado na Figura 12.23. Inicialmente, em A, ambas as cabeças contêm ADP e estão ligadas a sítios da actina separados por um passo da hélice (37 nm). A liberação do ADP da cabeça 1 permite que um ATP se ligue e solte a cabeça 1 (B). A hidrólise do ATP fornece energia para que a cabeça 1 passe à frente de 2, procurando ligar-se ao sítio seguinte (C). É nessa procura *difusiva* que intervém o movimento browniano. Assim, a cabeça 1 dá uma passada de 74 nm, encontrando o sítio à frente (D). A liberação do fosfato inorgânico (E) liga a cabeça 1 ao sítio, retornando à configuração inicial, mas adiantada de um passo e com as cabeças 1 e 2 trocadas. A ligação ao sítio equivale à inserção num dente da catraca. Assim, *o movimento unidirecional ocorre graças ao mecanismo da catraca térmica*. Ele se assemelha bastante à forma como nós andamos. As inclinações das "pernas" da miosina 5 também ajudam a alavancar a marcha.

A coincidência entre o tamanho da passada e o período da hélice da actina, bem como o fato de que cada passo ocorre com a hidrólise de uma única molécula de ATP, são exemplos da adaptação evolutiva darwiniana. Graças a progressos recentes da microscopia de força atômica, é possível acompanhar em vídeo a caminhada de uma única molécula de miosina 5 [KODERA, N. *et al.*, *Nature*, v. **468**, p. 72, 2010; veja também WALKER, M. L. *et al.*, *Nature*, v. **405**, p. 807, 2000].

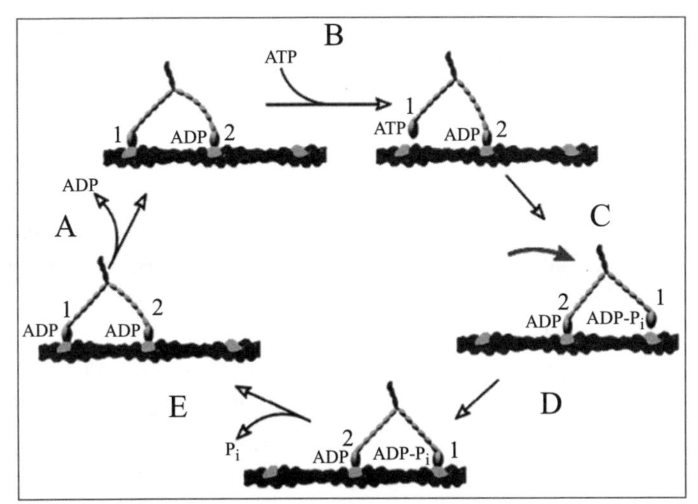

Figura 12.23 Ciclo mecano-químico da miosina 5.
Fonte: Adaptado de VALLE, R. J. *Cell. Biol.*, v. 163, p. 445, 2003).

12.9 A SETA DO TEMPO

(a) A seta do tempo termodinâmica

Com base na interpretação estatística da 2ª lei da termodinâmica, podemos discutir, agora, o problema da "seta do tempo" colocado na Seção 10.1: qual é a origem física da distinção entre passado e futuro?

Essa distinção aparece para sistemas macroscópicos que não estejam em equilíbrio termodinâmico (a situação de equilíbrio é estacionária no tempo, por definição). Numa situação deste tipo, a entropia do sistema tende a aumentar. Note que esta é uma afirmação probabilística, ou seja, não podemos afirmar que a entropia sempre aumente a cada instante, porque pode haver flutuações. Entretanto, como vimos, para um sistema macroscópico, flutuações de amplitude apreciável são extremamente raras.

Podemos utilizar esse resultado para definir uma "seta do tempo termodinâmica": *o futuro é a direção em que a entropia tende a aumentar.* Assim, na Figura 12.15, o tempo cresce de (b) para (d).

Neste exemplo, a situação inicial da figura (b) ($t = 0$) foi criada artificialmente a partir de (a), removendo uma partição. Suponhamos, porém, que não fosse assim – que o sistema estivesse evoluindo livremente (sem nossa intervenção) também para $t < 0$, e que perguntássemos: qual foi a evolução passada que levou à situação da figura (b) (todas as moléculas na metade esquerda) para $t = 0$?

Como as leis microscópicas que governam as colisões moleculares são reversíveis, a resposta é que, com grande probabilidade, o estado (b) de baixa entropia para $t = 0$ deve ter resultado de estados de entropia mais alta [como (d)] para $t < 0$.

Este resultado parece invalidar a seta do tempo termodinâmica: a entropia aumenta tanto para $t > 0$ como para $t < 0$, e nada distingue o passado do futuro: o mais provável é

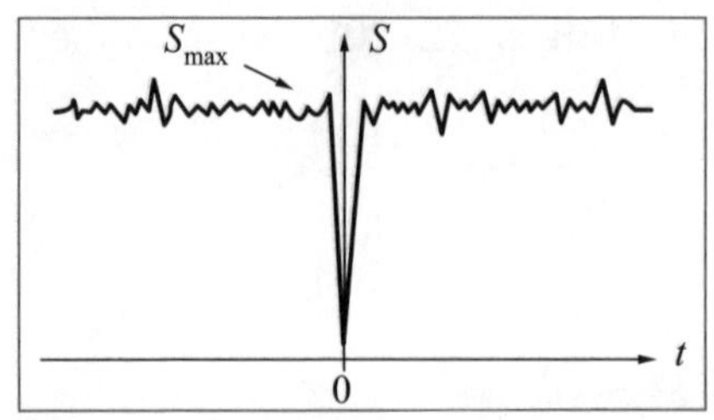

Figura 12.24 Paradoxo da reversibilidade.

que o estado inicial de entropia mais baixa represente um *mínimo* de entropia associado a uma flutuação grande, restabelecendo a simetria temporal na evolução de S, como ilustrado na Figura 12.24. Este é o "paradoxo da reversibilidade", formulado por Loschmidt em 1876.

Entretanto, isso pressupõe que o sistema estava evoluindo *espontaneamente*, sem intervenção externa. Na prática, se encontrássemos um gás na situação da Figura (12.15(b)), poderíamos concluir praticamente com certeza que ela foi obtida *preparando o sistema* como indicado na Figura (a) e removendo a partição para $t = 0$, e não pela evolução espontânea do gás, pois a probabilidade de uma flutuação espontânea tão grande, como vimos na Seção 12.5, é essencialmente nula.

Para um sistema *preparado* para $t = 0$ fora de equilíbrio termodinâmico, ou seja, abaixo da entropia máxima, o argumento de Loschmidt deixa de valer, pois o sistema considerado não existia antes da preparação. A partir da preparação, a seta do tempo termodinâmica passa a operar: *a direção passado → futuro é aquela em que S tende a crescer.*

Esta seria uma explicação antropomórfica da irreversibilidade do tempo: as experiências que fazemos, preparando um sistema inicial fora de equilíbrio e só a partir daí considerando sua evolução, introduziriam o elemento irreversível, com a tendência da entropia ao crescimento monotônico. Na prática, seria impossível preparar um sistema como o da Figura 12.15(d) com as velocidades invertidas, fazendo-o evoluir para a situação da Figura 12.15(b). Do ponto de vista da probabilidade termodinâmica, sistemas ordenados são improváveis e sistemas desordenados (ou seja, com o mesmo macroestado correspondendo a um grande número de microestados possíveis) são mais prováveis. Assim, *a evolução temporal tende a ser no sentido ordem → desordem.*

É preciso lembrar, porém, que a termodinâmica se aplica a *sistemas macroscópicos, formados de um grande número de partículas, em sua evolução macroscópica, ou seja, em escalas de tempo compatíveis.* Para um sistema de poucas partículas, em intervalos de tempo suficientemente curtos, podem ocorrer diminuições de entropia.

A interação com o resto do Universo é capaz de produzir perturbações significativas nos microestados de sistemas macroscópicos; em virtude da interação gravitacional, nenhum sistema pode ser considerado como completamente isolado.

(b) A seta do tempo cosmológica

O argumento exposto aqui está longe de esgotar o problema da seta do tempo. A irreversibilidade associada com a intervenção de um observador e a preparação de um experimento é apenas um aspecto muito parcial da irreversibilidade encontrada nos fenômenos naturais. O Universo é um sistema longe do equilíbrio termodinâmico, e a grande maioria dos fenômenos que observamos evolui no sentido da entropia crescente, independentemente de uma "preparação" pelo observador.

Assim, por exemplo, a velocidade de rotação da Terra tende a diminuir, em consequência do atrito das marés provocadas pela Lua, efeito dissipativo que corresponde a um aumento de entropia. As estrelas (em particular o Sol) sofrem um processo de evolução termodinâmica com crescimento da entropia. Nossas observações são consistentes com um crescimento monotônico da entropia desde o passado mais remoto até o presente.

Se considerarmos fenômenos irreversíveis na escala terrestre, inclusive a vida, veremos que estados iniciais de entropia baixa, termodinamicamente improváveis, dependem geralmente, em última análise, da radiação solar (desníveis hidrográficos, gradientes de temperatura e outras situações de desequilíbrio são produzidos por ela). Por sua vez, a radiação solar provém de processos termonucleares no sol. Para explicar sua origem, precisaríamos discutir a evolução do sol a partir de sua formação em nossa galáxia.

Somos, assim, levados à ideia de uma "*seta do tempo cosmológica*", ligada à evolução do Universo como um todo, no sentido ordem → desordem, e o problema se transfere ao de explicar a origem de um estado mais ordenado do Universo no passado remoto.

Na cosmologia, são estudadas as propriedades e a evolução do Universo, fazendo abstração de "detalhes finos" da distribuição de matéria, ou seja, considerando-a globalmente como uma espécie de "gás de galáxias". Adota-se o chamado *princípio cosmológico*, que representa uma extensão a todo o Universo do ponto de vista de Copérnico: *não há pontos de observação privilegiados; as leis físicas no Universo, examinadas em grande escala, atuam de forma homogênea e isotrópica para qualquer observador em qualquer galáxia típica*. As observações atuais são consistentes com este princípio.

Em 1929, o astrônomo Edwin P. Hubble descobriu que as galáxias estão todas se afastando da nossa (ou seja, pelo princípio cosmológico, umas das outras): *o Universo está em expansão*. Isto se verifica por meio do desvio para o vermelho da luz recebida dessas galáxias, que é interpretado como resultado do efeito Doppler para a luz (análogo ao que discutimos na acústica). Pela magnitude do desvio é possível medir a velocidade de recessão das galáxias. Hubble mostrou que, para uma galáxia à distância r, essa velocidade é dada por

$$V = H_0 r \tag{12.9.1}$$

Logo, a expansão observada do Universo é uma *expansão uniforme*, o que é compatível com o princípio cosmológico. Um análogo bidimensional seria a superfície de um balão uniformemente sarapintado que se infla com velocidade de expansão constante: vistas de qualquer uma das pintas, todas as demais se afastam dela isotropicamente, com velocidades de recessão proporcionais à distância (Figura 12.25).

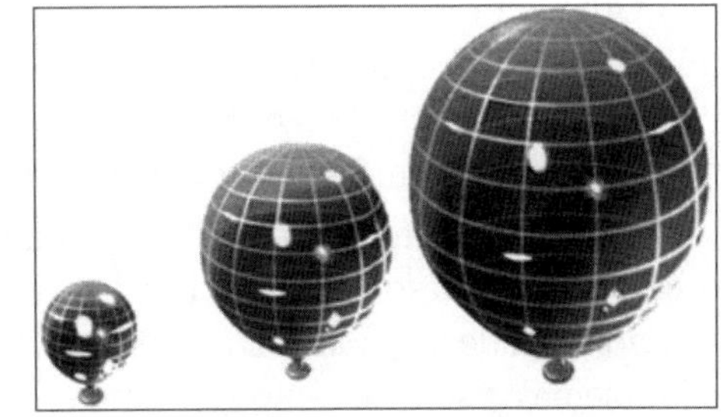

Figura 12.25 Expansão uniforme de um balão, com as "galáxias" pintadas sobre ele.

O parâmetro H_0 na (12.6.1) é a *constante de Hubble*. Seu valor atual observado (na missão Planck, em 2013) é 67,80 ± 0.77 (km/s)/Mpc, onde 1 Mpc (megaparsec) ≈ $3{,}09 \times 10^6$ anos-luz. Logo, a velocidade de recessão para uma galáxia a 1 Mpc de distância é ~ 68 km/s. Para as galáxias mais distantes observadas, V atinge valores que são frações apreciáveis da velocidade da luz.

Se extrapolamos para o passado, em sentido inverso, a expansão atual, o Universo irá se contraindo, e chegaremos a uma densidade de matéria extremamente elevada ("singularidade") para tempos da ordem de $1/H_0 \sim 4{,}35 \times 10^{17}$ s $\sim 13{,}8 \times 10^9$ anos atrás, que definiria a "idade do Universo". As leis físicas atualmente conhecidas, em particular a teoria de Einstein da gravitação (relatividade geral), extrapoladas à escala do Universo, levam a uma singularidade deste tipo, correspondendo ao modelo do "big bang" ("grande explosão") da origem do Universo, denominado "modelo padrão".

Nesse modelo, chega-se à conclusão de que, em estágios iniciais da evolução do Universo, a maior parte da energia estava presente sob a forma de radiação, ou seja a densidade de radiação dominava sobre a densidade de matéria (massa de partículas elementares). Nesse estágio, haveria uma interação intensa entre a radiação e a matéria e teria sido atingida uma situação de *equilíbrio termodinâmico*.

Cerca de 380.000 anos após a explosão inicial, a temperatura teria baixado até o ponto em que teria permitido a formação dos primeiros átomos (de H e He), tornando o Universo transparente à radiação. É a etapa denominada do "desacoplamento" entre matéria e radiação. A partir dessa etapa, o Universo deixa de estar em equilíbrio termodinâmico. A taxa de expansão é mais rápida do que a velocidade dos processos necessários para atingir o equilíbrio.

A radiação existente na época anterior continuaria se resfriando com a expansão. Em 1948, Alpher, Gamow e Herrman predisseram que a radiação térmica primordial ainda deveria existir como uma "radiação de fundo" universal, com uma temperatura atual de alguns graus K, tendo seu pico na região de micro-ondas do espectro eletromagnético.

Em 1965, Arno A. Penzias e Robert W. Wilson detectaram, por acaso, essa radiação cósmica de fundo (receberam o prêmio Nobel por essa descoberta), que é um fóssil da radiação primordial de equilíbrio térmico, à temperatura atual de $T \approx 2{,}725$ K, e isotrópica, conforme deveria ser. Essa é uma das evidências experimentais mais importantes para o modelo cosmológico padrão. Parte da "neve" (chuvisco) na tela de um aparelho de TV mal sintonizado se origina da radiação cósmica de micro-ondas!

Qual é a relação entre esses resultados e a explicação da seta do tempo? A situação inicial do Universo na grande explosão seria o análogo cosmológico da "preparação" de um estado inicial muito longe do equilíbrio termodinâmico. A partir desse estado, a seta do tempo termodinâmica passaria a operar no sistema, no mesmo sentido que a cosmológica.

Vemos, portanto, que o problema da seta do tempo parece estar ligado à questão da origem do Universo, cujo estado inicial teria tido uma entropia extremamente baixa. Na situação atual da cosmologia, a explicação desse fato ainda é altamente especulativa. Assim, o problema da seta do tempo continua sendo um dos mais profundos e fascinantes da física.

PROBLEMAS

12.1 No nível do mar, a composição volumétrica da atmosfera é: 21% de oxigênio e 78% de nitrogênio (há 1% de outros gases, principalmente argônio). Suponha (embora não seja uma boa aproximação!) que a temperatura do ar não variasse com a altitude, e que seu valor fosse de 10 °C. Nesse caso, qual seria a composição volumétrica da atmosfera a 10 km de altitude? (Tome 1 unidade de massa atômica = 1,66 $\times 10^{-27}$ kg).

12.2 Considere um gás hipotético para o qual a função $F(v)$ de distribuição de velocidades [definida na Seção 12.2(d)] tivesse a forma indicada na Figura P.1. Calcule em função de v_0 : (a) A constante de normalização A (figura). (b) Os valores de $< v >$, v_p e v_{qm} para essa distribuição.

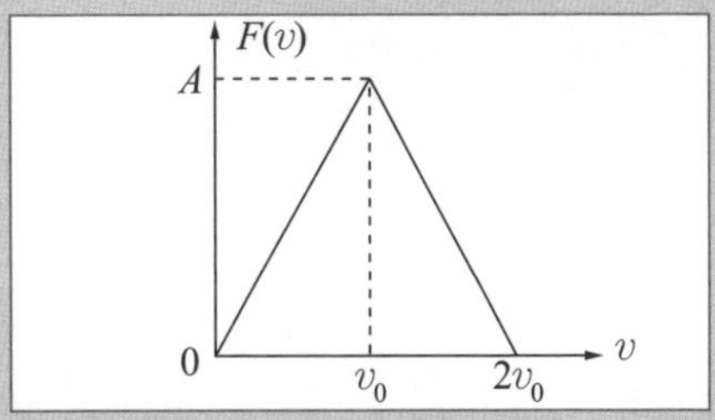

Figura P.1

12.3 Para um gás ideal em equilíbrio térmico, qual é a fração das moléculas cujas velocidades diferem em menos de 1% da velocidade mais provável v_p? Note que (Figura 12.7) podemos tomar $\Delta v \approx dv$ neste caso.

12.4 Para um gás ideal em equilíbrio térmico, calcule o valor médio da magnitude de uma componente da velocidade de uma molécula (numa direção qualquer). Compare-o com $<v>$.

12.5 Calcule a razão R entre $<1/v>$ e $1/<v>$ para um gás ideal em equilíbrio térmico.

12.6 Ache: (a) a *função de distribuição em energia* $F(E)$, tal que $F(E)\, dE$ é a fração das moléculas com energia entre E e $E + dE$, para um gás ideal em equilíbrio térmico à temperatura T. A partir dela, calcule: (b) A energia média $<E>$, comparando o resultado com $\frac{1}{2} m v_{qm}^2$; (c) a energia mais provável E_p, comparando o resultado com $\frac{1}{2} m v_p^2$.

12.7 Num feixe molecular, a densidade de corrente (número médio de moléculas por unidade de área e tempo), para moléculas com velocidades entre v e $v + dv$, é dada pela (12.3.3). Calcule v_p e E_p para as moléculas do feixe, comparando os resultados com os valores correspondentes v_p' e E_p' dentro do forno do qual o feixe é extraído.

12.8 Um gás ideal, cujas moléculas têm massa m, está em equilíbrio térmico, à temperatura T, dentro de uma ultracentrífuga de raio R, que gira com velocidade angular ω. (a) Ache a razão $\rho(R)/\rho(0)$ da densidade do gás junto às paredes à densidade no eixo da ultracentrífuga (Sugestão: use o conceito de "potencial centrífugo" discutido na Seção 1.4). (b) Calcule o valor numérico dessa razão se o gás é oxigênio, $T = 300$ K, $R = 10$ cm e a frequência de rotação é 10^3 rps.

12.9 Considere um gás ideal de N moléculas, em equilíbrio num recipiente de volume V. Calcule: (a) a probabilidade p_1 de encontrar todas as moléculas concentradas num volume $V/3$ (macroestado 1); (b) a probabilidade p_2 de encontrá-las todas num volume $2V/3$ (macroestado 2); (c) A probabilidade p de encontrar $N/3$ moléculas em $V/3$ e as demais no volume restante; (d) a diferença de entropia $\Delta S = S_2 - S_1$ entre os estados 1 e 2; (e) os valores numéricos de p_1, p_2 e p para $N = 9$.

Bibliografia

A relação de obras abaixo representa bibliografia adicional para o presente volume, devendo ser acrescida dos livros já relacionados no volume 1.

Livros-texto gerais

Bergman, L. e Schaefer, C.L., *Lehrbuch der Experimentalphysik,* W. de Gruyter & Co., Berlim (1958).

Frish, S. e Timoreva, A., *Curso de Física General* Editorial Mir, Moscou (1967).

Kronig, R. (ed.), *Textbook of Physics,* Pergamon Press, Londres (1954).

Mecânica dos fluidos

Batchelor, G. K., *An Introduction to Fluid Dynamics,* Cambridge University Press (1957).

Prandtl, L., *Essentials of Fluid Dynamics,* Blackie & Son, Londres (1952).

Prandtl, L. e Tietjens, O. G., *Fundamentais of Hydro-and Aeromechanics*, Dover, Nova York (1957).

Rutherford, D. E., Fluid Dynamics, Oliver and Boyd, Londres (1959).

Oscilações e ondas; acústica

Coulson, C. A., *Waves* (Berkeley Physics Course, vol. 3), McGraw-Hill, Nova York (1968).

Fleury, P. e Mathieu, J. P., *Vibrations Mécaniques, Acoustique,* Eyrolles, Paris (1955).

Fouillé, A., *Physique des Vibrations,* Dunod, Paris (1960).

French, A. P., *Vibrations and Waves,* W. W. Norton, Nova York (1971).

Poynting, J. H. e Thomson, J. J., *Sound,* Charles Griffin & Co., Londres (1927).

Wood, A., *Acoustics,* Blackie & Son, Londres (1940).

Termodinâmica e mecânica estatística

Bloch, E., *Théorie Cinétique des Gaz,* Librairie Armand Colin, Paris (1946).

Callen, H. B., *Thermodynamics,* J. Wiley, Nova York (1960).

Fabry, Ch., *Éléments de Thermodynamique,* Librairie Armand Colin, Paris (1950).

Fermi, E., *Thermodynamics,* Dover, Nova York (1956).

Jeans, J., *Kinetic Theory of Gases,* Cambridge Univ. Press (1967).

Kennard, E. H., *Kinetic Theory of Gases,* McGraw-Hill, Nova York (1938).

Landau, L. D. e Lifshitz, E. M., *Statistical Physics,* Pergamon Press, Londres (1958).

Leff, H. S., and Rex, A. F., *Maxwell's Demon 2,* IOP Publishing, Bristol (2003).

Lopes, J. L., *Introdução à Teoria Atômica da Matéria,* Ao Livro Técnico, Rio de Janeiro (1959).

Phillips, R., Kondev, J., e Theriot, J., *Physical Biology of the Cell,* Garland Science, New York (2009).

Pippard, A. B., *Classical Thermodynamics,* Cambridge Univ. Press (1966).

Planck, M., *Treatise on Thermodynamics,* Dover, Nova York (1943).

Reif, F., *Statistical Physics,* (Berkeley Physics Course, vol. 5), McGraw-Hill, Nova York (1965).

Roberts, J. K., *Heat and Thermodynamics,* Blackie & Son, Londres (1951).

Sears, F. W., *Thermodynamics,* Addison Wesley, Reading (1953).

Sommerfeld A., *Thermodynamics and Statistical Mechanics,* Academic Press, Nova York (1956).

Zemansky, M. W., *Heat and Thermodynamics,* 3rd ed., McGraw-Hill, Nova York (1951).

Clássicos, história e divulgação

Benade, A. H., *Horns, Strings and Harmony,* Doubleday & Co., Nova York (1960).

Huygens, C. e Fresnel, A., *La Teoria Ondulatoria de la Luz,* Ed. Losada, B. Aires (1945).

Magie, W. F, A *Source Book in Physics,* McGraw-Hill, Nova York (1935).

Pascal, B., *Oeuvres Complètes,* Hachette, Paris (1873).

Rayleigh, Lord (J. W. Strutt), *The Theory of Sound,* Dover, Nova York (1945).

Weinberg, S., *The First Three Minutes,* Basic Books, Nova York (1977).

Respostas dos problemas propostos

CAPÍTULO 1

1.1 $p_A = 0{,}75$ atm.

1.2 $p_1 - p_2 = \rho gh[1 + (d/D)^2]$.

1.3 $\theta = 14{,}4°$.

1.5 (a) $F = \frac{1}{2}\rho g l h^2$; C_0 está sobre a vertical mediana da comporta, a 1/3 da altura a partir da base. (b) 3,1 m.

1.6 (a) **F** vertical, para baixo; $|\mathbf{F}| = \rho ghab$. (b) **R** vertical, para baixo; $|\mathbf{R}| = \rho ghb\,(a - l\cos\theta)$ = peso total do líquido.

1.7 $H = \dfrac{4}{\pi\rho D^2}\left(m - \dfrac{Md^2}{D^2 - d^2}\right)$.

1.8 (a) $F = \pi d^2/4\ \Delta p$; (b) $F \approx 1.000$ kgf; 13 cavalos.

1.9 90%.

1.10 (a) Não se altera; (b) Desce.

1.11 $\rho_{rel} = V_0/(V_0 - Ah)$.

1.12 A coroa é de prata.

1.13 (a) 0,85 kgf; (b) 1,1 kg.

1.14 $h = 0{,}46$ m.

1.15 $a_{máx} = 1{,}96$ m/s^2.

1.16 (a) $\rho = 0{,}2$ g/cm^3; (b) 10,7 N.

1.17 40%.

1.18 628 kgf .

1.19 $p = p_0 + \rho_0 gh + \frac{1}{2}cgh^2$, onde p_0 é a pressão atmosférica na superfície.

1.20 O de alumínio; 3,65 g.

CAPÍTULO 2

2.1 0,24 l/s.

2.2 (a) $d = h$; (b) $h/2$.

2.3 3,96 m/s.

2.4 177 m/s.

2.6 $a_0 = -2\rho ghA/(M_0 + m_0)$ (ρ = densidade da água).

2.7 (a) 0,14 mm/s; (b) 0,39 mm/s; (c) $z = \frac{v^2}{2g}\left(\frac{\rho}{r}\right)^4$, onde z é a altura a partir do centro, v a velocidade de descida do nível e ρ a distância do eixo.

2.8 $\frac{\rho^2}{a^2} = \frac{v}{\sqrt{v^2 + 2gz}}$, onde $Q = \pi a^2 v$.

2.9 0,99 m/s.

2.10 $v = \sqrt{2gh\left(\frac{\rho_f}{\rho} - 1\right)}$.

2.11 $Q = \pi R^2 \sqrt{\frac{2gh(\rho_f - \rho)}{\rho\left[(R/r)^4 - 1\right]}}$.

2.12 (a) $v = \sqrt{2gh_1}$; (b) $p_A = p_0 - \rho gh_1$; $p_B = p_0 - \rho g\,(h_0 + h_1)$; (c) $h_{0,\text{máx}} = (p_0/\rho g) - h_1$.

2.13 (a) $2{,}75 \times 10^5$ l/dia; (b) 0,203 m/s.

2.14 190 km/h.

2.15 $p(r) = p_\infty - \frac{\rho C_r^2}{8\pi^2 r^2} = p_\infty - \frac{1}{2}\rho v^2$, onde p_∞ é a pressão p a grande distância ($r \to \infty$).

CAPÍTULO 3

3.1 $X = A \text{ sen } (\omega t)$; $\omega = \sqrt{k/(m+M)}$; $A = \frac{mv}{\omega(m+M)}$.

3.2 $z = l_0 + \frac{mg}{k}\left[1 - \cos\left(\sqrt{\frac{k}{m}}t\right)\right]$.

3.3 $x^2 = 0{,}02\cos\left(100t - \frac{\pi}{3}\right) = -x_1$ (em m); (b) Sim. Para $t = \frac{\pi}{120}$ s; (c) 0,04 J.

3.4 $\tau = 2\pi\sqrt{r/g}$.

3.5 (a) $A = \frac{mg}{k}\sqrt{1 + 2\frac{kh}{mg}}$; (b) $E = mgh + \frac{(mg)^2}{2k}$.

3.6 (a) $\tau_a = \pi R\sqrt{2M/K}$; (b) $\tau_b = \pi R\sqrt{M/K}$.

3.7 $\theta = 0{,}096 \text{ sen } (3{,}13\,t)$.

3.8 $A = \mu_e g\,(m + M)/k$.

3.9 $\omega = \sqrt{gA/V_0}$.

3.10 $\omega = 14\ s^{-1}$.

3.11 (a) 2,45 cm; (b) 2,04 cm.

3.13 $\omega = \sqrt{\frac{5}{7}\frac{g}{R}}$

3.14 $\tau_a = \tau;\ \tau_b = \frac{\sqrt{3}}{2}\tau.$

3.15 $s = \frac{l}{2\sqrt{3}} = \text{raio de giração};\ \tau_{min} = 2\pi\sqrt{\frac{l}{\sqrt{3}g}}.$

3.16 $\tau = \frac{4\pi}{3}\sqrt{\sqrt{3}/g}\ .$

3.17 $\pm\frac{\pi}{6}\pm\pi\ .$

3.18 $\omega_a = \sqrt{\frac{k_1+k_2}{m}};\ \omega_b = \sqrt{\frac{k_1 k_2}{m(k_1+k_2)}}$ [cf. **1**, Capítulo 5, Problema 8].

3.19 $\omega = \sqrt{\frac{g}{l}+\frac{k}{4m}}.$

3.20 $\omega = \sqrt{\rho A g(1+\cos\varphi)/M}.$

3.21 (a) k = 989 N/m; (b) $\nu = 1{,}24 \times 10^{14}\ s^{-1}$.

3.22 (b) $\cos(3a) = \cos^3 a - 3\cos a\ \text{sen}^2 a$; $\text{sen}(3a) = 3\cos^2 a\ \text{sen}\, a - \text{sen}^3 a$.

3.23 $x_1 + x_2 = \sqrt{3}\cos\left(\omega t - \frac{\pi}{3}\right).$

CAPÍTULO 4

4.2 $x \approx 0{,}25\ e^{-t}\ \text{sen}\ (20t)$.

4.3 (a) $\delta = \frac{1}{2}\gamma\tau$; (b) $\delta = (\ln 2)/n \approx 0{,}69/n$.

4.4 (a) $v_0 = 10$ m/s; (b) $x = e^{-t}(2 + 12t)$ (em m).

4.5 $z = z_0 + (v_0/\gamma)(1 - e^{-\gamma t})$, onde $\gamma = \rho/m$.

4.6 $z = z_0 + \left(\frac{v_0}{\gamma} - \frac{g}{\gamma^2}\right)\left(1 - e^{-\gamma t}\right) + \frac{g}{\gamma}t$; velocidade terminal = $\frac{g}{\gamma}$, onde $\gamma = \frac{\rho}{m}$.

4.7 $x(t) = \frac{F_0}{m\left(\omega_0^2 - \omega^2\right)}\left[\text{sen}\ (\omega t) - \frac{\omega}{\omega_0}\ \text{sen}\ (\omega_0 t)\right].$

4.8 $x(t) = \frac{F_0}{m\left(\omega_0^2 + \beta^2\right)}\left[\exp(-\beta t) - \cos(\omega_0 t) + \frac{\beta}{\omega_0}\ \text{sen}\ (\omega_0 t)\right].$

4.9 $z = 2{,}15 + 0{,}01\ \exp\ (-0{,}125\ t)\ [\cos\ (2{,}23\ t) + 0{,}056\ \text{sen}\ (2{,}23\ t)]$ (em m).

4.10 (a) $\omega_{max} = \sqrt{\omega_0^2 - \frac{\gamma^2}{2}};\ A_{max} = \frac{F_0}{\left(m\gamma\sqrt{\omega_0^2 - \frac{\gamma^2}{4}}\right)}$; (b) $\omega_{max} = \omega_0;\ (\omega A)_{max} = \frac{F_0}{m\gamma}.$

4.11 (a) $z = a[\text{sen}(\omega t) - (\omega/\omega_0)\text{sen}(\omega_0 t)]$; (b) $F = \text{mg} + k\,[z - A\,\text{sen}(\omega t)]$, onde $= \omega = 2\pi/\tau$ ($\tau = 1$ s); $\omega_0 = \sqrt{k/m}$; $A = 0{,}05$ m; $a = \omega_0^2 A/(\omega_0^2 - \omega^2) = 0{,}066$ m.

4.12 O bloco oscila com período $\tau = \dfrac{\pi}{5}\text{s} \approx 0{,}63$ s. A amplitude de oscilação decresce de 4,9 cm por semiperíodo. O bloco para na origem após 5 semiperíodos $\approx$ 1,57 s (tomando a origem na posição de equilíbrio).

4.13 $\bar{P} = \dfrac{1}{2}\omega F_0\,|b|$

4.14 $x_1 = 1{,}13\,\text{sen}\,(4{,}43t) - 0{,}34\,\text{sen}\,(14{,}8\,t)$; $x_2 = 1{,}13\,\text{sen}\,(4{,}43\,t) + 0{,}34\,\text{sen}\,(14{,}8\,t)$ (em cm).

4.15 $x_1 = \dfrac{v}{2}\left[\dfrac{\text{sen}(\omega_1 t)}{\omega_1} - \dfrac{\text{sen}(\omega_2 t)}{\omega_2}\right]$; $x_2 = \dfrac{v}{2}\left[\dfrac{\text{sen}(\omega_1 t)}{\omega_1} + \dfrac{\text{sen}(\omega_2 t)}{\omega_2}\right]$; $\omega_1 = \sqrt{\dfrac{k}{m}}$, $\omega_2 = \sqrt{\dfrac{k+2K}{m}}$

4.16 $x_1 = \dfrac{F_0}{m}\dfrac{k}{\left(\omega_0^2 - \omega^2\right)\left(\omega_1^2 - \omega^2\right)}\cos(\omega t)$; $x_2 = \dfrac{F_0}{2m}\dfrac{\left(\omega_0^2 + \omega_1^2 - 2\omega^2\right)}{\left(\omega_0^2 - \omega^2\right)\left(\omega_1^2 - \omega^2\right)}\cos(\omega t)$,

onde $\omega_0^2 = \dfrac{g}{l}$, $\omega_1^2 = \omega_0^2 + \dfrac{2k}{m}$

4.17 (a) $M\ddot{x}_1 = -k(x_1 - x_2)$; $m\ddot{x}_2 = -k(x_2 - x_3) - k\,(x_2 - x_1)$; $M\ddot{x}_3 = -k(x_3 - x_2)$,
(b) $\ddot{\xi} + (K + K')\,\xi = K'\,\eta$; $\ddot{\eta} + (K + K')\,\eta = K'\,\xi$, onde $K = k/M$, $K' = k/m$.
(c) $\omega_1^2 = K$; $\omega_2^2 = K + 2K'$. No modo 1, as massas M oscilam em relação a m com amplitudes opostas; no modo 2, m oscila em relação ao CM das outras. (d) $\omega_2/\omega_1 = \sqrt{11/3}$

4.18 (a) $\ddot{z}_1 + Kz_1 = Kz_2$; $\ddot{z}_2 + 2Kz_2 = Kz_1\left(K = k/m\right)$.
(b) $q = z_1 + \dfrac{1}{2}\left(\sqrt{5} - 1\right)z_2$; $q_2 = z_1 - \dfrac{1}{2}\left(\sqrt{5} + 1\right)z_2$.
(c) $\omega_1^2 = \dfrac{1}{2}K\left(3 - \sqrt{5}\right)$; $\omega_2^2 = \dfrac{1}{2}K\left(3 + \sqrt{5}\right)$.

CAPÍTULO 5

5.1 (a) $v = 10$ m/s; $\lambda = 2$ m; (b) $y = 0{,}03\cos\left(\pi x - 10\pi t + \dfrac{\pi}{3}\right)$; (c) $I = 0{,}44$ W.

5.2

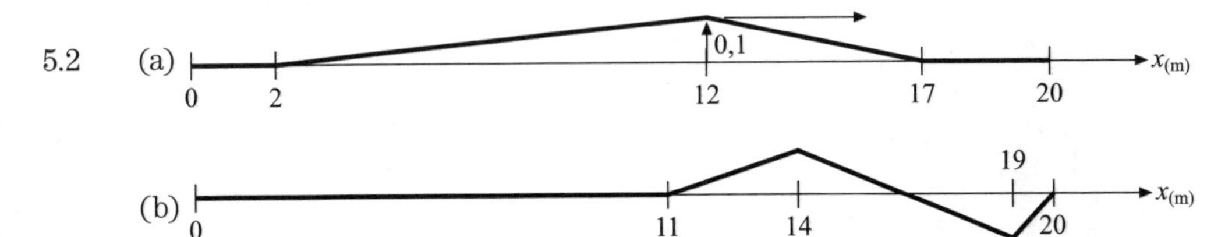

5.3 7,6.

5.4 0,91%.

5.6 (a) $y = 5{,}29 \times 10^{-3}\cos\,(2{,}23\,x - 628\,t + 1{,}24)$; (b) 9,8 W; (c) $I_{máx}/I_{min} = 9$.

5.7 (a) 0,3 m; (b) 3/4.

5.8 (a) $\nu_n = (2n + 1)\,v/(4l)$ ($n = 0, 1, 2, \ldots$).

5.9 $4\,l/v$.

5.10 $E_n = \pi^2\,\mu l \nu_n^2 b_n^2$.

5.11 (a) $v_i = \sqrt{T/\mu_i}$, $k_i = \omega / v_i \, (i = 1,2)$.

(d) $\tau = \dfrac{2v_2}{v_1 + v_2}$; $\rho = \dfrac{v_2 - v_1}{v_1 + v_2}(< 0 \text{ para } v_1 > v_2)$.

5.12 (a) $r = \left(\dfrac{v_1 - v_2}{v_1 + v_2}\right)^2$; $t = \dfrac{4v_1v_2}{(v_1 + v_2)^2}$; (b) O fluxo de energia incidente é igual ao fluxo de energia refletido mais o fluxo de energia transmitido.

CAPÍTULO 6

6.1 (a) 1.005 m/s; (b) $v_{He}/v_{ar} \approx 2{,}93$, o que transforma uma voz de baixo em voz de soprano.

6.2 (a) 103 db; (b) 4,2 N/m²; (c) 0,015 mm; (d) 6,3 m.

6.3 l = 32,5 cm; (b) $\Delta\nu$ = 4,5 Hz.

6.4 (a) 76 cm; (b) 1,5 cm; (c) 5 cm; (d) 334 m/s.

6.5 (a) aos nodos da onda estacionária de deslocamento; (b) $v = 2\nu\Delta l$; (c) 267,5 m/s.

6.7 (b) $\mathcal{P}' = \mathcal{P}$; (c) $p = 2\mathcal{P}\cos(k_x x)\cos(k_y y - \omega t)$, onda estacionária na direção x e caminhante na direção y.

6.9 Mínimos: 34 cm, 59 cm; máximos: 48 cm, 68 cm, além do máximo na origem, $I_{máx} = 9\, I_{mín}$.

6.10 Mínimos de intensidade nula nas direções θ_n dadas por:

$$d \text{ sen } \theta_n = n\lambda / 3 \left(n = 1,2,4,5,\ldots; \ \frac{n}{3} \neq \text{inteiro} \right).$$

6.11 35,3 km/h.

6.12 (a) 90 km/h; (b) 300 Hz.

6.13 15 km/h.

6.14 $|u| = \dfrac{\nu\Delta\nu}{2\nu_0 + \Delta\nu}$.

6.15 $\nu = \left(\dfrac{v - V + v_2}{v - V - v_1}\right)\nu_0$; $\nu' = \nu_0$.

6.16 $\nu = \nu_0\left(1 + \dfrac{u}{v}\cos\theta\right)$.

6.18 (a) 30°; (b) 981 m.

CAPÍTULO 7

7.1 Aumenta de 7,23 cm³.

7.2 $1{,}63 \times 10^{-5}$/°C.

7.3 R = 10 m; y = 1,125 mm.

7.4 (a) $1{,}9 \times 10^{-5}$/°C; (b) 19,6 °C.

7.5 l_1 = 47,9 cm; l_2 = 45,8 cm.

7.6 (a) $\frac{\rho}{\rho_0} \approx 1 - \beta(T - T_0)$; (b) $\beta = \frac{h - h_0}{h_0(T - T_0)}$; (c) $\beta = 1{,}5 \times 10^{-3}/°C$.

7.7 (a) $\Delta h = \Delta h_0(\beta - 2\alpha)$; (b) $\Delta h = 0{,}016$ mm.

7.8 (a) $h \approx \frac{4}{\pi}\frac{V_0}{d_0^2}(\beta - 3\alpha)(T - T_0)$; $d_0 \approx 0{,}062$ mm.

7.9 (a) $H_0 = 60{,}96$ cm; (b) $\delta H = 3{,}5$ mm.

CAPÍTULO 8

8.1 0,12 °C.

8.2 (a) $\overline{C}_V = 7{,}84 \times 10^{-2}$ cal/mol K; (b) 13,4 cal.

8.3 30,5 g.

8.4 (a) $1{,}5 \times 10^{22}$ J/dia; (b) 0,28 cm.

8.5 13,1°C.

8.6 0,59 cal/g °C.

8.7 250 W.

8.8 0,41 cal/g °C

8.9 4,17 J/cal.

8.10 Sim. 1,6 g.

8.11 (a) 51°C; (b) 211,5 g.

8.12 $k = \frac{l_1 + l_2 + l_3}{\frac{l_1}{k_1} + \frac{l_2}{k_2} + \frac{l_3}{k_3}}$.

8.13 $\frac{dQ}{dt} = 4\pi k \frac{r_2 r_1}{(r_2 - r_1)}(T_2 - T_1)$.

8.14 (a) $\frac{dQ}{dt} = \frac{2\pi k l}{\ln(\rho_2 / \rho_1)}(T_2 - T_1)$; (b) 5 h 48 min.

8.15 104,2 °C.

8.16 (a) $l = \sqrt{\frac{2kt\Delta T}{\rho L}}$; (b) 1,98 cm.

8.17 (a) $1{,}69 \times 10^5$ J; (b) $2{,}09 \times 10^6$ J.

8.18 (a) 150 J; (b) 300 J; (c) 350 J; (d) $W_{(fci)} = -200$ J; $Q_{(fci)} = -250$ J.

8.19

Etapa	*W*(J)	*Q*(J)	*U*(J)
ab	500	800	300
bc	-750	-950	-200
ca	0	-100	-100
Ciclo (abca)	-250	-250	0

CAPÍTULO 9

9.1 $1{,}35 \times 10^{-5}$ mol.

9.2 (a) 2,62 g; (b) 1,11 atm; (c) 0,15 g.

9.3 (a) 0,174 kg/m^3; (b) 3,511; (c) 54,4 J, (d) 81,6 J; (e) 136 J.

9.4 (a)

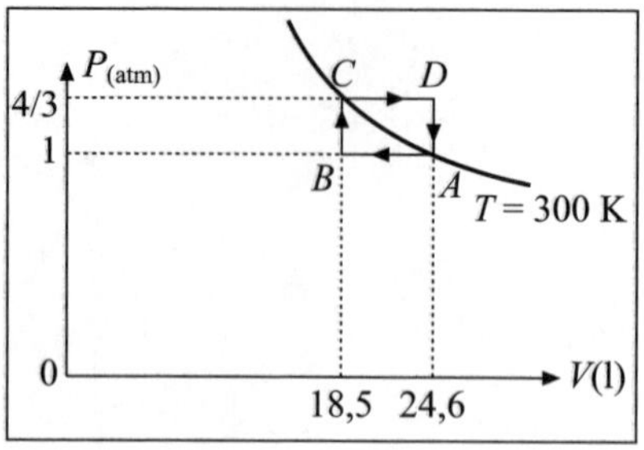

(b) 208 J

(c) 624 J

(d) $T_{máx} = 400$ K

$T_{mín} = 225$ K

(e) $\Delta U = 0$

9.5 (a)

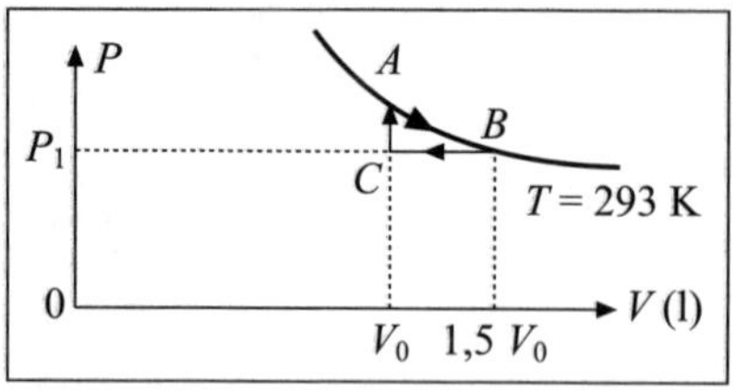

(b) 176 J

9.6 (a)

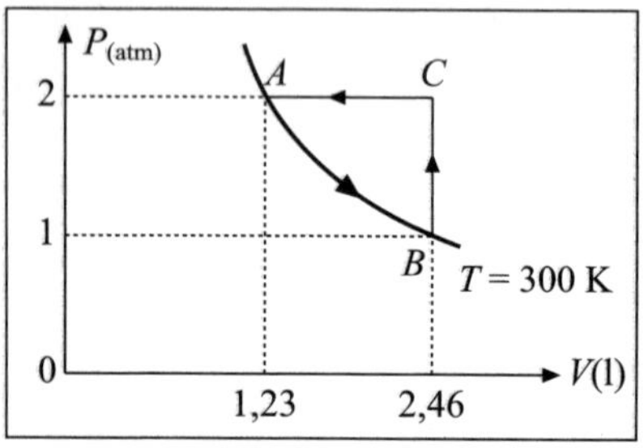

(b)

Processo	ΔW (J)	ΔQ (J)	ΔU (J)
AB	173	173	0
BC	0	374	374
CA	-249	-623	-374
Ciclo	-76	-76	0

9.7 (a)

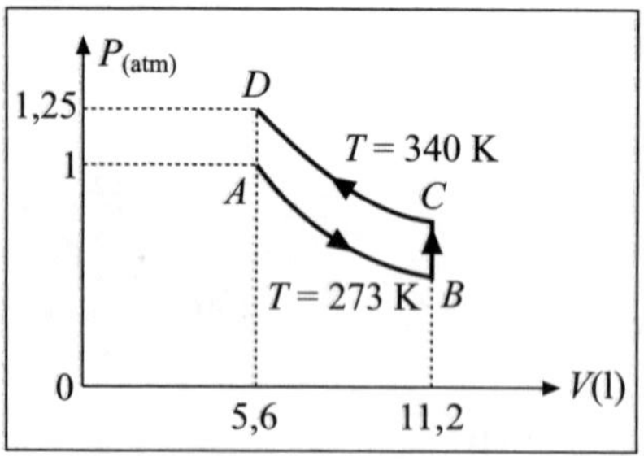

(b)

Processo	ΔU (J)	ΔW (J)
(i) AB	0	393
(ii) BC	209	0
(iii) CD	0	-490

9.8 $W = R(T_2 - T_1) + RT_2 \ln\left(\dfrac{P_0V_0}{RT_2}\right) - RT_1 \ln\left(\dfrac{RT_1}{P_0V_0}\right).$

9.9 (a) –164 °C; (b) 2045 J.

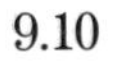

9.10 (a)

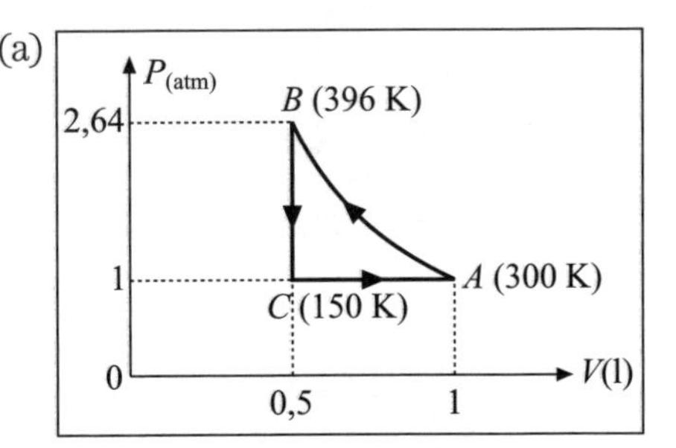

(b) –30,2 J

(c)

Processo	ΔU (J)	ΔQ (J)
AB	+80,9	0
BC	-207,5	-207,5
CA	+126,6	177,32

9.11

Processo	Volume final	T_{final}(K)	ΔW	ΔU
(i)	V_i	145	0	-3.014
(ii)	$2V_i$	290	1671	0
(iii)	1,64 Vi	238	1083	-1083
(iv)	$2V_i$	290	0	0

9.12 (a) $\tau = \frac{2}{a^2}\sqrt{\frac{mV}{\gamma P}}$, onde $P = P_0 + \frac{mg}{\pi a^2}$; (b) $\gamma = 1{,}4$.

9.13 (a) 4,48 atm; 150 K; (b) $\gamma = 7/5$, $C_V = \frac{5}{2}R$, $C_P = \frac{7}{2}R$; (c) –2,557 J; (d) –847 J.

CAPÍTULO 10

10.2 64,4%.

10.3 $K = \frac{T_2}{T_1 - T_2}$; (b) $K = \frac{1-\eta}{\eta}$; (c) $4{,}7 \times 10^5$ J; 1,4 kg.

10.4 (a) $T_A = 240{,}6$ K; $T_B = 481$ K; $T_C = 722$ K; $T_D = 361$ K. (b) $\eta = 1/12 \approx 8{,}3\%$; (c) $\eta_C = 2/3 \approx 66{,}7\%$.

10.5 (a) 8%; (b) $1/3 \approx 33{,}3\%$.

10.6 (a) $\eta = \frac{1}{3} - \frac{1}{3\gamma}$; (b) $\eta_C = \frac{3}{4}$.

10.7 (a) $\eta = 1 - \frac{(\gamma-1)\ln r}{\left(r^{\gamma-1} - 1\right)}$; (b) $\eta = 1 - \frac{\ln\rho}{\rho - 1}$; (c) $\eta = 13{,}2\%$; (d) $\eta/\eta_C = 54{,}5\%$

10.8 (b) 60%.

10.9 (b) $\eta = 56\%$; (c) $\eta_C = 89\%$.

10.10 (b) 48%.

10.11 $\eta = 1 - \frac{T_2}{\frac{1}{2}(T_1 - T_3)} < \eta_C = 1 - \frac{T_2}{T_1}$

10.12 $s = 6{,}97 \times 10^{-6}\, T^3$ cal/mol K.

10.14 $\Delta S = 2.079$ cal/K = 8.702 J/K.

10.15 $\Delta S = 0{,}52$ J/K.

10.16 (a) 8 °C; (b) 10,2 cal/K.

10.17 (a) 0; (b) 306 cal/K (irreversível).

10.18 $\Delta S = 1{,}04 \times 10^4$ J/K; $\Delta W = 3{,}02 \times 10^6$ J.

10.19 (a) –241 cal/K; (b) 31,6 cal/K.

CAPÍTULO 11

11.1 2×10^{-4} N/m^2.

11.2 $3{,}22 \times 10^4$ moléculas/cm^3.

11.4 (a) $3{,}35 \times 10^{22}$ moléculas/cm^3; $3{,}1 \times 10^{-8}$ cm; (b) $1{,}97 \times 10^{19}$ moléculas/cm^3; $3{,}7 \times 10^{-7}$ cm; (c) 719 m/s.

11.5 0,21 atm (O_2) e 0,78 atm (N_2).

11.6 $x = 30\%$.

11.7 $v_{\text{qm}} = 2{,}2$ km/s; $v_{\text{escape}} = 2{,}4$ km/s.

11.8 2.

11.9 1,4 cm/s.

11.10 (a) $\gamma = \dfrac{7+3x}{5+x}$; $\gamma = \dfrac{7}{5}(x=0)$; $\gamma = \dfrac{5}{3}(x=1)$; (b) $x = \dfrac{1}{3} = 33\%$.

11.11 (a) 1,85 atm; (b) $C_V = 2{,}17\,R$; $C_P = 3{,}17\,R$; $\gamma = 1{,}46$.

11.12 $\omega_{\text{qm}} = 2{,}5 \times 10^{12}$ rad/s.

11.13 (a) $2{,}18 \times 10^{-8}$ cm; (b) $7{,}18 \times 10^9$ colisões/s.

11.14 $1{,}59 \times 10^{-6}$ cm.

11.15 $\left(\pi + \dfrac{3}{\omega^2}\right)(3\omega - 1) = 8\tau.$

11.16 $W = a\left(\dfrac{1}{\mathrm{v}_i} - \dfrac{1}{\mathrm{v}_f}\right) + RT\ln\left(\dfrac{\mathrm{v}_f - b}{\mathrm{v}_i - b}\right)$ (1 mol).

11.17 $2{,}56 \times 10^{-8}$ cm; (a partir de ρ_C).

11.18 (a) $a = 3{,}6$ atm × l^2/(mol)^2; $b = 0{,}043$ l/mol; (b) $\rho_C = 0{,}34$ g/cm^3;(c) 44,8 atm; (d) 34,6 atm; (e) 42%.

CAPÍTULO 12

12.1 18,4% de O_2 e 80,6% de N_2.

12.2 (a) $A = \dfrac{1}{v_0}$; (b) $\langle \mathrm{v} \rangle = \mathrm{v}_p = \mathrm{v}_0$; $\mathrm{v}_{\text{qm}} = \sqrt{\dfrac{7}{6}}\mathrm{v}_0$.

12.3 1,66%.

12.4 $\sqrt{\dfrac{2kT}{\pi m}} = \dfrac{1}{2}\langle \mathrm{v} \rangle = 2\langle w^+ \rangle$ [cf. (12.2.28)].

12.5 $R = 4/\pi \approx 1{,}27$.

12.6 (a) $F(E) = \frac{2}{\sqrt{\pi}} \frac{\sqrt{E}}{(kT)^{3/2}} e^{-\frac{E}{kT}}$; (b) $\langle E \rangle = \frac{3}{2}kT = \frac{1}{2}m\text{v}_{\text{qm}}^2$; (c) $E_p = \frac{1}{2}kT \neq \frac{1}{2}m\text{v}_p^2 = kT$.

12.7 $\text{v}_p = \sqrt{\frac{3kT}{m}}$ (feixe) $>$ $\text{v}_p' = \sqrt{\frac{2kT}{m}}$ (forno).

$E_p = kT$ (feixe) $>$ $E_p' = \frac{1}{2}kT$ (forno).

12.8 (a) $\frac{\rho(R)}{\rho(0)} = \exp\left(\frac{m\omega^2 R^2}{2kT}\right)$; (b) $\frac{\rho(R)}{\rho(0)} \approx 12{,}6$.

12.9 (a) $p_1 = \left(\frac{1}{3}\right)^N$; (b) $p_2 = \left(\frac{2}{3}\right)^N$; (c) $p = \binom{N}{N/3}\left(\frac{1}{3}\right)^{N/3}\left(\frac{2}{3}\right)^{2N/3}$ onde $\binom{N}{n}$ é definido pela (12.5.1) (supondo $N/3$ inteiro); (d) $\Delta S = Nk \ln 2$; (e) $p_1 = 5{,}1 \times 10^{-5}$; $p_2 = 2{,}6 \times 10^{-2}$; $p = 0{,}273$.

Índice alfabético

A

B

C

D

E

F

G

H

I

J

L

M

N

O

P

Q

R

S

T